Louis Gardet

LES HOMMES DE L'ISLAM

Approche des mentalités

EDITIONS COMPLEXE

Historiques

DU MÊME AUTEUR

La pensée religieuse d'Avicenne, Paris, Vrin, 1951.
Expériences mystiques en terre non chrétienne, Paris, Alsatia, 1954; trad. allemande et italienne; (épuisé).
La Cité musulmane, vie sociale et politique, Paris, Vrin, 1954, 4e édition (second tirage) 1981.
Connaître l'Islam, Paris, Fayard, 1958; trad. allemande, anglaise, espagnole, italienne, néerlandaise; (épuisé).
Les Grands Problèmes de la théologie musulmane : Dieu et la destinée de l'homme, Paris, Vrin, 1957.
L'Islam, religion et communauté, Paris, Desclée De Brouwer, 1967, 2e édit. 1970, 3e édit. 1978 second tirage, 1982; trad. allemande, néerlandaise et persane.
La Mystique, Paris, P.U.F., coll. « Que sais-je? », 2e édit. mise à jour, 1981.
Études de philosophie et de mystique comparées, Paris, Vrin, 1972.
Ouvrir les frontières de l'esprit, Paris, Le Cerf, 1982.

En collaboration avec Georges C. Anawati :

Introduction à la théologie musulmane, Paris, Vrin, 1948, 2e édit. 1970: trad. arabe, 3 vol., Beyrouth, 1969.
Mystique musulmane — aspects et tendances, expériences et technique Paris, Vrin, 1961, 3e édit. 1977; trad. italienne.

En collaboration avec Mohammed Arkoun :

L'Islam — Hier, Demain, Paris, Buchet /Chastel, 1978, 2e édit. 1982.

En collaboration avec Olivier Lacombe :

L'expérience du Soi, Paris, Desclée De Brouwer, 1981.

SOMMAIRE

Transcription de l'arabe

Les conditions actuelles de l'édition ne nous ont pas permis, à notre vif regret, d'adopter un système scientifique, ni même semi scientifique, pour translittérer les mots arabes ou venus de l'arabe. Nous n'avons pu, en particulier, distinguer les lettres emphatiques. Nous nous en excusons beaucoup auprès de nos lecteurs. Du moins avons-nous rétabli dans les Index les lettres diacritées, signes des emphatiques.

De même, nous avons laissé aux mots les plus courants, tels

que Coran (Qur'ân), Calife (Khalîfa), Bagdad (Baghdâd), etc., leur forme francisée devenue habituelle.

Enfin, en ce qui concerne les noms propres d'auteurs arabes contemporains, nous avons respecté l'orthographe par eux choisie. Ainsi : Hussein (et non Husayn), Madkour (et non Madhkûr), etc.

N.B. — Le sigle EI^1 signifie *Encyclopédie de l'Islam*, 1re édition; et le sigle EI^2, *Encyclopédie de l'Islam*, 2e édition.

PRÉLIMINAIRES

Le présent ouvrage voudrait s'efforcer de répondre à une question souvent posée : comment furent vécues, au cours des siècles, les valeurs que l'Islam revendique pour siennes, quelles furent les mentalités des hommes de l'Islam, au gré des pays, des couches sociales, des périodes historiques?

Une étude de ce genre est toujours délicate. C'est une réalité fluente qu'elle tâche de cerner, et où de multiples facteurs entrent en jeu. Une tentation de facilité serait de tout expliquer par des conditionnements ethno-socio-économiques. Mais voici qu'est là, présent, le fait de l'Islam, cette commune référence dont se recommandent les peuples les plus divers. Superstructure, sécrétée peut-être par le concret des conditions de vie? Ou, au contraire, idée-force fondamentale qui s'empare de ce concret lui-même, et qui, sans en détruire les irréductibles diversités, — comment serait-ce possible? — le refaçonne, le colore et l'oriente?

Nous essaierons de cerner quelques éléments des perspectives ainsi ouvertes. Elles supposent connus, au moins dans leurs grandes lignes, les arrière-plans économiques, diversifiés au gré des époques, et les innombrables événements historiques, guerres, conquêtes, défaites, invasions, qui commandèrent l'existence de tant d'Empires ou d'États. Sans les traiter pour eux-mêmes, donc sans faire œuvre d'historien au sens strict, nous aurons à les évoquer en cours de route, à en dessiner le contour.

« Le monde de l'Islam »

L'Islam est né, voici bientôt quinze siècles, dans un grand centre caravanier, en cette « vallée stérile » de la Mekke, comme dit le Coran (14,37). Il fait dater son ère chronologique d'un « expatriement » (*hijra*, hégire), quand le Prophète Muhammad, suivi par une poignée de fidèles, dut quitter sa tribu et sa ville pour trouver refuge et protection dans l'oasis de Yathrib, la future Médine.

Un centre caravanier, animé par un commerce actif, et par des foires qui sont des fêtes, à la fois commerciales, culturelles et religieuses; où les tribus nomades se mêlent aux citadins, à des citadins voués au commerce, et toujours un peu nomades eux aussi; une oasis, ses palmiers et ses cultures, qu'anime le va-et-vient des tribus... Les premiers Compagnons, expatriés de la Mekke, et les Défenseurs qui les reçurent à Médine, réunis en une seule communauté autour du Prophète, resteront pour les siècles, le prototype, — et, un en sens, l'archétype, — de l'homme musulman, à quelque pays, race, destin historique ou condition sociale qu'il appartienne.

Il serait fort inexact de dire sans nuance, comme l'affirmaient encore aussi bien Renan que Marx, que l'Islam est « la religion du désert ». Le désert est là, certes, en filigrane, à la fois présence, hantise et nostalgie, mais il est devenu très vite lieu de passage entre des centres urbains organisés, et non le milieu de vie des peuples de l'Islam. Au cours des siècles, les vrais nomades, les Bédouins qui ne sont chez eux que sous la tente, dont la patrie est, non la terre « où dorment les ancêtres », mais les routes de transhumance des troupeaux, les Bédouins furent plus d'une fois regardés comme d'assez tièdes croyants. Le Coran s'en plaint déjà : « Les Bédouins disent : " Nous croyons. " — Dis-leur : " Vous ne croyez pas! Mais dites : nous avons fait profession d'Islam. " La foi n'est pas entrée dans vos cœurs! » (49,14). C'est que la vie musulmane, comme telle, est essentiellement communautaire. Et pour être menée selon toutes ses exigences, elle demande un minimum de groupement et d'organisation.

Les premiers centres musulmans, d'où partit le rayonnement de l'Islam, furent d'abord des villes marchandes au croisement des routes de caravane, villes encerclées de désert, donc, et situées en rupture abrupte avec le désert, non en continuité avec une campagne environnante. La structure typique des premières villes musulmanes, leurs organisations professionnelles et le regroupement de leurs quartiers, trouvent là leur explication. Nous y reviendrons. Urbaines furent les classes des grands marchands, des petits commerçants, des artisans... Assez vite, cependant, l'Islam sut conquérir, et par le dedans des cœurs, de vieilles populations rurales : en Mésopotamie, en Égypte et au Maghreb par exemple. Il conquit aussi les régions montagneuses de l'Iran ou de l'Afghânistân, puis les îles de l'Insulinde et de l'Indonésie, de vastes régions de brousse africaine. Les villages, — villages agricoles des plaines, villages de montagne, de pêcheurs, de brousse, — furent, eux aussi, des centres actifs de vie musulmane : tantôt dépendant des villes, tantôt repliés en quasi-autarcie. Villes, villages, et, à l'horizon, la survivance des oasis et des campements nomades, c'est une multiplicité de conditions sociales, au gré des lieux et des âges historiques, que nous rencontrerons.

Aujourd'hui, le « monde de l'Islam » se présente comme un ensemble de quelque sept cent cinquante à huit cents millions de musulmans. Il dessine sur la carte de la terre un large demi-cercle, de Dakar à l'Insulinde, évocateur de cet *hilâl,* ce croissant de la lune en son premier quartier, qui devint au cours des âges comme le symbole de l'Islam. Et sa diaspora se prolonge en Chine populaire, dans le Sud de l'U.R.S.S., parmi les travailleurs immigrés de l'Europe occidentale. En ce vaste ensemble, une sorte de *leadership* continue de revenir aux peuples arabes et arabisés. Relativement peu nombreux sont les Arabes proprement dits (vingt millions peut-être?); mais les « arabisés », ceux qui se veulent et se sentent arabes, qui ont fait leurs la langue et le destin historique des Arabes, — Égyptiens de lointaine origine copte, Arabo-Berbères du Maghreb, — se joignent à eux en un groupe compact de cent vingt millions d'âmes environ. Plus nombreux sans doute (quelque cent cinquante ou deux cents millions), les musulmans de l'Inde et du Pâkistân pris en un tout; presque aussi nombreux ceux de l'Indonésie, et bientôt ceux de l'Afrique sub-saharienne. Et voici les groupes de musulmans iraniens (vingt-cinq ou trente millions), turcs (vingt millions), qui donnèrent respectivement naissance à des réussites politiques et culturelles qui furent, dans la culture universelle, des temps d'apogée. Certains de ces peuples (Iraniens, Indiens, Coptes, Mésopotamiens) avaient eu un glorieux passé avant l'Islam; leur culture ancestrale s'ouvrit aux ferments nouveaux, ou s'abolit en eux. D'autres (Arabes, Berbères, certaines régions d'Afrique) sont redevables à l'Islam de l'épanouissement des cultures inchoatives dont ils étaient porteurs.

idée d'action

Multiples sont donc les ethnies, les langues véhiculaires, les destins historiques. Parler de « l'homme musulman », au singulier, ne serait guère que tracer un portrait-robot, où les réalités existentielles s'estomperaient, seraient trahies au profit d'une *Imago* reconstruite *a priori*. Devant les diversités de fait, est-il même possible de parler *des* hommes *musulmans?* L'Islam suscita-t-il, ou contribua-t-il, à former un type d'hommes ou certains types d'hommes, dont le ou les dénominateurs communs informent et colorent les différences concrètes, si grandes qu'elles puissent être? Ou n'intervient-il que comme ferment spirituel, qui détermine sans doute des options profondes, mais laisse intactes les mentalités de base, et les comportements quotidiens? Essayons, avant toute enquête, de mieux cerner le problème tel qu'il est posé dans les faits.

La dialectique unité-diversité

L'Islam, faut-il le redire, entend être, est à la fois, religion, communauté, civilisation, culture. Il est, d'une même venue, religion et organisation politico-sociale, *dîn wa dawla*. Cette affirmation revient maintes fois sous la plume des docteurs de l'Islam; elle fut et reste jusqu'à nos jours profondément ancrée dans la subjectivité des peuples.

L'Islam, aimait à dire Louis Massignon, est un « vouloir vivre ensemble », en application de la grande affirmation coranique : « Les croyants sont frères. » (49,10). Il se présente comme un universalisme : « Nous t'avons envoyé à la totalité des hommes. » (*Coran*, 34,28). Et voici qu'un *hadîth* c'est-à-dire une parole attribuée au Prophète, mettant en garde contre toute tentation d'orgueil racial, souligne, face à la proclamation de l'Islam, la relativité des différences ethniques : « Les hommes sont égaux entre eux comme les dents du peigne du tisserand; pas de différence entre le Blanc et le Noir, entre l'Arabe et le non-Arabe, si ce n'est leur degré de crainte de Dieu. »

Or, c'est dans le concret de la vie que cette égalité-fraternité doit être assumée. Car l'Islam *est* Communauté, la « Communauté du Prophète », *ummat al-nabî*, instituée par Dieu : « Vous êtes la communauté *(umma)* la meilleure qui ait surgi pour les hommes : vous commandez le bien, vous interdisez le mal, vous croyez en Dieu. » (*Coran*, 3,110). Le rêve d'une communauté unifiée devant Dieu et devant les hommes traversa les siècles. Il demeure vivace jusqu'en la mentalité populaire, beaucoup moins, semble-t-il, comme le rêve d'un super-État au sens juridique, que comme une réalité de vie et de comportement, aussi bien sur le plan temporel des faits politiques, culturels, socio-économiques, que sur le plan spirituel des valeurs de foi. Dans le cœur de tout musulman sincère, de tout homme « bon et pieux », demeure une aspiration à l'unité dont le dynamisme profond se joue de tous les désaccords et de tous les antagonismes, si violents soient-ils.

Car, antagonismes et désaccords, et même simples divergences, ne cessèrent et ne cessent d'opposer entre eux des pays musulmans. *Umma* désigne par antonomase « la Communauté du Prophète »; mais c'est le même mot qui fut choisi pour désigner la Nation au sens moderne du terme [1]. L'emploi du pluriel est alors fréquent : *les* Nations, *al-umam*. Il est à noter qu'un synonyme de *umma*, en cette acception précise, est *qawm*, la Nation également, et que *qawm* désigne étymologiquement un groupe limité d'hommes. Quels furent, au cours des siècles, les rapports entre la « Communauté du Prophète » et les « Nations » qu'elle entend assumer? Le ou les facteurs principaux qui contribuèrent à former un ou des types d'hommes, doivent-ils être recherchés d'abord dans le principe d'unité, ou d'abord dans les diversités qui parfois s'harmonisent, mais bien souvent s'opposent?

En fait, une dialectique « unité-diversité » ne cessa d'agir au sein du monde de l'Islam, aussi bien dans la vue d'eux-mêmes que prenaient les Musulmans que dans la réalité des faits. Des théologiens, des juristes, et ceux qui, tel Mâwardî (xe-xie siècles), s'essayèrent à une élaboration de philosophie politico-sociale, mirent l'accent sur l'unité, sur la vocation à l'unité de la Communauté musulmane. D'autres, historiens, annalistes, géographes, et jusqu'au sociologue Ibn Khaldûn (xive siècle), multiplient des descriptions fort concrètes de sociétés, de villes, de pays, — et la diversité est ce qui apparaît d'abord. Certains le constatent simplement, sans jugement de valeur. Mais les « Réformateurs » de chaque siècle le déplorent, évoquant, non sans regret, cet « idéal historique concret » que furent à leurs yeux les tout premiers temps de l'Islam, et que reste, dans leur espoir, la vraie Cité musulmane à recontruire.

Faut-il ajouter qu'il est fort rare que ce soit la « thèse » unité qui frappe d'abord l'observateur étranger? Des historiens ou sociologues, entraînés aux disciplines des « sciences humaines », seront extrêmement sensibles, « sur le terrain », aux évidentes particularités des peuples et des cultures, aux luttes antagonistes qui bien souvent les opposent, aux multiples façons dont la « vie musulmane » se poursuit au gré des catégories sociales, des réalités économiques, des conditions politiques, des évolutions historiques. Tout, ou presque tout, s'expliquerait dès lors par l'entrelacs des causes contingentes et des conditionnements. La « Communauté du Prophète » ne serait-elle qu'une utopie forgée par des « hommes de cabinet », qui put être, un temps, une idée-force justifiant et masquant les enjeux politiques, mais qui, lentement, sous l'impact des nécessités de l'âge moderne, tombe dans l'oubli?

Une telle analyse, à notre sens, resterait fort incomplète. Pour sciences d'observation qu'elles soient, les sciences humaines se doivent d'être aussi « sciences d'interrogation »... Connaître la vie et la mentalité d'un groupe d'hommes, d'un peuple, d'un ensemble de peuples, ce n'est pas seulement les observer du dehors, c'est aussi les rejoindre par une sorte de naturalisation spirituelle. Telle est d'ailleurs la condition d'une vraie lucidité. Et l'on s'aperçoit alors que la portée de bien des conditionnements socio-économiques, et de leurs aventures au cours des siècles, dépend pour une bonne part de la vision du monde accueillie par les peuples eux-mêmes, et de leur capacité de « questionnement ».

Cette dialectique unité-diversité est-elle, dans le comportement des peuples d'Islam, le signe d'un brutal décalage entre le droit et le fait? Et les docteurs de la loi, respectés sans doute, mais assez peu écoutés, construiraient *a priori* le droit, tandis que le fait sollicite seul, dans sa réalité existentielle, l'historien ou le sociologue? Deux remarques nous semblent devoir relativiser une telle vision des choses, qui n'est peut-être qu'un problème mal posé.

1. Les penseurs musulmans, même les plus soucieux du pouvoir unificateur de la « Communauté du Prophète », n'ont cessé de reconnaître le chatoiement des diversités. Fréquentes sont les références à l'*iqlîmiyya*, que l'on peut traduire sommairement par « régionalisme ». Cette notion se fit jour dans les âges classiques, dès que les conquêtes militaires ou pacifiques eurent intégré dans la Communauté l'afflux des peuples non arabes. Son origine étymologique semble bien venir du *klima* grec [2] : cette découpure de la terre en larges zones, à la fois « climatiques » et socio-culturelles, et qui déterminent les conditions de vie (et donc, pour une large part, le comportement quotidien). Ce fut l'un des axes de référence d'Ibn Khaldûn, cependant que la question sera de nouveau débattue lors de l'éphémère unification politique de l'Égypte et de la Syrie [3]. Au surplus, la fidélité aux traditions et coutumes de vie, qui fut si longtemps maintenue parmi les peuples d'Islam, entraîne presque toujours un attachement très vif au milieu d'origine, tribu, village, ville ou pays. Un musulman se sentira tout ensemble membre de ce grand Tout qu'est la Communauté du Prophète, et très dépendant du groupe restreint que délimite autour de lui le facteur « régionalisme ». Il revendiquera sa spécificité, et s'opposera, au besoin par la force, aux autres groupes. Mais face aux non-musulmans, il n'hésitera pas à s'affirmer « frère » de ceux-mêmes qu'il combat.

2. Quels que soient en effet ses conditionnements de lieu ou de temps, quelles que soient ses difficultés d'adaptation concrètes, un musulman se sentira toujours « chez lui » en tout pays d'Islam

où il se trouve. Cette réalité-là fut pendant longtemps juridiquement authentifiée en quelque sorte par une règle du droit (*fiqh*) : aux yeux des autorités locales, un voyageur musulman n'est jamais « étranger », si lointaine que puisse être sa terre d'origine. Les conditions de la vie moderne ne sont pas, il est vrai, sans battre en brèche cette donnée de la juridiction classique. Les Réformistes contemporains le constatent, non sans nostalgie du passé : « Le Turc, jadis, écrivait Rashîd Ridâ (mort en 1935), lorsqu'on lui demandait sa nationalité, répondait : " Je suis musulman, grâce à Dieu. " C'est par là qu'il se distinguait du Grec et de l'Arménien. Il répond aujourd'hui qu'il est Turc [4]. » Mais l'évolution du droit international répond-elle pleinement à la réalité vécue au fond des cœurs? On nous permettra de citer un simple fait, parmi bien d'autres. Un étudiant en pharmacie pâkistânais, poursuivant des études en France, — un pays qu'il reconnaissait aimer, et dont les conditions de vie lui plaisaient, — dut aller faire un stage de botanique au Maroc. Au retour, il avoua à ses amis français son étonnement et sa joie de s'être retrouvé « chez lui » en terre maghrébine. Ni l'ethnie, ni la langue, ni le destin historique du peuple dont il venait d'être l'hôte, n'étaient les siens. Mais un comportement existentiel à l'égard du monde, des hommes et de Dieu répondait à sa propre vision des choses, et relativisait singulièrement les différences de base.

A bien voir, la dialectique unité-diversité se présente beaucoup plus, dans la mentalité des peuples d'Islam, comme un élan dynamique que comme une tension déchirante. Il faudra tenir compte de ces diversités au cours de notre enquête. Mais nous devrons aussi, à chaque étape, nous interroger sur la force maintenue des dénominateurs communs, qui les regroupent, et en un sens, les finalisent.

Esquisse d'une typologie socio-culturelle

L'enquête que nous entreprenons ne sera pas une « galerie de portraits ». Ce ne sont pas les mentalités de quelques grands hommes de l'Islam que nous chercherons à cerner : tâche relativement aisée sans doute, mais assez peu signifiante de ce que fut, en sa réalité même, la vie concrète et quotidienne. Ce sont le peuple et les peuples des terres d'Islam que nous voudrions pouvoir interroger. Et les mentions, fréquentes, que nous serons amené à faire des « grands hommes » n'interviendront que dans la mesure où les œuvres qu'ils nous laissèrent, et leur personnalité, furent à la fois le guide et le reflet du comportement d'un peuple donné, ou d'une catégorie sociale donnée, à divers moments de l'histoire.

Une mentalité est composée de facteurs multiples. Nous proposerions de la distinguer ici du tempérament et du caractère. Tempérament et caractère sont étroitement liés à des facteurs psychosomatiques où l'ethnie et l'hérédité jouent souvent le premier rôle : donc facteurs, les uns collectifs, les autres individuels, mais où la marge de libre choix est fort réduite. On peut se forger sans doute, dans une certaine mesure, un tempérament ou un caractère, mais sur des bases déjà existantes, et qu'il serait vain de vouloir transformer entièrement.

La mentalité, elle, relève beaucoup plus de valeurs psycho-éthico-sociales. Une grande diversité de tempéraments et une grande diversité de caractères peuvent se retrouver, se retrouvent en fait, dans une même mentalité. Elle est beaucoup plus œuvre humaine, œuvre collective humaine. Et si l'on peut, dans une certaine mesure, se *forger* un tempérament ou un caractère, beaucoup plus souple est la *formation* d'une mentalité. Si elle n'est pas totale liberté, c'est que toute l'éducation reçue y a contribué pour une très large part; et c'est pourquoi il reste possible à la limite de la récuser, la modifier, voire la transmuer. On ne saurait la dire héréditaire au sens strict : elle ne le devient que dans la mesure où l'éducation réassume moralement l'héritage reçu.

Une mentalité est comme le reflet de la vie du groupe en chacun des membres qui la compose. Elle présuppose donc l'appartenance à un groupe — à une culture, à une civilisation — que l'on accepte, dont on est fier le plus souvent. Elle est une vision du monde, elle commande le comportement quotidien. Elle est à la fois œuvre d'intelligence et expression de la sensibilité. Des conditions historiques ou politiques la modifient sans doute; mais il s'agit moins là de la matérialité d'un conditionnement, que de la réfraction, en chacun des individus et dans le groupe comme tel, d'une capacité humaine à s'intégrer à un milieu de vie, pour l'assumer ou le combattre, et transformer en valeurs les limites qu'il impose ou les virtualités qu'il offre.

Toute religion, personnellement et collectivement vécue, façonne une mentalité. Ce sera particulièrement vrai pour l'Islam, du fait même que l'Islam entend présenter au croyant non tant une organisation politique précise, comme on l'a dit et cru parfois, qu'un « code de vie ». Le domaine des « relations sociales » *(mu'âmalât)* relève, lui aussi, comme les croyances, les actes cultuels et l'éthique, de l'enseignement coranique. Il est habituellement reconnu, certes, que l'application concrète en est remise à l'« élucidation » de la Communauté, au gré des temps et des lieux; et que l'Islam peut revendiquer par là un principe d'évolution du droit public et privé. Mais les règles fondamentales des « relations sociales » relèvent de normes reçues par le croyant comme révélées. Et dès lors, à travers la diversité des âges historiques et des pays, un certain axe d'unité marquera de ses principes communs le fait même de la vie musulmane.

Aussi bien serait-il vain de vouloir dégager des types d'hommes musulmans selon la seule norme de leurs ethnies respectives : nous risquerions de nous enliser en des redites sans fin. Cette norme, nous la retrouverons sur un plan politico-culturel en ce que fut, à l'âge classique, la revendication des « peuples » *(shu'ûbiyya)* à l'égard de la suprématie arabe, ou de ces faits contemporains que sont devenus les phénomènes de l' « arabisme », ou de l' « iranisme », ou de la révolte kurde par exemple. Mais il ne s'agit pas d'esquisser ici le « portrait » de l'Arabe, du Persan, du Turc, du Kurde ou du Berbère... (ou de l'Indien ou de l'Indonésien, ou de l'Africain musulmans). Ils n'existent pas comme tels, selon les seules notes de leurs tempéraments et de leurs caractères ethniques. Ils existent selon ce qu'ont fait d'eux la vie musulmane et les idéaux musulmans. Pour dégager le rôle des ethnies, il suffira le plus souvent de rappeler le ou les pays où domine tel comportement collectif, — qui, presque toujours, sur le plan politique, ou religieux, ou culturel, se recommande de l'Islam.

Ainsi, ce n'est pas tant sur le plan horizontal des ethnies que nous pourrons saisir le dynamisme sans cesse renaissant de la dialectique unité-diversité; mais plutôt, et compte tenu des évolutions historiques, par des coupes opérées selon les milieux de vie, — rurale, nomade ou urbaine, — selon le choix des professions ou métiers exercés, selon certains particularismes religieux enfin. Nous proposerions donc ici à la fois une sorte de phénoménologie et de typologie socio-culturelles en un triple volet : 1. Les genres de vie qui furent ceux de l'Islam aux âges classiques et dans la suite des siècles. 2. Les écoles, sectes et tendances religieuses; 3. Le déroulement de l'histoire en ses trois moments majeurs d'apogée, de sclérose, de renouveau. Chacune de ces perspectives sera, à tour de rôle, la dominante de notre enquête, encore qu'elles devront, et dès le début, s'interpénétrer sans cesse.

Nous nous rendons compte des limites de cette entreprise. Ces coupes phénoménologiques, pour signifiantes que nous les souhaitions, supposent des choix. En outre, une typologie est rarement exhaustive, et ne saurait rendre compte du nombre indéfini des particularités. Elle suppose aussi une part d'interprétation, et donc des hypothèses de travail. Des faits singuliers peuvent toujours être évoqués à l'encontre d'une typologie. Du moins essayerons-nous de lire correctement les données de base, et d'en dégager les dominantes. Ce n'est qu'après, et en conclusion, que nous pourrons répondre à l'interrogation première sur la ou les mentalités des hommes de l'Islam, sur l'existence même de cette mentalité, sur les constantes ou les variantes qui la manifestent.

Nos sources

Une première difficulté nous attend. Cette enquête, relativement aisée dans le présent, est parfois hasardeuse quand il s'agit du passé. D'où le risque de projeter indûment le présent sur le passé, de catégoriser les mentalités du passé à travers celles du présent.

Les sources en effet sont plus éparses que nous pourrions le souhaiter. Il est rare d'avoir, dans la littérature musulmane d'autrefois, l'équivalent d'un *Journal d'un Bourgeois de Paris* par exemple. Ce n'est qu'à l'époque contemporaine, et sous des influences occidentales, que des écrivains de métier entreprirent délibérément, par le théâtre, le roman, la nouvelle, l'essai, de dire la vie quotidienne du petit peuple des campagnes et des villes : c'est l'une des richesses des littératures arabes actuelles.

Pour le passé il faut attendre Ibn Khaldûn, c'est-à-dire le VIIIe siècle de l'hégire (XIVe siècle), pour trouver un savant qui s'efforce de dégager les lois socio-économiques d'un milieu donné, leur portée culturelle et leurs incidences vécues. Nous avons cependant, mais épars, bien des éléments d'enquête.

Les sources les plus habituelles seront les annales ou chroniques, abondantes dès le début de l'Islam. Il s'agit bien souvent de chroniques de cour, ou de la succession des faits mémorables qui marquèrent les Empires et Sultânats; ici ou là pourtant apparaît, en filigrane, la courbe des réactions et des comportements populaires. Nous avons aussi des récits de voyage, des analyses ou descriptions de géographes, et tant de notions qui sont déjà de géographie humaine; il est vrai que les coutumes et sentiments des peuples ne sont guère saisis qu'à travers la propre interprétation du voyageur ou de l'analyste. Nous avons encore tel ou tel écrit polémiste, — par exemple la description de la Bagdad du Xe siècle par Tanûkhî, — qui retrace avec vigueur l'état des mœurs, et souvent leur décadence; il faut prendre garde alors aux transpositions inévitables que suscite le but polémique poursuivi. Et puis, bien des évocations de vie quotidienne surgissent de contes comme les *Mille et Une Nuits*, de récits où se complaisent les « Séances », ce genre des *Maqâmât*, sorte de romans ou de nouvelles inchoatifs; surgissent même de certains traités pratiques de droit, où les « cas » soumis à la perspicacité des juristes sont significatifs du comportement de ceux qui les posent.

Nous nous efforcerons donc de suggérer comment nous sont apparus les hommes qui ont vécu et qui vivent dans le monde de l'Islam. Ce n'est pas sans appréhension que nous nous sommes décidé à rédiger ces pages. Ces hommes qui ont été heureux ou malheureux, — petites joies et grandes peines bien souvent, — qui ont lutté, aimé et souffert au fil des jours, les voici qui deviennent « objet » d'étude et d'analyse. Qu'ils nous pardonnent si nous trahissons tant soit peu l'héritage qu'ils nous ont laissé, qu'ils nous transmettent; qu'ils nous pardonnent tout simplement d'essayer ainsi de les faire revivre au gré des espoirs, échecs et succès qui furent leurs. Puisse l'intérêt que nous leur portons, et qu'ils susciteront peut-être chez le lecteur, être à base de respect, et donc de sympathie intellectuelle, pour ce qu'ils furent, individuellement et collectivement, dans le concret de leur existence quotidienne, et le mystère même de leur subjectivité.

NOTES

1. Cf. art. « *Djamâ'a* », *EI*[2].
2. Cf. art. « *Iklîm* » de A. Miquel *(ibid.)*.
3. Lors de la « République arabe unie » (1958-1961), Jamâl 'Abd al-Nâsir (Nasser) appela « régionalisme » les différences entre Égypte et Syrie.
4. Rashîd Ridâ : *al-Khilâfa aw al-Imâma al-'uzmâ*, Le Caire 1341 H., p. 77 (trad. franç. de Henri Laoust : « Le Califat dans la doctrine de Rashîd Ridâ, *Mémoires de l'Institut français de Damas*, 1938, p. 130).

PREMIÈRE PARTIE

VERS UN « IDÉAL HISTORIQUE CONCRET »

Y a-t-il dans les valeurs d'Islam une revendication de mentalité commune? Et selon quelles lignes dominantes?

CHAPITRE PREMIER

AUX PREMIERS TEMPS : LA « MENTALITÉ ARABE » ET L'IMPACT DE L'ISLAM

Rappels historiques

Dans nos préliminaires, nous avons écarté l'étude typologique des différentes ethnies du monde islamique, et en avons donné les raisons. C'est pourtant par de larges références à *une* ethnie que nous devons commencer : car elle marqua et marque toujours, selon des accents divers dont il nous faudra prendre la mesure, la réalité de la vie musulmane. C'est, bien sûr, de l'ethnie arabe que nous voulons parler. « Pas de différence entre l'Arabe et le non-Arabe », dit le *hadîth*. Et cela reste vrai devant Dieu. Mais de par sa vénération pour le texte coranique, de par l'histoire même de l'Islam, de par la langue unique de sa prière liturgique, tout musulman devient quelque peu spirituellement arabe; le destin du peuple arabe ne saurait lui être étranger [1].

Or, ce « passé arabe » a de profondes racines dont il nous faut bien dire quelques mots.

Si l'an I de l'hégire (622) marque le début de l'histoire musulmane, l'histoire arabe, elle, se recommande d'un passé anté-islamique. Sans doute le temps d'avant l'Islam est-il appelé « temps d'ignorance » [2]; il n'en reste pas moins que c'est avec haute estime, avec ferveur parfois, que sont évoquées les tribus arabes de ce temps-là. Les premières générations musulmanes en étaient issues, et les armées des premiers califes furent plus d'une fois divisées par de vieilles querelles tribales.

Bien plus : cinq ans après la bataille de Siffîn (37 H. /657 ap. J.-C.) où se consommèrent les grandes séparations religieuses, ʿAlî fut assassiné. Quand Muʿâwiya lui succéda, ce fut en quelque sorte le clan des grands marchands caravaniers de la Mekke qui prit le pouvoir. Les quatre premiers califes étaient Compagnons du Prophète. Le bref temps de leur règne, de 12 à 41 H. (633-661), est demeuré dans la mémoire des peuples comme l'Age d'Or de la Communauté. Encore fut-il marqué par le « grand trouble » *(fitna)* qui mit aux prises plusieurs Compagnons et le troisième calife, ʿUthmân, accusé de trop bien servir les intérêts de son clan tribal; il se solda par l'assassinat de ʿUthmân [3]. Le règne « visible » de ʿAlî, quatrième calife, gendre et cousin du Prophète, fut bref. Et tandis que ses fidèles s'apprêtaient à donner naissance au « parti de ʿAlî », la *shîʿat ʿAlî* ou shîʿisme, qui sera la dissidence majeure et toujours vivante, l'accession de Muʿâwiya au trône mit en vedette les convertis de la dernière heure, non plus les Compagnons mekkois ou les Défenseurs médinois, mais ceux qui, vaincus à Badr et à la « Bataille du Fossé », jaloux de leurs intérêts et de leur puissance temporelle, s'étaient tardivement ralliés à Muhammad.

Le clan de Muʿâwiya était celui des Banû Umayya (d'où : Umayyades), à la fois lié par le sang aux Banû Hâshim, clan de Prophète, et son rival. Le siècle des Umayyades fut un siècle arabe, où dominèrent les intérêts, la tradition, la mentalité arabes [4]. Ibn Khaldûn écrit déjà qu'au califat réel, institution politico-religieuse, succéda avec Muʿâwiya, un pouvoir encore nommé califat, mais qui n'était plus en fait que royauté temporelle *(mulk)* [5]. Et ce sera l'un des leitmotive des Réformateurs contemporains, dans le souci de redonner au monde de l'Islam ses valeurs authentiques [6].

Il convient sans doute de ne pas exagérer les accusations de tiédeur musulmane que leurs opposants dressèrent contre les Umayyades. Ce qui demeure vrai, c'est que les cadres de l'empire naissant étaient proches de leurs sources arabes, de la vie et du comportement des tribus arabes, nomades, marchands caravaniers, habitants des oasis. Si bien que beaucoup de nouveaux convertis, autochtones des terres « étrangères » très vite conquises à l'Islam, artisans et commerçants des villes ou travailleurs ruraux, tout musulmans qu'ils fussent devenus, et donc frères de tout croyant, furent les « clients » *(mawâlî)* d'une tribu ou d'un notable arabes.

Se formèrent ainsi deux mentalités type, mais qui ne seront point sans interférences. Dans la mesure où les Arabes d'origine se mêlaient aux populations autochtones, les traditions et souvent le riche passé culturel de ces dernières ne pouvait pas ne pas réagir sur la vision musulmane du monde telle qu'elle s'élaborait. Mais surtout : dans la mesure où des populations d'origines diverses, sémite d'abord (syriaque), mais aussi byzantine et plus encore iranienne, s'islamisaient, et par là-même tendaient à adopter l'arabe comme langue courante, elles ne pouvaient pas ne pas faire leurs certains idéaux arabes, même anté-islamiques, repris et réassumés par l'Islam. On peut, pour simplifier l'analyse, parler d'une mentalité arabe et d'une mentalité mawâlie. L'opposition cependant cessera d'être tranchée dès que les descendants des *mawâlî* purent acquérir une citoyenneté (musulmane) de plein droit.

Le temps des Umayyades dura un peu moins d'un siècle (661-750). Il se termina tragiquement par le massacre à Kûfa de la famille régnante, dont un seul survécu, et qui deviendra, à l'extrême Ouest, six ans plus tard, le fondateur de l'Empire umayyade de Cordoue. C'est à une triple opposition que les Umayyades durent leur défaite. Dans la lutte engagée contre eux, se rencontrent tout d'abord les ʿAlides, partisans de la seule légitimité de ʿAlî et de ses descendants, et les ʿAbbâsides, du même clan et de la même famille, se recommandant de ʿAbbâs, oncle du Prophète et demi-frère d'Abû Tâlib, père de ʿAlî. Ce fut donc là une coalition d'Arabes contre Arabes, qu'animaient sans doute les vieilles luttes de clans mekkois, mais à laquelle donnait une vigueur toute nouvelle une constante référence à l'Islam. La note d'universalisme de la foi coranique était hautement invoquée. D'où l'appui de la troisième force de la coalition, celle des *mawâlî* ou « clients » qui, souvent promus fonctionnaires, commençaient à jouer un rôle fort notable.

Les ʿAlides luttaient contre les Umayyades pour que le califat revînt à la famille de ʿAlî. Ce furent en fait les ʿAbbâsides qui l'emportèrent. Ils fondèrent la dynastie musulmane glorieuse entre toutes, et qui règnera, avec des fortunes diverses, sur l'Orient islamique durant cinq siècles environ (750-1258). Au temps de leur apogée (IXe-XIe siècles), les souverains ʿabbâsides eurent un certain souci de traiter avec honneur les descendants de ʿAlî, tant qu'ils ne manifestaient pas de visées politiques; au Xe siècle, une dynastie shîʿite, les Bûyides, conquit de haute lutte la charge de premier ministre (vizir). La capitale avait été transférée de Damas à Bagdad; de profondes influences iraniennes s'exercèrent, jointes à l'apport intellectuel de la Grèce classique. De nouveaux facteurs contribuèrent ainsi à la formation des esprits, à la ville comme à la cour.

Le temps des Umayyades cependant revêt une importance majeure pour comprendre ce que deviendront, dans les siècles à venir, l'homme et les hommes musulmans. Il importe donc de saisir de plus près ce qu'avaient été les trois composantes psycho-sociales de ces VIIe-VIIIe siècles : la mentalité arabe anté-islamique, l'impact de l'Islam, la réaction des clients *mawâlî*.

I. — LA « MENTALITÉ ARABE » (ANTÉ-ISLAMIQUE)

Nombreux, les divers essais de description de ce qu'étaient les Arabes d'avant l'hégire, les Arabes des tribus nomades et du grand commerce caravanier. Nous entendons parler ici des Arabes de Nord de la Péninsule, les *Saraceni* (d'où « Sarrasins »), auxquels appartenait la tribu du Prophète Muhammad. Les Arabes du Sud, ceux de l'« Arabie heureuse » *(Arabi beati)*, connaissaient une civilisation fortement influencée par Byzance et la Perse des Grands Rois. En nombre de leurs royaumes s'étaient implantés un christianisme monophysite ou nestorien, et le judaïsme. Leurs langues étaient l'araméen et le grec. Une fois convertis à l'Islam, les Sudarabiques se joignirent aux Saracènes pour la conquête et l'établissement des grands empires.

En général, les descriptions des nomades du Nord sont sévères. Elles insistent sur l'individualisme anarchisant des tribus, leur caractère farouche, leur goût du pillage et des razzias [7]. Nous nous bornerons à rappeler quelques phrases bien connues du sociologue maghrébin Ibn Khaldûn, qui écrivait (en arabe) au XIVe siècle :

« Le naturel farouche des Arabes [entendons : Arabes nomades du Nord] en a fait une race de pillards et de brigands (...). Les habitudes et les usages de la vie nomade ont fait des Arabes un peuple rude et farouche (...). Ajoutons qu'ils négligent tous les soins du gouvernement (...). Menant une vie presque sauvage, ils acquièrent une grossièreté de mœurs, une fierté, une arrogance, et un esprit de jalousie qui les indisposent contre toute autorité »[8].

Et pourtant, ajoute Ibn Khaldûn en contre-partie :

« Les Arabes ont surpassé tout le monde par leur empressement à recevoir la Vérité et à suivre la Voie droite, selon la simplicité de leur nature, qui ne se laissait pas corrompre par de mauvaises habitudes et ne contractait jamais des qualités méprisables. On ne pouvait même pas leur faire un reproche du caractère sauvage par lequel ils se distinguaient naguère; ce naturel farouche les disposait au bien; il leur était inné, et n'avait jamais contracté l'immoralité ni la déloyauté dont les âmes reçoivent si facilement l'empreinte[9] ».

Ce diptyque à l'emporte-pièce, et qui pourrait, à coup sûr, être fortement nuancé, est significatif de l'attitude ambivalente qui prévalut, où se joignent un certain mépris du « temps de l'ignorance » et le respect de ces Ancêtres qui surent écouter la Parole divine. L'Arabe d'avant l'hégire et l'homme musulman sont-ils en continuité? Retrouverons-nous dans le deuxième, quelle que soit son origine ethnique, des traits du premier? Essayons de dégager quelques dominantes.

La force du verbe

Les premiers monuments de la littérature arabe sont des poèmes lyriques, traversés parfois d'un souffle épique. Ils datent d'avant l'Islam. Ils étaient, disent les chroniques, récités ou psalmodiés, et soumis au jugement populaire, lors des foires solennelles de la Mekke. Les œuvres primées étaient alors « suspendues » au mur du temple sacré de la Ka'ba; d'où le nom d'*al-Mu'allaqât, les Suspendues,* donné à ces poèmes. Sept d'entre eux ont été pieusement conservés. Il fut avancé parfois, — par Margoliouth par exemple, et, un temps, par Tâhâ Hussein à sa suite, — qu'il s'agit là d'œuvres apocryphes, écrites en fait par des poètes musulmans, et attribuées aux ancêtres nomades : une réplique, si l'on veut, du barde Ossian. Une telle opinion souleva l'indignation de bien des milieux musulmans, et cela est significatif de la fierté ressentie à l'égard des traditions de jadis.

La langue des *Mu'allaqât* est belle, harmonieuse, rude parfois, comme l'est, sur un tout autre registre, celle des sermons ou discours attribués au Prophète et aux tout premiers califes. Nous rencontrons un trait fondamental de la mentalité arabe : le goût de l'éloquence et la puissance du verbe. Ce n'est pas un apanage des lettrés. Le peuple arabe, même illettré, est pris par la beauté, disons par la force incantatoire du discours : et qui doit moins *inventer* des thèmes nouveaux que redire, *remémorer* les thèmes d'autrefois et de toujours. Pour l'auditeur arabe, cette beauté et cette force sont déjà par elles-mêmes des *preuves*. Il y a là comme une projection sur un plan culturel du sens sémite de la parole, de la puissance réalisatrice de la parole proférée. Le « nom » donne pouvoir sur le « nommé ». Nous en retrouverons l'écho dans l'élaboration du droit musulman et la précellence accordée au témoignage oral. C'est la parole et non l'écrit qui fait foi. Toute la science des *hadîth*(s), et sa patiente mise au point des « chaînes de transmetteurs » (oraux), en serait une autre illustration.

L'inimitable « éloquence » *(balâgha)* du Coran est, pour le croyant, signe de son origine divine. L'impact de l'Islam, ici, fut d'affirmer la transcendance de la seule Parole de Dieu. Dans l'Arabie anté-islamique, le poète officiel était le porte-parole de sa tribu, de son peuple, et n'était pas sans assumer souvent une fonction socio-politique. Or, les poètes attitrés de la Mekke, panégyristes et satiristes, se moquèrent du Prophète qui, pour les Mekkois incrédules, n'était lui-même qu'un poète aux vaines songeries, voire possédé du démon : « Ils disaient : allons-nous délaisser nos dieux pour un poète possédé? » (*Coran*, 37,36); et encore : « Amas de rêves qu'il a forgé lui-même! C'est un poète » (*id.*, 21,25; cf. 52,30; 69,41). La réplique ne se fit point attendre : « Nous ne lui avons pas enseigné la poésie, car cela ne lui convenait pas » (36,69). En effet : « Quant aux poètes, ils sont suivis par ceux qui s'égarent. Ne les vois-tu pas? Ils divaguent dans chaque vallée; ils disent ce qu'ils ne font point » (26,224-5).

Mais le goût arabe pour la beauté du verbe fut plus fort que les mises en garde coraniques. Chaque siècle eut ses poètes renommés, fort peu religieux souvent. S'il y a des grands poètes mystiques (sûfîs), la poésie arabe classique est avant tout formelle, elle vise à la perfection de la forme et du rythme. Les thèmes majeurs du lyrisme anté-islamique nous ne dirions pas se répètent, mais se maintiennent volontairement inchangés, sous des variantes et modulations multiples, tel le motif musical sous le jeu des contrepoints et des neumes : appels mélancoliques à la bien-aimée disparue, évocation du désert, traces du campement abandonné, éloge du cheval ou du dromadaire, chasse et bêtes sauvages, cataclysme de dévastation... A leur suite, les *qasîda*(s) classiques chanteront un amour tantôt passionné, tantôt sensuel. Les allusions bachiques y sont fréquentes. Presque toujours s'y joignent la glorification des « vertus des Arabes » (d'avant l'Islam) ou /et le panégyrique du souverain.

Signe de notation (plain-chant)

En effet, c'est dans l'atmosphère des cours, anté-islamiques d'abord, puis umayyades, puis 'abbâsides, que cette poésie trouva son lieu de prédilection. Elle fut l'un des reproches des censeurs et réformateurs des mœurs. Mais elle ne fut pas l'affaire des cours seulement, et pas seulement non plus des Arabes d'origine. Elle sut passionner aussi le peuple des villes, lettré ou demi lettré. Le *Kitâb al-aghânî* (« Livre des chants ») [10] nous conte l'aventure d'une armée umayyade, partie du lointain Khurâsân pour combattre les hérétiques Khârijites, et dont le premier souci est de décider quel est le plus grand de ces deux poètes de cour qu'étaient le doux Jarîr et le rude Farazdaq.

Car, si le sens du verbe et l'amour de l'éloquence sont bien des traits spécifiquement arabes, il reste qu'ils se répandirent et furent vivants à travers tout le monde islamique. Au cours des siècles, les peuples des villes et des campagnes eurent leurs poètes populaires, dont certains n'hésitèrent pas à user d'une langue dialectale ou semi-dialectale. Un seul exemple récent : durant l'occupation française, l'Algérie connut des *qasîda*(s) élégiaques ou épiques, écrites le plus souvent en arabe classique, où étaient chantés les malheurs des temps et annoncé le triomphe sur l'infidèle.

A travers la dureté des conditions de vie, le petit peuple quasi illettré sut plus d'une fois atteindre à un réel humanisme grâce à ses conteurs, leurs récits, fables et paraboles, et la sagesse ancestrale des adages et des maximes fortement rythmés et frappés. Il serait difficile de comprendre les hommes de l'Islam sans tenir grand compte de cette magie du verbe qui leur est chère, et qui va de la grande poésie classique au discours politique de circonstance.

Les « vertus des Arabes »

Mais le contenu des *qasîda*(s), aux temps d'avant l'Islam surtout, ne se bornait pas aux thèmes amoureux, licencieux ou bachiques. Au gré des évocations de la vie nomade, les *khisâl* ou « vertus » des Arabes étaient célébrées. « Vertu », ici, doit s'entendre comme caractère, mentalité, et sur un plan plus psychologique que moral. Les annales historiques et les commentaires du Coran y reviennent plus d'une fois. En voici quelques illustrations.

L'une des qualités la plus prisée est le *hilm*, que l'on peut traduire, approximativement, par « longanimité » : un sens de la grandeur et de la dignité, qui permet de porter d'un cœur égal heur et malheur. Le *hilm* est la force d'âme du Bédouin. Méprisable serait un homme dépourvu de *hilm*. Il est difficile de rendre très exactement ce mot dans une langue européenne. Longanimité sans doute, et l'on peut y retrouver des notes de l'*ataraxia* stoïcienne [11]; mais le *hilm* a sa spécificité, venue de tout un passé arabe et tribal, des dures conditions de la vie nomade, dont dépendaient au surplus le succès ou l'échec des grands marchands caravaniers. Le *hilm* était la noblesse de l'Arabe.

« Un sens de la grandeur et de la dignité », qui s'opposait à toute bassesse, mais qui ne récusait point une certaine « ruse » *(makr)*, ni, en cas de nécessité vitale, une certaine dureté, voire cruauté. Les mots employés ici trahissent. Parler de « ruse » ne saurait être péjoratif, et l'on verra le Coran recourir à la notion de « ruse de Dieu » pour définir tel aspect de l'agir du Très-Haut à l'égard de l'homme pécheur, ou simplement tenté. Et la « dureté » ou « cruauté » venaient souvent d'une force de caractère qui méprisait l'apitoiement de la sensibilité. Toute l'histoire de la première crise, de la lutte violente de plusieurs Compagnons et Défenseurs contre le calife 'Uthmân, serait à analyser de ce point de vue. Le caravanier, qu'il soit nomade ou à demi sédentaire, doit vivre en symbiose avec des forces de la nature qu'il ne commande point, qui sont impitoyables, avec lesquelles il lui faut bien « ruser », qu'il lui faut parfois durement combattre. Ce comportement, devenu habituel, se reflètera dans la façon de traiter avec les hommes, alliés, compétiteurs ou adversaires.

Pour l'Arabe d'avant l'hégire, les relations humaines étaient dominées par un sens communautaire très fort, mais limité au groupe, une totale solidarité de groupe, — tribu, clan, famille. Les tribus arabes anté-islamiques évoluaient sur l'aire géographique où régnaient les traditions patriarcales-agnatiques et la loi de l'endogamie. Il en résultait une certaine organisation de la vie quotidienne, du rôle et de la protection de la femme, qui se perpétuera, et qui parfois durcira à son profit des principes nouveaux, plus universels, mis en œuvre par l'Islam. Chez les « anciens Arabes », l'appartenance à la tribu était une valeur première, irrécusable. Mais l'appartenance plus directe au clan tribal l'emportait, et d'âpres querelles de clans, au sein de la même tribu, ne sont pas rares. Absolument décisive enfin était l'appartenance à la famille, — la grande famille agnatique, — à l'intérieur du clan. Cette triple solidarité, de plus en plus exigeante à mesure qu'elle se particularise, informe la fameuse notion de *'asabiyya*, que l'on peut traduire, approximativement là aussi, tantôt par « esprit de corps », tantôt par « conscience de groupe »[12]. Ibn Khaldûn y insistera : il devait en faire l'une des notes les plus marquantes de la mentalité arabe, et même de tout dynamisme politique[13]. Les États, selon lui, prospèrent ou s'affaiblissent selon que l'« esprit de corps » est vivant, ou miné par les égoïsmes individuels.

Il y a dans cet « esprit de corps » comme un principe d'oubli de soi au service d'une communauté, mais comme un repli aussi sur la communauté, avec tous les risques d'égoïsme et d'orgueil, non plus individuels mais collectifs, qui en peuvent résulter. L'« esprit de corps » tend à promouvoir une certaine humilité personnelle et un orgueil de clan, et l'un et l'autre apparaissent comme des composantes et des limites du *hilm*. Ils s'épanouiront dans les entreprises guerrières des razzias, liées à la vie nomade d'alors, occasions privilégiées d'actes de courage, mais de violence aussi, et que l'orgueil tribal célèbrera comme de véritables épopées.

C'est la *murû'a* (ou *muruwwa*), c'est-à-dire la virilité, et en conséquence la dignité, ce qui fait qu'un homme est digne de ce nom, qui gouvernera l'usage du *hilm* [14]. Cette notion ne perdit jamais sa connotation fort concrète de virilité physique. Elle était primordiale chez les Arabes anté-islamiques. C'est en son nom que le chef bédouin devait parfois se laisser aller à des actes quasi instinctifs de violence, qui demandent force et courage physique *(hamâsa)*, et parfois maîtriser tout instinct et toute passion pour s'enfermer dans le silence magnanime du *hilm* [15] : faisant ainsi preuve d'une force et d'un courage non plus physiques mais moraux. Car la morale bédouine était dominée par un sentiment de l'honneur *('ird)* aux règles multiples [16], où le principe du talion — un sang pour un sang — faisait loi, mais où longanimité, générosité, intelligence et courage [17] se devaient de façonner un type d'homme patient, fort et maître de soi.

L'une des règles les plus sacrées de l'honneur était le devoir d'hospitalité, *al-diyâfa* [18]. Il est comme le corrélatif d'opposition de l'« esprit de corps ». L'« esprit de corps », replié sur lui-même, s'ouvre en quelque sorte à l'« autre », quand ce dernier, devenu « hôte », demande asile et protection. Sans doute le caractère sacré de l'hôte, quand bien même il appartient à un clan ennemi, est-il lié aux conditions premières de la vie nomade, à la fragilité de l'homme seul sur une terre « et sans route et sans eau » [19]. Multiples et bien connues sont les anecdotes relatant l'hospitalité arabe : le nomade pauvre qui prend sur son nécessaire pour honorer l'hôte inconnu et inattendu; l'homme dont le fils aîné vient de mourir, mais qui n'en dit rien (le « silence du *hilm* »), de crainte de manquer à ses devoirs à l'égard de l'hôte d'une nuit; l'ennemi, reconnu pour tel, mais qui sera respecté et protégé tant qu'il « touche le piquet de la tente »... L'hospitalité suppose vivre et couvert. Si bien que tout repas pris ensemble participe de son caractère sacré, et le « partage de l'eau et du sel » noue entre les convives, par-delà les oppositions de clan ou de famille, un lien de communion. De nos jours encore, et dans des milieux urbains fort éloignés des traditions nomades, le « nous avons partagé l'eau et le sel » reste le meilleur des visas d'entrée et de séjour.

L'hôte est maître chez celui qui le reçoit. Il peut, il doit donner des ordres aux serviteurs [20]. Tout objet qu'il admire lui sera remis, doit lui être remis en cadeau [21]. Seul lui reste interdit, *haram,* parce que sacralisé, l'appartement des femmes. En sémitisme, les notions d'interdit et de sacré s'entrecroisent sans cesse. Ce qui est défendu, c'est d'abord ce qui est intouchable, parce que sacré. Passer outre, c'est accomplir une action hautement condamnable, donc mauvaise. Le *haram,* qui jouera un si grand rôle dans l'évolution future du droit musulman, n'évoque point d'abord une impureté ontologique ou morale, mais la mise à part du sacré, et par là la désobéissance coupable de qui passe outre à l'interdit.

Quelques traits de la société arabe

La société arabe anté-islamique était donc avant tout une société agnatique, fondée sur les liens du sang par les mâles. Elle était soumise à l'endogamie telle que la pratiquait l'aire méditerranéenne et tout le Proche-Orient.

Des récits nous ont gardé le souvenir de quelques femmes arabes aux fortes personnalités. Ainsi Hind bint al-Khuss, dont la vivacité d'esprit, la netteté de jugement et la liberté d'allure sont restées célèbres. Les récits qui en sont faits, et les répliques attribuées à Bint al-Khuss sont sans doute en partie légendaires; ils n'en témoignent pas moins du rôle possible de la femme. Plus historique à coup sûr est le personnage de Hind bint 'Utba la terrible, mère du calife Mu'âwiya, et qui poursuivit de sa haine le Prophète Muhammad et les premiers Compagnons [22]. La femme arabe était respectée à titre de mère des enfants mâles, et jouait dans la vie du clan un rôle non négligeable : nous en retrouverons l'écho tout au long de l'histoire musulmane. Avant qu'il ne prêchât l'Islam, Muhammad fut le fondé de pouvoir de la riche veuve Khadîja, dont il dirigeait les caravanes commerciales. Il l'épousa, et fut monogame tant qu'elle vécut. Khadîja fut l'une des premières à se convertir à la prédication de Muhammad, et elle sera pour les siècles « mère des croyants », concuremment avec les autres épouses, et Fâtima la fille du Prophète. Il reste que le sort de la femme, dans les familles pauvres surtout, était rude; et qu'en principe la vie publique et politique lui échappait. La société arabe était une société éminemment masculine. Dans les années de disette, fréquent et licite était-il de faire mourir les petites filles qui venaient de naître. Ce sera l'un des graves reproches adressés par l'Islam au « temps de l'ignorance ».

Mentalité arabe anté-islamique? Un mélange de fierté, de culte de l'honneur tribal, clanique et familial, de respect de la parole donnée; de violence aussi, et de sensualité parfois brutale, mais violence et sensualité brutale que la « longanimité » se devait de maîtriser. L'Arabe du « temps de l'ignorance » croyait en un Dieu suprême, *al-Ilâh* (« Le Dieu »), et adorait tout un Panthéon de divinités secondaires, protectrices des tribus ou des clans, telles les trois célèbres « filles de Dieu », al-Lât, al-ʿUzza, Manât [23]. Le calendrier qui rythmait la vie concrète, et les fêtes sacrées et profanes, était essentiellement, comme chez les anciens Sémites, un calendrier lunaire, devenu par la suite soli-lunaire. Les fêtes religieuses, centrées sur le pèlerinage de la Mekke, étaient en même temps telluriennes, fête des récoltes à l'automne (du moins en principe), fêtes des semailles et du marquage des troupeaux au printemps [24].

Quoi qu'il en soit du culte rendu aux divinités et du recours fréquent à des pratiques magiques, l'Arabe, pris dans le rythme d'une nature qui ne pardonne aucune faiblesse sur les routes du désert, gardait profondément inscrit en son subconscient le sens d'une « durée » *(dahr)* qui accable, et dont l'homme n'est pas maître, sorte de *fatum* pesant et aveugle. Le Coran (45,24) condamne ce sentiment des Anciens, et le présente ainsi : « Ils disent (...) : Nous vivons et nous mourons, et seul le *dahr* nous fait périr [25] ». En résultait une sorte de « stoïcisme » souvent mentionné, qui relativisait tout événement contingent, mais laissait intact un sens de la grandeur personnelle et collective, dans le succès comme dans l'infortune, au gré des « Jours des Arabes », c'est-à-dire de certains faits mémorables, seuls repères chronologiques de l'histoire connue [26].

On a parlé souvent d'une « démocratie arabe », allant jusqu'à l'individualisme et l'insubordination. « C'est le peuple le plus indocile, le moins gouvernable du monde », dit Ibn Khaldûn [27]. De fait, un sentiment d'égalité s'affirmait entre tous les chefs de famille, riches ou pauvres, dans une même rudesse et simplicité de vie. Les chroniques umayyades nous ont gardé la simplicité d'allure des Arabes en visite chez le calife. Mais, à bien voir, il s'agissait là d'une démocratie à structure aristocratique : une aristocratie fondée sur les liens du sang, non sur la fortune ou la faveur d'un souverain. Seuls les « chefs de tente », ou les marchands caravaniers, ou les possesseurs de la terre des oasis, — riches ou pauvres encore une fois, — y participaient vraiment. A eux le souci du bien commun, et les décisions prises non par le chef seul, mais dans la liberté des discussions et consultations. A eux la longanimité et la maîtrise de soi que donne le *hilm*. Aux clients et serviteurs qu'ils protégeaient, la spontanéité, voire la brutalité des instincts...

Il ne conviendrait point, en tout cas, de parler de « féodalité »: ce serait appliquer un concept occidental, — lié à une société occidentale rurale, — à des conditions de vie et de relations humaines qu'il ne recoupe point. Beaucoup plus démocratique (en un sens très large) que féodale à coup sûr, la société arabe anté-islamique garde ses caractères propres, qui commandaient un comportement bien à elle. D'un point de vue culturel, il ne s'agissait encore que d'éléments inchoatifs. Dans quelle mesure l'impact de l'Islam les prolongera-t-il, ou les contrecarrera, ou les fera aboutir en les modifiant et universalisant?

II. — L'IMPACT DE L'ISLAM (ET LES MAWÂLÎ)

Rupture et continuité

Profondément marqués par la vie et la mentalité des anciens Arabes furent les premiers hommes de l'Islam, le Prophète d'abord, et ses Compagnons mekkois, et ses Défenseurs médinois. Profondément marqués, et cependant en réaction, au nom de Dieu Seigneur Unique, contre mainte coutume et maint comportement, et contre une certaine vision du monde soumise à la « durée » accablante. La nouveauté, disons même l'« étrangeté » de l'Islam s'affirme, mais venue de l'intérieur, selon des schèmes mentaux dont les racines s'enfoncent en l'humus des traditions anciennes, — tantôt pour les développer, tantôt pour les combattre.

Le Coran y insiste. Muhammad est d'abord envoyé aux Arabes : « Avertis ton clan le plus proche » (26,214); si bien que les Mekkois incrédules « s'étonnent que vienne à eux un Avertisseur pris parmi eux « (38,4). Un « Apôtre issu d'eux », soulignent les sûrates médinoises, pour leur communiquer « les Signes (de Dieu), l'Ecriture et la Sagesse » [28]. Mais voici que cette mission s'étend à l'humanité entière : « Dis : ô vous les hommes! je suis en vérité envoyé à vous tous, Apôtre de Dieu à qui appartient la royauté des cieux et de la terre » (7,158). Ici donc, un universalisme fondé sur la foi religieuse vient battre en brèche les particularismes protégés de jadis; sans détruire pour autant la spécificité arabe de l'« Annonce » sur laquelle insistaient les premières sûrates. Se trouvent ainsi suggérés à la fois ce « rôle d'honneur » si souvent dévolu à la race arabe dans l'histoire musulmane, et la juste revendication des « peuples » d'autres races, qui, convertis à l'Islam, se réclameront de la fraternité et de l'égalité de tous les croyants.

Le Prophète, les premiers Compagnons et les Défenseurs médinois luttèrent contre les « infidèles mekkois », et les vainquirent. Quand les opposants mekkois firent à leur tour profession d'Islam, leur comportement, au contraire de celui des tout premiers fidèles, s'attacha moins peut-être à la nouveauté du message coranique qu'à concilier le *credo* monothéiste avec l'ensemble des coutumes et mœurs arabes. Arabisme et Islam se trouvèrent ainsi, dès le début, dans un état de tension sans cesse renaissant entre continuité et rupture. La lutte conjointe des 'Abbâsides, des 'Alides et des *mawâlî* contre les Umayyades en sera l'illustration.

Voici quelques exemples de cette rupture dans la continuité maintenue. Reprenons rapidement diverses composantes de la mentalité arabe [29]. Nous l'avons déjà dit, la force et la valeur incantatoires du verbe humain se retrouveront, transposées, dans le culte de la Parole de Dieu, le Coran, et le fidèle sera mis en garde contre les « forgeries » des poètes. Le terme *hilm*, si prégnant de noblesse pour les anciens Arabes, n'apparaît pas dans le Coran. L'adjectif *hâlim* cependant, « celui qui a du *hilm* », le longanime doué de mansuétude, deviendra l'un des « plus beaux Noms » de Dieu [30]; et *hâlim*(s) seront dits Abraham, Isaac, Shu'ayb [31]. Il s'agit là, comme l'ont fort bien vu les professeurs Goldziher et Izutsu après lui, « d'un *hilm* supérieur à celui que connaissait le paganisme arabe » [32], non plus fondé sur la « virilité-dignité » *(muruwwa)*, mais transcendant les sentiments et les passions humaines. Le vieil honneur tribal ne mourut point, sans doute, mais tendit à s'abolir lentement dans la fierté collective d'appartenir à « la Communauté la meilleure qui ait surgi parmi les hommes » (*Coran*, 3,110); et l' « esprit de corps » entendu comme esprit de clan devra s'effacer devant la fraternité des croyants, et s'extrapoler dans la solidarité universelle de la Communauté. Le devoir d'hospitalité enfin s'exercera au nom de Dieu, et « hôte de Dieu » *(dayf Allâh)* est le voyageur qui demande vivre et couvert. Les « vertus des Arabes » gardent la spécificité de leur origine, mais sont sans cesse transposées sur un plan de transcendance, commandé par la foi en l'Unique et l'attente de l'Heure dernière.

Aux temps umayyades, la société musulmane entendra rester très proche de ses sources arabes. Au nom du Coran cependant, sévèrement condamné sera le meurtre des enfants féminins, et blâmé le mépris dont on entoure les filles à leur naissance (cf. *Coran*, 16,58-9). Les femmes verront garantis leur droit à l'héritage et la propriété de leur douaire [33]. La répudiation, sans être interdite, semble concédée *ad duritiam cordis* (cf. 58,2 et 4); la polygamie enfin sera limitée au chiffre de quatre épouses, et entourée de strictes conditions. Le Coran s'efforce de sauvegarder le droit des veuves (2,240) et de protéger l'orphelin. Il revient sans cesse sur l'obligation de « donner de son bien à ses proches, aux orphelins, aux pauvres, au voyageur, aux mendiants et pour le rachat des captifs » (2,177).

De la société arabe anté-islamique à la société musulmane, il y a, dès les premières années, comme une transmutation de valeurs commandée par cette remise de tout soi-même à la volonté du Très Haut, et qui est le sens même du mot *islâm*. Sans doute est-ce pour mieux souligner la nouveauté ainsi introduite que Muhammad interdit formellement l'année soli-lunaire et son mois intercalaire [34], au profit du calendrier dépendant des seules lunaisons. Et pour marquer le commencement absolu de l'Islam, l'« expatriement » de la Mekke à Médine, vécu par le Prophète et les premiers Compagnons, inaugurera l'ère hégirienne.

Cette transmutation de valeurs tendra à relativiser, sans le détruire, tout ce qui ne relève pas directement de la remise au Très Haut. C'est ainsi que le passage de la vie arabe anté-islamique à la fondation des empires musulmans s'opéra selon ce rythme double de rupture et de continuité. Dans l'ordre politique, social et économique, le facteur « rupture », et sa relativisation de ce qui n'appartient qu'à ce « bas-monde » *(dunyâ)*, rendit d'autant plus aisé l'accueil des peuples les plus divers; cependant que le facteur « continuité » opérait en ces mêmes peuples une sorte d'arabisation spirituelle.

Le problème des mawâlî

Nous retrouverons ces composantes variées dans l'aventure et les réactions des *mawâlî*. On peut traduire sommairement ce terme par « clients ». Il s'applique en son sens premier aux esclaves affranchis. A l'époque umayyade, il désigna plus précisément des convertis à l'Islam de race non arabe, se recrutant d'une part parmi les prisonniers de guerre libérés, d'autre part parmi des autochtones qui, à tous les degrés de l'échelle sociale, avaient cherché et accepté la protection d'une tribu ou d'un chef arabe. Quelques-uns étaient byzantins d'origine, mais nombre de Byzantins regagnaient l'empire voisin du Basileus, la plupart d'origine iranienne.

Les prisonniers libérés devenus musulmans étaient nombreux, et se recasaient volontiers parmi les artisans et petits commerçants des villes. Les autochtones de haute classe, liés par le statut de « clientèle », faisaient bénéficier les nouveaux maîtres de leur expérience du pays et de son administration. C'est parmi eux que se recrutaient souvent les fonctionnaires;

d'où leur réelle influence sur la société musulmane en formation. De ce fait, leur nombre ne cessa de s'accroître. Nous assistons ainsi à un processus d'urbanisation, où l'appartenance à la famille, au clan, à la tribu, cédait lentement la place à une notion de « citoyenneté » relevant de la ville, du bourg, ou du pays, et, à travers ces intermédiaires, de la Communauté musulmane comme telle.

Cependant, les *mawâlî* restèrent quelque peu « citoyens de seconde zone », bien que musulmans, à l'encontre donc de l'universalisme du Coran. La vieille fierté arabe des chefs mekkois l'emportait ici, survivait à la nouveauté de la prédication coranique, et tentait de la canaliser à son profit. Nous parlerons plus tard de ces autres *mawâlî* qu'étaient d'une part les esclaves affranchis, d'autre part les « protégés » monothéistes non musulmans. Il s'agit pour l'instant d'autochtones, jadis juifs, chrétiens, mazdéens, sabéens, païens, qui avaient embrassé l'Islam, et qui donc auraient dû devenir, par ce fait même, citoyens de plein droit.

Les conversions à l'Islam furent fréquentes. On connaît la lettre du calife 'Umar II, demandant au général conquérant de l'Égypte de les freiner, pour ne pas appauvrir le trésor. Les non-musulmans autorisés à vivre dans la Cité musulmane devaient en effet payer une capitation et une taxe sur leurs terres. Convertis à la foi coranique, ils en étaient en principe exempts. Il est à noter que les terres frappées de cette taxe le resteront le plus souvent, quand bien même elles devenaient propriété musulmane, tandis que la capitation était, pour les convertis, supprimée au profit de l'impôt canonique de la *zakât* [35]. Assez vite les couches populaires, dans les villes surtout, et de nombreuses classes de lettrés, se recruteront parmi les nouveaux convertis et leurs descendants. Ce sont des non-Arabes qui fondèrent les deux grandes écoles de grammaire de Kûfa et de Basra. Or, les *mawâlî*, de par leur lien de clientèle avec telle tribu ou tel notable arabes, étaient comme autant d'intermédiaires tout désignés entre les nouveaux maîtres et les peuples des villes et des campagnes, dans la mesure où ces derniers s'ouvraient à l'Islam. Car aux temps umayyades, les masses indigènes restaient en leur ensemble repliées sur leurs communautés d'origine, chrétiennes, juives ou mazdéennes, et organisées par elles.

Devenus musulmans, les non-Arabes avaient en principe les mêmes droits et les mêmes devoirs dans la Cité que les Arabes musulmans de la première heure. Mais ils ne participaient pas de la mentalité arabe anté-islamique; ils relevaient en général d'un passé byzantin ou iranien, aux valeurs culturelles plus anciennes et plus variées que le passé des conquérants arabes. Convertis à l'Islam, ils s'arabisaient peu ou prou, non sans apporter au bien commun temporel leurs propres traditions. Ils participaient, eux aussi, à la longanimité du *hilm*, à l'esprit communautaire, au souci d'hospitalité et de la parole donnée, qu'avait greffé l'Islam sur le vieux fonds anté-islamique. Mais quel qu'en fût le tuf arabe, ils vivaient ces valeurs selon l'esprit et les réactions qui leur étaient propres. Ils contribuaient par là à les universaliser, et préparaient le très large accueil que les IXe et Xe siècles 'abbâsides réserveront à l'héritage gréco-persan. Dès lors, le statut civilement, et surtout peut-être psychologiquement amoindri que leur réservait l'Empire umayyade, ne pouvait que les rejeter dans l'opposition. Nous en avons vu les conséquences, et le rôle qu'ils jouèrent dans la coalition 'abbâside-'alide.

La raison première du lien de clientèle avait été la condition sociale fort incertaine où se trouvaient, dans les bouleversements survenus, aussi bien les prisonniers de guerre que les autochtones convertis, devenus par là même étrangers, voire suspects à leur communauté d'origine. Et les chefs arabes ne faisaient qu'appliquer à leur égard une ancienne coutume anté-islamique : les individus, isolés de leur tribu ou rejetés par elle, ne pouvaient que s'intégrer, à titre de clients, à une autre tribu ou à un autre clan.

Mais un fait nouveau avait surgi depuis lors, et dont la nouveauté n'était qu'insuffisamment apparue aux chefs arabes. Selon des schèmes anté-islamiques, on pourrait dire que c'est la « protection » des Défenseurs médinois que le Prophète et ses Compagnons, fuyant leur tribu et leur clan, étaient allés chercher à Yathrib. Or, le Prophète fit établir entre Expatriés mekkois et Défenseurs médinois un pacte dit de la *Sahîfa* (« feuille », « registre ») sur la base d'une absolue égalité. Le pacte fixait une série de devoirs réciproques, comme il se doit entre égaux, regroupant les uns et les autres dans une unité supra-tribale.

Tous étaient arabes, sans doute; mais le dépassement des clans et tribus, véritable révolution dans l'Arabie d'avant l'Islam, devenait un appel au dépassement des ethnies, et sa préfiguration.

L'un des drames de la dynastie umayyade fut beaucoup moins le manque de piété reproché, un peu vite, aux califes, que de n'avoir su prendre la mesure de cet universalisme inscrit dans l'appel de l'Islam. Il est caractéristique que l'opposition des 'Abbâsides et des 'Alides qui, au premier abord, semblerait se situer sur la lancée des vieilles luttes de clan, fera de cet universalisme l'une de ses revendications majeures. La sympathie et l'appui des *mawâlî* étaient dès lors acquis.

Sous le règne 'abbâside, les anciens *mawâlî*, devenus enfin citoyens de plein droit, contribuèrent pour une large part à l'élaboration des « sciences religieuses » de l'Islam, et à la naturalisation dans la culture musulmane des sciences « étrangères » et profanes. Ils y apportèrent une attitude de cœur et d'esprit qui ne se faisait « arabe » que dans la mesure où l'Islam avait réassumé et transmué les apports anté-islamiques. Iraniens d'origine pour la plupart, parfois Byzantins, plus tard Turcs ou Turco-Mongols, et Indiens, ce sont des mentalités de base ou iraniennes, ou byzantines, ou turques et turcomongoles, ou indiennes, qui s'islamisaient de la sorte; et elles intégraient sur le fonds indo-européen ou asiatique de leur comportement traditionnel, la part d' « arabisation » qu'entraîne toute islamisation. De très grands écrivains arabes furent Iraniens ou Turcs d'origine.

NOTES

1. Deux faits récents en confirmation : l'histoire enseignée dans les lycées d'Égypte traite assez rapidement de l'Égypte pharaonique, et accorde un long développement à l'Arabie et aux premiers temps de l'Islam. — Un manuel d'histoire de la classe de 5e au Pâkistân est presque

entièrement consacré à l'histoire musulmane, dont il souligne l'origine arabe.

2. *Jâhiliyya* : entendons, avant tout, l'« ignorance » du Dieu un et unique.

3. Cf. Tâhâ Hussein : *al-Fitna al-kubrâ*, plusieurs éditions au Caire; tome I traduit en français sous le titre *La grande épreuve*, Paris, éd. Vrin, 1974.

4. Cf. J. Wellhausen : *Das Arabische Reich und sein Sturz*, Berlin 1902; traduit en anglais et en arabe.

5. Cf. Ibn Khaldûn : *al-Muqaddima*, éd. du Caire, s.d. (imprimerie al-Bahiyya), p. 142 sq.; trad. franç. de Slane, *Prolégomènes*, Paris, Impr. Nationale, 1868, t. I, pp. 411 ss., 423 (autre trad. franç. de V. Monteil; trad. anglaise de F. Rosenthal).

6. Ainsi Rashdî Ridâ, *op. cit.*, pp. 136-137 (trad. Laoust, p. 230).

7. Bien des Occidentaux ont urgé ces traits. Seraient à citer par exemple Renan, Lammens, E. Gauthier, etc.; voir Michel Hayek : *Les Arabes ou le baptême des larmes*, Paris, éd. Gallimard, 1972, pp. 131-135 et réf.

8. Ibn Khaldûn, *op. cit.*, pp. 105-107 (trad. Slane, t. I, pp. 303-313), *passim.* A travers ces Bédouins sévèrement jugés, ce sont les tribus musulmanes des Banû Hilâl, chassées d'Egypte et envahissant le Maghreb aux XIe-XIIe siècles, que visait Ibn Khaldûn.

9. *Ibid.*, p. 107, t. I, p. 313.

10. L'auteur en est Abû l-Faraj al-Isfahânî (Iranien des IIIe-IVe siècles H./IXe-Xe siècles); à la demande du calife Hârûn al-Rashîd, il recueillit les chants des chanteurs les plus célèbres; il y joignit (remontant volontiers aux temps d'avant l'Islam) de nombreuses informations biographiques et anecdotiques. Son livre est ainsi un précieux témoin de l' « arabisme » vécu des temps umayyades et du début de l'ère 'abbâside. Le *Kitâb al-aghânî* (21 vol.) a été édité trois fois au Caire et une fois à Leyde.

11. Rapprochement suggéré par T. Izutsu : *Ethico-religious concepts in the Qur'ân*, Montréal 1966; écarté par Ch. Pellat, art. « *Hilm* » (*EI*², p. 403).

12. La première expression est celle de Slane dans sa trad. de la *Muqaddima* d'Ibn Khaldûn; elle est devenue courante. M. Nassif Nassar (*La pensée réaliste d'Ibn Khaldûn*, Paris, « Presses Universitaires », 1968), propose « solidarité socio-agnatique », et Franz Rosenthal (trad. angl. de la *Muqaddima*) « feeling group ». — M. Abdallah Laroui dans son *Histoire du Maghreb* (Paris, Maspero, 2 vol., 1975) adopte « conscience de groupe ».

13. Ibn Khaldûn : *Muqaddima*, v.g. pp. 90-91, 108, 142 sq. (trad. Slane I, pp. 270 sq., p. 318, pp. 412 sq., etc.).

14. Cf. Ignace Goldziher : *Muhammedanische Studien*, I, pp. 319 ss.; cf. Ch. Pellat : *art. cit.*

15. Le poète Abû l-'Atâhiya parle du « silence dominé » *(samt)* comme d'une composante du *hilm.*

16. Cf. Bishr Farès : *L'honneur chez les Arabes avant l'Islam*, Paris, 1932.

17. *Ibid.*, p. 56.

18. « Non, par ton père! il n'est de clan semblable au mien pour les

hôtes qu'il accueille, ou pour les besogneux, ou pour l'invité »... (poésie anté-islamique de Labîd, XIII, trad. Jacques Berque dans *Langages arabes du présent*, Paris, éd. Gallimard, 1974, p. 164).

19. Cf. le « *In terra deserta, et invia, et inaquosa* », du Psaume biblique 62.

20. « L'hospitalité donne des droits qu'elle refuse au père », dit un proverbe tunisien (cf. A. Demeerseman : *Tunisie, terre d'amitié*, Tunis 1955, p. 238).

21. Les exemples seraient nombreux; et l'hôte, imprudemment admiratif, peut se voir « encombré » d'un lourd tapis d'apparat, d'un cheval... Il reste entendu qu'un don réciproque pourra être fait, sera fait un jour... — Au début du XXe siècle encore, des administrateurs coloniaux savaient profiter de cette antique vertu. Et, pour ulcérés qu'ils en fussent, les colonisés ne pouvaient pas ne pas leur offrir de ces « dons » obligés.

22. Cf. Fr. Buhl : art. « Hind Bint 'Utba », *Enc. de l'Islam*, 1re et 2e éd.

23. Respectivement : « la Déesse », « la Toute-Puissante », la divinité « du Destin et de la Mort »; cf. *Coran*, 53, 19-20.

24. Cf. J. Chelhod : *Les structures du Sacré chez les Arabes*, Paris, éd. Maisonneuve et Larose, 1964, pp. 238-239.

25. Le thème en revient souvent dans les poèmes anté-islamiques; voir par exemple Labîd, cité par *Kitâb al-aghânî*, t. XIV, 97.

26. Isfahânî, auteur du *Kitâb al-aghânî*, écrivit un *Kitâb Ayyâm al-'Arab* (« Livre des Jours des Arabes »), malheureusement perdu. Il y mentionnait 1 700 jours « mémorables ».

27. Cf. ci-dessus, p. 31 et réf. note 8.

28. *Coran*, 2,129, 151; 3,164, etc.

29. Certains islamisants (Goldziher, Tor Andrae) insistent plutôt sur la rupture, la transformation que l'Islam fit subir aux notions et valeurs arabes; d'autres au contraire, au nom de la philologie arabe elle-même, mettent l'accent sur la continuité : ainsi les suggestives analyses de termes de M. M. Bravmann dans *The Spiritual Background of Early Islam. — Studies in Ancient Arab Concepts*, Leiden, éd. Brill, 1972. — De fait, les concepts religieux musulmans sont comme infondus dans la spécificité de maintes notions arabes anté-islamiques. Mais s'ils les assument, ils les transmuent.

30. Cf. art. « *al-Asmâ' al-husnâ* », *EI*².

31. Shu'ayb, mentionné douze fois dans le Coran, est présenté comme le prophète envoyé par Dieu à Madian : « Aux gens de Madian, nous avons envoyé leur frère Shu'ayb » (*Coran*, 7,85; 11,94; 29,36).

32. Cf. Ch. Pellat, *art. cit.* — Voir les excellentes analyses de Toshihiko Izutzu : *The Structure of the Ethical Terms in the Koran, a Study in Semantics*, Keio University, 1959; du même, *God and Man in the Koran, Semantics of the Koranic Weltanschaung*, Tokyo, 1964.

33. Mais c'est peut-être à ce sujet que les coutumes anté ou extra-islamiques offrirent le plus de résistance. Et cette résistance se prolongera jusqu'à nos jours, en certains milieux berbères par exemple. Les lois successorales sont alors « tournées » par un recours abusif à l'institution du *waqf*, les biens de mainmorte, cf. ci-après, IVe partie, chap. II.

34. *Coran*, 9, 36-37. — Abû l-Rayhân al-Bîrûnî, le grand savant du XIe siècle, mentionne dans ses *Athâr al-baqiya* que l'intercalaison

du *Nasî'* (sens premier : délai, retard) s'opéra deux siècles avant l'Islam. (Cf. W. Hartner : art. « *Zamân* », *EI* [1]).

35. L'un des cinq devoirs religieux fondamentaux requis par le Coran. *Zakât* est souvent traduite par « aumône légale », mais il faut entendre une « aumône » exigée par la Loi. — La « taxe de capitation » est la *jizya*, la taxe imposée aux terres des non musulmans le *kharâj*.

CHAPITRE II

L'HOMME MUSULMAN ET SON INSERTION DANS L'HISTOIRE

Une commune attitude à l'égard de l'homme et du monde se retrouve-t-elle en tout musulman? Et tout d'abord : quel sentiment de lui-même aura-t-il ou tendra-t-il à avoir du fait de sa foi musulmane? C'est délibérément que nous resterons, au cours de cette première approche, très près du texte coranique. Car l'on ne saurait trop valoriser tout ce qu'une mentalité musulmane peut devoir à la lecture (psalmodiée), à la répétition inlassable, à la méditation du Livre.

L'homme et sa destinée

Trois sortes d'êtres doués d'intelligence ont été voulus par Dieu : les hommes, les *jinn*(s), génies ou esprits, « êtres élémentaux » (Massignon), créés « de feu clair » dit le Coran, et les anges créés de lumière selon le *hadîth.* Les hommes et les *jinn*(s) ont été appelés à l'existence pour adorer Dieu, les Anges pour lui obéir et être ses fidèles messagers. Le Coran, Parole de Dieu, écho authentique du Coran éternel inscrit sur la « Table gardée » d'auprès de Dieu, s'adresse d'abord aux hommes, pour leur enseigner ce qu'ils doivent savoir et pratiquer s'ils veulent accomplir leur destin.

On pourrait parler d'une anthropologie coranique. A l'enseignement sur Dieu répond un enseignement sur l'homme. Fait d'argile (*Coran,* 6,2 etc.), l'homme a été « créé faible » (4,28; 30,54), « versatile » (70,19). Mais en cette « boue malléable » (15,28,33), Dieu a insufflé son esprit (19,29; 32,9, etc.). Et ainsi l'homme a été « créé puis modelé harmonieusement, composé dans la forme que Dieu a voulue » (82, 7-8), et qui est « la forme la plus parfaite » (96,4). Misère et grandeur de l'homme. Misère, car l'homme n'est rien par lui-même, un être « de boue et de sang », destiné à périr au terme fixé par Dieu; grandeur, car il a été créé pour adorer Dieu (51,56) et l'attester Seigneur Unique.

La pensée musulmane des premiers siècles restera fidèle au triptyque : corps, âme, esprit [1]. L'âme, souffle chaud de la glotte, issu des entrailles, suscite en l'homme désirs et passions; mais l'esprit, souffle subtil des narines, issu du cerveau [2], « vient de Dieu », est la marque de Dieu. Le siège de la connaissance, et du jugement entre le bien et le mal, est le cœur *(qalb)*, tandis que le foie et les reins commandent aux sentiments, joie comme affliction, colère ou désirs. L'homme meurt tout entier pour ressusciter tout entier, et « le temps entre la mort et la résurrection passera comme un clin d'œil » *(hadîth)*.

On reconnaît ici une vue de l'homme très conforme au sémitisme ancien. Un peu plus tard, et sous l'influence de la philosophie grecque, l' « esprit » sera identifié à l'âme raisonnable [3]; à la division tripartite tendra à se subsistuer le dualisme corps-âme [4]. Diverses lignes de pensée admettront la spiritualité et l'immortalité de l'âme; cependant qu'un enseignement traditionnel continuera, jusqu'à l'époque contemporaine, à la dire composée de « matière subtile » [5]. Dominera toujours le sentiment de la fragilité de la vie humaine, soumise non plus à la « durée accablante » des anciens Arabes, mais à la Volonté de Dieu qui fixe à chacun son « terme » : elle ne trouvera sa stabilité qu'à la résurrection.

Le composé humain, quelque harmonieuse qu'en soit la forme, est tout d'impermanence. Les premières écoles théologiques, celles mêmes qui feront de l'intellect *('aql)* le critère de la Loi révélée, définiront l'homme comme un ensemble d'accidents, sans recourir à une notion de substance [6]. Mais à cet ensemble impermanent, Dieu donne cohésion de par le « statut » *(hukm)* qu'il lui octroie. En Islam, a pu dire Louis Massignon, la personne humaine se définit comme « témoin de Dieu ». Attester Dieu un et unique, c'est cela, et cela seul qui constitue l'homme sujet de droits et de devoirs. C'est le « pacte » de la prééternité, où toute la race des hommes rendit témoignage à son Seigneur [7]. Il culmina en la foi d'Abraham, dont l'Islam par un retour aux origines, est l'expression définitive et parachevée. C'est comme profession d'Islam que le pacte primordial recevra sa pleine explicitation à l'heure dernière du Jugement.

Une certaine élection de la race humaine se fait jour. « Nous avons donné de la noblesse aux fils d'Adam » (*Coran*, 17,70). Car cet être d'impermanence a été choisi par Dieu pour être son tenant-lieu, son *khalîfa* sur terre (*id.*, 2,30). Dieu l'a choisi de préférence aux anges, ses « serviteurs obéissants », et les anges manifestèrent leur dépit et jalousie de se voir préférer « quelqu'un qui fera le mal et qui répandra le sang, alors que nous, nous célébrons Ta louange et Te glorifions, et proclamons Ta sainteté » *(ibid.)*. Dieu répondit en révélant à Adam le nom des choses — qui donc donnait pouvoir sur le nommé — et le chargea d'en instruire les Anges (2,33). La terre fut ainsi remise en gérance à l'homme.

Mais cette fonction vicariale, l'homme ne peut l'exercer en plénitude que s'il est fidèle à sa mission première de « témoin de Dieu ». « La terre appartient à Dieu et aux musulmans », dit le *hadîth*. L'homme n'a aucunement le droit « d'user et d'abuser ». Dieu garde le haut domaine *(mulk)* sur toute chose, et seul en dispose à son gré. Il bénira l'homme fidèle dans ses biens terrestres, Il châtiera l'impie. Une défaite, un état d'asservissement, est d'abord ressenti comme un châtiment de Dieu. Mais ce peut être aussi une épreuve et une tentation *(fitna)*, envoyée par Dieu pour « avertir » les faibles et les défaillants. Nous sommes très proches ici des enseignements bibliques. Les étonnants succès des armées musulmanes aux premiers siècles de l'hégire devaient enraciner profondément ces valeurs de bénédiction terrestre dans le subconscient des peuples.

L'une des premières charges remises à l'homme, « lieu-tenant de Dieu », ne fut pas tant de « travailler la terre » et de la transformer à son usage, que d'admirer l'harmonie « sans faille » (*Coran*, 67,3) de l'univers créé : non pour s'y complaire ou l'adorer, mais pour apprendre à y lire « les signes de Dieu ». « Réfléchis sur les signes de l'univers » est un impératif maintes fois répété [8]; car l'harmonie et l'ordre de l'univers, pour qui sait les déchiffrer, proclament l'existence, et la toute-puissance, et la miséricorde du Très-Haut. La réflexion *(fikr)* est donc un devoir religieux.

Le sens obvie des textes coraniques impère cette étude des signes de l'univers parce qu'ils sont « signes de Dieu ». Ils ne s'en adressent pas moins à l'intelligence de l'homme. « En vérité, dans la création des cieux et de la terre, dans la succession de la nuit et du jour, sont des signes, certes, pour ceux qui sont doués d'intelligence, pour ceux qui invoquent Dieu, debout, assis ou couchés, et qui méditent sur la création des cieux et de la terre. Notre Seigneur ! Tu n'as point créé tout ceci en vain. Gloire à Toi ! Préserve-nous du châtiment du Feu » (*Coran*, 3,190-1). « Ceux doués d'intelligence » : le mot que traduit « intelligence » est *lubb* (pl. *albâb*) qui signifie aussi bien cœur ou esprit, la quintessence de l'homme. Le terme de *'aql*, intellect, qui prévaudra en philosophie et théologie, n'est pas coranique; mais coranique l'usage du verbe *'aqala*, au sens de « lier », « relier », et donc au figuré « user de sa raison ». Il est maintes fois impéré « au peuple qui raisonne » de méditer les signes de l'univers (*Coran*, 2,164).

Les commentateurs ont vu unanimement en ces versets un appel à l'acquisition de tout savoir légitime, dans la conviction que toute droite connaissance acquise par l'homme ne peut que confirmer en lui la parole de Dieu. La science ou connaissance *('ilm* [9]*)* a toujours été en grand honneur en Islam. On connaît les deux *hadîth(s)* souvent cités (entre bien d'autres) : « L'encre du savant [en sciences religieuses] vaut mieux que le sang du martyr [mort les armes à la main « sur le chemin de Dieu »] »; et : « Cherchez la science, quand même ce serait en Chine. » Des sciences religieuses aux sciences profanes ou « étrangères », le pas fut franchi plus d'une fois. Et ainsi un humanisme culturel, aux perspectives ouvertes, se développa largement dès le IXe siècle : se recommandant de l'appel coranique « au peuple qui raisonne », mais n'hésitant pas à fronder maintes interprétations traditionnelles; une « libre pensée », si l'on veut, que ne cessa de combattre la lignée des « pieux Anciens »... Ce sera l'une des dominantes du climat intellectuel au grand âge 'abbâside.

Vicaire de Dieu et ayant reçu de Dieu la terre en gérance, ayant, de par Dieu, obligation d'user de son pouvoir de réfléchir et de raisonner, l'homme musulman n'est donc point sollicité au mépris et à l'ignorance des choses de ce monde. Il est requis au contraire d'organiser la Cité terrestre, d'y faire régner la justice et la paix, mais en sachant bien que cette Cité n'est rien par elle-même, car « tout périt, si ce n'est la Face de Dieu » (*Coran*, 28,88). La vie d'ici-bas est le tremplin de la vie future, celle d'après l'Heure dernière, la résurrection et le Jugement, la seule stable, récompense glorieuse pour qui aura fait le bien, châtiment terrible pour qui aura désobéi au Très-Haut. Les biens de ce monde ne sont pas condamnés; l'usufruit en est remis aux croyants qui en peuvent disposer et jouir, dans la fidélité à la Loi divine et la conviction de leur fragilité. En disposer et en jouir, mais sans y attacher leur cœur, remerciant Dieu dans la privation comme dans l'abondance, le bénissant dans les triomphes et supportant patiemment les revers, méditant les témoignages des prophètes, et l'exemplarité suprême que restent, jusqu'à la consommation des siècles, l'enseignement et la vie du Prophète de l'Islam.

Histoire sacrée

L'homme musulman se trouve pris dans une histoire qui se situe entre deux instants méta-historiques : le pacte de la prééternité entre Dieu et la race adamique, et l'anéantissement final *(fanâ')* qui précèdera la résurrection des corps et le Jugement [10]. Entre ces deux « faits » qui transcendent le temps, le devenir de l'humanité va se jouer sur un double horizon, en une histoire linéaire mais non forcément progressive, succession discontinue des missions prophétiques qui toutes sont chargées du même message, parfait dès l'origine, mais parachevé et pleinement élucidé en et par la parole coranique. Une histoire donc qui est bien la suite (discontinue) des événements du monde, mais par un retour incessant sur l'instant hors de l'histoire et toujours présent des origines, et l'instant hors de l'histoire et déjà présent de la consommation finale.

Les histoires des prophètes. — L'impact de l'Islam transmua les « jours des Arabes » et les repères événementiels des anciennes tribus en ces autres points de repère, trans-historiques, que sont les interventions de Dieu dans l'aventure des hommes. Le prophétisme est au cœur de la vision musulmane du monde. Dieu parle aux hommes par des envoyés *(rusul)* qu'Il se choisit. Sans ces interventions divines, l'humanité, oublieuse et futile, se perdrait dans la nuit de l'ignorance. De soi, la raison humaine peut, en réfléchissant sur les « signes de l'univers », y déchiffrer les « signes de Dieu »; mais si un prophète ne venait l'y inciter, jamais elle ne s'y appliquerait d'elle-même [11]. Dans l' « intervalle » qui sépare deux missions prophétiques, l'homme retombe dans la vanité et l'inconstance des soucis quotidiens [12]. Tel était bien le sort des Arabes avant l'Islam. Les envois des prophètes sont autant d'éclairs discontinus qui trouent et illuminent la nuit. Et si Muhammad est « le sceau des prophètes » (*Coran*, 33,40), c'est qu'après lui sa Communauté ne périra pas et maintiendra jusqu'à l'Heure dernière le « droit de Dieu » à être reconnu et adoré dès cette terre.

On ne saurait comprendre une mentalité musulmane sans ce retour sur l'histoire des prophètes, que réactualisent sans cesse la récitation et la méditation du Coran. Le Livre en effet revendique une suite de prophètes des temps bibliques; il en nomme d'autres, tels Hûd, Sâlih et Shu'ayb, envoyés aux 'Âd, Thamûd et Madian, qui ne les reconnurent pas [13]. Car « il n'existe pas de communauté où ne soit passé un Avertisseur » (*Coran*, 35,24). Prophètes des temps bibliques mais non prophètes de la Bible. Aucun des « grands prophètes » n'est mentionné par le Coran. Ce sont plutôt des patriarches et des rois auxquels est reconnu le titre de *nabî :* Salomon, David, Moïse l' « interlocuteur de Dieu » qui fut prophète d'Israël, comme Jésus « le Messie » et son précurseur Jean-Baptiste seront prophètes pour les Chrétiens, Muhammad pour les Arabes et pour le monde entier. Moïse, précise le Coran, fut enseigné par le mystérieux al-Khidr, le Verdoyant, le toujours vivant, témoin de la Présence divine [14]. Mais avant tout, retour est fait, dans une présentialité qui ne se dément pas, à Abraham (Ibrâhîm), «l'ami de Dieu [15] », et, avec lui, ses fils Ismaël et Isaac, et son petit-fils Jacob. En dépit de quelques rares *hadîth* (s) qui mentionnent Isaac, c'est Ismaël, selon la croyance musulmane courante, que Dieu demanda à Abraham de sacrifier, jusqu'à ce que l'Ange retint son bras pour substituer un bélier à l'enfant.

Par une série de cercles concentriques se réinvolvant sur

le point originel, l'histoire sacrée, par-delà Abraham, rejoint le prophète Noé et la pérennité de l'Arche dans le Déluge, puis Adam « et son épouse », Adam, premier prophète de l'humanité, chassé du jardin d'Eden *(janna)* après la faute de désobéissance, qui lui resta personnelle et lui fut pardonnée. Assumé par l'Islam, le pèlerinage anté-islamique de la Mekke devint le lieu mémorial de l'exil et du pardon d'Adam et d'Ève, de la fuite de Hâgar et de son fils Ismaël au désert, du sacrifice d'Abraham enfin. La commémoration du sacrifice est la « grande fête » de l'Islam, et c'est aidé par son fils Ismaël qu'Abraham releva de ses propres mains la *ka'ba* qu'avait détruite le Déluge (*Coran*, 2, 127).

Les « histoires des prophètes » abondent dans les sûrates aussi bien médinoises que mekkoises. A mesure que Muhammad se heurte au refus des Chrétiens et des Juifs, elles prennent un relief d'évocation sans cesse plus précis : comme un témoignage rendu à l'authenticité de la prédication nouvelle. Chaque prophète a son « cycle », d'où surgit sa personnalité très typée. Mais le message qu'il doit transmettre aux hommes est toujours identique : reconnaître que Dieu seul est Dieu, unique et un en lui-même. Toute mission prophétique se déroule selon un schème à trois temps : annonce proclamée de par Dieu et « défi » lancé par le prophète aux opposants; révolte des incrédules au cœur scellé; leur châtiment après qu'ait été prouvée l'origine transcendante du message. Cette « preuve » qui suit le défi lancé est le ou les miracles, les « ruptures d'habitude » que Dieu accomplit par la main de son Envoyé. Le miracle de l'Islam, c'est le Coran lui-même, l'inimitabilité et l'insupérabilité du Coran : « Dis : si les hommes et les *jinn*(s) s'unissaient pour produire quelque chose de semblable à ce Coran, ils ne produiraient rien qui lui ressemble, même s'ils s'entraidaient » (*Coran*, 17,88).

Ainsi, l'esprit et le cœur du musulman seront sans cesse nourris de rappels à une histoire de l'humanité depuis sa création, mémorial des interventions divines. Les traditions et l'imagination populaires, brodant sur les données coraniques, enrichirent de maints détails les « histoires des prophètes ». Elles n'hésitèrent pas pour ce faire à recourir à des traditions chrétiennes ou aux *halaka*(s) juives. Des docteurs mirent en garde contre ce recours incontrôlé à des sources « étrangères ». Le genre littéraire n'en disparut point pour autant. De nos jours encore les ouvrages les plus répandus dans le peuple lettré ou demi-lettré sont, avec les commentaires du Coran, les « histoires des prophètes [16] » et la « vie du Prophète (Muhammad) [17] », enrichies de précision qui font foi dans les croyances populaires.

Le devenir de la Communauté. — Cette continuité Adam-Noé-Abraham-Moïse-Jésus-Muhammad situe les peuples d'Islam dans une « histoire sacrée » que prolongera jusqu'à la fin des temps le devenir terrestre de la Communauté musulmane. Il ne s'agit pas tant ici des annales concernant les règnes et les empires. Elles furent abondantes, certes [18], et nous les retrouverons dans les cercles de lettrés qui graviteront autour des princes-mécènes. Mais il s'agit d'abord d'une sorte de « théologie de l'histoire », tout orientée par la vue eschatologique de l'Heure dernière. Histoire linéaire elle aussi, mais qui, loin d'être progressive, enseignera que la foi en l'Unique, et donc la vie de la Communauté, iront se dégradant, dans l'attente millénariste du ou des guides missionnés pour les réactiver et leur redonner la pureté première.

L'Islam a son Age d'Or. Il ne se situe point en un temps mythique, aux aurores de l'humanité, mais en un temps historique précis, qui est celui de l'État de Médine, celui du Prophète et de ses Compagnons. C'est le point focal de la mémoire de la Communauté. Les *hadîth*(s) sont nombreux qui annoncent des troubles et des scandales devant surgir après la mort du Prophète. L'un des plus remarquables est celui dit « de la secte sauvée ». Shî'ites comme Sunnites s'en réclament, chaque école voulant y lire la promesse de son propre salut [19]. Le voici :

> « Les fils d'Israël se sont divisés en soixante-douze sectes *(firaq)*. Ma Communauté se divisera en soixante-treize sectes après ma mort. Une seule sera sauvée, toutes les autres iront en Enfer [20] ».

Ou, selon une recension très souvent adoptée :

> « Ma Communauté se divisera en soixante-treize sectes; toutes seront pour l'Enfer, à l'exception d'une seule, celle à laquelle j'appartiens, ainsi que mes Compagnons [21]. »

vérification d'1 texte d'après les manuscrits.

Selon les commentateurs, la « secte sauvée » est l'Arche du Salut dans le Déluge d'infidélité qui ne cesse de déferler sur le monde. L'Arche de Noé, est-il dit, en était l'annonce et le symbole. Une tradition shî'ite affirme que seuls « les gens de la Maison », c'est-à-dire la famille du Prophète et ceux qui lui resteront fidèles, monteront dans l'Arche; la « secte sauvée », disait Nasir al-Dîn Tûsî, grand commentateur d'Avicenne, est celle des Shî'ites-Imânites [22]. En sunnisme, la piété hanbalite valorisa pour sa part la « secte sauvée » : elle devient le synonyme des « gens de la Tradition et de la Communauté », les Sunnites, éminemment représentés par l'école hanbalite. Sans cesse attaquée par les flots de l'incroyance et de l'« esprit d'innovation », elle ira s'amenuisant [23]; mais elle perdurera victorieuse et assistée *(mansûra)* par Dieu, jusqu'au jour du Jugement. Elle est la réalité profonde de la Communauté du Prophète.

S'il y a pessimisme, il ne porte que sur la fragilité de l'homme, la propension humaine à s'engloutir dans les désirs et les soucis de chaque jour. Face à la toute-puissance et à la miséricorde du Très-Haut, c'est au contraire un esprit de confiance *(tawakkul)* qui est demandé. Tout musulman peut et doit toujours, à chaque instant monter dans l'arche de la « secte sauvée »; et il sait, d'une vue de foi, que Dieu n'abandonnera pas sa Communauté. Les missions prophétiques se sont récapitulées et parachevées en Muhammad; mais Dieu ne cesse de susciter, du sein du monde de l'Islam, des « réformateurs [24] », en attendant la venue ultime du *Mahdî*, le bien dirigé, qui rénovera la Communauté et la préparera à l'Heure dernière.

L'attente eschatologique du *Mahdî* a toujours été vive au cours de l'histoire, aussi bien en sunnisme qu'en shî'isme, et nous la retrouverons à plusieurs moments de notre enquête [25]. Nombreuses sont les traditions, spécialement chères aux Shî'ites, qui font du *Mahdî* l'un des descendants de Fâtima, fille du Prophète. Elles sont loin d'avoir été toutes reconnues comme authentiques [26]. D'autres *hadîth*(s), écartés, eux, par les Shî'ites, annoncent comme *Mahdî* Jésus « le Messie », « fils de Marie », qui, élevé auprès de Dieu (et non « tué » sur la Croix), reviendrait alors sur terre, et ferait profession d'Islam » avant de goûter la mort ».

Mais ce millénarisme de l'avant-dernier temps du monde peut toujours être réellement assumé dans l'instant présent. Le juste, qui appartient à la secte sauvée, est déjà, par là même, contemporain du *Mahdî*. Et cela se réalise éminemment s'il meurt au service de Dieu et de la Communauté. Le culte musulman n'a pas d'acte sacrificiel, et sa « fête des sacrifices » n'est que rappel et commémoraison de l'acte abrahamique. Mais il y a la remise de tout soi-même à Dieu; et il y a l'offrande des combattants tués « sur le chemin de Dieu », les témoins-martyrs [27] morts pour la défense et le triomphe de l'Islam. Dieu les fait entrer sans retard au paradis. Leur sang répandu a valeur sacrificielle, et leur vaut le pardon de toutes les fautes commises. Toute guerre juste n'est pas forcément « effort sur le chemin de Dieu [28] »; mais de par sa justice même, elle participe au double esprit religieux et communautaire. Les combattants morts pour l'indépendance de l'Algérie sont officiellement appelés *shuhadâ'*, les témoins suprêmes.

Islam, « gens de l'Écriture », arabisme

Pour le Musulman, la Loi coranique *(Shar')* parachève et accomplit les lois religieuses antérieures, et nommément la Loi juive *(Tôrâh)* promulguée par Moïse, et la Loi chrétienne *(Injîl)* promulguée par Jésus. La pensée de l'Islam est que, dans leur ensemble, les Juifs et les Chrétiens n'ont pas su entendre et garder tout ce que leurs prophètes leur avaient apporté de par Dieu. Ils ont « manipulé » leurs Livres, ont détourné du sens vrai les passages qui y annonçaient la venue de Muhammad; d'où, en châtiment, les querelles sans cesse renaissantes au sein même de leurs communautés *(milal)* [29].

Dans les sûrates médinoises, les Chrétiens apparaissent plus près des Musulmans que ne le sont les Juifs. Car, dans la mesure où ils « ne s'enflent point d'orgueil [30] », ils restent ouverts au message coranique, et y reconnaissent la réalité de leur propre foi [31]. L'Évangile avait abrogé la Loi de Moïse; le Coran, maintenant, abroge l'Évangile. D'ailleurs les quatre évangiles *(anâjîl)* que les Chrétiens considèrent comme leur Livre révélé, ne sont pas, en leur mot à mot, l'Évangile unique *(injîl)* descendu sur Jésus. Ce sont des récits fragmentaires de la vie de Jésus, écrits par des disciples, et où se trouvent insérés quelques passages seulement de l'Évangile révélé. Ce sont des Livres qui méritent respect, tout comme « La vie du Prophète » en ce qui concerne Muhammad; mais, à la différence du Coran, ils ne sont pas, en sa pureté, parole de Dieu.

Si bien que le Musulman n'aura nullement conscience d'une rupture entre sa foi et la foi *authentiquement* juive ou chrétienne. « Nous, musulmans, nous sommes les vrais chrétiens » — vraiment fidèles au message authentique de Jésus — est une phrase qu'il est fréquent d'entendre, de nos jours encore [32]. Les Juifs sont les « Fils d'Israël », *Banû Isrâ'îl;* les Chrétiens furent d'abord des Israélites qui reçurent la parole de Jésus. Ils accueillirent par la suite des gens de toute race et nation. C'est à ce moment-là d'ailleurs que le dogme chrétien s'alourdit de formulations absconses, qui l'éloignent de sa pureté d'origine, et dont le premier responsable fut le Juif Paul de Tarse [33]. — Si les Juifs et les Chrétiens s'attaquent aux Musulmans, il faut les combattre. Mais il faut les accueillir dans la Communauté s'ils signent avec elle un pacte d'allégeance et de paix. Les Juifs et les Chrétiens « gens de l'Écriture » qui vivent dans un pays musulman deviennent ainsi les « protégés » *(dhimmî*(s)) de la Communauté du Prophète. En parlant avec eux, il faut fuir les controverses sans fin, et ne discuter « que de la plus belle manière », en soulignant la foi commune en l'Unique [34].

L'Islam, ainsi, a conscience de prendre la relève des « gens de l'Écriture », et de faire aboutir l'universalité du message que la miséricorde du Très-Haut a formulé pour la race des hommes. Or, c'est sur la lancée des mœurs et coutumes arabes, telles que les avait forgées « la nuit de l'ignorance », mais transmuées par le rappel de l'histoire sacrée des prophètes et par la foi en Dieu un, que surgit l' « aurore de l'Islam [35] ». Comment se situera selon les données de foi cette dialectique continuité /rupture déjà rencontrée dans les faits?

Les guerres du Prophète contre les Mekkois et les tribus récalcitrantes sont du style des anciennes razzias. De même, les premières grandes chevauchées des armées musulmanes. Durant des siècles encore, le type du brigand-razzieur, grand seigneur et coupeur de routes, se perpétuera, continuera d'inquiéter les populations urbaines et le pouvoir établi. D'autres exemples pourraient être donnés de cette continuité factuelle. Mais combien plus profonde fut la recherche et la justification d'une certaine continuité d'ordre spirituel. Le culte d'honneur dont la foi musulmane a, très tôt, entouré le Prophète, se reversa comme naturellement sur « les gens de sa Maison [36] », sur les Banû Hâshim son clan [37], sur Quraysh sa tribu, sur les Arabes son peuple [38]. Des *hadîth*(s), liés sans doute à l' « arabisme » umayyade, sont nombreux en ce sens. Bien connu est celui qui affirme : « Dieu a besoin de Quraysh », et qui sera considéré comme l'une des bases scripturaires fondant l'obligation pour le Calife d'appartenir à cette tribu [39]. Et par-delà Quraysh : « Qui aime les Arabes m'aime, aurait dit le Prophète; qui les hait me hait, mais ne les hait que l'homme pervers. » Et encore : « Aimez les Arabes pour trois raisons : parce que je suis arabe, parce que le Coran est arabe; parce qu'arabe est la langue des habitants du Paradis. » Cette troisième raison fut une croyance très populaire; et c'est par le grand salut arabe de la paix, *al-salâm 'alaykum*, « que la Paix soit avec vous », que Dieu recevra ses élus.

Il n'y a pas complète similitude entre l'élection du peuple juif dans la tradition judéo-chrétienne et la précellence d'honneur reconnue aux Arabes en Islam, mais il y a analogie. Les Arabes ne furent pas un peuple qu'une pédagogie divine prit en charge et forma progressivement au cours des siècles. Mais d'un seul coup, en un instant privilégié, Dieu, par le choix d'un prophète arabe comme sceau des prophètes, mit au premier rang de l'histoire des hommes le peuple du désert. Les revendications d'un nationalisme arabe moderne auront toujours, à l'époque actuelle, une résonnance très particulière dans le monde musulman, soutenues en arrière-plan par le rappel d'une histoire sacrée. L' « arabisme » *('uruba)*, chez ceux-mêmes des Arabes qui ne sont pas musulmans, ou dont la foi musulmane est obnubilée, n'est point séparable du destin terrestre de l'Islam. « Les Arabes humiliés, aurait dit le Prophète, c'est l'Islam humilié [40]. »

Sommes-nous donc en présence de deux vues de la mission muhammadienne : centrées l'une sur la précellence arabe, l'autre sur l'universalisme de la foi nouvelle? S'appuyant d'ailleurs sur deux groupes de *hadîth*(s), les premiers (précellence arabe) mis en honneur aux temps umayyades, les seconds (universalisme) cités préférentiellement par les non-Arabes qui dominèrent aux temps 'abbâsides? A vrai dire, il y a là différence d'accent plus qu'opposition. L'une et l'autre perspective sera réassumée par une mentalité musulmane sous un seul horizon de pensée. Nous en proposerions le schéma suivant :

La valeur la plus fondamentale reste bien la fraternité des croyants, et leur parfaite égalité devant Dieu : « pas de distinction, si ce n'est le degré de crainte de Dieu [41] »... Tout racisme, même en faveur des Arabes, serait une trahison de l'Islam. Salmân Pâk et Bilâl, Compagnons du Prophète, étaient l'un Iranien (chrétien), l'autre un Noir. Ils seront vénérés au cours des siècles par la piété des fidèles. Salmân sera le patron des artisans, et Bilâl « le muezzin du Paradis ». Mais Dieu a voulu que cet universalisme fût le fruit d'une Parole adressée aux hommes en arabe, et d'abord à des Arabes. Et les Arabes, par Ismaël, descendaient d'Abraham « l'ami de Dieu ». Cela reste donc un honneur que d'être arabe, et plus encore de la tribu de Quraysh, et plus encore de la famille du Prophète. Ceci dit, et une fois retenti « l'appel de l'Islam », les Arabes ne jouissent point de privilèges spéciaux. Ils seront jugés, comme tout croyant, et comme tout homme, sur l'attestation qu'ils auront proclamée du Dieu Unique, en leur cœur, par leur langue, par leurs actes. Peut-être même le Juge des juges sera-t-il plus exigeant à leur égard, choisis qu'ils ont été pour être les premiers auditeurs de la prédication coranique, et les premières pierres de la Communauté du Prophète.

La langue arabe et la vision du temps

On voit le sens de cette « arabisation spirituelle » que nous avons signalée en toute islamisation. Elle n'a point de portée ethnique, et peut laisser parfaitement libres de s'exprimer les fiertés nationales. En fait, les « peuples » élevèrent très vite leurs revendications à l'encontre d'un orgueil arabe qui restait de facture très anté-islamique. Toute l'histoire musulmane, et jusqu'à nos jours, en portera la marque.

Mais l'arabisation spirituelle ne fut pas non plus purement religieuse. C'est par la langue qu'elle s'exerça en de larges couches de populations : non seulement parmi les Syriaques (donc des Sémites encore), mais parmi des Grecs restés dans l'Empire musulman, et surtout parmi les Iraniens, puis les Turcs et Turco-Mongols... Pendant un certain temps, l'arabe fut la langue officielle des Iraniens musulmans, shî'ites aussi bien que sunnites. Dès le IXe siècle cependant, des tentatives d'expression écrite virent le jour en néo-persan, spécialement dans les régions du Khurâsân et de la Transoxiane; mais il faudra attendre les XII-XIIIe siècles pour que s'épanouissent les genres littéraires [42]. Le néo-persan d'ailleurs, langue indo-européenne, fut profondément influencé par l'arabe dont il emprunta la graphie et un assez abondant vocabulaire.

Aux âges classiques, quoi qu'il en fût de l'usage maintenu ou rénové du néo-persan, de l'ûrdu, du turc, la connaissance de l'arabe était nécessaire dans les cercles dirigeants. Or, il s'agit d'une langue non seulement sémitique, mais en laquelle les valeurs de la sémantique sémitique ont pris et gardé un singulier relief. Langue centrée sur le verbe, sur l'action *transiens* du sujet, non sur l'état du sujet; goût du rythme heurté et des allitérations; fluence du fond sous une extrême précision de la forme [43]; abondance des « corrélatifs d'opposition » qui saisissent en une même vue de l'esprit une affirmation et son contraire, deux mots opposés s'appelant l'un l'autre, ou l'inclusion du plus dans le moins, du moins dans le plus, jusqu'à l'ambivalence des termes intrinsèquement antonymes quand ce mouvement alternatif de haute fréquence s'opère à l'intérieur du même mot [44].

En conséquence : dialectique d'opposition et de saut, logique à deux termes, qui n'empêchera pas l'accueil du syllogisme grec, mais continuera de marquer bien des modes de penser, et donc d'agir et de réagir. Goût de la « voie d'éloquence » (ou poétique) [45], et de son fréquent usage de la parabole *(mathal)*, qui est tout autre chose que la métaphore grecque, dont le mouvement est en quelque sorte l'inverse de celui de la métaphore. La parabole est un appel au passage d'un plan d'existence concret à un autre plan d'existence concret, supérieur et incommensurable au premier. « C'est par une espèce de transport *(tajâwuz)* qu'elle incite à passer du sens figuré au sens propre, de l'image à la réalité, transfigurant le sujet pour qu'il se consomme en son objet [46] ». En sémitisme, et très spécialement en arabe, la parabole qui *atteste*, en même temps *prouve*. Elle ne démontre pas, elle désigne le fait nouveau *qui est là*, elle emporte la conviction intérieure, « elle peut engendrer la vocation [47] ». On peut dire que ces « notes » de la langue arabe culminent dans le Coran, dont les incessantes lectures et relectures et méditations ont nourri des générations de croyants à quelqu'ethnie d'origine qu'ils appartiennent. Il n'est pas sans intérêt de souligner l'usage incessant que fait du « transfert » *(majâz)* la poésie arabe la plus contemporaine, celle qui, audacieusement, remplace par une versification « libre » la métrique précise et étroitement codifiée de la littérature classique [48].

C'est tout cela qu'engage implicitement une acculturation arabe [49]. Elle ne délimite point, ce faisant, un horizon fermé aux modes de penser indo-européens, elle les attend plutôt, et le large accueil des héritages grec et iranien dans la culture arabo-musulmane en est le signe. Ce sont deux modes de saisie du réel à deux plans d'existence différents, qui s'appellent l'un l'autre, qui mutuellement tendent — devraient tendre — à se compléter et à s'enrichir.

Une langue comme véhicule de la pensée et de son expression est formatrice de mentalité bien plus directement qu'une ethnie. Nous saisissons là l'une des composantes, d'ordre culturel avant que d'être d'ordre religieux, de cette unité de comportement dans la diversité, difficilement analysable, et qui marque le monde de l'Islam. Car ceux mêmes pour lesquels l'arabe resta et reste langue étrangère, importée, pour lesquels l'expression arabe est la traduction d'une pensée primitivement non arabe, ne purent pas ne pas s'arabiser malgré tout, par la prière liturgique et la méditation du Coran, et surtout peut-être par l'apport du vocabulaire. Nous en verrions volontiers comme un symbole dans le salut courant de séparation, commun aux peuples d'Iran, d'Afghânistân et du Pâkistân : *Khuda hâfiz* « Dieu vous garde », où le mot persan qui désigne Dieu *(Khuda)* se joint à un mot purement arabe, et qui est l'un des « plus beaux Noms » divins enseignés par le Coran : « Celui qui garde » *(hâfiz)*.

Sans doute le persan, l'ûrdu, le turc, deux langues indo-européennes et une langue altaïque, sans parler de l'indonésien, sont-ils devenus langues très riches de culture [50]. Il fut même un temps où les nationalistes turcs et iraniens voulurent « purifier » leurs langues des racines arabes intégrées. Il ne semble pas que l'entreprise ait abouti, du moins pour les vocabulaires philosophique, théologique et religieux. Verrons-nous s'opérer une « désarabisation » en de larges zones du monde musulman, ou au contraire s'établir un équilibre où les langues non arabes manifesteront d'autant mieux leur force d'expansion culturelle qu'elles continueront à recevoir de l'arabe maintes notions intraduisibles exactement, et un certain mode de saisie des choses? Il semblerait que telle soit, à l'heure actuelle, la ligne d'avenir des cultures iranienne, pâkistânaise, turque...

Ce sont à la fois, semble-t-il bien, les lois linguistiques de la dialectique arabe, et le sens arabo-musulman des missions discontinues mais toujours identiques des prophètes, qui donnèrent aux peuples d'Islam une vue commune, ou à peu près, du temps et de l'histoire. « Le sens oriental du temps » est une étiquette commode mais fallacieuse qu'utilise trop souvent l'Occidental. Il y aurait ici une étude éclairante à poursuivre d'une part sur le sens arabo-musulman du temps, d'autre part sur le sens du temps indien ou extrême-asiatique [51]. Et plus précisément encore : sur les vues du temps et de l'histoire différentes chez l'Indien par exemple, selon qu'il est musulman, hindou ou chrétien.

La dialectique morcellaire de la langue arabe donne une étonnante vigueur au refus coranique du *dahr*, de la « durée accablante » des anciens Arabes; et elle actualise singulièrement ce retour sur la permanence immobile des origines, où la foi musulmane focalise l'instant itérativement unique du « pacte » de la « prééternité », de la foi d'Abraham, de la prédication de Muhammad, du Jugement de l'Heure dernière. Pour le Musulman, le temps vécu est beaucoup moins une durée qui s'écoule qu'« une constellation, une " voie lactée " d'instants [52] ». Le temps vécu est une succession d'instants ponctuels [53], dont chacun est comme un point de tangence du devenir humain et de l'éternité divine.

Il est vrai que les philosophes hellénistiques de l'Islam, qu'ils soient Arabes comme Kindî, ou Iraniens comme Fârâbî et Ibn Sînâ (Avicenne), définirent, à la suite d'Aristote, le temps comme « la mesure du mouvement circulaire, sous l'aspect de l'antériorité et de la postérité, non de la distance »; et, ajoute Ibn Sînâ « le mouvement est continu, donc le temps est continu [54] ». Cette influence grecque imprégna non tant la mentalité populaire que certains cercles intellectuels. Elle n'obnubila point le sens discontinu du temps, qui ne s'écoule pas, mais toujours se défait et refait, créé et recréé à chaque instant par Dieu. Et voici que le grand écrivain punjabî Muhammad Iqbâl (donc non arabe), mort en 1938, célèbre dans un de ses poèmes le temps à la fois « immobile et mouvant », où « chacun de nos instants annonce l'éternité [55] ». Le reproche qu'il adresse à Hegel est d'être « celui dont la pensée dépouilla l'éternité du revêtement de l'instant [56] ». Chaque instant, par un retour immobile sur lui-même, transperce la signification si relative qu'il endosse dans l'apparente continuité des hommes, pour crier la réalité tangentielle d'une Présence.

Cela n'ôte rien, bien sûr, aux calculs obligés de la suite des jours et des ans, et très tôt les Musulmans surent manier les calendriers astronomiques. Ils firent même singulièrement avancer la science des astres. Mais déjà la coexistence du seul calendrier officiel reconnu, purement lunaire, et de divers calendriers solaires tolérés et utilisés par l'administration, tendait à relativiser dans le comportement quotidien l'inéluctable « suite des temps ». Dans la vision des peuples d'Islam, l'histoire des hommes sera beaucoup moins une trame continue qui les ferait être, qu'une suite de ruptures et de renouvellements. L'homme n'est pas histoire, il est créature et témoin de Dieu. La « voie lactée » des instants ponctuels ne se dilue pas en durée homogène. Ses points discontinus restent les signes des décrets divins; pour qui sait voir, ils jalonnent la route vers « le jour de l'Instant connu » (*Coran*, 15,38; 38,81), qui est celui seul de l'Heure dernière. Et telle est la signification profonde de la « formule d'exception », le *in shâ' Allâh* (« si Dieu veut »), tant de fois prononcé, devenu l'une des composantes de la vie même de la Communauté [57].

Cette vue des choses nous semble à la fois sous-tendre le maniement pratique du « temps numérique » et s'y surimposer. Elle est certainement l'une des notes communes aux mentalités des hommes d'Islam, et peut-être certains comportements politiques actuels y trouveraient-ils, pour une large part, leur explication. Les « misères du temps » sont passagères. Le temps des revers est cruel, il est l'épreuve et la tentation, la *fitna*, du croyant. Mais la main de Dieu est toute-puissante, et aucun échec temporel ne compromet l'ultime triomphe attendu. Quelles que soient les contingences vécues, il n'y a pas à transiger sur ce qui doit être, et qui est déjà, dans l'instant immobile de l'éternité. Que deviendra cette mentalité profonde aux prises avec la mentalité technicienne de la civilisation et de la culture occidentales modernes? C'est l'une des interrogations sur lesquelles notre IVe partie devra revenir.

NOTES

1. Respectivement *badân, nafs, rûh.*

2. Cf. Louis Massignon, « L'idée de l'esprit dans l'Islam », ap. *Opera Minora*, Beyrouth, 1963, t. II, p. 562.

3. Par tous les *Falâsifa*, ces « philosophes hellénistiques de l'Islam », et, à la suite des *Falâsifa* orientaux (IXe-Xe siècles), par leur adversaire Ghazzâlî (XIe siècle). Voir de ce dernier le texte célèbre de *Ihyâ' 'ulûm al-dîn*, éd. du Caire 1325 H. /1933, t. III, pp. 3-4, et *al-Risâla al-laduniyya*, ap. *al-Jawâhir al-ghawâlî*, éd. du Caire 1353 H. /1934, pp. 23-24. Mais tandis que pour Ibn Sînâ, l'âme raisonnable réassume les fonctions des âmes inférieures, Ghazzâlî maintiendra la distinction et la coexistence des trois âmes, végétative, sensitive, raisonnable, ou, selon un autre vocabulaire directement coranique, commandante, blâmante, pacifiée.

4. Un manuel officiel courant. Ibrâhîm al-Bâjûrî (XIXe siècle), *Hâshiya 'alâ(...) Jawharat al-tawhîd*, éd. du Caire 1325 H. /1934, p. 95, dira : « La forme *(sûra)* de l'âme *(nafs)*, qui est l'esprit *(rûh)...* »

5. Pour Juwaynî (XIe siècle) « l'esprit *(rûh)* est formé de corps subtils entremêlés aux corps sensibles » (*Irshâd*, texte arabe et trad. française de Luciani, Paris, éd. Leroux, 1938, pp. 214-320). Même définition chez Bâjûrî : *op. cit.*, p. 93.

6. Cf. la thèse mu'tazilite résumée par Abû l-Hasan al-Ash'arî (Xe siècle) : *Maqâlât al-Islamiyyîn*, éd. 'Abd al-Hamîd, Le Caire, s.d., t. II, p. 25.

7. En réf. à *Coran*, 7,172; texte cité ci-après, p. 74. Ce « pacte », selon les commentateurs, est comme un sceau apposé par Dieu sur le cœur de tout homme venant en ce monde, le prédisposant ainsi à l'Islam.

8. Ainsi *Coran*, 2,118, 164; 3,190; 6,99; 13,2-3; 24,43-54, etc.

9. Selon le contexte, *'ilm* doit se traduire tantôt par « science », tantôt par « connaissance », ou plutôt il connote à la fois, mais selon des accents divers, les deux significats. *Ma'rifa* indiquera plus précisément une connaissance vécue, savoureuse (telle la « connaissance de Dieu » recherchée par les Sûfîs); et *hikma*, la sagesse.

10. Et ces deux « instants » se répondent. Après avoir mentionné le « pacte », le Coran poursuit : « Cela pour que vous ne disiez pas, le jour de la résurrection, ' Nous avons été pris au dépourvu ' » (7,172).

11. C'est la thèse enseignée par l'école ash'arite, qui fut dominante du Xe au XIXe siècle; voir par exemple Ghazzâlî : *Iqtisâd*, éd. du Caire, s.d., pp. 77-80, ou Fakhr al-Dîn al-Râzî, *Muhassal*, Caire, s.d., pp. 102-103. — Autres thèses : 1) celle des Mu'tazilites (qui fut écartée) : la raison humaine, livrée à elle-même, eût pu connaître l'existence de Dieu; 2) celle des Hanafites-Mâturîdites (admise) : même si Dieu n'avait pas envoyé de prophète, la connaissance rationnelle de son existence eût été obligatoire, et rendue possible par une assistance divine; mais tout autre prescription ou qualification légale a bien une origine prophétique (cf. 'Abd al-Rahîm Ibn 'Alî : *Nazm al-farâ'id*, Le Caire, 2e éd., s.d., p. 46).

12. Le « souci » qui détourne des « signes de l'univers » doit se prendre ici en un sens très proche du *Sorge* heideggerien.

13. Les réf. coraniques sont nombreuses; voir le refus des trois prophètes par leurs peuples dans *Coran*, 7,66 (Hûd); 7,76-79 (Sâlih); 7,88-92 (Shu'ayb).

14. Fréquemment identifié au prophète biblique Elie. Le « serviteur », guide-initiateur de Moïse (cf. *Coran*, 18,66-82) est appelé par la tradition al-Khidr-Eliyas. Voir Louis Massignon, « Elie et son rôle transhistorique, *Khadiriya*, en Islam », *Opera Minora*, t. I, pp. 142-161.

15. *Khalîl Allâh*, d'où le nom arabe de *Khalîl* donné à la ville d'Hébron, lieu présumé du tombeau d'Abraham.

16. *Qisas al-anbiyâ'*; cf. l'ouvrage très populaire de Tha'labî (m. 427 H. /1035-6).

17. Telle la *Sîrat al-nabî*, du même.

18. Célèbres entre toutes sont celles de Tabarî.

19. C'est le *hadîth* de la *Firqa nâjiya*. Certains traditionalistes il est vrai mettront en doute son authenticité. Mais les Hanbalites, la plupart des Ash'arites, Ibn Khaldûn d'une part, tous les Shî'ites de l'autre, en font grand cas.

20. Cité par le Hanbalite Ibn Batta : *al-Ibâna 'alâ usûl al-sunna*, éd. et trad. H. Laoust : *La profession de foi d'Ibn Batta*, Damas, 1958,

21. Version reproduite dans le traité ash'arite de Îjî-Jurjânî (XVe siècle), *Sharh al-mawâqif*, éd. du Caire, 1325 H. /1907, t. VIII, p. 376. — Jurjânî donne une troisième version, plus longue.

22. Cf. Ibn Taymiyya : *Minhâj al-sunna al-nabawiyya*, éd. du Caire, 1382 H. /1962, t. I, p. 95 (voir également H. Laoust : *Les schismes dans l'Islam*, Paris, éd. Payot, 1965, p. 303 et n. 35).

23. Cf. le texte évangélique : « Le Fils de l'Homme, quand il viendra, trouvera-t-il la foi sur la terre? » (*Luc*, 18,6).

24. Voir ci-après chap. III, p. 79 et IVe partie, chap. IV, pp. 332-339.

25. Ci-après, IIIe partie, chap. III, pp. 233, 242-243 et IVe partie, chap. II, pp. 308-310.

26. Cf. Ibn Khaldûn : *Muqaddima*, pp. 219-231 t. II, pp. 158-205 qui les recense et parfois les critique.

27. *Shuhadâ'*, sing. *shahîd*.

28. *Jihâd fî sabîl Allâh;* pour la notion du « *jihâd* (effort) par les armes », voir ci-après, p. 81.

29. Certains, parmi les Chrétiens, dit le Coran, « ont oublié une partie de ce qui leur a été rappelé »; aussi « Nous avons suscité entre eux l'hostilité et la haine jusqu'au jour de la résurrection » (5,14).

30. *Coran*, 5,82.

31. *Id.*, 5,83-84.

32. « Mais nous allons plus loin encore, et croyons que nous sommes, nous, les véritables chrétiens, puisque nous sommes restés attachés à la doctrine chrétienne originelle, telle que le Coran nous l'a indiquée on ne peut plus nettement », Ahmad Benanî : *Notre point de vue sur le Concile catholique* (texte arabe), ap. *al-Bayyina*, Rabat, octobre 1962.

33. Voir par exemple l'ouvrage, qui s'efforce à la compréhension et à la sympathie à l'égard du christianisme, de Fathî 'Osmân : *Ma' al-Masîh fî l-anâjîl al-arba'a* (« Avec le Messie, dans les quatre évangiles »), édité récemment au Caire (s.d.).

34. *Coran*, 29,46.

35. *Fajr al-Islâm*, titre d'un ouvrage célèbre de Ahmad Amîn, 1re éd., Le Caire, 1923.

36. C'est-à-dire, outre le Prophète, sa fille Fâtima, son gendre et cousin 'Alî, et ses petits-fils Hasan et Husayn. — L'actuelle monarchie marocaine des Alawides est hasanide; cependant que tout *Imâm* shî'ite, de quelque obédience qu'il soit, doit être husaynite.

37. Aujourd'hui encore, la Jordanie se prévaut du titre de « Royaume Hâshimite ».

38. Cf. Michel Hayek : *Les Arabes ou le baptême des larmes, op. cit.*, pp. 45-46 et réf.

39. Obligation considérée comme caduque lors du califat ottoman, au nom de « la loi de la nécessité ».

40. Cf. Halabî : *Sîrat al-nabî*, t. I, pp. 24-28. — Cité par M. Hayek, *ibid.*

41. Cf. ci-dessus, *Préliminaires*, p. 15.

42. Cf. E. Berthels : *Littérature néo-persane*, art. « Perse », *EI*[1], p. 1131.

43. Cf. L. Massignon : *Essai sur les origines du lexique technique de la mystique musulmane*, Paris, 3e éd., Vrin, 1968, pp. 66, 333.

44. Ce sont respectivement les phénomènes des *muqâbal*(s), du *tadmîn*, des *addâd* (cf. l'*Aufheben* hégélien). Voir L. Gardet, « *La dialectique en morphologie et logique arabes* », ap. l'ouvrage collectif (dirigé par Jacques Berque et Jean-Paul Charnay) : *L'ambivalence dans la culture arabe*, Paris, éd. Anthropos, 1968, pp. 116-132.

45. Cf. L. Massignon : *Passion d'al-Hallâj*, Paris, 2e éd., Gallimard, 1975, t. III, p. 98.

46. *Ibid.*

47. *Ibid.*, p. 99.

48. Cf. J. Berque : *Langages arabes du présent, op. cit., passim;* voir (*ibid.*, pp. 194-212) un essai d'application des normes actuelles de la linguistique à la lecture du Coran.

49. Cf. Mohammad Arkoun : *Essais sur la pensée islamique*, Paris, éd. Maisonneuve et Larose, 1973, p. 118.

50. Et l'on doit de plus en plus y joindre, pour l'Afrique sub-saharienne, le swahili : langue de structure bantoue, mais informée par ses très nombreux emprunts à l'arabe (vocabulaire religieux, entre autres). Le swahili tend à devenir en Afrique Orientale, comme une koinè, — pour les chrétiens ou les animistes aussi bien que pour les musulmans.

51. Cf. l'ouvrage collectif, *Les cultures et le temps*, Paris éd. Payot / UNESCO, 1975.

52. L. Massignon : *Le temps dans la pensée islamique*, *Opera Minora*, t. II, p. 606.

53. Les *awqât*.

54. Ibn Sînâ : *Najât*, 2e éd., Le Caire 1357 H., p. 118 (textes parallèles dans le *Shifâ'*).

55. Muhammad Iqbâl : *Payâm-i-Mashriq* (« Message de l'Orient »), traduit du persan par E. Meyerovitch et M. Mokri, Paris, « Les Belles Lettres », 1956, pp. 92 et 77.

56. *Ibid.*, p. 179.

57. Cf. L. Massignon : *Passion d'al-Hallâj*, t. III, pp. 99-102, et L. Gardet, art. « *In shâ' Allâh* », *EI*², et réf.

CHAPITRE III

LA COMMUNAUTÉ MUSULMANE EN SON IDÉALITÉ

Nous venons de décrire à grands traits le tuf où s'enracinent les mentalités des hommes de l'Islam en leurs notes communes. Nous ne croyons pas qu'aucun musulman sincère en récuse les données de base. Mais s'agit-il seulement d'un horizon qui ne cesse de s'éloigner à mesure que la perspective s'agrandit? Ou doit-il, cet horizon, se projeter sur le concret de la vie personnelle, sociale, politique, et l'informer en ses structures mêmes? C'est par l'affirmative que les penseurs musulmans de l'âge classique entendirent répondre.

Le droit et le fait

L'ère ʿabbâside fut, à ses débuts du moins et pendant deux siècles, l'âge des apogées terrestres de l'Islam. Cela n'alla point sans luttes, guerres, troubles sociaux... Mais la capitale, transportée de Damas à Bagdad, où, dans le jeu des influences, la dominante iranienne l'emportait, brillait de tout son éclat, culturel aussi bien que politique. La Perse était conquise. L'Empire byzantin se figeait sur ses gloires passées, cependant que le cinquième calife ʿabbâside, le fameux Hârûn al-Rashîd, nouait avec Charlemagne, le lointain empereur d'Occident, une alliance contre son rival, le calife umayyade de Cordoue [1].

A l'extrême Ouest en effet, au Maghreb et en Andalus (c'est-à-dire les terres d'Espagne où l'Islam s'était implanté), se développait une civilisation musulmane non moins brillante, ennemie politique de l'Empire de Bagdad, mais lui répondant de fort près quant aux attitudes d'esprit et de cœur, au comportement quotidien des hommes, et aux valeurs culturelles mises en œuvre. Si bien que nous aurons ce paradoxe : contre tous les principes de philosophie politique musulmane, l'unitaire Communauté du Prophète était divisée en deux empires rivaux. Mais Arabo-byzantino-iraniens à l'Est (en attendant Turcs et Turco-Mongols), Arabo-berbéro-hispaniques à l'Ouest participaient de valeurs culturelles et humanistes fort voisines. Les communications étaient fréquentes, et les voyageurs nombreux tout au long des routes du monde de l'Islam. Nous y reviendrons.

Du VIIIe au XIIIe siècle — le Moyen Age latin — s'épanouit l'âge classique de la pensée musulmane. Ce fut également le temps des Croisades et de la lutte contre les « Francs [2]». A parler très sommairement, on sait que les Croisades se soldèrent, du point de vue culturel, par l'influence dominante de l'Orient arabe sur l'Occident latin (et non l'inverse), se terminèrent politiquement par les victoires de Salâh al-Dîn, le Saladin des chroniques moyenâgeuses, et consommèrent donc le triomphe des majoritaires Sunnites sur les Shî'ites fâtimides du Caire, alliés aux Francs.

Pour cerner des attitudes musulmanes caractéristiques, nous nous devons d'interroger les réalisations de l'âge classique; elles nous seront une référence pour les variations diachroniques de la suite des siècles. Deux lignes de recherche s'offrent à nous. 1) Repérer, à travers les ouvrages de sciences religieuses ou profanes, s'il existe un type idéal de comportement et de réactions en lequel la plupart des Musulmans, de l'Est comme de l'Ouest, se reconnaissent sinon tels qu'ils sont, du moins tels qu'ils devraient et souhaiteraient être, et c'est faire œuvre de philosophie sociale et politique. 2) Interroger, au gré des documents venus jusqu'à nous, ce que furent les existences concrètes, selon la diversité des pays et surtout des conditions sociales; nous demander si s'en dégagent dans les faits une ou plusieurs mentalités dominantes — enquête d'historien et de sociologue.

A vrai dire, nous ne croyons pas pouvoir faire l'économie de l'une ou l'autre démarches. Nous refuser à tenir compte de principes normatifs, au nom de la seule réalité quotidiennement vécue, ne serait-ce pas trahir cette dernière? Les principes normatifs, même contredits dans les actes, voire dans les pensées, colorent en définitive bien des jugements portés, et situent la vie concrète selon une échelle spécifique de valeurs. Mais nous en tenir à la représentation idéale du musulman type, telle que l'âge classique put l'élaborer, serait nous exposer au reproche bien connu : se contenter d'une reconstruction *a priori*, élaborée par le labeur livresque des juristes, théologiens ou philosophes, et que les faits ne cessent de contredire. Cela est particulièrement sensible dans les principales aires de civilisation musulmane, où la tension fut toujours vive entre le droit et le fait.

C'est à un va-et-vient entre ces deux perspectives de recherche que nous tâcherons d'avoir recours. Qu'on nous permette cependant d'entendre *d'abord* les revendications de la pensée musulmane comme telle. Elle affirme l'existence d'un type d'homme informé par l'Islam, dont le comportement et la mentalité ne seraient pas ce qu'ils sont sans l'apport de la foi et de l'enseignement coraniques. Elle entend transcender la différence des « régionalismes », de leurs ethnies, destins historiques et langages. Cette revendication, qui va loin dans le concret de la vie, est en elle-même un *fait* que l'on ne peut traiter par [prétérition.] figure de rhétorique par laquelle on déclare ne pas vouloir parler d'1 chose dont on parle néanmoi[ns]

En un premier temps, il s'agira donc de ce que *doit* être un homme musulman, de ce qui est requis de lui. L'Islam a-t-il ici une réponse précise à apporter? Ses représentants l'ont toujours cru. Cette réponse, nous la trouverons formulée dans les diverses « professions de foi » — genre qui fleurit aux tout premiers siècles, dans les ouvrages de *fiqh* (droit) si nous savons les interpréter, dans les traités de spiritualité destinés à nourrir la piété des fidèles (nous ne parlons pas forcément des traités de sûfisme).

Écartons une ambiguïté. Nous n'avons pas mentionné les traités de morale proprement dits. Il en existe plusieurs, œuvres de philosophes et d'humanistes, Miskawayh, Ibn Sînâ... (xe-xie siècles). A de rares exceptions près, tel Ibn Hazm (xie siècle), il s'agit alors d'une pensée profondément et directement influencée par la Grèce, et qui veut intégrer, sur un arrière fonds d'Islam, une éthique avant tout aristotélicienne, parfois stoïcienne. Ce fut la dominante de certains cercles lettrés, milieux de cour le plus souvent. Elle ne relève pas, du moins pas uniquement, de ce que nous avons appelé les principes normatifs de l'Islam. Nous la retrouverons au cours du second volet de notre enquête, la recherche inductive des réalisations vécues.

Revenons à la tradition musulmane qui s'élabora aux grands siècles classiques. Que nous dit-elle? Le point de départ en sera les textes du Coran et de la *Sunna* (tradition du Prophète) : des textes donc reçus comme révélés, où se fera jour cet apport sémitique et plus précisément arabe, réassumé et universalisé, dont nos premiers chapitres ont fait mention. Ajoutons que les deux grandes lignes de pensée musulmane, sunnite et shî'ite, se rejoignent ici en un comportement de base. Nous en verrons plus tard les originalités respectives.

Mentalité religieuse

Nous retrouvons la mise en œuvre de valeurs précédemment dégagées. Il s'agit d'une attitude à l'égard de l'homme, de la société des hommes et du monde, dont l'inspiration se veut toute religieuse. C'est parce que Dieu a parlé aux hommes par ses prophètes et son Prophète, qu'une certaine attitude de cœur et d'esprit est demandée dans la vie la plus quotidienne, en réponse à la miséricorde du Très-Haut. « Au nom de Dieu, le Miséricordieux qui fait miséricorde », la répétition du *bismillâh* qui ouvre tout acte louable, est comme la scansion de cette réponse de l'homme à Dieu.

L'attitude la plus fondamentale, requise de tous, mendiant, artisan, fonctionnaire ou calife, pauvre ou riche, est celle même de l'*islâm*, qui veut dire, en son sens étymologique, « remise » de tout soi-même à Dieu. Dès les premières professions de foi [3], il est dit que le musulman doit vivre en *ikhlâs* et *ihsân*. L'*ikhlâs*, c'est la totale pureté d'intention, le culte pur rendu à Dieu, le dévouement pur à la Communauté. L'*ihsân*, l'accomplissement du bien, c'est « vivre comme étant toujours en présence de Dieu ». Dieu n'est pas le maître lointain. Aux impies, il apparaît redoutable et terrible. Il est pour le croyant le défenseur tutélaire, l'indulgent, le « Pardonneur qui ne cesse de pardonner ».

Ce qui est requis de l'homme, c'est de s'en remettre à Dieu, en attestant qu'Il est Seigneur unique et un [4]. La foi en Dieu *est* témoignage *(shahâda)* et attestation. Témoignage du cœur essentiellement, mais qui doit s'exprimer par l'attestation de la langue et les actes des membres. Nous retrouvons ici l'« alliance » *(mîthâq)* accordée par Dieu à la race des hommes, dans la pré-éternité d'avant la création des corps : « Quand Dieu tira une descendance des reins des fils d'Adam », et interrogea : « Ne suis-Je point votre Seigneur? — Ils dirent : oui, nous en témoignons » (*Coran*, 7,172). Or, à ce *covenant* octroyé par Dieu répond en quelque sorte, sur le plan des réalisations temporelles, le pacte inter-tribal de la *Sahîfa*, passé, à l'instigation du Prophète, entre Mekkois et Médinois, et qui fonde la Communauté [5].

Cette notion de « pacte » *('aqd)*, et de pacte octroyé, est une composante fondamentale de la mentalité musulmane. Elle commande les relations de l'homme à Dieu, des hommes entre eux, du citoyen au pouvoir établi. C'est par un pacte que fut fondé et que se perpétua, à la tête de la Communauté, le pouvoir de l'*Imâm* ou Calife, guide des croyants et lieu-tenant du Prophète [6]. Le respect du pacte octroyé et consenti, fondement du respect sacralisant de toute « parole donnée », est la noblesse et l'honneur, le *'ird*, du musulman. Sa revendication est au principe de toute organisation civique.

L'Islam, avons-nous déjà dit, est un « vouloir vivre ensemble », selon les principes et les règles des « relations sociales » définies par Dieu dans le Coran. Faut-il parler de « théocratie »? Célèbre est la définition de Louis Massignon présentant l'Islam comme « théocratie laïque et égalitaire ». Ces deux adjectifs soulignent qu'il ne s'agit point d'une théocratie de type antique. A notre sens, l'expression de Louis Massignon signifie seulement que les bases de la philosophie politique et sociale de l'Islam sont reçues par le croyant comme révélées. Mais il faut noter qu'aussi bien dans les « sources du droit » que dans les traités de philosophie politique, non seulement la notion, mais le terme même de « théocratie » sont absents. Il n'y a pas de « clergé » en Islam, et tous les croyants sont frères. Alors même que le pouvoir des califes 'abbâsides se teintait d'autocratie, à l'instar de la tradition des Grands Rois de Perse (ou à l'image du Basileus byzantin), le Calife restait chef temporel, chargé de faire observer des lois politico-religieuses, et lié par contrat à la Communauté. L'arbitraire du souverain restait limité par les devoirs de sa charge, et soumis en principe au jugement des notables de la Communauté, « les gens qui délient et lient [7] ».

Les « réformistes » contemporains, alors même qu'ils militent pour une résurgence de la Communauté du Prophète, répugnent à cette appellation de « théocratie », dont les références historiques évoquent à leurs yeux un pouvoir clérical et sacral. Disons que la mentalité musulmane, telle qu'elle se forma à l'âge classique, ne fut aucunement « théocratisée ». Le Calife est lieu-tenant du Prophète, non point lieu-tenant de Dieu; et le rôle de l'*Imâm* shî'ite, objet de foi pour ses partisans, n'est point celui des théocrates du passé. Ou, si l'on préfère, cette notion de théocratie, étrangère à l'Islam, risquerait de gauchir ce que sa vision de la cité terreste a de spécifique.

Il reste, et c'est ce que nous retiendrons de la phrase de Louis Massignon, que les principes directeurs de la vie politique et sociale puisent leur inspiration dans les versets du Coran. Les textes sont brefs qui traitent de l'organisation politique. Ainsi : la seule vraie autorité est celle de Dieu, et tout pouvoir Lui appartient (*Coran*, 6,57); « obéir au Prophète, c'est obéir à Dieu » (4,80); il faut obéir à ceux qui détiennent le commandement (4,59). Mais qui détient le commandement *doit* consulter les croyants « sur toute chose » (3,159), et les croyants doivent se consulter entre eux (42,38). Pouvoir et commandement d'une part (*hukm* et *amr*), consultation *(shûrâ)* de l'autre, seront les deux pôles de la philosophie politique de l'Islam. Elle peut donc s'accommoder d'une très large diversité d'applications concrètes.

Plus nombreux seront les textes qui organisent la vie sociale : principes directeurs concernant la famille, la naissance, les lois du mariage, la mort; les rapports de l'homme et de la femme, la morale sexuelle et conjugale; l'héritage et les contrats; et le concret de la vie quotidienne, lois du jeûne, communauté de la nourriture et ses interdits; les fautes, crimes et délits et la comparution devant les tribunaux; l'interdiction de l'usure, le sens social de la propriété... La tradition du Prophète *(Sunna)* apportera à ces divers préceptes maintes précisions, y joindra des règles concernant par exemple la circoncision, les cimetières, etc.

La morale coranique, reçue comme loi positive divine, est

rigoureuse. Il ne serait pas difficile d'y retrouver, épars, les commandements bibliques [8]. L'homicide, le vol, l'adultère, la fornication, la calomnie, le faux serment sont sévèrement condamnés. Des châtiments prescrits doivent sanctionner toute faute publique, et ce sera le rôle du juge *(qâdî)* que de les faire appliquer. Mais le jugement ultime est remis à la miséricorde du Très-Haut qui peut, s'Il le veut, pardonner les défaillances de ses fidèles, dès là qu'ils continuent, dans leur cœur et devant leurs frères, à l'attester comme Dieu unique, seul Seigneur et Créateur. Cet ultime recours à l'inscrutable volonté divine relativise tout comportement humain. Car Dieu seul juge les cœurs.

Qu'il s'agisse des rapports avec Dieu ou des relations sociales, c'est donc bien une mentalité essentiellement religieuse qui s'affirme. Mais voici que, par là même, le sens de la responsabilité de chacun dans la Communauté sera volontiers mis en valeur. Cette deuxième perspective mérite que nous nous y arrêtions un peu

Sens communautaire et esprit de réforme

A l'âge classique, la vie des cités musulmanes se présente à nous comme socialement et politiquement très active. Plus d'une fois, la politique califale dut compter avec les remous des *sûq*(s) [9] et de la rue. Les manifestations, les émeutes ne furent pas rares. Les *fuqahâ'*, disons, pour donner une équivalence approchée, les « docteurs de la Loi », savaient agir sur le peuple des artisans et commerçants pour faire échouer tel projet jugé non conforme aux principes coraniques. La levée des impôts et la promulgation de taxes diverses furent une source d'opposition fréquente entre la cour et la ville, alors qu'en règle stricte seul l'impôt-aumône « légal » de la *zakât* aurait dû être exigé du musulman. Pour ne donner que cet exemple : tout le procès et le jugement du grand Sûfî Hallâj se déroulent sur un arrière-plan de conflits financiers entre deux partis et deux vizirs [10]; et les Hanbalites, les tenants de l'école juridique la plus rigoureuse, suscitèrent dans les rues de Bagdad des émeutes en faveur de Hallâj, — ce qui, d'ailleurs, ne fit que hâter sa condamnation.

Ces prises en charge populaires de la vie civique sont-elles autant de réactions quasi instinctives, et sans rapport avec l'Islam? Ne sont-elles pas en effet en contradiction avec la remise totale à la Volonté divine, et l'obéissance qui est due, de par Dieu, « à qui détient le commandement »?

Ce serait fort mal entendre la réalité des faits. Une première remarque d'ordre historique. Il semble bien que la participation du peuple à la vie civique, disons même l'esprit frondeur dont il fit maintes fois preuve, furent plus agissants dans les cités musulmanes de l'âge classique que dans la vie urbaine des Empires byzantin ou sâsânide de jadis. Tout se passe comme si le peuple arabo- ou irano-musulman des villes gardait dans son comportement une réelle liberté d'allure, de jugement, et de réunion en groupes constitués, au gré des écoles juridiques, des métiers, des fonctions. Sans doute on y peut voir comme une transposition réassumée de l'ancienne « démocratie arabe » en son individualisme et sa liberté d'opinion. Mais plus profondément, et l'influence active des « docteurs de la Loi » est là pour nous le confirmer, c'est au nom même des principes coraniques, et de leur élucidation par la « tradition du Prophète », par les écoles de droit ou de théologie, que chaque musulman se sentira responsable de ses frères, de tous ses frères, aussi bien du calife que du plus humble artisan.

Aux grands âges de l'Islam, la « remise à Dieu » ne s'opposa point au sens de la responsabilité personnelle et collective, bien au contraire. Qu'une aporie philosophico-théologique ait été soulevée entre toute-puissance divine et liberté humaine, que les partisans de la réalité du libre arbitre (i.e. les Muʿtazilites) se soient durement affrontés aux mainteneurs de « Dieu seul Être et seul Agent » (« pieux Anciens » puis Ashʿarites), c'est une autre et longue histoire dont nous n'avons pas à traiter ici [11]. Le problème du libre arbitre, alors même qu'était nié son fondement ontologique, ne mit jamais en cause l'exercice d'une liberté civique de jugement et de décision [12]. De ce point de vue, parler du « fatalisme » de l'Islam est un contresens, et qui reste jusqu'à nos jours trop souvent commis en Occident européen. Ce n'est que bien plus tardivement, sous des pressions historiques contingentes, tantôt culturelles tantôt politiques, que put se répandre un climat d'abandon résigné [13].

Responsabilité personnelle et collective, venons-nous de

dire. Peut-être serait-il plus juste de préciser : prise en charge personnelle dans l'exercice collectif de la responsabilité. Nous avons vu, sous l'impact de l'Islam, l'esprit de corps tribal sollicité à se transmuer et à s'abolir dans la Communauté du Prophète. Un sens communautaire, fondé sur l'égalité devant Dieu et la solidarité de tous les croyants, fut toujours et reste très vif. Des textes coraniques et des *hadîth* (s) y insistent [14]; et c'est peut-être là l'une des revendications idéales de la Cité musulmane qui fut le plus concrètement vécue.

Sans doute le Calife ou *Imâm*, représentant du Prophète et guide de la Communauté, est-il comme l'effigie de cette responsabilité collective [15]. Mais s'il doit, de par sa fonction, être l'expression de la collective prise en charge de la *maslaha*, à la fois « utilité publique » et « bien commun », il ne saurait aucunement s'y substituer ou la rendre caduque. « Le commandement du bien et l'interdiction du mal [16] » est le premier des devoirs du Calife; mais il est aussi, il est, par là même, le devoir de chaque croyant [17]. Chaque Musulman est responsable de chaque Musulman, pour le bien commun de la Cité, entendons pour que la Cité vive conformément aux lois et prescriptions coraniques. Au jour du Jugement, il lui en sera demandé compte par la justice de Dieu.

Au risque de l'autocratie califale répondait ainsi un risque d'anarchie, et c'est bien souvent au nom de la « Commanderie du bien » que surgirent des révolutions de palais ou des émeutes de rue. Un sermon prononcé à la mosquée, lors de l'office solennel du vendredi, et stigmatisant les abus commis par des gens au pouvoir, déclancha plus d'une manifestation populaire. Si bien que juristes et théologiens eurent le souci de canaliser non le principe mais l'exercice de la « Commanderie du bien ». Les plus anciennes écoles théologiques, celles des Mu'tazilites, exigeaient de tous la prise en charge de la « réforme des mœurs », au besoin par l'épée. Quand ces écoles furent condamnées, l'usage de l'épée, susceptible de verser le sang, fut réservé aux seuls représentants de l'ordre : police des mœurs, ou *hisba*, d'institution religieuse, police d'État ou *shurta*. Le principe de la « Commanderie du bien », comme devoir collectif où chaque citoyen est partie prenante, fut cependant maintenu; et le bon sens sunnite se plut à s'appuyer sur un *hadîth:* « Quiconque parmi vous voit quelque chose de repréhensible, doit le changer avec la main (au besoin par le bâton, est-il précisé, mais non par l'épée); s'il n'est point capable de le faire ainsi, qu'il le fasse par la langue; si cela encore lui est impossible, qu'il le fasse par le cœur : c'est le minimum de la religion [18] ».

Le principe est donc sauvegardé, restreint dans son exercice par la « loi de nécessité [19] », cependant que l'accent mis sur l'acte intérieur du cœur est comme un appel à la prise en charge individuelle, même secrète, du devoir collectif. Au XIe siècle, le très célèbre (et prudent) Abû Hâmid al-Ghazzâlî, l'Algazel du Moyen Age latin, écrivait dans son *Ihyâ' 'ulûm al-dîn* (« Revivification des sciences de la religion ») que tout passant, se rendant compte par une fenêtre ouverte sur la rue que, dans une maison inconnue, on boit du vin ou pratique des jeux de hasard, toute chose interdite, doit entrer de force dans cette maison et jeter par la fenêtre les objets délictueux...

C'est au nom de la Commanderie du bien que la *hisba,* police des marchés et des mœurs, exerce officiellement son autorité; mais c'est encore en son nom que surgirent au cours de l'histoire tant de « réformateurs » qui, par la plume et le discours le plus souvent, mais volontiers aussi par l'agitation politique, entreprirent de « corriger les abus ». Le « tribunal des abus » *(mazâlim)* fut le titre d'un tribunal d'exception institué sous et par les 'Abbâsides; en pratique, il fut à la dévotion du Souverain [20]. Il faut reconnaître qu'une « réforme » fut rarement menée à bien par le pouvoir établi lui-même, à l'intérieur des institutions en place; elle s'opéra presque toujours à l'appel d'une revendication contre le pouvoir, appuyée par un mouvement populaire.

On peut dire que l'esprit de réforme *(al-islâh)* est comme inhérent au comportement et à la mentalité civique et politique de l'Islam [21]. Il entérine en quelque sorte le décalage entre le fait et le droit, mais sans jamais renoncer à ce dernier. L'idéal demeure qui fait du « monde de la justice » *(dâr al-'adl)* le synonyme du « monde de l'Islam » *(dâr al-Islâm),* — « monde de la justice » où seront observés tous les principes de morale sociale et individuelle prescrits par le Coran.

Muhammad est le sceau des prophètes; mais après lui, chaque siècle, est-il dit, aura son Réformateur. Des listes en ont été dressées, variant au gré des écoles. Les promoteurs du renouveau musulman contemporain ont revendiqué le titre d'*islâhiyyûn* (« réformateurs » ou « réformistes »); sous le nom de *Salafiyya* (ceux qui préconisent le retour à la foi pure des Anciens, *salaf*), ils ne furent pas sans jouer un rôle notable dans les luttes pour l'indépendance politique [22]. Les décadences et les défaillances sont inévitables; mais siècle après siècle, la miséricorde divine suscitera au sein de la Communauté des réformateurs sincères, savants et courageux. Face au destin historique des Cités ou États, la mentalité musulmane revendique une lucidité clairvoyante, pleine d'humour au besoin, mais aussi une espérance eschatologique, jamais renoncée.

Les devoirs et les droits (al-furûd wa l-huqûq)

Une prise en charge collective intérieurement vécue suppose un sens des devoirs et des droits. Ces deux notions seront intensément présentes. Mais de même que la remise à Dieu ne signifie point fatalisme, de même « les devoirs et les droits » ne conduisent au juridisme que par un désir de sécurisation, — à contre-courant de l'enseignement coranique et traditionnel. Car devoirs et droits du Musulman dans la Communauté seront eux aussi un visage de la miséricorde divine.

Les devoirs du croyant sont définis et délimités par le *taklîf*. C'est la « charge » que Dieu, en raison du pacte octroyé à la race adamique, impose et confie à la fois à sa créature humaine. De cet être « de boue et sang », elle fera un croyant *(mu'min)*. Les hommes étaient « frères de boue » *(ikhwân al-tîn)*; Dieu les met ainsi en un « statut » qui les fait devenir « frères en religion » *(ikhwân al-dîn)*. Le *taklîf*, la « charge des devoirs », devrait atteindre tout homme. En son sens plénier, c'est la « charge » que reçoit tout musulman adulte et responsable. Soulignons-le : il s'agit tout à la fois d'une charge imposée et d'une charge confiée, pour la gloire de Dieu. Recevoir une charge n'est pas tant un fardeau qu'un honneur, une marque de confiance.

Quel en est le contenu? Une question de principe fut vivement débattue entre les écoles. Ainsi : selon les Mu'tazilites,

Dieu, en sa sagesse et sa justice, ne saurait « imposer l'impossible [23] ». Le *taklîf* est mesuré par les capacités de l'homme tel que Dieu l'a créé. Selon les Ash'arites au contraire, rien ne peut limiter la toute-puissance inscrutable du Très-Haut. Dieu pourrait donc « imposer l'impossible » : il le fait par exemple quand le texte coranique somme Abû Lahab, ennemi du Prophète, d'accepter son châtiment éternel d'incroyant, lui qui n'a pas la foi [24].

Mais ce débat, qui est l'un des chapitres concernant les attributs divins, s'efface devant l'accord de tous sur le contenu de la charge octroyée : c'est par les textes et prescriptions coraniques que Dieu en a précisé la teneur. La première obligation est de le proclamer Dieu unique et un, Créateur et Seigneur, et de reconnaître la mission du Prophète. C'est le double et grand « témoignage » de l'Islam *(shahâda)* : « point de divinité — si ce n'est Dieu; et Muhammad est l'Envoyé de Dieu ». Les autres devoirs en découlent.

Le droit musulman distingue entre « devoirs personnels » et « devoirs de communauté » ou de « suffisance ». Les premiers sont avant tout ces « actes des membres » que sont les « piliers de l'Islam » : les cinq prières quotidiennes *(salât)*; le jeûne du mois lunaire de *ramadân (sawm)*; l'« aumône » légale *(zakât)*; le pèlerinage à la Mekke *(hajj)* une fois au moins au cours de la vie pour qui n'en est pas empêché. Et ces « piliers » sont comme étayés à leur tour par toutes les autres prescriptions, morales et sociales, que nous avons déjà rencontrées.

Les « devoirs de suffisance » ne concernent plus chaque croyant pris individuellement, mais seulement la Communauté. Tels sont, par exemple, l'exercice officiel de la justice, le maintien de l'ordre et de la paix, et l'« effort *(jihâd)* sur le chemin de Dieu » pour défendre et promouvoir le monde de l'Islam. Cet effort est le *jihâd* « par les armes », habituellement et quelque peu abusivement traduit par « guerre sainte ». Car la notion en jeu ne recoupe point la « guerre sainte » d'extermination de la Bible, et l'exécration prononcée contre une terre et ses habitants. Le but du *jihâd* n'est point de détruire, mais de construire la Cité où seront observées les prescriptions divines. Il peut d'ailleurs, disent certains docteurs contemporains, se poursuivre non plus par les armes, mais par la persuasion [25]. Ajoutons que les

« devoirs de communauté » peuvent devenir pour tel croyant « devoirs personnels » si personne d'autre ne les accomplit; ou, dans le cas du *jihâd*, si le monde de l'Islam est gravement menacé.

« Personnels » ou « de suffisance », ces devoirs sont assumés par une mentalité avant tout collective. Seule la proclamation de la *shahâda* est strictement requise de chacun : car c'est elle, et elle seule, qui fait entrer dans la Communauté. Les autres piliers en sont comme les rites, le « blason [26] ». Ne pas y être fidèle par faiblesse ou négligence non délibérée est certes déplorable, peut même constituer une « grave faute », — mais ne saurait compromettre le statut de musulman, ni donc le salut dans la vie future assuré par la foi. Dieu pardonne. Chaque pilier a d'ailleurs valeur communautaire : un croyant ne saurait assister à la prière liturgique sans y prendre part (on n'« assiste » pas à la *salât*); il ne saurait rompre en public le jeûne prescrit; le pèlerinage se présente, pour qui l'accomplit, comme le « rassemblement » de toutes les différences « autour d'une même identité, d'un même idéal, d'une même pratique [27] »... Mais tant qu'ils ne troublent pas la vie commune, les actes privés du croyant, dans le secret de sa maison et de son cœur, sont affaire entre sa conscience et Dieu.

A cette charge confiée, à ces devoirs prescrits, répondent des droits corrélatifs. Le terme arabe qui désigne les droits, *haqq*, pluriel *huqûq*, est le même mot qui signifie « réel » ou « vrai ». Le sens premier de la racine évoque la loi gravée, indestructible; d'où le fait établi, indiscutable; et en troisième visée, le droit et la capacité juridique qui en résulte. Ce double sens de *haqq:* vérité — droit, est déjà par lui-même signifiant. Le droit ne sera pas d'abord une revendication de l'individu, mais une exigence inscrite dans la réalité des faits.

Les premiers des droits, les seuls fondés et non octroyés, sont « les droits de Dieu ». L'expression est classique dans la jurisprudence musulmane : droit de Dieu à être attesté et adoré; à ce que sa parole soit entendue et obéie; à ce que la loi religieuse qu'Il a formulée par la bouche de son Prophète soit appliquée. Ces droits doivent être reconnus par chaque homme dans le secret de son cœur, certes; mais ils doivent non moins être le signe de ralliement de la Communauté terrestre fondée par Dieu.

Toute la vie sociale et politique de la Cité musulmane doit tendre à les promouvoir et protéger. Dès lors, non seulement les complots, trahisons et rebellions contre qui, de par Dieu, « détient le Commandement », mais toute faute grave dénoncée par le Coran (meurtre, vol, adultère, délation...), *si elle est publiquement commise,* est une atteinte « aux droits de Dieu ».

Aux droits de Dieu répondent « les droits des hommes ». Ils sont comme un reflet créé des droits de Dieu, car ils dépendent du statut où Dieu met, par sa création, toute chose et tout homme. Dirons-nous « les droits privés »? Oui, dans la mesure où l'ordre public n'est pas en jeu, et où les sous-tendent de possibles accords entre les hommes. C'est ainsi qu'un meurtre « public » met en cause les droits de Dieu; tandis qu'il est recommandé de ne point punir par la loi du talion un meurtre « privé », mais de s'entendre sur la « taxe du sang ». Certains juristes feront d'ailleurs intervenir un troisième type de droits : les « droits mixtes », qui sont les « droits des hommes » mettant en cause, dans la vie de la Cité, les « droits de Dieu ».

Selon une belle et unique formule, le monde de l'Islam doit promouvoir et défendre « les droits de Dieu et les droits des hommes », *huqûq Allâh wa huqûq al-nâs.* C'est la tâche première du Calife ou *Imâm* à la tête de la Communauté, c'est la tâche de chaque croyant au nom de la « Commanderie du bien ». Un sens juste de l'utilité publique, ou, si l'on veut, du bien commun, doit en guider la réalisation.

Recevant la « charge octroyée », le musulman adulte et responsable n'est donc pas seulement soumis à des devoirs; il est du même coup sujet de droits, et voulu tel par Dieu. Or, Dieu a menacé du châtiment quiconque lèse ces droits. Le châtiment ultime relève de sa Justice et de sa Miséricorde « que l'on n'interroge pas ». Mais c'est un devoir de la Communauté que de châtier sur terre le coupable, dans les « limites » *(hudûd)* définies par la Parole divine. Ce terme de *hudûd*, « limites », « définitions », désigne ainsi les lois pénales prescrites par le Coran. C'est le rôle du juge ou *qâdî* que de les faire appliquer. Dans les cas où elles sont muettes, la peine à faire subir est remise à la discrétion du juge, — que peut guider un « code pénal » au sens moderne du mot. Les droits et les peines prescrites (si ces droits sont violés) se répondent, comme se répondaient les devoirs et les droits. Nous avons là deux exemples de ces nombreux « corrélatifs d'opposition » de la langue arabe, le plus souvent rythmés et rimés, où la mentalité musulmane trouve l'une de ses expressions de choix [28].

« Les vices à éviter [29] »

Nous voyons dès lors se dégager un type d'homme que la remise à Dieu et à ses Volontés, — inscrutables, mais miséricordieusement communiquées par le texte coranique, — renforce, sur le plan de la vie civique et politique, dans le sentiment de ses devoirs et de ses droits, et dans la responsabilité qui en revient à chacun.

Les conditions personnelles de l'exercice de cette responsabilité furent l'un des soucis des juristes et théologiens. Encore une fois, nous ne parlons pas ici de l'éthique disons gréco-musulmane, que philosophes et humanistes élaborèrent sur un arrière-fonds aristotélicien ou stoïcien; mais d'un ensemble de valeurs directement liées à la conscience d'elle-même que prenait la Communauté. Les « traités de morale » qui ne seront pas d'inspiration hellénistique [30] s'appliqueront à définir les attitudes à l'égard de soi-même et des autres qui feront qu'un homme est digne du nom de croyant.

L'esprit d'intrigue et de dénigrement est l'un des défauts le plus souvent stigmatisé, et, à sa suite, toute calomnie, toute médisance ou mauvais propos. « Nul susurrateur n'entrera au Paradis », dit le *hadîth* [31]. Il s'agit avant tout de règles concernant la vie de la Communauté, et des rapports des musulmans entre eux, de ceux donc qui atteignent sur terre la stature authentique réservée par Dieu à l'homme fidèle au pacte octroyé. Ces règles, il conviendra de les respecter aussi à l'égard des non musulmans protégés par la Communauté, et admis à vivre dans la Cité musulmane; par contre, médire d'un infidèle en lutte avec l'Islam n'est plus du dénigrement [32].

Au nom de la Commanderie du bien, il faut s'efforcer de corriger toute faute commise publiquement par son frère, mais il ne faut pas se moquer les uns des autres (*Coran*, 49,11). Il ne faut pas non plus indûment chercher à pénétrer la vie privée d'autrui, qui est un secret entre lui et Dieu seul. Espionner son frère et en médire est une grave faute, que le Coran dénonce en un raccourci saisissant : « Vous, les croyants ! (...) n'espionnez pas ! ne dites pas de mal les uns des autres ! L'un d'entre vous aimerait-il manger la chair de son frère mort? Vous en auriez horreur ! » (*ibid.*, 49,12).

Ainsi est demandée une attitude à la fois de rigueur contre toute faute qui trouble le bien de la Communauté, et de respect à l'égard de tout croyant. Cela suppose maîtrise de soi, lutte personnelle contre l'infatuation, l'orgueil, l'envie. L'homme doit vivre dans un sentiment d'humilité [33], l'humilité de la créature qui doit tout à son Créateur. Ibn Hazm (XIe siècle), le strict Zâhirite andalou, centre son « Traité de morale » sur la lutte contre l'orgueil; et le Hanbalite Ibn Taymiyya (XIVe siècle) enseignera que la foi, qui présuppose « la soumission ponctuelle aux prescriptions objectives » de l'Islam [34], demande, comme de soi, à s'enraciner dans les sentiments de crainte de Dieu, d'abandon à Dieu, d'humilité, de support patient des épreuves [35]. La lutte contre l'obstacle que dressent les défauts personnels sera appelée « le grand *jihâd* », « le grand effort sur le chemin de Dieu », en analogie d'opposition avec le « petit *jihâd* », c'est-à-dire la lutte (armée) contre les ennemis de l'Islam. En comparaison de toute « réforme des mœurs », dit Ghazzâlî dans l'*Ihyâ'*, le devoir du *jihâd* les armes à la main est « comme un léger souffle de vent sur la mer agitée ».

Car, s'ils ne sont pas combattus, l'infatuation, l'orgueil, l'envie et l'esprit de dénigrement seront la source du plus grand péril qui puisse menacer la Communauté, entendons la *fitna* qui oppose en ennemis des Musulmans à des Musulmans. « Seigneur, ne nous mets pas en *fitna* devant ceux qui sont incrédules ! » dit le Coran (6,5). En son sens premier, *fitna* est la mise à l'épreuve, « comme l'or éprouvé par le feu [36] ». Le sens courant est à la fois celui d'épreuve, de crise, de tentation, — beaucoup moins crise ou tentation intérieures que le scandale public qui met la foi en danger. Par là, *fitna* désignera aussi les troubles ou émeutes qui sont objet de scandale. Nous avons déjà rencontré [37] l'évocation de la « grande épreuve » ou « grande crise » qui dressa les uns contre les autres non seulement des Musulmans, mais des Compagnons du Prophète, et qui aboutit à l'assassinat du calife 'Uthmân. Elle culmina, quelques années plus tard, à la bataille de Siffîn, quand les schismes majeurs de l'Islam déchirèrent la Communauté. Le terme réapparaîtra au sein même du sunnisme, et pourra désigner les violentes dissensions d'école qui se soldent par des troubles sanglants [38].

Le croyant doit craindre le péril de *fitna* où sa faiblesse risque toujours de succomber. Si bien que la *fitna* peut être déjà, est déjà un châtiment envoyé par Dieu pour cribler les hommes tièdes ou injustes. *Hadîth:* « Après moi éclateront des troubles *(fitna)* tels que le croyant du matin sera le soir un infidèle, et que le croyant du soir sera, le lendemain, un infidèle, — à l'exception de ceux que Dieu vivifiera par Sa science [39] ». Car toute lutte entre groupes, sectes, ou pays musulmans est à bien voir une guerre civile où la foi est engagée; elle est un signe dressé contre l'Islam, et dont les impies se réjouissent. Le péril de *fitna* sera une hantise de la Communauté. Le devoir essentiel « de qui détient le Commandement » sera de lutter contre toutes les *fitna(s)* que les faiblesses et les infidélités des Musulmans, et le juste châtiment de Dieu à leur égard, ne cessent de susciter au cours des siècles. La vie privée et publique du croyant doit être finalisée par la paix de la Communauté, et le souci de son unité; tout ce qui peut concourir à « l'esprit de trouble » doit être fui, quand cela est possible, du moins ardemment combattu, en soi-même et chez les autres.

On voit avec quelle force la note « communautaire » tend à colorer le comportement de chacun : non point pour en diluer l'intensité personnelle, mais pour donner au contraire à la personnalité du croyant son épanouissement plénier. Tel sera le secret ressort de son attitude envers soi-même, envers ses frères, envers la Communauté, envers Dieu, ce qui constitue en un sens très large son *adab*. Ce dernier mot ne peut guère se traduire adéquatement. S'il désigne de façon courante « les belles lettres [40] », c'est dans la mesure où toute expression littéraire valable est culture authentique et porteuse d'humanisme. L'*adab* juste et mesuré à promouvoir comporte à la fois rigueur envers soi-même et humilité, respect et confiance à l'égard de son frère, dévouement total à l'égard de la Communauté, adoration et crainte révérencielle à l'égard de Dieu [41].

Idéal historique concret

Ainsi s'est dessiné, dans la mentalité des hommes de l'Islam, comme un cadre idéal de vie sociale, civique et politique, ce que l'on peut appeler la vie d'une Cité musulmane type, où se trouve engagé le tout de l'homme. Cadre idéal et ressenti comme tel, que les défaillances et les fautes des croyants déformeront sans cesse, mais auquel il faut toujours tendre asymptotiquement. Ce n'est point une île d'*Utopia* qui se profile à l'horizon. L'utopie, ce sera la « cité vertueuse » de Fârâbî, sorte de République platonicienne repensée selon des schèmes d'inspiration musulmane (shî'ite) [42]. Ici, c'est d'un idéal directement normatif qu'il s'agit : expression de la volonté divine sur laquelle ne cesseront d'insister juristes, théologiens, réformateurs de chaque siècle. C'est en ce sens que, selon une expression empruntée à Jacques Maritain [43], nous proposerions d'appeler ce cadre très général un « idéal historique concret ». Historique, car lié à des faits surgis dans l'histoire des hommes; concret, car mettant en cause des réalités vécues sur le plan collectif et personnel, et qui doivent commencer en chacun par la « réforme des mœurs ». Une utopie peut prendre et garder une valeur d'animation, alors même qu'elle sera constamment contredite dans la réalité. Un idéal historique concret laisse sans doute une marge de flottement entre des cadres normatifs et leur application; mais il s'enracine en des faits, et entend bien canaliser le concret de la vie.

La représentation détaillée en variera au gré des conditionnements de l'heure; et certains tableaux de philosophie sociale et politique ne sauront pas toujours distinguer entre les principes régulateurs, qui sont stables, et les réponses données à des problèmes immédiats, qui restent contingentes. Un excellent exemple nous en est fourni par *al-Ahkâm al-sultâniyya* de Mâwardî (xe-xie siècles) [44]. L'ouvrage est célèbre. Il garde aujourd'hui encore sa valeur normative dans les références de l'Islam sunnite, et nous avons entendu un *mullâ* iranien, professeur de sociologie et chef religieux shî'ite, le présenter publiquement comme le guide sûr de toute entreprise de rénovation.

Or, d'une part les *Ahkâm al-sultâniyya* tracent une authentique silhouette de la Cité musulmane type, de ses principes régulateurs et de ses ambitions; mais d'autre part, quand ils entreprennent d'en définir les rouages, c'est en se référant aux réalisations du grand siècle, aux débuts de l'ère ʿabbâside. Si une synthèse analogue, aussi fortement charpentée, voyait le jour à l'époque actuelle, les principes régulateurs resteraient sans doute les mêmes, sans que rien n'oblige à maintenir les lois financières du xe siècle, ou ces charges politico-religieuses de l'*Imâm*, du *qâdî*, du *muftî*, telles que Mâwardî se plaît à les décrire jusqu'en leurs détails. Il faisait ici œuvre d'historien, non plus de philosophe du droit. Autrement dit : les principes régulateurs continueront à informer les mentalités musulmanes, alors que l'organisation concrète de la Cité, en ses règlements divers, ses agents et ses fonctionnaires, pourra être de facture fort différente. Les *Ahkâm al-sultâniyya* pris trop souvent, et par des commentateurs musulmans eux-mêmes, comme un tout indissociable ont concouru à accréditer la vue fort inexacte du conservatisme et de l'immobilisme de l'Islam. Ils sont un grand témoignage du passé, et ne sont porteurs d'avenir que dans la mesure où est nettement reconnue la caducité des rouages ʿabbâsides, pour glorieux qu'ils fussent en leur temps.

L'âge d'or révolu dont le souvenir habite la mémoire musulmane, ce n'est d'ailleurs point aux premiers temps ʿabbâsides qu'il faut le chercher, mais, redisons-le, à la brève époque de l'État de Médine (de l'an 1 à 41 de l'hégire), quand la Communauté avait pour guides le Prophète et les quatre premiers califes « les bien dirigés [45] ». Aucun réformiste cependant, aucun promoteur de la religion pure des Anciens, n'a jamais prétendu que l'État de Médine, tel qu'il existait concrètement, put servir de modèle aux rouages et organisations d'un État moderne. L'État de Médine reste comme une *Imago* inspirée de Dieu, pour servir d'exemple et de point de repère. La revendication constante des réformateurs est la capacité de la Communauté musulmane à répondre aux nécessités de toute époque, à la condition toutefois qu'elle reste fidèle à sa mission. Elle le fit aux débuts de l'ère ʿabbâside, l'œuvre de Mâwardî nous en garde le témoignage. Et ce serait de n'avoir pas su, aux temps modernes, réaliser la même symbiose entre l'« idéal concret » et les besoins de l'heure qui lui aurait valu les durs siècles de déclin puis d'asservissement colonial. Les Réformistes contemporains,

Salafiyya et autres, n'ont cessé de revendiquer la prise en charge de tout le développement technique, dans un esprit rénové de fidélité aux origines. Le temps discontinu, inlassable retour à et sur l'instant ponctuel d'éternité, d'Abraham à Muhammad, et au *Mahdî* et à l'Heure dernière, reste comme le ciel étoilé où s'inscrivent les espoirs et les volontés de renouveau.

NOTES

1. Charlemagne recevait de Hârûn les clefs du Saint-Sépulcre et devenait le protecteur officiel des pèlerins chrétiens en terre sainte. C'est dans ces perspectives-là que doivent être situées ses expéditions militaires en Espagne, dont les chansons de geste devaient magnifier (et quelque peu déformer) l'épisode de Roncevaux.

2. Les « Francs », *Ifranj* (ou *Ifranja*) fut le nom générique désignant les Croisés venus d'Europe; de même que *Rûmiyya* (pl. de *Rûmî*) désignait Grecs et Romains du Bas Empire (Byzance = Rûm), donc : chrétiens. *Ifranj* a gardé jusqu'à nos jours (concurremment avec *Urubiyya*) le sens d' « Européens »; d'où le nom verbal *tafarnuj*, « se faire Franc », s'occidentaliser.

3. Très nombreuses. Voir par exemple *Wasiyyat Abî Hanîfa* (« le ' testament ' d'Abû Hanîfa »), IIe siècle H., et les fameux *Fiqh Akbar* (cf. A. J. Wensinck : *The Muslim Creed*, Cambridge, 1932); les diverses *'Aqâ'id* (« Croyances ») d'Ibn Hanbal (IIe-IIIe siècles H.); celle du Hanbalite Ibn Batta (IVe siècle H.; cf. H. Laoust : *La profession de foi d'Ibn Batta, op. cit.*); l'*Ibâna* d'al-Ash'arî (IVe siècle H.), etc.

4. *Wahîd* et *ahad*. — Dieu Un, *Allâh ahad*, la grande conclusion de la sûrate 112, que bien des apologètes musulmans ont dressée contre les mystères chrétiens, est comme la réplique de l'*Adonaï ehad* biblique (*Deut.*, 6,4). Le quatrième Concile de Latran réaffirmera avec force l'unité divine (cf. L. Gardet : *L'Islam, religion et communauté*, Paris, coll. « Foi Vivante », 1970, pp. 56-57).

5. Cf. ci-dessus, pp. 44, 51 et n. 7.

6. C'est la *bay'a* (ou *mubâya'a*), serment d'allégeance prêté par les représentants de la Communauté qui *constitue* le Calife ou *Imâm*.

7. *Ahl al-hall wa l-'aqd*.

8. Cf. L. Gardet, *op cit.*, pp. 139-143.

9. Ici, marchés et commerces urbains groupés par spécialités. Nous retrouverons la vie des *sûq*(s) et leur organisation au cours de notre IIe partie.

10. Cf. L. Massignon : « Étude sur une courbe personnelle de vie :

le cas de Halllâj, martyr mystique de l'Islam » (1945), ap. *Opera Minora*, t. II, pp. 177-178.

11. Cf. L. Gardet : « Quelques réflexions sur un problème de théologie et de philosophie musulmanes : toute-puissance divine et liberté humaine », *Mélanges Le Tourneau*, Aix-en-Provence, 1974, pp. 381-394. Cf. ci-après, IVe partie, chap. v, pp. 367-368.

12. Le vocabulaire lui-même est significatif. Liberté de choix et liberté civique (ou politique) s'expriment par deux mots de racines différentes. La première est l'*ikhtiyâr* (racine évoquant la notion de « bien »), la deuxième est la *hurriyya* (idée d' « affranchissement »).

13. Cf. ci-après, IVe partie, chap. II, pp. 312-313.

14. Le texte coranique « Les croyants sont frères » (49,10) est sans cesse cité; ainsi que le célèbre *hadîth* ci-dessus mentionné, « Préliminaires », p. 15.

15 Et l'on voit les risques non illusoires d'autocratie qui en purent résulter au cours des âges.

16. *al-amr bi l-ma'rûf wa l-nahy 'an al-munkar*, en réf. à Coran, 3,110.

17. Dans la Médine du Royaume sa'ûdite fonctionne un organisme officiel récent dénommé *Hay'at al-amr bi l-ma'rûf*, « Le maintien de la Commanderie du bien ».

18. *Hadîth* recueilli par le *Sahîh* de Muslim.

19. *Darûriyya*. Principe constamment rappelé par les juristes et docteurs (cf. Ghazzâli : *Iqtisâd*, éd. du Caire, s.d., p. 98). Il s'appuie sur la deuxième partie des versets coraniques 2,173; 5,3; 6,145; 16,115, autorisant « en cas de nécessité » une nourriture de soi interdite.

20. Cf. L. Massignon : *Passion d'al-Hallâj*, t. I, p. 440 : « Le président de ce tribunal d'exception est en droit le Khalife, — mais en fait, il n'assiste plus aux séances, et laisse son *wâlî* diriger les débats. Cependant, son bon plaisir menace toujours l'indépendance de cette juridiction d'exception, née de son droit de contrôle sur la justice ordinaire. »

21. Cf. l'excellent article, très documenté de Ali Merad, « *al-Islâh* », *EI²*.

22. Cf. ci-après, IVe partie, chap. IV, p. 334.

23. Tel est l'un des leitmotive du Mu'tazilite tardif (xe-xie siècles), le *qâdî* 'Abd al-Jabbâr, dans le tome du *Mughnî* consacré à ce sujet.

24. Cf. Juwaynî : *Irshâd*, éd. arabe et trad. franç. de *Luciani*, Paris, éd. Leroux, 1938, pp. 130-208, et Jurjânî, *Sharh al-Mawâqif*, *op. cit.*, t. VIII, pp. 156-157.

25. Ainsi l'Égyptien 'Abd al-Wahhâb Khallâf, dans *al-Siyâsa al-shar'iyya* (« La politique conforme à la Loi religieuse »), Le Caire, 1350 H. /1932.

26. Ou « les signes distinctifs de l'Islam », *sha 'â'ir al-Islâm*, évoquant les bannières qui précédaient les califes.

27. Témoignage de Tahar Ben Jelloun, « Carnet d'un pèlerin de la Mecque », *Le Monde*, 19-20 janvier 1975; l'auteur ajoute : « Il est impressionnant de constater aujourd'hui qu'il existe une unité de tant de peuples et de cultures autour d'une même volonté, celle de se purifier en vue de réaliser l'égalité entre les hommes qui viennent dans la maison de Dieu prier et se repentir. » (Il y eut, ces derniers temps, près d'un million de pèlerins par an.)

28. Nous avons ainsi les deux groupes de « corrélatifs d'opposition » *(muqâbal)* :

huqûq - furûd : droits et devoirs
huqûq - hudûd : droits et peines afflictives.

29. Cf. L. Gardet : *Les grands problèmes de la théologie musulmane : Dieu et la destinée de l'homme*, Paris, éd. Vrin, 1967, pp. 448-458 et réf.

30. Ainsi Ibn Hazm dans son *Kitâb al-akhlâq wa l-siyar*, éd. arabe et trad. franç. de N. Tomiche, coll. UNESCO, 1961. — On peut voir, avec G. C. Anawati, dans les *'Uyûn al-akhbâr* d'Ibn Qutayba (xe siècle) comme un « premier ouvrage de morale musulmane ».

31. Colligé par Bukhârî et Muslim.

32. Cf. Ghazzâlî : *Ihyâ'*, *éd. cit.*, t. III, p. 140 et sq.

33. Le plus souvent *dhill*, parfois *khushû'*.

34. H. Laoust : *Essai sur les doctrines sociales et politiques de Takî-d-Dîn Ahmad B. Taimîya*, Le Caire, IFAO, 1939, p. 470, renvoyant au *Kitâb al-îmân* (« Traité de la foi ») d'Ibn Taymiyya, p. 32.

35. Respectivement *khawf*, *tawakkul*, *dhill*, *sabr* (cf. H. Laoust, *ibid.*, p. 471 et réf.).

36. Jurjânî : *Kitâb al-ta'rîfât* (« Livre des définitions »), éd. Flügel, Leipzig, 1845, p. 171.

37. Ci-dessus, chap. I, p. 22.

38. En ce dernier cas cependant, le terme de *mihna*, épreuve supportée, sans qu'y soit jointe l'idée de tentation et de test discriminatoire, sera le plus souvent préféré. Ainsi la *mihna* à laquelle le triomphe officiel du mu'tazilisme au IXe siècle soumit un temps les « pieux Anciens » et traditionnistes.

39. *Hadîth* cité par exemple par Ibn Batta : *al-Ibâna 'alâ usûl al-sunna*, éd. et trad. franç. par H. Laoust (« La profession de foi d'Ibn Batta »), *op. cit.*, pp. 10-19.

40. Les universités modernes appellent leur Faculté des Lettres *Kulliyat al-adab.*

41. La notion reviendra fréquemment en sûfisme; si bien qu'Asin Palacios traduit alors l'*adab* réclamé par « conduite révérencielle à l'égard de Dieu » (voir *Études Carmélitaines*, Paris, avril 1932, p. 141).

42. C'est la célèbre *al-Madîna al-fâdila*, éd. Dieterici, Leyde 1895 (nouvelle éd. — et trad. anglaise — préparées par Richard Walzer); trad. franç. du P. Jaussen, de Y. Karam et J. Chlala, Le Caire 1949, sous le titre : al-Fârâbî, *Idées des habitants de la Cité vertueuse* (traduction mot à mot du titre arabe).

43. Cf. *Humanisme intégral*, Paris, Aubier, 1936, *passim*.

44. Éd. du Caire, s.d. (imprimerie *al-Mahmudiyya)*; trad. franç. de E. Fagnan sous le titre *Les Statuts gouvernementaux*, Alger, 1915.

45. Traduction habituelle, mais non satisfaisante, de l'arabe *al-râshidûn.*

28. [illegible] de [illegible]

[illegible]

[illegible] avec [illegible] comme [illegible] de [illegible]

[illegible]

DEUXIÈME PARTIE

À L'ÂGE CLASSIQUE : LA DIVERSITÉ DES CATÉGORIES SOCIALES

Essai de phénoménologie socio-culturelle

CHAPITRE PREMIER

SILHOUETTE GÉNÉRALE

Dans quelle mesure l'« idéal historique concret » informera-t-il la vie des peuples d'Islam? Nous aurons à nous interroger sur l'évolution des sociétés musulmanes au cours des âges, et sur l'influence des écoles ou familles (et sectes) religieuses. Pour l'instant, la coupe phénoménologique que nous proposons en cette deuxième partie restera centrée sur de nombreux témoignages datés des IX-XIe siècles (parfois XIIe), non sans évoquer à l'occasion certaines réponses d'époques nettement postérieures.

Nous n'entendons point faire appel à toute l'étendue du monde de l'Islam, mais préférentiellement aux foyers les plus actifs de civilisation arabo- (et irano-) musulmane. Du IXe au XIIe siècle, le degré d'islamisation varia beaucoup selon les régions. Notre regard se portera avant tout sur Bagdad, capitale 'abbâside. La vie intense qui fut sienne alors, aussi bien économique qu'intellectuelle, en fit comme le prototype de nombreuses autres capitales, qu'elles fussent nommément soumises aux 'Abbâsides, ou en dissidence, voire en opposition à leur égard. Car il s'agit bien, comme le dit M. Abdallah Laroui, d'« une culture à vocation universaliste [1] ». Qu'elle ait été très diversement, parfois fort incomplètement assumée, n'ôte rien à l'attrait qu'elle exerça.

C'est donc délibérément que nous limitons notre recherche. La question centrale que nous voudrions examiner pourrait s'exprimer comme suit. Du IXe au XIe siècle, aussi bien en 'Irâq, en Syrie, en Égypte, dans les émirats orientaux qu'en Andalus, un brillant humanisme est à l'œuvre. Dans quelle mesure et jusqu'à quel niveau social les populations diverses y contribuèrent-elles? Dans quelle mesure des valeurs spécifiquement musulmanes ou islamisées pénétrèrent-elles cet humanisme, pour l'informer ou le combattre?

Nous avons affaire à des mélanges de populations extrêmement variées — un véritable *melting-pot* parfois — où, sous la prédominance au moins honorifique du conquérant arabe, se regroupent, en Orient, Syriaques, Araméens, Byzantins, Iraniens surtout, et déjà les nombreux apports de mercenaires turcs, et, en Occident, Berbères, Ibères, Vandales et Wisigoths... Or, ici et là, s'affirme un premier facteur d'unité : la reconnaissance globale du *fait* musulman, l'Islam comme valeur dominante, à la fois religieuse et socio-culturelle. Il y eut, à l'Est et à l'Ouest, les révoltes des « peuples » : elles jouaient contre une domination arabe, non point contre l'Islam. Il y eut sans doute des cercles de « libres penseurs »; mais le peuple, en sa grande majorité, ne mit point en cause la réalité de la foi musulmane et son fondement coranique. C'est sur le peuple des villes que s'appuyèrent souvent les juristes et docteurs de la Loi contre les ferments dissociateurs. Quand l'ennemi byzantin (donc chrétien) menaçait les frontières, les Souverains régnants pouvaient compter sur un élan populaire d'inspiration religieuse, tout prêt à leur fournir soldats et armes « sur le chemin de Dieu ». Tout au long de l'histoire musulmane, et jusqu'à nos jours, nous retrouverons, selon des nuances variées, cette même synthèse sublimante des sentiments religieux et patriotiques.

Attitude à l'égard des non musulmans

Les communautés non musulmanes, admises à vivre au sein de la Communauté du Prophète, restèrent actives jusqu'au XIe siècle au moins, mais se replièrent par la suite sur une position d'auto-défense. C'est au IXe siècle, sous la domination musulmane, que des apologétiques mazdéennes, particulièrement vigoureuses, virent le jour [2]; les controverses islamo-chrétiennes furent vives [3], encouragées souvent par le mécénat califal [4]. Par ailleurs, des Chrétiens, des Juifs, des Sabéens compétents furent reçus en bien des cercles humanistes, ces *majâlis* sur lesquels nous reviendrons; ils devaient par là même y introduire maintes influences de leur propre passé culturel. Une synthèse à dominante musulmane s'opèrera, et les mises en garde ne sont pas rares contre un recours trop fréquent aux sources chrétiennes et juives [5].

Nous rencontrons ici un élément nouveau. Quels furent, dans le concret, le jugement et l'attitude intérieure des hommes musulmans, au gré de leur appartenance sociale, à l'égard des communautés non musulmanes? Il ne s'agit pas de ce que furent ces communautés elles-mêmes, ni, directement, de leur statut juridique dans la Cité; il s'agit du comportement adopté envers elles par des hommes faisant profession d'Islam.

Nous nous heurtons à des réponses contrastées. Juifs, Chrétiens, Sabéens, qui reconnaissent le pouvoir du calife et des émirs, sont admis comme hôtes : dans la mesure où ils sont « gens du Livre », ayant reçu d'un prophète-envoyé, Moïse ou Jésus, révélation d'une Loi religieuse. Par la suite, les Mazdéens leurs furent quelque peu assimilés, au nom de leur prophète Zarâdusht (Zarathustra). Ce sont les *ahl al-dhimma* ou *dhimmî(s)*, les « protégés », citoyens de seconde zone, aux droits reconnus, mais limités. Leur statut fut maintes fois étudié [6]; il varia d'ailleurs au gré des souverains et des contingences historiques. Et l'on peut dire que l'attitude du musulman moyen fut souvent un reflet de ces variations.

En certaines hautes sphères officielles ou culturelles, les « protégés » furent au début assez largement accueillis. Il y eut de nombreux fonctionnaires, parfois même de hauts fonctionnaires, juifs ou chrétiens. Au xe siècle, des humanistes de valeur n'hésitaient pas à se recommander du chrétien Yahyâ al-Kindî, qui dirigea, pour son propre compte un « cercle » renommé. Amitiés personnelles et influences subies s'entrecroisaient. Des métiers, indispensables à la vie de la Cité, étaient largement accessibles aux protégés : nombreux médecins juifs ou chrétiens, et l'exercice de la médecine leur ouvrait l'intimité des foyers; orfèvres et bijoutiers; et ce fut très probablement la société 'abbâside qui spécialisa les Juifs dans le commerce des métaux précieux, puis dans les institutions bancaires [7]. Des contes populaires, comme les *Mille et Une Nuits* mettent en scène des médecins ou des négociants chrétiens ou juifs. Au gré de l'histoire narrée, ils se présentent comme des personnages tantôt sympathiques, tantôt mal intentionnés.

Les juristes et théologiens cependant montraient plus de réserve. La réaction sunnite des xe-xie siècles devait reprocher aux Mu'tazilites d'accorder le salut éternel aux « protégés » de bonne foi; et Jurjânî, au xve siècle, s'en fera l'écho [8]. Des Mu'tazilites s'en défendirent. Le *Kitâb al-intisâr* de Khayyât rapporte que Thumâma, l'un des représentants du mu'tazilisme bagdadien au ixe siècle, condamnait à l'enfer éternel Juifs et Chrétiens; et s'il rencontrait l'un d'eux qui ne fut point impie, il disait : « il n'est point juif [ou chrétien] [9] ». Ce fut la thèse dominante au cours des siècles. A partir de l'édit de Mutawakkil (850), la ségrégation des « gens du Livre » se fit plus dure. Elle explique qu'en cas de trouble, de disette ou de difficulté militaire, le peuple des villes s'en prenait volontiers aux protégés, envahissant leurs quartiers, pillant et incendiant leurs boutiques. Du moins une voix s'éleva au xie siècle, celle du célèbre défenseur du sunnisme que fut Ghazzâlî, pour professer l'appartenance *in voto* à l'Islam de tout Juif ou Chrétien de bonne foi. Il conclut ses analyses par cette injonction :

« Élargis donc la Miséricorde du Très-Haut, et ne mesure pas les choses divines aux étroites mesures officielles [10]. »

Mais il ne semble guère que cet appel ait été durablement entendu aux âges postérieurs. L'événement des Croisades en compromit singulièrement l'audience, et les protégés chrétiens furent considérés par le jugement populaire comme les alliés naturels des envahisseurs. Nouvelle instance : les Mongols (non encore convertis à l'Islam) qui triomphèrent un temps en 'Irâq et Syrie, s'appuyèrent volontiers sur les Chrétiens. Ceux-ci en profitèrent pour donner alors un éclat extérieur à leur culte. Sous les Mamlûk(s) d'Égypte, aux xiiie-xive siècles, une telle entorse aux lois de la Cité musulmane leur fut vivement reprochée, et ils en subirent les conséquences [11]. Au xive siècle encore, le rigide Ibn Taymiyya voyait dans le maintien des communautés de « gens du Livre » en pays d'Islam une survivance du passé, et annonçait que, par réductions ou exclusions, elles en viendraient à disparaître [12]. Et voici qu'à l'époque moderne, les conquêtes coloniales de l'Europe, et les facilités ouvertes ainsi à des missionnaires chrétiens, jouèrent un rôle de catalyseur, analogue à celui joué par l'entreprise des Croisades. Que dire enfin des luttes contre l'État d'Israël, et de la solidarité avouée des Juifs du monde entier à son égard...

En bref : s'il s'agit du salut éternel, des réformistes contemporains, et jusqu'à certains « Frères Musulmans », reprendront avec force les thèses de Ghazzâlî [13]. La mentalité musulmane semble assez généralement acquise à ce point de vue. S'il s'agit du statut temporel des « minoritaires » chrétiens ou juifs, — car les Mazdéens ne sont plus que vingt mille en Iran [14], — les constitutions des États indépendants leur reconnaissent le plein droit de citoyenneté, et les massacres qui ternirent le dernier siècle de l'Empire ottoman semblent appartenir à un passé révolu. Mais la mentalité populaire n'a peut-être point perdu son ancienne méfiance, comme en témoignent les heurts sporadiques entre communautés. L'émigration des Chrétiens arabes (et chaldéens) hors du monde de l'Islam est un fait bien connu, ainsi que l'ombrageux et douloureux complexe d'infériorité, voire de persécution, qu'ils continuent de nourrir à l'égard de la majorité musulmane.

Ainsi donc, au cours des siècles, et de nos jours encore, une triple disposition d'esprit semble avoir marqué le comportement des hommes de l'Islam. 1) Tout d'abord le sentiment paisible et fort de la vérité de l'Islam, de sa supériorité incontestable sur les autres religions « célestes ». Un musulman peut avoir un ami chrétien ou juif; au fond de son cœur, et quand bien même la situation et la réussite sociales de son ami seraient plus élevées que les siennes, il ne sera pas sans le plaindre de ne pas appartenir à la « Nation du Prophète ». Dans le peuple, un doux mépris à l'égard des « gens du Livre » n'est pas rare. 2) Aux meilleures époques, une réelle tolérance, à la fois religieuse et civique, était de règle. Ce fut vrai en sunnisme, aux tout premiers temps 'abbâsides, et plus encore peut-être en shî'isme. Sous les Fâtimides du Caire (xe siècle) certaines « gens du Livre » exerçaient si bien de hautes fonctions que des poèmes satiriques couraient les rues : « Fais-toi donc chrétien, fais-toi donc juif... [15] » Cette tolérance ne mettait nullement en cause la supériorité de l'Islam, bien au contraire; et peut-être pourrait-on y voir, appliquée aux divergences des communautés religieuses, une mise en œuvre de l'ancienne et munificente longanimité *(hilm)* bédouine. 3) Une certaine méfiance demeurait et demeurera malgré tout, — dans la mesure précise où les « protégés » pouvaient toujours être soupçonnés d'unir leurs intérêts aux intérêts de puissances « étrangères ». Les nombreux fonctionnaires juifs et chrétiens seront accusés plus d'une fois de « corrompre l'administration [16] ». Un Musulman aura peine à croire au total civisme des « protégés ». Les événements politiques que furent les Croisades, puis la conquête mongole, la double expansion coloniale et missionnaire des temps modernes, le phénomène des « Capitulations » sous l'Empire ottoman, qui faisait des États européens les défenseurs naturels des sujets chrétiens ou juifs de la Porte, et, à l'âge actuel la terrible question des guerres israëlo-arabes, vinrent, au long des siècles, le renforcer en ses doutes et craintes. D'où les périodes alternées de bonne entente et d'animosité parfois violente.

Le pacte dit de 'Umar [17], fixant le statut du protégé dans la Cité, est le reflet de cette mentalité complexe. Il est bien plus sévère en ses clauses que le « pacte de Najrân », octroyé, selon la tradition, par le Prophète lui-même à des Chrétiens nestoriens [18]. Dans le pacte de Najrân, il était précisé que ses bénéficiaires chrétiens « ne seraient pas humiliés ». Le pacte de 'Umar au contraire fixe aux protégés un statut d'humiliation. Il les marque de la rouelle, bleue pour les Chrétiens, jaune pour les Juifs, brune pour les Mazdéens, leur assigne résidence en des qartiers fermés chaque soir par des chaînes, et impose maintes limites à leur citoyenneté qui reste cependant reconnue.

Le pacte de 'Umar dessine ainsi, dans la Cité musulmane classique, une préfigure de ce que seront les ghettos du Moyen Age chrétien. Il témoigne cependant d'une plus large tolérance que bien des royaumes chrétiens : et assez curieusement les ghettos de l'État pontifical — les plus doux de la chrétienté sacrale d'alors — semblent reprendre à leur compte les principales dispositions du pacte de 'Umar. En fait, dans les cités des califes et émirs, Juifs, Chrétiens et Musulmans se côtoyaient sans cesse. Il n'est pas inutile de noter que c'est au sein de l'Empire 'abbâside, et plus encore en Espagne musulmane, que toute une littérature juive d'expression arabe donna naissance à de grandes œuvres de philosophie, de théologie, de spiritualité : ainsi, pour ne mentionner que les plus connus, les traités de Sa'diyya le Gaon et de Jehudah ha-Levi en Égypte, de Maïmonide, Ibn Gabirol et Bahya Ibn Paqûda en Andalus.

Situation et rôle des femmes

Les Réformistes contemporains se plaisent à souligner le respect de la femme professé par le Coran, et les droits qui lui sont reconnus. Une note commune à la vie musulmane cependant, liée à la conception non seulement patriarcale mais agnatique de la famille, fut la séparation des sociétés masculine et féminine. La vie civique et politique était réservée, en principe, à la seule société masculine. « Demeurez dans vos demeures », dit le Coran (33,33) aux femmes du Prophète.

Nous n'avons pas à décrire ici le harem *(haram)*, lieu à la fois sacré et interdit, qui était, dans la demeure familale, le domaine des femmes. Les seuls hommes qui y avaient accès étaient l'époux, les proches membres de la famille, les médecins, et, chez les riches, les eunuques et les esclaves. L'organisation et les coutumes des harems musulmans ne sont point sans faire penser aux gynécées grecs.

Visites aux amies, bains du *hammâm*, dévotions aux cimetières, certains pèlerinages, voyages éventuels, toutes les sorties obéissaient à des règles strictes. Devant tout homme autre que ceux admis au harem, la femme devait avoir le visage recouvert d'un voile. Le voilement du visage fut, semble-t-il bien, l'extrapolation d'un avertissement adressé par le Livre aux épouses et aux filles du Prophète, et aux femmes des croyants [19]. Assez peu habituel dans les campagnes, il devint à la ville le signe d'un statut social reconnu. A parler sommairement, on peut dire qu'il eut tendance au cours des âges à progresser dans les villages et certains faubourgs populaires; à se maintenir dans la petite bourgeoisie récemment issue des milieux ruraux; mais à regresser de nos jours dans les milieux urbanisés depuis longtemps, et où les sources et coutumes tribales, en ce cas agnatiques et endogames, s'effacent devant la « citoyenneté ». A l'heure actuelle, il cesse en tout cas d'être considéré comme une obligation religieuse, et plusieurs États musulmans « modernes » le déconseillent.

On a souvent parlé des mentalités féminines formées dans les vases clos des harems, des conséquences psychologiques de la polygamie, de l'exaspération des sensiblités, voire des sensualités. Les « désenchantées » de Loti... L'éducation de la jeune fille était toute commandée par son rôle futur d'épouse et de mère, et par la sujétion où elle se devait de demeurer à l'égard des mâles de la famille. Si bien que la jurisprudence en vint à entériner maint règlement coutumier, sans se faire faute d'urger et d'alourdir les dispositions originelles du droit.

Les promesses du Coran s'adressent « aux croyants et aux croyantes ». Nous l'avons vu : les femmes sont héritiers réservataires, elles ont des droits garantis, et la répudiation n'est admise qu'*ad duritiam cordis* [20]. Or, ce qui fut retenu, ce fut avant tout l'état de sujétion de la femme, auquel répondit une extrême facilité des répudiations. Bien des coutumes anté ou extra-islamiques pesèrent ici de tout leur poids. Dans cette déformation coutumière des lois coraniques, faut-il voir, avec certains ethnologues, l'autodéfense des vieilles sociétés endogames que menaçaient les progrès de l'urbanisation et la proximité de voisins étrangers à la tribu? Le harem, vie privée de l'homme, met la femme « à part » de la vie de la Cité. On peut demander à un homme des nouvelles de « sa famille », mais non point de sa ou de ses femmes. Le grand Ghazzâlî dira incidemment dans son *Ihyâ'* qu'il est trois choses dont il est honteux de parler : les hémorroïdes, la teigne et les femmes...

Comment se situa en fait la mise en place de la famille musulmane comme telle? La « primauté du mâle » reste indéniable. « Les hommes ont autorité sur les femmes en vertu de la prééminence que Dieu leur a accordée sur elles, en raison aussi des dépenses qu'ils font pour assurer leur entretien » (*Coran* 4,34). En conséquence, écrit un sociologue musulman contemporain, « la vie conjugale est donc hiérarchisée. La famille islamique sera essentiellement androlâtre [21] ». Le droit traditionnel accorde au chef de famille quatre épouses légitimes et des concubines esclaves. Une parfaite égalité doit régner entre les épouses, les concubines doivent être bien traitées. Toute autre relation sexuelle est condamnée. Il est interdit de prostituer ses esclaves (*Coran*, 24,33), et fortement blâmés sont les « débauchés » et les « amateurs de courtisanes » (*id.*, 5,5).

La sexualité fut toujours un facteur important de la vie musulmane. Nous ne pouvons que renvoyer à l'enquête détaillée de M. Abdelwahab Bouhdiba, qui porte à la fois et sur les normes coraniques et sur les applications concrètes, parfois aberrantes, qui en furent faites [22]. D'une part, la fidélité conjugale est requise, et l'adultère sévèrement réprimé. D'autre part, en dépit de tous les interdits, les courtisanes et les prostituées abondèrent. Elles apparaissent fréquemment dans les annales et récits; cependant que les concubines, moins soumises à la claustration que les épouses légitimes, exercèrent sur le mâle l'attirance de l'« anti-épouse », pour reprendre l'expression de M. Bouhdiba [23].

Faut-il dire que se manifeste comme une double tendance, une double attitude d'esprit? Un tranquille mépris de la femme est fréquemment exprimé, ce qui n'était pas rare à l'époque en dehors des aires islamiques [24]; et cependant voici qu'apparaît, dans la vie sociale, une présence de la femme plus réelle que les lois coutumières ne le laisseraient supposer. Étant donné les règles strictes qui, en principe, organisent la vie féminine, on ne peut qu'être surpris de voir dans les récits et les contes la liberté d'allure parfois fort grande de certaines veuves, mais aussi de jeunes filles qui savent conquérir, contre tous les usages reconnus, le choix de leur amant ou époux. Maint texte serait à citer. Il y eut des femmes — rares — qui participèrent à la culture humaniste et apparurent dans les cercles des lettrés; et les annales du temps font mention d'une femme qui exerça la fonction de gouverneur. « Licence des mœurs », diront d'ombrageux moralistes. Mais il semble bien que la vie concrète ait quelque peu bousculé les usages ancestraux, voire certaines prescriptions légales.

La femme, par ailleurs, fut toujours respectée comme mère, *wâlida;* entendons, il est vrai, mère des enfants mâles. La maternité, comme la paternité, est honorée en Islam. Les noms féminins, même s'il s'agit de petites filles, commencent souvent par *Umm...* (mère de...), comme les noms des garçons par *Abû...* (père de...) [25]. Le rôle de la mère fut grand au sein des familles. Il ne se bornait pas à l'éducation des tout jeunes enfants. Le ou les fils devenus adultes, même s'ils exerçaient de hautes charges, prenaient volontiers conseil de leur mère; et son autorité sur la ou les jeunes épouses restait entière, non sans dommage plus d'une fois. Bien plus, certaines notations laissent apparaître le réel attachement qui pouvait lier des époux. Ainsi au XIIIe siècle, pour nous borner à cet exemple, les sentiments exprimés lors de la mort de sa femme Umm al-Majd par le voyageur maghrébin Ibn Jubayr [26].

La situation de la femme pouvait présenter un progrès de fait sur le sort qui lui était réservé dans les sociétés arabes anté-islamiques. Il reste que la sujétion où elle était maintenue, et qui aggrava largement les prescriptions coraniques, fut réelle, et s'alourdit plutôt au cours des siècles. Si bien que la place à lui reconnaître dans la vie sociale, civile et politique, sera l'une des questions majeures posées au mouvement réformiste et au renouveau contemporain.

L'esclavage

Les sociétés musulmanes de l'âge classique connurent l'esclavage. Il se maintiendra au long de l'histoire, et jusqu'à une époque récente [27]. Nous ne traiterons pas dans toute son ampleur le problème soulevé, ni les multiples décisions juridiques qui le concernent [28].

Quelques remarques cependant d'ordre général. L'esclavage existait dans la société arabe anté-islamique. Le Coran l'entérina, mais eut tendance à en limiter les effets, et fit de l'affranchissement de l'esclave, surtout musulman, une œuvre pie [29]. « N'oubliez pas qu'ils sont vos frères », dit un *hadîth*. L'acceptation de l'esclavage par les mentalités du temps n'est peut-être pas très différente en Islam de ce qu'elle fut aux débuts du christianisme [30].

Selon l'esprit du droit musulman, l'esclave n'est point la *res* qu'il était dans le droit romain, remis à l'absolu arbitraire du maître. Certes, il lui appartient en toute propriété, il peut être acheté et vendu, il fait partie de l'héritage. Il n'en garde pas moins des droits reconnus : ainsi le droit au mariage, dont l'application diffère selon les écoles juridiques, le droit de la mère à n'être point séparée de son enfant, le droit des époux à cohabiter, le droit à un traitement juste. De mauvais traitements entraînaient aussitôt l'affranchissement, et le fonctionnaire chargé

« de la police des marchés et des mœurs » *(muhtasib)* devait y veiller. La plupart des écoles juridiques reconnaissent la licéité d'une union officielle entre conjoints dont l'un est libre, l'autre esclave.

Nous l'avons vu, le maître pouvait prendre pour concubines ses femmes esclaves, mais non point les prostituer. Et les enfants qui naissaient du concubinage étaient, de droit, libres. Bien des souverains 'abbâsides eurent des mères esclaves. Des jeunes filles esclaves étaient éduquées et instruites avec soin, soit pour ce rôle de concubines, soit pour être les chanteuses et danseuses des festins. Les esclaves caucasiennes, très recherchées, étaient célèbres.

L'esclave domestique était en général bien traité. Il faisait partie de la maison, et un *hadîth* le loue s'il sait donner de bons conseils à son maître. La possibilité était reconnue à ce dernier de mettre son esclave à la tête d'un commerce, avec toutes les charges afférentes. Il y eut des esclaves précepteurs et professeurs. Ils pouvaient exercer dans la Cité des fonctions exécutives, mais non judicatives, être par exemple fonctionnaires secondaires du fisc. S'ils étaient musulmans et instruits, ils pouvaient être *muftî*(s) à titre privé (mais non point nommés officiellement à cette charge), et diriger la prière (mais non point la prière publique du vendredi). Il était fréquent que le maître stipulât par testament que tels de ses esclaves, surtout musulmans, devaient être affranchis [31]. Il y eut aussi des « affranchis partiels », soit que le prix stipulé pour le rachat, et auquel l'esclave pouvait lui-même contribuer, n'ait pas encore été totalement versé, soit qu'il s'agît d'« esclaves communs » appartenant à plusieurs maîtres à la fois.

Les esclaves des grands domaines ruraux ou des entreprises industrielles, principalement des domaines et des entreprises d'État, avaient un sort certainement beaucoup plus dur que les esclaves domestiques. La fin du IXe siècle connut la révolte des Zanj, esclaves noirs importés de la côte orientale africaine en basse Mésopotamie. Quelques siècles plus tard, certains « bagnes » ottomans de la côte d'Afrique du Nord seront tristement célèbres; il s'agissait surtout d'esclaves européens fournis par la « course », — à laquelle répondait, du côté des « Francs », des entreprises similaires.

Esclaves encore étaient les soldats de nombreuses milices, les uns de race noire, d'autres de race blanche, ceux qu'on appelait les « Slaves »[32]. Leur statut n'était pas très différent de celui des mercenaires étrangers. Sous la conduite de leurs officiers, ils prirent parti plus d'une fois au cours de luttes pour la conquête du pouvoir. Aux xve-xvie siècles, les fameux *Mamlûk*(s) d'Égypte devaient être, pour accéder au pouvoir, d'origine ou de descendance servile.

Le métier de marchand d'esclaves était reconnu, parfois étroitement surveillé. La règle demeurait qu'un musulman ne pouvait être de condition servile que s'il s'était converti étant déjà esclave, ou né de parents esclaves. Aucun musulman d'origine libre ne pouvait être réduit en esclavage. Mais il arrivait, au cours de guerres intestines, que des « hérétiques » fussent déclarés non musulmans...

Qu'ils fussent liés à une famille, ou à un domaine d'État, ou enrôlés dans l'armée, les esclaves étaient donc présents, et nombreux, dans la vie urbaine et rurale. Ils font partie du décor et des mœurs des villes musulmanes de jadis. Parmi eux, relativement nombreux étaient les castrats, eunuques des palais, et qui, chefs de personnel des harems, devinrent souvent les hommes de confiance des maîtres. Jâhiz, dans son *Kitâb al-hayawân* [33], se plaît à signaler que la castration, défavorable aux Noirs, était au contraire « favorable au développement de toutes les aptitudes naturelles de l'homme blanc » [34]. En tout cas, des eunuques affranchis furent chefs d'armée, voire vizirs.

L'esclave affranchi en effet jouissait aussitôt de tous ses droits civiques et politiques, citoyen de plein droit s'il était musulman, *dhimmî* de plein droit s'il appartenait aux religions « protégées ». Sans doute un lien réciproque continuait à l'attacher à son ancien maître, et entraînait certaines obligations quant à l'héritage. Mais son sort n'était guère différent de celui des *mawâlî*, hommes libres de race non arabe du temps des Umayyades [35] : c'était un statut de « clientèle » qui lui assurait protection, et plus d'une fois des affranchis eurent dans la Cité des situations supérieures à celle de leur ancien maître. Car le statut d'esclavage reste, pour le musulman du moins, un statut d'exception, et il est hautement recommandable de le modifier par l'affranchissement. L'état normal est celui de l'homme libre *(hurr)*.

Les conditions économiques et les habitudes sociales du temps faisaient de l'esclavage, aux yeux des contemporains, une normalité. Mais s'il fut et resta l'un des rouages des Cités de l'âge classique, et si les nombreux abus et injustices qui en sont la rançon n'en furent point absents, entre autre la brutale « chasse aux esclaves » en Afrique ou sur les côtes européennes, on peut dire qu'il n'y avait point dans la mentalité musulmane ce mépris absolu de l'homme en situation servile que connurent des civilisations aussi avancées que la Rome antique ou la moderne Amérique. Et le mélange d'esclaves blancs et noirs — encore qu'une certaine préférence resta marquée pour l'homme blanc — empêcha de verser dans un racisme inconsidéré. L'esclave restait un être humain, égal de tout homme sur le plan des décrets de Dieu. Son statut dans la Cité relevait précisément d'un décret tout positif, non d'un état de nature; car aucun homme n'est fait par nature pour être ou devenir esclave.

La vie urbaine et ses catégories sociales

A l'âge classique, ce n'est donc point, tant s'en faut, un fanatisme étroit qui marque la mentalité musulmane, et cela est remarquable pour l'époque. Un sentiment de supériorité l'anime sans doute, et que vint nourrir l'évidente grandeur des Empires. Mais sauf aux heures (fréquentes) de trouble, de disette ou de guerre, ce sentiment s'exprime avant tout dans la paisible possession du « lot », de la « dot » que Dieu accorde sur terre à qui entend sa Parole et le reconnaît Seigneur.

La vie quotidienne des Cités n'en connut pas moins bien des fluctuations. Elles étaient peut-être inévitables. Très tôt, la vie musulmane type se présente comme étant celle non point des tribus restées nomades, mais des habitants des villes. Le maintien et le progrès de l'urbanisation s'affirmèrent. Les descriptions des géographes et des voyageurs ne tarissent pas à son sujet. Des récits enthousiastes magnifient la beauté et la richesses des grandes métroples. D'évidentes exagérations glorifient le nombre des habitants et l'étendue des villes, ou, à meilleur titre, l'harmonie des mosquées, des palais, des jardins. Chaque ville ou presque a ses caractéristiques bien à elle, et qui différencient le caractère des habitants. Telle sera réputée pour son amour des lettres et des arts, telle autre pour sa connaissance des sciences, telle autre pour l'activité de son commerce et son goût d'entreprise, telle autre encore pour sa lourdeur d'esprit et sa rusticité, pour sa largesse ou son avarice [36], pour son sens délicat de l'hospitalité ou pour sa méfiance à l'égard de tout nouveau venu. L'*iqlîmiyya*, le « régionalisme », et la recherche du détail si fréquente dans les récits de voyage, se donnent libre cours. Mais en toute description se retrouvent, à peu de chose près, des allusions aux mêmes catégories sociales, aux mêmes métiers, aux mêmes rythmes de vie, scandés par les obligations canoniales, les fêtes religieuses et familiales.

Le caractère des habitants des villes peut varier au gré des réalités géographiques, des ethnies, du maintien ou de la disparition de maintes coutumes anté ou extra-islamiques. Mais les mentalités, elles, nous semblent se différencier beaucoup plus selon les métiers exercés et le rôle joué par chacun dans la vie sociale et politique.

Le plan même des cités en témoigne. Il est remarquable que l'aspect extérieur des villes musulmanes ait été sensiblement le même à travers toutes les divergences locales. On peut, très sommairement, le schématiser comme suit [37]. Le marché, ce perpétuel aboutissement de la vie nomade ancestrale, puis, en d'autres régions, de la vie rurale, fut et resta le premier centre de l'agglomération. Il commandera la mise en place de fondouks et caravansérails, où les marchands venus du dehors logeaient et où ils entreposaient leurs biens. Le second centre fut la citadelle, à l'origine magasin fortifié, dans la suite des temps résidence du gouverneur et de sa garde. Les palais des califes et émirs en furent l'extension. Un troisième centre, pendant longtemps, se situa autour du « marché au filé », où se ravitaillait et s'écoulait le travail des femmes. Le quatrième centre enfin fut la mosquée-université, son monde de savants (*'ulamâ'*) et d'étudiants (*tullâb*). Autour de la mosquée-université se groupèrent souvent les *sûq*(s) urbains, boutiques des artisans et des commerçants, leurs ruelles couvertes et fort animées. Ces *sûq*(s) à leur tour se diversifièrent en quartiers, au gré des métiers exercés, et le *sûq* des libraires, proche en général de l'internat des futurs collèges ou *madrâsa*(s), s'agitait de toute la vie estudiantine. Des fondouks et caravansérails pour voyageurs, et des mosquées secondaires, s'ouvrirent à l'intérieur des *sûq*(s) urbains. Par là se rejoignaient le premier et le quatrième centre de la ville, marché et mosquée. La citadelle ou résidence du Prince en restait séparée. Des communautés de foi religieuse, sunnite, shî'ite, s'organisaient en quartiers distincts [38], et une résidence à part était assignée, nous l'avons vu, aux communautés non musulmanes.

Sans doute l'explication première de ce plan très général d'urbanisme ne doit-elle pas être demandée à des valeurs directement musulmanes. Des facteurs géographiques et économiques étonnamment constants, l'ont commandé. Les centres principaux de l'Islam se répartirent sur le pourtour de zones désertiques ou steppiques, en des plaines ou des vallées, croisements de routes et voies d'accès par terres, mers ou fleuves, qui sont en même temps centres de défense. Mais ces facteurs furent comme réassumés par la vie musulmane; et les temps de prière liturgique, scandés par l'appel des muezzins, rythmaient les heures des marchés et l'activité des *sûq*(s) [39].

Quelles perspectives les témoignages qui nous restent ouvrent-ils sur les attitudes et le comportement vécu des divers éléments de la société urbaine? Et tout d'abord, convient-il de parler de « classes » au sens moderne (marxiste) du mot? Il y a, à coup sûr, de fortes différences de niveau économique, social, culturel. Les causes en sont diverses. Il ne s'agit certainement pas d'appartenance ethnique. Il n'y a point, à l'ère 'abbâside, une classe dominante arabe et un prolétariat non arabe. Dès lors qu'ils étaient musulmans, des Iraniens (ou Byzantins), puis des Turcs, ou en Occident des Berbères ou Ibères, s'élevèrent aux plus hauts grades et aux plus hautes fonctions. On ne saurait parler non plus d'une discrimination radicale d'ordre religieux. Sans doute les « protégés » non musulmans sont-ils citoyens de seconde zone. Mais leurs dignitaires, sauf aux moments de grande crise, sont vénérés et honorés; il y eut des ministres et de hauts fonctionnaires juifs, chrétiens ou sabéens, et les riches marchands ou riches artisans de l'une ou l'autre communauté ne sont pas rares. A peine l'origine, rurale ou urbaine, entrerat-elle en jeu. Le rural, rude et fruste, pourra bien être moqué pour sa balourdise, — mais il sera loué, à l'occasion, pour sa droiture ingénue. Son manque de connaissances lui fermera certaines fonctions. Mais s'il réussit suffisamment en ses entreprises, et s'il sait donner à ses enfants l'éducation nécessaire, ses fils pourront accéder à des charges, ses filles contracter des mariages qui rendront possible la montée sociale désirée.

Il n'y eut point l'équivalent des « trois états » de type féodal. Pas de clergé, mais des hommes « savants en sciences religieuses », nous y reviendrons; pas de noblesse héréditaire, les titres et même, dans une large mesure, les terres octroyés par les souverains ne sont pas en principe transmissibles. Les seuls titres de noblesse reconnus sont ceux de *sayyid* et surtout de *sharîf*, qui entendent honorer les descendants du Prophète. Ces principes il est vrai n'empêcheront point la formation des dynasties califales, et l'apparition de véritables dynasties de sultâns, d'émirs, de vizirs. Bien des réformateurs le déploreront...

On peut dire que, dans la Cité musulmane de l'âge classique, les différences sociales sont une question de fait bien plus que de droit. Elles sont liées, semble-t-il, aux fortes traditions maintenues d'une part au sein de la famille, d'autre part dans l'exercice et la protection des métiers. L'emprise de la famille est très forte. Le pouvoir du chef de famille est grand. Les familles pauvres n'avaient rien à envier, de ce point de vue, aux familles riches. Une certaine contrainte dans la continuité du statut social en fut souvent la rançon. Il était normal que les métiers se transmissent de père en fils, d'oncle à neveu, de frère aîné à frère cadet. Et les métiers étaient garantis par une organisation structurée, une transmission de secrets, un code d'honneur. Il y eut des métiers honorés, d'autres acceptés, d'autres taxés d'impurs [40]. Choisir librement son métier était loin d'être aisé [41]. Il fallait compter enfin, dans les villes musulmanes, avec un « bas peuple », recruté parmi les asociaux volontaires ou obligés, hommes de main prêts à tout, surveillés, utilisés aussi par la police d'État.

Peut-être serait-il plus exact de parler non de « classes », mais, avec M. Claude Cahen, de « catégories sociales » [42], ou de milieux sociaux, parfois fermés sur eux-mêmes, parfois aux limites indécises et fluentes. On peut, pour faire bref, les répartir ainsi [43] : milieu des cours et des palais (et les chefs de l'armée); milieu des « hommes de religion »; milieu humaniste des scribes, lettrés et savants, auxquels peut être joint tout fonctionnaire de rang élevé; milieu des propriétaires terriens, résidentiels ou non, et des grands marchands liés aux voyageurs par terre et par mer; milieu (instable) des étudiants; milieu des petits commerçants et artisans des *sûq*(s); le « bas peuple » enfin, aux « petits métiers » peu considérés; les mendiants (et voleurs) sans métier.

C'est à travers le concret de leur existence quotidienne que nous essayerons de saisir la réalité vécue par les hommes des villes musulmanes à l'âge classique. Nous y joindrons, le moment venu, le peuple des campagnes et des entreprises agricoles. La question posée sera constamment celle-ci : les différences rencontrées furent-elles liées à des conditions contingentes de vie; ou informèrent-elles plus profondément ces attitudes d'esprit et de cœur qui entrent dans la formation d'une mentalité?

NOTES

1. Abdallah Laroui : *L'histoire du Maghreb, op. cit.*, t. I, p. 176.

2. Ainsi les deux grands textes pehlevis du IXe siècle, le *Shkand-Gumânîk-Vitchâr* (édité et traduit par P. J. de Menasce, Fribourg en Suisse, 1945) et le *Dênkart* (dont le troisième livre a été traduit en français par le même, Paris, Klincksieck, 1973).

3. Cf. les travaux de Georg. Graf et de A. Th. Khoury : *Polémique byzantine contre l'Islam*, Leiden, éd. Brill, 1972; et les éditions critiques faites par le P. Cheikho (Beyrouth) de divers traités arabes d'apologétique chrétienne.

4. C'est à la demande des califes, émirs ou gouverneurs, et en leur présence, que souvent s'opposaient et discutaient les théologiens chrétiens et musulmans.

5. Appelées respectivement *al-masîhiyyât* et *al-isrâ'îliyyât*.

6. V. g. Choucri Cardahi : « La conception et la pratique du droit international privé dans l'Islam », *Recueil des cours de l'Académie de Droit International*, t. LX, pp. 511-642; A. S. Tritton, *The Caliphs and their non Muslim Subjects*, Londres, 1930; A. Fattal, *Le statut légal des non-Musulmans en pays d'Islam*, Beyrouth, coll. « Recherches », ILO, t. X, etc.

7. Cf. L. Massignon : « L'influence de l'Islam au Moyen Age sur la

fondation et l'essor des banques juives », *Opera Minora I*, pp. 241-249.

8. Cf. Jurjânî : *Sharh al-mawâqif*, VIII, p. 309.

9. *Kitâb al-intisâr* (« Livre de la réfutation »), éd. et trad. franç. de A. Nader (texte établi par Nyberg), Beyrouth, coll. « Recherches », ILO, t. VI.

10. Abû Hamîd al-Ghazzâlî : *Faysal al-tafrîqa bayn al-Islam wa l-zandaqa* (« Principe de distinction entre l'Islam et l'impiété »), éd. du Caire 1319 H. /1901, p. 75. Cf. l'étude de R. Caspar, *Le salut des non-musulmans d'après Ghazzâlî*, Tunis, IBLA, 1968.

11. Ibn al-Suqâ'î : *Tâlî kitâb wafayât al-A'yân*, Institut Français de Damas, 1974, — voir « Introduction » de Jacqueline Sublet, p. XV.

12. Cf. H. Laoust : *Doctrines sociales et politiques d'Ibn Taimîya*, pp. 265-277.

13. Cf. Rashîd Ridâ : *Tafsîr al-Manâr* (cité par R. Caspar), I, pp. 333-339. — Voir L. Gardet : *Dieu et la destinée de l'homme*, pp. 392-393, et réf.

14. Dans la région d'Ahwâz. Une organisation mazdéenne et un temple sont tolérés à Téhéran. Les Mazdéens sont nettement plus nombreux en Inde, avant tout dans la région de Bombay, où ils surent, sous le nom de Parsis, se spécialiser dans le grand commerce. Ils restent, aujourd'hui encore, très attachés à leurs rites ancestraux.

15. Voir poème populaire ap. Suyûtî : *Husn al-muhâdara fî akhbâr Misr wa l-Qâhira* (éd. le Caire 1299 H. /1321), cité par Ali Mazaheri : *La vie quotidienne des Musulmans au Moyen Age*, Paris, Hachette, 1951, p. 126.

16. Cf. J. Sublet, *introd. cit.* (au livre d'Ibn al-Suqâ'î), p. XXII.

17. Attribué souvent à 'Umar Ibn al-Khattâb, le deuxième des califes « bien dirigés »; promulgué en fait par l'Umayyade 'UMAR III. Cf. L. Gardet : *La Cité musulmane*, pp. 345-346.

18. Texte souvent mentionné, et auquel aiment à se reporter les Réformistes contemporains. Voir Muhammad Hamidullâh, *Documents...* n° 80; Armand Abel, *La convention de Nadjrân et le développement du « droit des gens » dans l'Islam classique*, Courtrai, 1945; L. Gardet, *ibid.*, pp. 344-345.

19. *Coran*, 33,59 : « O Prophète! Dis à tes épouses, à tes filles et aux femmes des croyants de se couvrir de leurs voiles »; cf. 24,31 et 60.

20. Cf. ci-dessus, Ire partie, chap. I, p. 41. « Ces prescriptions représentaient, au moment où le Coran fut révélé, la législation la plus ' féministe ' du monde civilisé », note Germaine Tillon : *Les Cousins et le Harem*, Paris, éd. du Seuil, 1966, p. 170.

21. Abdelwahab Bouhdiba, *La sexualité en Islam*, Paris, P.U.F., 1975, p. 20.

22. Ouvrage cité à la note précédente. Cf. également Salaheddine Munajjid : *Al-hayâ al-jinsiyya 'ind al-'Arab* (« La vie sexuelle chez les Arabes »), Beyrouth, 1958; du même : *Jamâl al-mar'a 'ind al-'Arab* (« La beauté de la femme chez les Arabes »), 2e éd. Beyrouth 1969.

23. *Op. cit.*, p. 131.

24. Et qu'on ne saurait donc attribuer à l'Islam comme tel. Cf. l'endogamie de tout le bassin méditerranéen, sa dominante masculine, la jalousie à l'égard des femmes érigée en vertu, et les dispositions plus « libérales » des droits coutumiers là où régnait l'exogamie (cf. G. Tillon, *op. cit.*, *passim*).

25. Les deux appellations courantes sont pour les filles *Umm* et *Bint* (« fille de... »)pour les garçons *Abû* et *Ibn* (« fils de... »).

26. Il en fit dans un poème l'éloge funèbre. Cf. M. Gaudefroy-Demombynes, introduction à la traduction française des « Voyages » *(Rihla)* d'Ibn Jubayr, Paris, Geuthner, 1949, I, p. 6.

27. Il ne fut officiellement supprimé en Arabie sa'ûdite qu'en 1962.

28. Voir l'article très documenté de Robert Brunschvig, « *'Abd* », *EI*².

29. Cf. *Coran*, 2,177; 4,92; 90,13, etc.

30. Cf. Saint Paul, *ad. Eph.*, 6, 5-9 et l'*Epître à Philémon*, 8-21.

31. « Esclaves orciniens ».

32. La plupart des esclaves blancs de l''Irâq, disait Jâhiz, étaient « Slaves ».

33. Ed. du Caire, 1938, I, p. 106 et sq.; trad. espagnole d'Asín Palacios, ap. *Isis*, XIV, 1930.

34. Cf. R. Brunschvig, *art. cit.*, p. 34.

35. Cf. ci-dessus, Iʳᵉ partie, chap. I, pp. 42-43.

36. Voir à ce sujet le fameux « Livre des Avares » *(Kitâb al-bukhalâ')* de Jâhiz (trad. franç. de Ch. Pellat, Paris, Maisonneuve, 1951).

37. Cf. L. Massignon : « Situation de l'Islam », chap. IV, *Opera Minora*, I, pp. 22-29; et Cl. Cahen : *L'Islam, des origines au début de l'Empire ottoman* (coll. « Histoire Universelle », XIV), Paris, Bordas, 1970, pp. 115-117.

38. Cela fut particulièrement net à Bagdad, et commanda plus d'une fois la vie de la capitale. Le souvenir s'en maintient jusqu'à nos jours; et malgré maint brassage, le grand faubourg de Kâzimayn reste un centre shî'ite privilégié. Au xᵉ siècle, le commerce et l'artisanat de la ville se répartissaient entre deux grands marchés : celui de Karkh sur la rive droite du Tigre, qui était shî'ite, et le « marché du Mardi » *(sûq al-thalatha)*, qui était sunnite.

39. Un sociologue algérien en signale la constance maintenue à travers les villages du Maghreb (cf. Abdelmajid Meziane, « L'aperception empirique du temps chez les peuples du Maghreb », dans *Les cultures et le temps*, *op. cit.*, pp. 243-244).

40. Cf. ci-après, chap. III, p. 154.

41. Si bien que ce sera, à l'époque contemporaine, l'une des revendications formulées par Rashîd Ridâ quand il parlera de l'éducation dans le *Tafsîr al-Manâr* (cf. ci-après, IVᵉ partie, p. 370).

42. Cl. Cahen, *op. cit.*, p. 118.

43. « L'Islam est une civilisation urbaine; la profession la plus représentative est celle de marchand. La plume a la préséance sur l'épée, le savant sur le soldat, le marchand sur le paysan », dit, en un raccourci rapide, G. E. Von Grunebaum, *Studien zum Kulturbild und Selbsverstrandis des Islams* (Zürich, 1969); trad. franç. *L'identité culturelle de l'Islam*, Paris, Gallimard, 1973, p. 5.

CHAPITRE II

LES CATÉGORIES SOCIALES DOMINANTES

I. — LES HOMMES AU POUVOIR

La cour

La célèbre dichotomie cour et ville se retrouve, peu ou prou, en toute cité musulmane classique. La cour, c'est avant tout l'entourage du calife et du premier vizir dans les capitales d'empire; c'est aussi l'entourage des gouverneurs et chefs de province, des sultâns et des émirs, en principe agents d'exécution du calife, mais en fait de plus en plus indépendants. L'allégeance restait maintenue en droit, mais le pouvoir central allait s'affaiblissant. L'Orient shî'ite ou sunnite, aussi bien que les émirats, principautés et royaumes maghrébins et andalous, connurent de véritables dynasties, guerroyant à l'occasion les unes contre les autres [1]. Si le calife de Bagdad continua d'être nommé dans la prière du vendredi tout au long des siècles 'abbâsides, si l'Espagne connut la dominante de Cordoue, en attendant Séville ou Grenade, les luttes entre émirats et sultânats ne seraient pas sans évoquer les guerres intestines des Républiques italiennes du Quattrocento. Elles ne cessent d'accompagner en arrière-plan les biographies des hommes d'État, des savants, des philosophes...

Le règne de chaque 'Abbâside, à de rares exceptions près, fut de courte durée; et l'assassinat politique en termina plusieurs. De 750 à 991, vingt-cinq califes se succédèrent sur le trône de Bagdad. Autour du calife gravitaient les « ministres » ou vizirs [2], et les nombreux fonctionnaires et scribes [3] au service du souverain. L'administration umayyade était restée relativement sobre en hommes et en fonctions. C'est, semble-t-il, Mu'tadid, seizième calife 'abbâside, qui, à la fin du IXe siècle, acheva de mettre en place l'administration de l'empire. Affaires intérieures affaires étrangères, finances, armée, correspondance (diplomatie et archives), postes (et censure du courrier), communications et propagande, furent organisées. Ces divers services étaient placés sous la direction du « premier vizir », qui, sorte de maire du palais, exerça souvent, au nom du calife, le pouvoir réel.

Car le pouvoir du calife régnant, en principe absolu dans les limites des lois coraniques, dut très vite compter d'une part avec de grands chefs militaires de type « prétoriens », d'autre part avec les premiers vizirs et les émirs.

Aux temps umayyades, l'armée se recrutait avant tout parmi les tribus arabes; aux temps 'abbâsides, elle fut d'abord khurâsânienne, puis, assez vite, composée de mercenaires et d'esclaves, turcs en Orient, noirs et « slaves » en Occident. En Orient, au IXe siècle, bon nombre de chefs militaires étaient turcs, tel Îtâkh qui aida Wasîf à mettre Mutawakkil sur le trône. Îtâkh était tout ensemble chef d'armée, ministre des finances, directeur de la poste. Pour échapper à son emprise, Mutawakkil le fit assassiner. Les chefs turcs, à leur tour, assassinèrent le calife. Et c'est pour échapper aux intrigues prétoriennes des chefs d'armée que le califat, au cours du IXe siècle, s'établit pour un temps à Sâmarrâ, au nord de Bagdad. Au Xe siècle, il y eut des chefs militaires résidant dans la capitale, et qui, prenant titre d'« Emir des émirs », firent et défirent les califes; il y en eut d'autres qui préférèrent commander des troupes en province, dans les régions frontalières surtout, ou ils furent des émirs quasi autonomes. L'armée devint ainsi un « corps étranger », entièrement dévouée à ses chefs, suprêmes ou locaux. Tous faisaient profession d'Islam; mais selon les annales du temps, la recherche du pouvoir et des richesses restait bien souvent leur souci majeur.

La souveraineté du calife se trouva plus limitée encore, à partir de 945, quand une famille, venue du Daylam [4], et après s'être emparée de Rayy (près de Théhéran), d'Ispahân et du

Khûzistân, sut s'imposer à Bagdad. C'est ainsi que triompha une puissante dynastie d'émirs et de vizirs shî'ites, les Bûyides, alors que l'empire était d'obédience sunnite.

Ajoutons que les califes, les vizirs, et leur cour, de même que les émirs en province, se déplaçaient volontiers. Une décentralisation se faisait jour, et, en concurrence avec Bagdad, des centres locaux brillaient d'un vif éclat culturel. Les plus célèbres furent Rayy, Ispahân, Bukharâ, Nîshâpûr, d'autres encore. A peu près à la même époque (troisième quart du xe siècle), le califat d'Espagne, sous le règne de Hakam II, fut gouverné par le brillant al-Mansûr billâh, l'Almanzor des chroniques latines, naguère simple et pauvre étudiant de l'Université de Cordoue.

Les émirs et sultâns locaux s'entouraient à leur tour des mêmes services ou ministères généraux que le calife, et stipendiaient pour leur compte des troupes de mercenaires ou d'esclaves. Ibn Sînâ (Avicenne), philosophe et savant, fut, aux environs de 411 H./1020, vizir de Shams al-Dawla, l'émir shî'ite de Hamadhân, et eut maille à partir avec la garnison turque. — Il convient de noter que, pour avides de pouvoir qu'ils pussent être, des émirs et vizirs surent témoigner d'un mécénat éclairé et d'un authentique souci du bien commun.

Le mécénat

Cette complexe organisation politique et administrative multipliait dans les capitales d'abord, dans les centres régionaux ensuite, tout un monde de lettrés, de scribes, de juristes, de savants. Il y eut parfois des savants, philosophes et poètes qui se tinrent en retrait de la vie luxueuse de cours; mais le plus souvent ils acceptaient des charges ministérielles, ou devenaient les habitués des cercles dont vizirs et secrétaires aimaient s'entourer.

De fait, le mécénat des princes fut l'une des notes les plus apparentes des cours musulmanes. Il en résultera une valorisation des travaux de l'esprit, et l'un des plus riches épanouissements humanistes que connut l'histoire culturelle de l'humanité. Les cours umayyades avaient déjà mis à l'honneur poésie et éloquence en des séances que leur reprochaient les adversaires politiques. Bien connue est la liberté d'allure du poète chrétien, le jacobite Akhtal, l'un des trois grands poètes classiques du temps, favori de plusieurs califes, arborant ouvertement une croix et réclamant du vin. La révolution ʿabbaside s'était faite en partie au nom du rigorisme religieux. Les nouvelles cours califales puis gubernatorales ne s'en complurent pas moins en des séances où florissaient discussions intellectuelles, joutes de l'esprit, récitation de poèmes, et qu'accompagnaient musique, danses, alcools, — et débauches trop souvent. C'est sous l'impulsion des premiers califes ʿabbâsides que les ouvrages de science et de philosophie grecques, traduits en arabe, furent intimement incorporés à la culture des pays d'Islam. Les influences iraniennes qui s'exercèrent alors en profondeur, ne firent qu'accentuer une recherche de luxe raffiné, fort étrangère à l'antique rudesse bédouine. Discussions philosophiques et scientifiques s'entremêlaient aux poésies érotiques ou bachiques.

La haute société ainsi admise dans l'entourage des princes était essentiellement masculine. S'y joignaient, pour l'agrément des soirées et des nuits, des courtisanes éduquées, chanteuses ou danseuses, réplique en quelque sorte des hétaïres de la Grèce d'autrefois. Il ne faudrait pas oublier cependant que les harems princiers, avec leur monde d'épouses, de concubines, d'eunuques, de fonctionnaires divers et d'esclaves, jouèrent maintes fois leur rôle dans des intrigues de palais. Les faveurs et les défaveurs, les mutations de vizirs, jusqu'aux grandes lignes des politiques administrative ou financière, et les décisions entérinées dans les conseils du prince, prenaient leur source ou se concluaient à l'occasion dans l'entourage de l'épouse favorite, et plus encore de la mère du souverain régnant.

Le rôle de la reine-mère, de la *wâlida*, ne saurait être minimisé. Il lui advint de revêtir une importance de premier plan durant la minorité d'un souverain déjà porté au pouvoir. Toute l'histoire du procès de Hallâj, fin IXe début du Xe siècle, est traversée par la lutte d'influence qui mettait aux prises d'une part la reine-mère protectrice du grand Sûfî et son allié le vizir Ibn ʿIsâ, d'autre part les vizirs anti-hallâgiens, le sunnite Hâmid, ancien porteur d'eau à l'aventureuse politique financière, et son ennemi l'humaniste shîʿite Ibn al-Furât. Le savoir-faire de Hâmid l'emporta, et, en dépit des efforts du grand chambellan Nasr et de la reine-mère, le calife al-Muqtadir signa, au sortir d'un festin, la mise à mort de Hallâj [5].

La cour et la ville

Les vizirs étaient désignés par le calife ou l'émir, et chaque vizir à son tour nommait les scribes et fonctionnaires chargés de ses services. Si bien qu'à tout changement de règne, et plus fréquemment à toute mutation de vizir, les responsables précédemment en fonction étaient révoqués au profit de nouveaux venus.

Les princes et les vizirs appelaient à eux une clientèle personnelle, à la fidélité en principe garantie. Il en résultera une certaine instabilité de la fonction publique, où les courtisans d'hier se muaient volontiers en opposants. La cour et la ville ne se présentaient plus comme deux milieux de vie bien distincts, mais comme deux mondes en osmose, les personnalités de rechange allant de l'un à l'autre. Qu'ils soient à la cour ou à la ville, il s'agissait des mêmes groupes d'hommes, qui se recrutaient toujours parmi les scribes professionnels, les lettrés, humanistes et savants, et où se mêlaient riches et pauvres. Ce n'est pas tant la naissance ou la fortune qui ouvraient la porte des cours, encore que de hauts fonctionnaires, des chefs militaires, et le calife lui-même, devinrent dans la suite des temps de gros propriétaires fonciers non résidentiels [6]. Ce qui était d'abord requis dans l'entourage des souverains, c'était la culture de l'esprit, et le savoir-vivre, l'*adab*, en son sens le plus général. Ce réquisit, il est vrai, supposait des loisirs nombreux, et donc un minimum de ressources assurées. Nous verrons au xe siècle le célèbre humaniste Tawhîdî, commensal de plusieurs vizirs, exercer un temps le métier de copiste pour gagner sa subsistance et s'en plaindre amèrement.

La distinction majeure ne s'établissait pas entre « nobles » et « non-nobles », mais entre hommes au pouvoir, ou susceptibles de le devenir un jour, et le peuple *('âmma)* ignorant. Le jugement des premiers sur le second varie selon les cas. On trouve parfois un certain souci du peuple des artisans, employés, petits commerçants, du peuple des pauvres qui gagnent leur vie au jour le jour sans grand espoir d'un avenir meilleur, et si souvent atteints par « la cherté de la vie et le manque de nourriture »[7]. Ces métiers étaient nécessaires à la vie de la cité, et des efforts sporadiques seront poursuivis pour améliorer le sort des travailleurs [8]; il fallait les ménager au surplus, car, sous la conduite de chefs aux ambitions politiques, ils risquaient de se révolter un jour. Le « peuple » en ce cas est distingué de « la lie du peuple », les *'ayyârûn*, brigands et asociaux, fortement organisés parfois, cherchant à profiter de toute période de trouble pour s'exercer au vol et au pillage. Les textes n'ont que sévérité à leur égard, et les abandonnent aux représailles de miliciens et des policiers.

Mais il arrive que les hommes en place semblent réunir « peuple » et « lie du peuple » dans un même mépris. Joue alors l'opposition classique entre « le peuple et l'élite », « l'ignorant et le savant »[9]. Les jugements fort durs à l'égard des gens du peuple, en y comprenant jusqu'à des commerçants relativement aisés, ne sont pas rares. Cette notion d'« élite » *(khâssa)* réfère donc bien à une aristocratie de fait, avant tout d'ordre intellectuel et culturel. Un nouveau plan de clivage cependant : à coup sûr, les gens au pouvoir et les fonctionnaires se considèrent eux-mêmes comme appartenant à l'élite; et n'hésitent pas à en ouvrir les rangs aux savants et humanistes qui recherchent leur mécénat. Mais ces derniers jugeront volontiers les princes, tantôt les louant, tantôt les blâmant, et selon des critères qui ne seront pas toujours objectifs. C'est ainsi que nous trouvons chez Tawhîdî l'un des jugements les plus sévères portés sur le pouvoir comme tel. La notion en jeu n'est point ici celle d'une autorité légitime donnée par Dieu [10], mais celle de *sultân*, le pouvoir de fait et son exercice humain. Or, dit Tawhîdî, le pouvoir exercé « n'est que puissance, contrainte, passion (...), plaisir et mépris ». Si bien que les détenteurs du pouvoir « ne peuvent connaître cette haute valeur humaine qu'est l'amitié »[11].

La mention du « plaisir » *(istihlâ')* est comme l'évocation de la recherche du luxe, des jouissances de toute sorte, de la douceur de vivre, dont aimaient s'entourer les cours de l'âge 'abbâside, à quelque degré qu'elles fussent dans la hiérarchie, califes, émirs ou vizirs. Des annales du temps, voire des récits populaires telles les *Mille et Une Nuits,* contribuèrent à privilégier l'image d'un souverain, et de tout détenteur de pouvoir, de type autocratique, « ombre de Dieu sur terre » fut-il dit du calife, aux décisions sans appel, s'entourant de luxe et de plaisir au gré des passions, et gouvernant selon l'arbitraire des intrigues de palais. Certains faits historiques pourraient justifier ces jugements sommaires, quand ce ne seraient que les marques d'honneur et de révérence dues aux souverains, si éloignées de la simplicité des premiers califes de Médine. L'influence des traditions byzantines et de la cour du Basileus, et plus encore du passé iranien anté-islamique, est ici fort probable. Elle devint patente quand elle se joignit au culte de l'*Imâm* fâtimide. — Il reste que ces descriptions à l'emporte-pièce sont parfois caricaturales, et qu'elles ne sauraient s'appliquer uniment à tout souverain. Il suffit de rappeler la liberté avec laquelle purent s'exercer maintes critiques, et l'audience qui leur fut accordée.

Mentalité musulmane?

Cette vie des cours, brillante de tout son luxe et de son humanisme lettré, engouée de la Perse ancienne et de la Grèce classique, contribua à informer les mentalités de bien des hommes de l'Islam. Mais peut-on parler à son sujet de « mentalité musulmane »? Elle n'est certes point une composante de l'« idéal historique concret » que nous avons essayé de cerner dans notre première partie. Bien plus, elle n'est pas sans contrevenir à maintes prescriptions de la Loi religieuse, telle l'interdiction des boissons enivrantes, voire des instruments de musique profane, et du luxe des vêtements. Or, les poèmes et chants bachiques étaient monnaie courante, les vertus du vin célébrées [12] et les meilleures joueuses de flûte, rebec ou viole, hautement prisées.

Une première remarque. L'Islam comme tel ne fut jamais mis en cause. On ne saurait évoquer ici cette rupture entre religion et humanisme que connut l'Occident des XVe-XIXe siècles [13]. Il y eut bien quelques cercles de « libre pensée » au sens moderne du mot, qui n'hésitaient pas à récuser la notion même de prophétie, voire l'absolue unicité divine. L'entrée dans la Cité musulmane de Sabéens et de Mazdéens, à titre soit de « protégés », soit de convertis de fraîche date, ne saurait être oubliée, et l'histoire de l'athéisme en terre d'Islam s'y enracine. Il n'est que d'évoquer la vision du monde d'Abû Bakr Ibn Zakariyyâ Râzî (le Razès du Moyen Age latin), et ses « Cinq Éternels » : Matière, Ame, Dieu, Espace, Temps, — Dieu n'apparaissant plus guère que comme démiurge [14]. Razès écrivit un traité *Fî Naqd al-adyân* (« Sur la réfutation [ou destruction] des religions »), dont quelques extraits nous été conservés [15]. L'influence de Razès ne fut point négligeable. Tawhîdî, le commensal des vizirs, le citera volontiers, et le grand savant al-Bîrûnî le critiquera sans doute, mais le tiendra en réelle estime. Dans la même ligne de pensée, il y eut ceux qu'on appela les *Dahriyya* ou *Mâddiyya*, entendons des « Matérialistes » aux yeux desquels la « durée » éternelle *(dahr)* échappe à la Toute-Puissance de Dieu. Mais ces « négateurs » étaient loin de représenter la dominante humaniste. Et l'un des soucis majeurs des philosophes (Fârâbî, Ibn Sînâ), des moralistes (Miskawayh, Tawhîdî), et des polygraphes de toute sorte, fut d'intégrer à leur vision du monde et des hommes, héritée par une bonne part de la Grèce antique, les valeurs et la problématique musulmanes. Ce n'est qu'après la « résurgence » du sunnisme, au XIe siècle [16], que s'organisa contre eux la lutte des docteurs de la Loi.

L'atmosphère très libre des cours accueillait toutes les joutes de l'esprit. Seules étaient condamnées les opinions qui gênaient le pouvoir et risquaient de troubler le peuple. La police administrative leur appliqua le vieux terme mazdéen de *zindîq* (pl. *zanâdiqa*), qui entendait dénoncer à la fois l'hérétique grave et le fauteur de trouble [17]. Les poursuites contre les *zanâdiqa* s'intensifièrent à la fin du IXe siècle, quand ils furent soupçonnés de pactiser avec la révolution qarmate qui menaçait la stabilité de l'Empire; et c'est comme *zindîq* que Hallâj fut condamné. Mais cette appellation est loin de recouvrir un significat très précis. La liste des « *zanâdiqa* de l'Islam » varie selon les auteurs et les époques. En tout cas, le statut dont on les flétrissait doit s'entendre comme un état de rebellion contre la Communauté, en sa double finalité religieuse et politique. Dès lors, sur le plan juridique, où spirituel et temporel étaient unis, ce statut entraînait peine de mort (sang versé), confiscation de biens, présomption de dam éternel.

Quelle qu'ait été la liberté de mœurs dont jouissait la vie

des cours, les califes, et les émirs sur leur plan régional, restaient des souverains temporels chargés de faire régner sur terre les lois coraniques. Et ces lois concernent aussi bien croyances et rites religieux, valeurs morales, relations sociales. Quand se dessine une possible distinction entre spirituel et temporel, c'est pour affirmer que le pouvoir *(sultân)* et la religion *(dîn)* sont « deux frères » qui ne peuvent exister que conjointement. L'idée s'en retrouve aussi bien chez le traditionniste Ibn Qutayba que dans l'Encyclopédie shî'ite (ismâ'îlienne) des *Ikhwân al-Safâ'*. Aucune des dix obligations par lesquelles Mâwardî définit la charge califale ne fut jamais récusée [18]. Les plus obvies restaient à coup sûr « la garde des frontières », qui justifia bien des entreprises guerrières, et « le maintien de l'ordre » à l'intérieur du pays, raison d'être ou prétexte de rigueurs administratives et policières.

Mais l'usage, et l'abus, des boissons enivrantes, l'atmosphère érotique et bachique? Voilà qui s'inscrit à l'encontre des principes coraniques, — les réformateurs de tous les temps ne cessèrent de le rappeler [19]. Certes. Mais il ne faudrait point considérer ces licences (blâmables) comme un reniement ou un mépris de l'Islam. Elles sont, si l'on veut, « le fait du prince », regrettable sans aucun doute, qui pouvait mettre en jeu la morale personnelle, mais non point la foi professée. Or, « quiconque meurt en ayant un atome de foi dans le cœur, dit le *hadîth*, ne sera point des habitants de l'Enfer ». Il pourra ou non être puni par un temps d'enfer, mais non éternellement. Les souverains savaient s'entourer de juges et conseillers, *qâdî*(s) et *muftî* (s) à leur dévotion, et dont la subtilité était grande pour inventer des « stratagèmes » *(hiyal)* largement interprétatifs de la Loi. Faut-il rappeler la mésaventure du calife Hârun al-Rashîd répudiant dans un mouvement de colère l'une de ses épouses favorites, et le regrettant aussitôt? La loi lui interdisait de la reprendre tant qu'un autre homme ne l'aurait eue pour épouse, puis répudiée à son tour. Sur l'astucieux conseil d'un *qâdî*, le calife la maria à un esclave qui avait promis de la répudier sans retard, sans avoir consommé l'union. Mais la cérémonie une fois accomplie, l'esclave se refusa à tenir sa promesse...

L'anecdote, authentique ou non, est significative d'une attitude d'esprit ne se souciant nullement de refreiner les passions mais pleine de révérence à l'égard des prescriptions de la Loi religieuse (quand bien même on ne les observe guère). Le même Hârûn al-Rashîd, dit-on, emprisonna son poète de cour préféré, Abû l-ʿAtâhiya, le jour où celui-ci, converti, se refusa à composer ses habituels poèmes licencieux et voulut se réfugier dans la pénitence et l'ascèse. Et jusqu'au XVIe siècle, certains juristes de l'école hanafite professaient que le *khamr*, la boisson alcoolisée interdite par le Coran, était seulement le jus fermenté de la vigne, non point d'autres boissons enivrantes [20].

La vie des cours fut l'une des composantes d'un humanisme de lettrés aux œuvres brillantes, très soucieux de perfection formelle. Elle cultiva tout un art de vivre et de mourir, dont le palais de l'Alhambra et ses jardins en Andalus, ou, quelques siècles plus tard, le Tâj Mahall en Inde, pour ne prendre que ces exemples, nous gardent le témoignage. Puisque « Dieu a remis la terre aux musulmans » *(hadîth)*, n'en ont-ils pas la jouissance, éphémère sans doute, mais qu'il leur revient d'aménager au mieux?

Ces cours des califes, des émirs et des vizirs ne reflètent certes point les plus profondes aspirations de l'Islam; elles les trahiraient plutôt. Et quand les Réformistes contemporains déclarent, à la suite d'Ibn Khaldûn, qu'à partir de l'avènement de Muʿâwiya (an 61 de l'hégire) une royauté toute temporelle *(mulk)* se substitua au califat prophétique, ils ne font point d'exception pour les temps ʿabbâsides. Mais c'est bien *un type* de mentalité musulmane qui s'y forgea. Quelles qu'aient été les influences de la sensibilité et de l'art iraniens, ou de la pensée grecque, l'affirmation de l'Islam, la référence maintenue à des valeurs coraniques, donnent à cette mentalité une coloration spécifique. Ce serait une erreur que d'en faire *la* mentalité des hommes de l'Islam; ou de la prendre comme point de repère pour juger des virtualités et des composantes concrètes d'un Islam historiquement vécu. Mais ce serait une erreur également de n'y voir qu'un apport étranger. Elle est à la fois un exemple de conditionnement socio-culturel, et le signe que des mentalités fort diverses phénoménologiquement parlant peuvent s'enraciner en un humus commun.

II. — HOMMES DE SCIENCE ET LETTRÉS

La vie de la cour était pour la ville une ligne d'attirance. Certains hauts fonctionnaires ou chefs d'armée, certains des commensaux du calife ou de l'émir, vivaient au palais. D'autres, plus nombreux peut-être, gardaient leur résidence en ville; ils y frayaient avec des égaux, alors même que ces derniers n'avaient que peu de rapports avec le pouvoir. Il se constitua ainsi moins des classes que des groupes sociaux relativement homogènes. En voici quelques exemples.

Les « hommes de religion » (ashâb al-dîn)

C'est parmi les « traditionnistes » (terme technique qui désignera les fidèles collecteurs des « traditions » du Prophète), et parmi les juristes *(fuqahâ')* que se recrutèrent souvent les fonctionnaires à la fois civils et religieux de la Communauté : *muftî*(s) ou hommes de jurisprudence à titre public ou privé; *qâdî*(s), à la fois juges au civil et au religieux, et notaires; la classe des *'udûl*, « témoins attitrés » et assesseurs du *qâdî; imâm*(s) de la prière et de la prédication, qui assurent le service des mosquées et président à la prière publique du vendredi. Un *imâm* pourra être par ailleurs *muftî* ou *qâdî*. On y peut joindre le *muhtasib*, fonctionnaire chargé de la police des marchés et des mœurs, et quiconque s'estime lésé ou victime d'une injustice, quand bien même il serait esclave, peut recourir à son aide. Pris ensemble, ils forment le groupe des *'ulamâ'*, des « savants en science religieuse »; un bon nombre d'entre eux enseigneront dans les mosquées-universités, plus tard dans les collèges ou *madrasa*(s).

Il ne s'agit point là d'un « clergé » proprement dit, — il n'y a pas de clergé en Islam, mais, à des degrés divers, des « docteurs de la Loi » [21]. Ils peuvent renoncer à leur fonction, non point récuser leur science. Chaque fonction a fait l'objet d'études spécialisées, nous n'y reviendrons pas [22]. Toutes se présentent comme la mise en pratique de la Loi révélée *(shar')*, s'explicitant dans la conduite quotidienne des hommes par des codes juridiques *(sharî'a)*. A parler sommairement, on peut s'attendre à trouver chez tous les « hommes de religion » une mentalité commune qu'informera l'idéal historique concret de la Cité musulmane type. L'histoire nous a gardé le souvenir de « justes » parmi eux, unanimement vénérés. L'un des plus grands est sans doute Ibn Hanbal, dont se réclame l'école juridique dite hanbalite, et qui fut persécuté, sous le calife Ma'mûn, pour son affirmation du Coran increé.

Le savoir en sciences religieuses était entouré d'un grand respect, et l'on veillait avec soin à ce qu'il ne fût pas adultéré. Une triple attitude nous le confirme : l'importance attachée à l'exactitude de la transmission orale, la minutie avec laquelle les textes lus ou récités étaient colligés et écrits, les nombreux voyages entrepris pour contacter personnellement un maître ou pour écouter ses leçons. Les « transmetteurs » (par voie orale) et les scripteurs devaient répondre à de strictes exigences. Il est rapporté qu'Ibn Hanbal, transmettant des *hadîth*(s) par voie orale, ne le faisait jamais qu'en lisant le mot à mot d'un texte, minutieusement établi par avance en ses deux parties principales : chaîne des transmetteurs et contenu de la tradition. Mis au point pour la science du *hadîth*, du droit, de l'exégèse, ces procédés se retrouveront en grammaire et en littérature.

Cette mentalité commune se diversifiera d'ailleurs au gré des personnes, et déjà des écoles. Les écoles juridiques ou théologiques en effet ne se définissent pas seulement par les solutions apportées à des cas concrets, ou par les thèses soutenues. Chacune d'elles engage un comportement spécifique à l'égard de Dieu et des hommes [23]; et l'on peut parler d'une mentalité shâfi'ite ou mâlikite, mu'tazilite, ash'arite ou hanafite-mâturîdite, ou hanbalite, un peu comme l'on pourrait parler d'une mentalité scolastique, cartésienne ou marxiste. Ces divergences au sein d'une recherche et d'une commune attitude d'esprit peuvent être une richesse. Mais elles risquent toujours de donner naissance à des oppositions, des haines et des violences. L'« esprit d'école » *(madhhab)* se durcissant en « esprit de secte » *(firqa)* est certainement l'un des périls qui guetta le plus les « hommes de religion ».

Ghazzâlî au ve siècle de l'hégire (xie siècle), et déjà Ash'arî lui-même au IVe (Xe siècle) leur demandaient de garder un esprit ouvert et irénique, et de mériter ainsi la vénération du peuple croyant. Les luttes d'écoles n'en furent pas moins des plus vives. Elles se manifestèrent non seulement par le ton acerbe des polémiques, mais par le recours tantôt au bras séculier, tantôt à l'émeute populaire, dont les docteurs ne se privaient point. Il y eut la grande *mihna* (épreuve, trouble) menée par les Mu'tazilites sous Ma'mûn, et qui alla jusqu'au sang versé. Le piétisme populaire des Hanbalites prendra sa revanche. Après avoir essayé en vain d'agir sur le pouvoir par des émeutes de la rue pendant le procès de Hallâj, il triompha lors de la réaction sunnite. Il renvoya dos à dos ash'arisme et mu'tazilisme, coupables d'introduire des arguments rationnels dans les choses de la foi, et la stèle d'al-Ash'arî, peu de temps après sa mort, fut renversée au cimetière de Bagdad. Mais quelques siècles plus tard (XIVe siècle), c'est à une coalition shâfi'ite-ash'arite que le Hanbalite Ibn Taymiyya dut d'être emprisonné au Caire.

Ces violences, où le pouvoir était bien souvent juge et parti, allaient à coup sûr contre la grande prescription coranique : « nulle contrainte en religion » (*Coran*, 2,256). Ghazzâlî s'élèvera véhémentement contre la prétention de posséder toute vérité, la tendance à anathématiser l'opposant, et le refus de considérer comme musulman « tout homme qui prie tourné dans la direction de la Mekke ». Il reste que l'étroitesse d'esprit, voire le fanatisme est l'un des reproches le plus fréquemment adressé aux docteurs de la Loi. Il en est d'autres. L'expression arabe par laquelle on les désigne peut se traduire par « hommes de religion et craignant Dieu » [25]. Il leur est donc demandé une pureté de vie qui soit le reflet de leur science. Dès lors, leurs faiblesses morales (individuelles) seront durement relevées et moquées. Ce sont des thèmes aussi fréquents, et pour les mêmes raisons, que les railleries contre le clergé, cultivées par les fabliaux du Moyen Age latin.

Ainsi, la vénalité des *qâdî*(s). Le *qâdî*, juge et notaire, était nommé par le pouvoir central. Il avait donc quelque difficulté à maintenir à son égard l'indépendance de sa juridiction. Il devait en outre acheter sa charge. D'où, en compensation, les gratifications acceptées — ou suscitées — en sus des honoraires dus. Abû Hanîfa déjà, au IIIe siècle (IXe siècle), avait refusé la charge de *qâdî* comme incompatible avec une réelle intégrité morale... L'un des plus grands éloges qui puisse être adressé à un « homme de religion » est de le saluer comme *qâdî* intègre : Ibn Rushd (Averroès) fut reconnu tel par ceux mêmes qui s'opposaient à ses doctrines philosophiques.

Toute faiblesse humaine est vivement blâmée. Le premier quart de l'*Ihyâ'* est sévère pour les juristes et hommes de religion de l'époque. Dans son *Munqidh*, Ghazzâlî y reviendra, et, sans les prendre à son compte, résumera ainsi les reproches habituels :

> « ... Tel parmi les plus célèbres ne fait pas la prière; un autre boit du vin; celui-ci dévore les biens des fondations pieuses ou l'argent des orphelins; celui-là dilapide le trésor public et ne se garde pas des choses défendues; un autre enfin reçoit des cadeaux pour infléchir ses jugements ou les témoignages; et ainsi de suite [26] ».

Il reconnaîtra un peu plus loin « l'affaiblissement de la foi qu'entraîne l'inconduite des savants », mais répondra :

> « Tu vois un savant en train de manger des aliments illicites. Il est parfaitement au courant, autant que toi, pour le vin ou l'usure, la médisance, le mensonge ou la calomnie. Est-ce que cela t'empêche de pécher? Mais ce n'est pas par manque de foi, c'est tout simplement par concupiscence... [27] ».

Et d'ajouter en conclusion :

« le savant authentique, lui, ne pèche que par inadvertance [28] ».

Nous nous trouvons donc en face d'une double attitude : 1) Un mélange de fanatisme, d'étroitesse d'esprit et de laxisme moral chez trop d'« hommes de religion ». Mais il ne s'agit point là d'une « mentalité » proprement dite. Ce sont bien plutôt des faiblesses humaines, et reconnues pour telles. Elles peuvent en partie non se justifier, mais s'expliquer par le nombre sans cesse grandissant des « docteurs de la Loi » et leur mode de recrutement. 2) Les continuelles critiques dont ils furent l'objet au nom d'un idéal toujours maintenu de justice et d'intégrité, et de conformité aux prescriptions coraniques; et donc la vénération qui entoura les « savants » *('ulamâ')* intègres, justes, pacifiques. Même moquée et critiquée, l'influence des hommes de religion sur le peuple restera grande. La mentalité musulmane en ceci ne renia point son image-modèle.

Les cercles (halaqât) sûfis

Nous n'entendons pas pour l'instant parler du sûfisme comme tel; ni même de la ou des mentalités sûfies; mais seulement de l'existence et du rôle des « cercles » *(halaqât)* sûfis dans la vie des cités. Ils étaient nombreux au xe siècle,et nombreux les gens vêtus de la robe de laine *(sûf)* ou de la tunique rapiécée *(muraqqa'a)* qui déambulaient dans les rues. « Hommes de religion »? En un sens large peut-être; mais non point, sauf exceptions individuelles, docteurs de la Loi. Les premiers Sûfîs, certes, se recrutèrent parmi les traditionnistes, c'est-à-dire parmi les collecteurs de *hadîth*(s), et tel d'entre eux méritait le titre de « docteur » *('âlim)*. Mais leur but était autre : ce qu'ils poursuivaient avant tout, c'était la recherche des « états spirituels » et de l'« identification au divin ». On sait combien la légitimité de cette recherche fut discutée aux premiers siècles de l'hégire, la sévérité des tribunaux à l'égard des attitudes et des enseignements sûfis, et comment le sûfisme put prendre figure de tendance marginale par rapport à l'Islam officiel. Dès cette époque, des ouvrages parurent pour défendre son «orthodoxie»[29]; mais il faudra attendre la présentation qu'en fit Ghazzâlî au xie siècle pour qu'il obtienne vraiment droit de cité.

La recherche des « états spirituels », et le rôle joué en cette recherche par le guide ou *shaykh*, sollicitaient les Sûfîs à se grouper en des « cercles » plus ou moins organisés. On peut dire que les « cercles » des viiie-xe siècles sont les précurseurs des futures « confréries religieuses »[30]. Le recrutement était loin d'être toujours contrôlé. Aux « assoiffés de Dieu » se mêlèrent des éléments douteux, attirés par des excentricités et une liberté d'allure considérées par certains comme partie intégrante de la « voie ».

Dans les diverses annales ou récits, les allusions aux Sûfîs sont fréquentes. Avicenne parle, dans son autobiographie, des Sûfîs amis de son père qu'il connut étant enfant; et c'est déguisé en sûfi que vers sa cinquantième année il put quitter subrepticement Hamadhân pour Ispahân [31]. Et comment ne pas rappeler le rôle joué dans les contes les plus tardifs des *Mille et Une Nuits* par les Calenders *(Qalandariyya)*, Sûfîs errants (gyrovagues) qui défrayèrent maintes chroniques...

Pour marginal qu'il ait été, le « phénomène sûfi » se présente donc comme l'un des éléments de la vie musulmane urbaine des siècles classiques. Il y eut des cercles honorés, tel, semble-t-il bien, celui des disciples qui entouraient Râbi'a al-'Adawiyya, la célèbre joueuse de flûte convertie et toute possédée de l'amour de Dieu, dans la Basra du VIIIe siècle. Mais il y eut aussi bien des courants anti-sûfis. Liés à certaines tendances philosophico-théologiques, ils se recrutèrent principalement parmi les théologiens mu'tazilites et les juristes hanafites.

Les arguments présentés visent à déconsidérer le sûfisme en s'attaquant à la moralité et aux mœurs de ses adeptes. Nous retrouvons des critiques analogues à celles adressées aux «hommes de religion », avec cette différence : les défaillances de ces derniers étaient blâmées, mais non point leur rôle dans la Cité; et c'est précisément le décalage entre les exigences de ce rôle et la réalité vécue qui était souligné. Les attaques contre les Sûfîs au contraire visaient la doctrine elle-même. La recherche d'union à Dieu par la voie expérimentale d'« états spirituels» ne pouvait conduire, dans l'esprit des détracteurs, qu'aux outrances dénoncées. Et se mêlent sans cesse, dans ces chroniques, le récit d'abus réels imputables aux éléments les plus douteux, et l'interprétation erronée d'actes ou d'opinions attribués aux plus marquants des grands mystiques.

L'une des accusations les plus fréquentes fut celle de mensonge et de charlatanisme. Elle était de tradition dans les écoles mu'tazilites, et visait avant tout les « prodiges » accomplis, où les Sûfîs voyaient comme le signe de la faveur divine [32]. Hallâj fut particulièrement pris à parti. Al-Jubbâ'î, le grand docteur mu'tazilite du IXe siècle, entend démontrer,sur exemples précis, la mauvaise foi et l'ambition coupable de Hallâj; son argumentation sera fidèlement reproduite par le *qâdî* 'Abd al-Jabbâr dans son grand œuvre du *Mughnî* [33]. Le *qâdî* hanafite Tanûkhî nous a laissé une description très vivante de la vie de Bagdad au xe siècle. Dans son *Nishwâr*, il multiplie les anecdotes qui tournent les Sûfîs en dérision, et veulent prouver leur « fausseté » [34]. Shiblî, ami de Hallâj, et Hallâj lui-même, sont présentés sous des traits caricaturaux. Des récits, identiques à ceux de Jubbâ'î et de 'Abd al-Jabbâr, sont reproduits; et le sûfisme apparaît comme l'une des causes principales de la « décadence des mœurs ».

Adhésion au sûfisme, ou du moins respect des Sûfîs; opposition au sûfisme, et violentes diatribes contre les mœurs des Sûfîs : les deux attitudes se retrouveront tout au long de l'histoire musulmane. L'époque contemporaine nous en garde encore l'écho. On peut dire en même temps que le sûfisme fut et resta marginal en Islam, mais qu'il ne fut jamais absent — loué ou blâmé — des composantes mêmes de la vie musulmane.

Scribes et fonctionnaires, lettrés et savants

Voici maintenant le milieu proprement dit des humanistes. Il gravite autour des hommes au pouvoir, califes, émirs, vizirs, et s'appuie sur leur mécénat. Il peut recouper, par tel ou tel de ses éléments, le milieu des hommes de religion, plus rarement celui des cercles sûfis. Il s'en distingue par sa finalité qui est avant tout l'ouverture et la culture de l'esprit, le goût du savoir et de l'élégance de l'expression. Pour une large part, il se recrute parmi les convertis d'origine iranienne, secondairement byzantine, sans exclure les musulmans de souche arabe. Il ne se ferma point aux « protégés », juifs, chrétiens ou sabéens qui accédaient aux fonctions publiques.

Cet épanouissement humaniste est peut-être ce qui frappe d'abord le regard de l'historien. On peut être tenté d'y voir un élément majeur des mentalités de l'époque, en Orient comme au Maghreb. Il animait le milieu urbain le plus directement en contact avec la cour. Les scribes et fonctionnaires dépendaient du pouvoir central ou régional, les lettrés, philosophes et savants relevaient du mécénat des princes. C'est parmi les uns ou les autres que se recrutaient les commensaux des souverains et des vizirs.

C'est bien un réel « milieu » qui s'offre ainsi à nous, avec ses amitiés, ses luttes d'influences et ses intrigues. Qu'il s'agisse d'un milieu musulman ne saurait faire de doute. Les « impies » *(zanâdiqa)* y sont rares, et les « hommes de religion », qui veillent, ne tardent point à les dénoncer. Ce qui domine au contraire, c'est l'affirmation que foi musulmane et culture de l'esprit non seulement ne sauraient s'opposer, mais s'appellent l'une l'autre, au nom de l'impératif coranique de « réfléchir sur les signes de l'univers ». Au temps de Ma'mûn, le septième calife ʿabbâside, quand les tendances muʿtazilites devinrent la doctrine officielle de la cour, on peut dire que la théologie se fit elle-même humaniste. Comment ne pas évoquer Jâhiz, le brillant écrivain polygraphe?

On peut distinguer trois groupes, qui d'ailleurs s'entremêlent souvent : les scribes, les polygraphes et moralites, les philosophes et savants. — Les premiers, grands spécialistes de l'« art d'écrire », finirent par constituer une sorte de caste puissante où se recrutaient les hauts fonctionnaires, un « mandarinat », si l'on veut. Le *kâtib*, mot à mot « scribe », est aussi le « secrétaire » (d'État). Ce fut le titre donné sous les Umayyades aux futurs vizirs ou chefs de départements ministériels. L'ensemble des *kâtib*(s) formait alors le *dîwân*, équivalent approximatif de « gouvernement ». Ils eurent en souci constant la calligraphie et l'élégance du style. Arabes aux débuts de l'expansion musulmane, leurs rangs s'ouvrirent très vite aux Iraniens, puis aux Turcs, plus tard aux Indiens.

Aux origines, le style arabe était simple. C'est aux scribes, surtout s'ils étaient d'origine non arabe, que l'on dut par la suite le style orné et compliqué des documents de chancellerie. Des ouvrages entiers furent consacrés à la formation que devaient recevoir les scribes, et qui leur permettrait d'accéder aux postes de vizirat [35]. On leur demandait beaucoup. Ibn Qutayba insiste sur une formation spécialisée, avant tout littéraire et juridique, exégétique aussi, c'est-à-dire supposant la connaissance des décisions jurisprudentielles et des interprétations du Coran. Il y eut des scribes qui y joignirent une plus large culture, philosophique ou mathématique. De *kâtib*(s) ils devenaient *adîb*(s), les représentants de cet « art de vivre » *(adab)* que cultivaient les milieux intellectuels [36]. Ils s'affirmaient par là aptes à animer les cercles de lettrés et de savants, tels, au temps des Bûyides, les vizirs Muhallabî ou Ibn al-'Amîd, et certains d'entre eux furent des écrivains renommés. Ils étaient en tout cas le public par excellence des écrivains humanistes et polygraphes.

Ces derniers furent en quelque sorte les hauts vulgarisateurs des philosophes et savants. Ainsi, au IXe siècle, Jâhiz à l'égard des maîtres mu'tazilites et Ibn Qutayba à l'égard des traditionnistes; plus tard (Xe siècle) Tawhîdî et Miskawayh à l'égard des philosophes hellénistiques et des moralistes grecs; ou Khawârizmî à l'égard de l'ensemble des connaissances scientifiques, tant religieuses que profanes. Ces polygraphes furent le miroir de leur époque; ils furent rarement des créateurs. C'est souvent par leur conditionnement socio-culturel, avec tous ses aléas politiques, que leurs œuvres et leurs opinions peuvent s'expliquer. — Un Miskawayh par exemple se montre extrêmement sévère pour les mœurs de son temps. C'est moins au nom d'une morale spécifiquement musulmane qu'il les condamne qu'en référence à un idéal de vie sociale et politique hérité de la Grèce. Par ailleurs, ses sympathies shî'ites, voire son appartenance au shî'isme, colorent à coup sûr les durs jugements qu'il porte sur les califes régnants et leur décadence. Et dans les oppositions et luttes qu'il mentionne entre Shî'ites et Sunnites, c'est aux premiers que va toute sa préférence, tandis qu'il rend les seconds responsables des troubles, émeutes et ruines [37].

Les philosophes et savants proprement dits furent la gloire de ces âges de haute culture. Eux aussi furent mêlés à l'ambiance des cours. Al-Kindî était l'astrologue attitré du calife Ma'mûn. En 339 H. /950, l'émir (shî'ite) d'Alep, Sayf al-Dawla, partant guerroyer, se fit accompagner par Fârâbî, très âgé pourtant. Ibn Sînâ (Avicenne), premier vizir de l'émir (shî'ite) de Hamadhân, fut, à la fin de sa vie, le protégé de l'émir (shî'ite) d'Ispahân. C'est en accompagnant son maître dans une expédition guerrière qu'il tomba malade et mourut en 428 H. /1037. Après la réaction de Mutawakkil, dixième calife 'abbâside, les juristes et les théologiens (ash'arites) devaient taxer d'impiété certaines thèses des « philosophes ». Mais ces derniers entendirent toujours, eux, rester fidèles à l'Islam : soit, chez Kindî, selon une hiérarchisation de valeurs qui soumettait la recherche philosophique au critère supérieur de la Loi religieuse; soit, chez Fârâbî et Ibn Sînâ, selon un processus interprétatif *(ta'wîl)* qui entendait faire des textes coraniques les symboles et allégories de la pure vérité intelligible [38].

Ces philosophes étaient aussi bien médecins et savants, et l'œuvre d'Ibn Sînâ en médecine et astronomie fut, de son temps, aussi célèbre, sinon plus, que son œuvre philosophique. D'autres furent savants avant que d'être philosophes. On peut mentionner dès le VIIIe siècle, l'hermétiste alchimiste Jâbir Ibn Hayyân, le Geber latin, shî'ite ismâ'îlien semble-t-il, et auquel fut attribué un abondant *Corpus*. Mais l'une des plus belles figures de la science musulmane fut sans conteste Abû l-Rayhân al-Bîrûnî (Xe-XIe siècles), mathématicien, astronome, géodésien, minéralogiste, botaniste, né aux confins extérieurs de l'Iran. On peut y joindre son contemporain, le mathématicien et physicien Ibn al-Haytham, d'origine 'irâqienne, et l'astronome iranien Shâhmardân Râzî (XIe-XIIe siècles).

Il est à signaler que les traités philosophiques de Bîrûnî et d'Ibn al-Haytham sont aujourd'hui quasi inconnus tandis que leurs ouvrages scientifiques n'ont cessé d'assurer leur gloire. Si l'on tient compte de l'état des connaissances à leur époque, on peut dire qu'ils firent preuve d'un authentique esprit scientifique. Chez Bîrûnî, la méthode déductive des mathématiques se joint à une rare puissance d'induction et à un art consommé d'observations précises, voire d'expérimentations. — C'est délibérément, et en justifiant son choix, qu'il adopta l'arabe (qui n'était pas sa langue maternelle) pour la rédaction de ses traités scientifiques. Sa correspondance avec Ibn Sînâ, qu'il questionne et contredit, nous est heureusement parvenue [39]. Il vécut à la cour de l'émir de Jurjân, et fut mêlé aux luttes politiques des émirs de Ghazna, d'origine turque, auprès desquels il passa les dernières années de sa vie. Le *Qânûn*, sa grande œuvre astronomique, fut dédié à Mas'ûd, alors prince régnant.

A l'intérieur même de cet humanisme de cour, les esprits et les tempéraments restent fort divers. Ils sont comme focalisés par deux types de mentalités. D'une part un attrait inconditionné non seulement pour la science et la philosophie, mais pour la logique grecque avec son mode propre de découpage et de saisie du réel; d'autre part la référence maintenue à la vue discontinue des choses et aux procédés sémantiques de la langue arabe. Il s'agit là de deux mentalités si l'on veut, mais qui se complètent et se compénètrent. Prises comme s'excluant l'une l'autre, c'est peut-être bien leur heurt qui explique au XIe siècle la lutte ardente des « défenseurs de la foi » contre les « philosophes hellénistiques ». Prises en opposition de complémentarité, elles furent illustrées au Xe siècle par le *Livre des questions et réponses* [40] où deux humanistes à la fois dialoguent et s'affrontent : questions posées par Tawhîdî, « l'humaniste indigné », soucieux d'une saisie expériencielle des choses selon les modes involutif et extractif de la langue arabe; réponses données par Miskawayh, « l'humaniste serein », se situant de propos délibéré sur le plan abstractif de la logique, de la métaphysique, de la morale grecques [41]. Rares furent les esprits qui tentèrent ou réussirent une harmonisation de ces deux types de mentalités intellectuelles. Peut-être pourrions-nous citer le philosophe Ya'qûb al-Kindî, jusqu'à un certain point Abû Sulaymân Mantiqî auquel Tawhîdî aima se référer [42], et plus nettement encore le savant Bîrûnî. Le premier était Arabe, les deux autres Iraniens.

Un troisième type de mentalité, plus rare, pourrait être signalé : celui que nous pourrions appeler « l'humaniste inquiet », voire angoissé. Le grand poète Abû l-'Alâ' al-Ma'arrî (XIe siècle) nous en offrirait un exemple de choix, qui va jusqu'à remettre en cause la vision musulmane de l'homme et du monde. Entreprise solitaire, poursuivie loin de l'attrait des cours et des villes... Ma'arrî fut considéré par ses ennemis comme l'un des *zanâdiqa*, des impies majeurs de l'Islam.

Les « cercles » humanistes

L'un des traits communs à ce large milieu humaniste fut la véritable institution de « cercles », à la fois littéraires, philosophiques, scientifiques [43]. Toute une vie sociale de dialogues fréquents, de discussions et de travail en commun s'y poursuivit. C'est en des cercles nocturnes, entouré de disciples, qu'Ibn Sînâ, alors vizir de Hamadhân, rédigea bien des chapitres de son grand œuvre du *Shifâ'*. Les chroniques de Bagdad ne cessent de mentionner les « cercles » *(majâlis)*. Ils font la trame du *Nishwâr* de Tanûkhî, que nous avons déjà cité, et l'*Imtâ'* de Tawhîdî en parle avec complaisance.

Les « cercles » se groupaient souvent autour d'un vizir ou d'un émir; l'un des plus célèbres au xe siècle fut celui du vizir anti-hallâgien Ibn al-Furât. Mais il arriva que des hommes cultivés sans fonction publique dirigent aussi des *majâlis*. En un cas comme dans l'autre, les membres étaient cooptés au gré des affinités et des recommandations. Hommes politiques, juges, grammairiens, littérateurs, poètes, théologiens, philosophes, savants, qu'ils soient riches ou qu'ils soient pauvres, s'y côtoyaient. Les seuls règles étaient celles de la culture de l'esprit, du savoir vivre, de la conversation et de la discussion [44]. Les sujets les plus divers étaient débattus, et le talent le plus apprécié était celui de la répartie *(jawâb)* qui devait être à la fois immédiate, concise et probante. Particulièrement louée était-elle quand elle s'enrichissait, comme le dit Tawhîdî, d'« une expression rare » ou d'« une allusion agréable ».

Aucune discrimination d'ethnie, ni même d'appartenance religieuse, n'intervenait. En ce IX-Xe siècle 'abbâside, Shî'ites et Sunnites s'opposaient sans doute aux heures de trouble, mais non point dans le monde des lettrés. Des Juifs, des Chrétiens, des Sabéens, des Mazdéens, fréquentaient les cercles les plus cotés. Le *majlis* (célèbre) d'Abû Muhammad al-Muhallabî eut un secrétaire sabéen. L'*Imtâ'* de Tawhîdî nous a gardé le souvenir d'une assez vive discussion qui, dans le « cercle » d'Ibn al-Furât mit aux prises le musulman Sîrâfî et le chrétien Abû Bishr Mattâ [45]. Bien plus, des Juifs ou des Chrétiens renommés eurent leur *majlis* propre, où des lettrés musulmans n'hésitaient pas à venir. Ainsi le philosophe chrétien Yahyâ' al-Kindî.

Sans doute est-ce en ces cercles que se développèrent l'irénisme dans la recherche et un certain respect des opinions divergentes, qui nous étaient apparus déjà dans la vie des cours. Cette attitude d'esprit ne se présente point alors comme en réaction contre l'Islam, mais bien plutôt comme l'une de ses exigences. C'est, si l'on veut, l'un des pôles de la mentalité musulmane, et ce fut sa dominante aux VIIIe-Xe siècles. Le second pôle est l'intransigeance de pensée que les réformateurs éclairés dénonceront chez tant d'hommes de religion : il prédominera, semble-t-il, à partir des xe-xie siècles.

Certes, la tolérance intellectuelle alla souvent de pair avec une tolérance (ou licence?) des mœurs que Tanûkhî ou Tawhîdî ne cessèrent de dénoncer. Le premier vizir Abû Hâmid, au cercle réputé, était connu pour ses orgies. Un texte nous parle de deux nuits par semaine « de ripailles et de débauches » auxquelles prenaient part de fort respectables *qâdî*(s) [46]. Les mêmes hommes, plus d'une fois, participaient aux licences de la cour, à la recherche ambitieuse des honneurs et des richesses, et aux joutes les plus affinées de l'esprit.

III. — RICHES ET PARVENUS

On peut dégager, souvent mêlée au monde des cours, une autre catégorie sociale : les riches comme tels, possesseurs de biens fonciers ou de fonds monétaires.

Quelles étaient les substructures économiques en jeu? Nous croyons très juste la remarque de M. Maxime Rodinson comme quoi elles relevaient de « la coordination de modes de production différents » [47]. Elles ne sont pas spécifiquement « précapitalistes », elles ne sont pas « féodales » au sens européen du mot, elles ne se modèlent pas, du moins pas exclusivement, sur ce que la tradition marxiste appelle « mode de production asiatique ». Elles sont un peu tout cela si l'on veut, mais selon des dominantes variées et variables, étroitement liées aux modes de production anté-islamiques des anciens États ou régions, et restructurées sous l'impact de l'Islam.

Nous n'avons pas à refaire cette histoire. Il nous suffira d'en souligner certaines notes susceptibles d'éclairer le comportement habituel des riches et des parvenus.

Les propriétaires fonciers

Les riches propriétaires sont les *tunnâ'*, que l'on peut traduire par « les habitants du pays ». On les appelait aussi *ashâb al-diyâ'*, les « propriétaires terriens », souvent non résidentiels, préférant la vie urbaine, n'allant que de loin en loin dans leurs domaines. Ce n'est qu'à partir du XIe siècle que leur importance alla grandissante et se substitua quelque peu à celle des négociants enrichis. Mais autant les chroniques s'étendent sur les hommes de religion et les cercles de lettrés, autant elles restent discrètes sur le rôle joué par les grands propriétaires à la cour et à la ville. Les annalistes étaient rarement des économistes.

Il reste que les aléas de la politique financière suivie par les califes et leurs vizirs étaient grands. C'est ainsi que la fin du XIe siècle connut la politique d'équilibre de Mu'tadid, si bien, dit Mas'ûdî, que « le pays traversa une période de richesse, et que le prix des denrées baissa » [48]. Aussitôt après cependant, le bref règne de Muktafî et les premières années de Muqtadir furent un temps de licence et de dilapidation des deniers publics. La solution de facilité était alors la rentrée massive d'impôts nouveaux et abusifs, dont les premières victimes étaient les pauvres. Mais les grands propriétaires se trouvaient également concernés, de par les taxes foncières dont leurs terres étaient grevées.

Il convient de noter ceci : les propriétaires terriens ne constituaient pas une « classe ». Nous avons déjà dit que le terme de « féodalité » ne saurait convenir aux Arabes d'avant l'Islam. Il s'applique moins encore à l'organisation 'abbâside des domaines ruraux. Selon l'heureuse définition de M. Claude Cahen, le « maître du domaine » « aura tous les droits d'un propriétaire, mais il n'aura aucun droit de " seigneur " » [49].

Sa « propriété » en effet est avant tout une « concession » que le gouvernement califal lui a reconnue [50]. Telle fut la plus habituelle « récompense » octroyée aux chefs d'armée, assimilables donc aux grands propriétaires terriens, et représentant par là une « espèce de colonialisme militaire » [51]. Toute terre conquise, — et toutes les terres, excepté la Mekke, Médine et leurs dépendances, étaient « conquises », — reste sous le haut domaine de l'État. La terre « concédée », que ce soit à un ancien ou à un nouveau propriétaire, ne l'est qu'une fois prélevées les taxes dues, en argent ou en nature, au collecteur d'impôts. Le concessionnaire y peut exercer alors des droits très semblables à ceux d'un propriétaire, y compris le droit de vente, pourvu toutefois que la terre soit travaillée et cultivée. Une terre

« morte » retombe sous le contrôle direct du pouvoir. Nous rencontrons ici une disposition habituelle au droit musulman, qui fait du travail l'une des garanties de la « possession »[52]. Il n'est pas nécessaire que le propriétaire travaille de ses propres mains, ni même réside en son domaine. Il doit seulement pourvoir à la « vivification de la terre ». D'où divers systèmes de fermage, métayage, gérance, utilisant journaliers ou ouvriers agricoles. Par là se dessine un certain secteur, réduit, de « capitalisme agraire », mais qui ne s'inscrit aucunement dans une « formation socio-économique capitaliste » d'ordre général[53].

En principe, et comme si le pouvoir central craignait la constitution d'une caste de seigneurs terriens, la propriété du domaine n'était pas héréditaire. Elle le devînt en fait, par la suite des temps, par exemple sous les *Mamlûk*(s) d'Égypte. A l'origine, elle était une sorte de viager accordé pour services rendus. Ce qui explique que les grands propriétaires à résidence urbaine étaient souvent, par ailleurs, des chefs d'armée ou des fonctionnaires du palais. Les revenus que leur terre leur assurait ne pouvaient que rendre plus forte leur influence. Mais cette influence était d'abord liée à leur charge dans l'État. D'où sans doute le quasi-silence des annales sur les « propriétaires ».

Ce régime de propriété-concession se justifie sans doute par bien des raisons historiques et économiques. Il n'en reste pas moins très harmonisé à l'esprit du droit musulman et au haut domaine de l'État sur les terres : figure à son tour du seul haut domaine véritable, celui de Dieu. Des garanties sont accordées à la propriété privative *(milk)*, personnelle ou familiale; mais celle-ci n'est jamais que relative, à la limite elle serait en quelque sorte illusoire, et le propriétaire doit rendre compte à la Communauté de sa « gérance ». L'esprit même de l'enseignement coranique, et du droit qui entend le monnayer, est conforme à l'enseignement biblique : « L'homme nanti ne dure pas, il est comme le bétail que l'on abat[54] ». Des propriétaires ruinés ou en passe de le devenir apparaissent dans la trame des récits ou des contes, qui sont volontiers sévères à leur égard.

Commerçants enrichis

Si les annales parlent assez peu du propriétaire terrien, elles sont au contraire prolixes sur le compte du négociant enrichi. Nous rencontrons ici ce que M. Maxime Rodinson a pu appeler les « secteurs capitalistiques » des sociétés musulmanes de jadis [55]. Le régime économique de l'âge classique ne relevait pas d'un capitalisme au sens strict, tel qu'il se développera en Occident à partir du XVIe siècle, — ce que nous venons de dire au sujet des propriétés terriennes suffirait à le prouver. Mais le « secteur du grand commerce » relève, pour une bonne part, du mode capitaliste des entreprises privées, des marchés, et de la fructification de l'argent. Il reste cependant, nous le verrons mieux à propos de l'organisation des métiers, qu'une double tendance, étatiste d'une part, communautariste de l'autre, le freine puissamment. Et comme le disait fort bien Marx, corporations de métiers et capitalisme se contredisent [56].

Les commerçants, petits ou gros, et qui constituaient un groupe social particulièrement important de la vie urbaine, sont appelés globalement *tujjâr*. Les *tujjâr* enrichis sont en général des importateurs-exportateurs *(rakkâdûn)*, maîtres d'un nécessaire marché international, mais soumis aux imprévus des routes de terre et de mer. Ils organisaient des caravanes, affrétaient des navires, investissaient des capitaux, et selon la bonne ou mauvaise issue des voyages, gagnaient ou perdaient des fortunes. Quelle qu'en soit l'origine indienne, les récits des heurs et malheurs de « Sinbad le marin » sont comme la *saga* de ces aléas du grand commerce. En cas de réussite, les commerçants enrichis devenaient les entrepositaires *(khuzzân)* et grossistes chez qui se ravitaillaient les petits boutiquiers de la ville. Importateurs-exportateurs, entrepositaires et grossistes jouaient sur les baisses et les hausses, et les fluctuations des marchés [57]. Le « secteur capitalistique » commercial gardait ainsi libre disposition d'un fonds monétaire. Tissus, épices, aromates, objets fabriqués de toute sorte, matières premières, furent objets de commerce. La bijouterie et surtout la joaillerie devinrent une source privilégiée de gains fabuleux. Quant à leur niveau de vie et leur influence, Tawhîdî assimile les négociants enrichis aux propriétaires terriens. Parfois d'ailleurs, assez rarement, les négociants plaçaient dans l'achat de biens fonciers une partie de leur fortune.

Leur hypocrisie était reprochée aux hommes de religion, leur laxisme intellectuel et moral aux lettrés et humanistes. L'âpreté au gain [58] sera le défaut des marchands le plus souvent signalé. Il est des définitions fort sévères du commerce et des commerçants. Rares étaient ceux qui professaient l' « indifférence au lendemain » du magnanime Sinbad, dépensant chaque fois en dons et festins les gains acquis. Et la plupart se gardaient bien de trop s'aventurer personnellement sur les routes périlleuses. Ils restaient à leur siège commercial, tandis que des chefs caravaniers ou des capitaines de vaisseaux, intéressés par eux dans l'entreprise, sillonnaient les pistes ou les mers. Mais le marchand devait, un jour ou l'autre, partir à son tour pour un pays lointain; bien des récits, et jusqu'à des poèmes mystiques comme le *Mathnâvî* de Jalâl al-Dîn Rûmî, nous content son départ, ses adieux à sa famille, ses aventures et son retour.

L'âpreté au gain pouvait conduire à des pratiques frauduleuses. Le *Nishwâr* de Tanûkhî s'étend complaisamment sur le cas de plusieurs marchands enrichis. Voici Ibn Jassas, simple petit boutiquier-joaillier en Égypte, qui devint à Bagdad le commensal des vizirs et califes, après s'être assuré frauduleusement la mise de fonds nécessaire [59]. En dépit des amendes qu'il dût maintes fois verser au trésor, sa fortune fabuleuse défraya la chronique. Il devait être arrêté par ordre de Muqtadir. Ibn Abî 'Awf, commerçant de Badgad, dut ses entrées à la cour au service qu'il sut rendre opportunément au vizir 'Ubayd Allâh b. Sulaymân, disgracié pour un temps. Il participa à la politique financière du régime, et ne recula point devant les trafics d'influence et les spéculations les plus diverses [60].

Ces marchands enrichis finissaient presque toujours par fréquenter le palais. Leurs richesses en faisaient des personnages à la cour et à la ville. A Bagdad, la plupart d'entre eux continuaient à habiter dans le quartier commercial du Karkh, où ils se faisaient aménager de confortables demeures.

Que devenait l'interdiction coranique du *ribâ* (« usure ») étendue à tout prêt à intérêt? Le principe fut maintenu, mais les faits cessèrent de lui être conformes; et multiples étaient les

« stratagèmes juridiques » *(hiyal)* pour justifier, sous des apparences de vente-achat, les bénéfices usuraires [61].

En dépit de la faveur des princes cependant, les négociants parvenus ne semblent pas avoir joui d'une très haute estime parmi les classes cultivées. Bien plus, à travers la recherche du profit et les fraudes dont les marchands sont accusés, annalistes et chroniqueurs étendent leur mépris au commerce lui-même. Curieusement, ils ne semblent guère se rappeler que bien des Compagnons du Prophète, et Khadîja sa première épouse, sans parler du milieu umayyade, avaient été de grands marchands caravaniers, désireux d'un légitime « profit ». L'Islam, comme plus tard, le calvinisme, a toujours considéré qu'un croyant sincère et fidèle pouvait parfaitement répondre aux exigences de sa foi dans la vie d'un « honnête marchand ». « Au jour du Jugement, dit un *hadîth*, l'honnête marchand musulman se rangera au côté des martyrs de la foi. » C'est précisément ce manque d'honnêteté et de droiture qui sera reproché aux négociants enrichis de l'âge classique.

Il est difficile d'apprécier des mentalités sur le simple témoignage des chroniques du temps. Les récits, presque toujours, sont avant tout critiques, déplorant, dès le xe siècle, la « décadence des mœurs » et l'affaiblissement de l'Empire, multipliant les exemples des hommes de religion, des lettrés, des marchands, au comportement intellectuel ou moral sujet à caution.

Mais ces critiques elles-mêmes, et l'audience qu'elles reçurent, ne sont-elles pas un signe que restait toujours vivante la référence à l' « âge d'or » des premières années de l'Islam, et qu'aucun des réquisits de l'idéal historique concret n'était remis en cause? Comme l'affirmera Ghazzâlî, les défaillances personnelles, si nombreuses qu'on les dise, ne sauraient compromettre les vraies valeurs de l'Islam, dès lors que les unes et les autres sont dûment reconnues pour ce qu'elles sont. Les califes licencieux, les *qâdî*(s) prévaricateurs, les humanistes frôlant l'impiété ou la débauche, les marchands frauduleux et usuraires, hélas, ne sont pas rares. Leurs défaillances mêmes mettent d'autant plus en lumière les valeurs d'*ihsân* et d'*ikhlâs*, la recherche du bien, la rectitude et la pureté d'intention, que ne cesse de revendiquer l'idéal musulman.

La licence des mœurs fut réelle sous les premiers ʻAbbâsides et les Umayyades d'Espagne. Il serait aussi injuste d'y voir un type de mentalité musulmane que de rendre, par exemple, la mentalité chrétienne responsable des désordres et des ambitions que connurent bien des monastères. Il reste, si nous comparons les VIIIe-Xe siècles à l'âge de Médine, que le comportement concret de l'homme musulman, du moins du musulman aisé, semble s'être complu dans la mise en place d'un véritable « art de vivre ». Une recherche individualiste de jouissances immédiates colore, au temps des vizirs bûyides, l'attitude de bien des grands [62]. Les descriptions abondent des palais, des riches demeures, de leurs jardins clos et harmonieux. Et des jardins publics aménagés offraient au peuple comme un ersatz de cette civilisation de loisirs raffinés où se complaisaient les nantis.

L'attitude eschatologique des premiers conquérants arabes s'efface devant l'aménagement de ce bas-monde périssable. Elle reste à l'arrière-plan sans doute, et retrouve sa vigueur dans les moments de détresse. Elle n'entre point en contradiction avec un certain souci de profiter, dans les limites de la Loi religieuse, des biens terrestres éphémères, puisque Dieu en a donné l'usufruit au croyant. « La terre appartient au Musulman » *(hadîth)*.

Cet art de vivre, à l'origine, s'apparenta quelque peu au repos que le nomade, entre deux traversées du désert, prend, sans scrupule ni illusion, dans l'oasis verdoyant. C'est, si l'on veut, une sensualité du désert, qui sait bien qu'elle n'est aucunement sa propre fin. Mais l'aménagement de cet oasis-là (le monde) n'était point le fait des seuls Arabes. Il était bien plutôt une utilisation par les hommes de l'Islam, Arabes et non Arabes, de maints apports des grandes civilisations d'autrefois. Si l'on trouve dans l'urbanisme, dans le plan des maisons et des jardins par exemple, des mises en place qui portent la marque du passé arabe, la sensibilité iranienne fut ici prépondérante. L'intégration de valeurs « étrangères » se poursuit.

Mais quel était en cela le rôle et le comportement du peuple, — des villes et des campagnes? Participait-il, et dans quelle mesure, à la et aux mentalités des « privilégiés » *(khâssa)?* Ou s'en éloignait-il, dans l'accomplissement de la dure tâche quotidienne?

NOTES

1. Tandis que les gouverneurs étaient nommés par le calife, les émirs, après entente avec le califat, auquel ils continuaient de payer tribut, se succédaient selon les principes dynastiques habituels. Tels, pour ne citer que ces deux exemples, célèbres entre tous, les Aghlabides (arabes) en Ifrîqiya ou Maghreb oriental, et les Ghaznavides (turcs) en Afghânistân et au Punjab.

2. En arabe *wuzrâ'* (sing. *wazîr*).

3. Arabe : *kuttâb* (sing. *kâtib*).

4. Hautes terres au sud du Gîlân, situé lui-même entre la mer Caspienne et le haut plateau iranien.

5. Cf. L. Massignon, « Étude sur une courbe personnelle de vie », *art. cit.*, pp. 177-179. Voir aussi nouvelle édition de *La passion d'al-Hallâj*, t. I, *passim*.

6. Cf. Cl. Cahen, art. « *Day'a* », *EI*².

7. *Ghalâ' al-qût wa 'awaz al-ta'âm*, cf. Marc Bergé : *Essai sur la personnalité morale et intellectuelle d'Abû Hayyân al-Tawhîdî*, thèse de doctorat, reprod. Lille 1974, t. I, p. 411.

8. « Je vais m'occuper des pauvres », dit le vizir al-Ârid Ibn Sa'dân, « leur distribuer de l'argent du trésor, et fixer le prix de vente du pain... », cf. Tawhîdî : *Imtâ'*, II, 26 (cité par Marc Bergé, *ibid.*).

9. *'âmma/khâssa; jâhil/'âlim*, cf. *Imtâ'*, III, 86.

10. *Amr* ou *hukm*.

11. Tawhîdî : *al-Risâla fî l-sadâqa* (« Traité de l'amitié »), éd. Keilani, p. 5, cité par M. Bergé, *op. cit.*, p. 407.

12. Nous en trouvons l'écho jusqu'en un texte aussi classique que les *Maqâmât* de Harîrî : « Le vin donne la force, délivre des maladies et chasse la mélancolie » (douzième *Maqâma*, « La Caverne »).

13. Où l'humanisme, selon le mot de Henri Brémond, se trouve « tacitement conçu comme étranger à la religion ».

14. Cf. Abû Bakr Muhammad Ibn Zakariyyâ Râzî : *Rasâ'il falsafiyya* (« Traités philosophiques »), textes réunis et édités par Paul Kraus (*Razis Opera Philosophica*, I), Le Caire, 1939, en particulier pp. 195-216.

15. Dans la réfutation qu'en fit l'Ismâ'ilien Abû Hâtim Râzî.

16. Cf. George Makdizi : *Ibn 'Aqîl et la résurgence de l'Islam traditionaliste au XIe siècle*, Damas, Inst. Français, 1963.

17. Cf. par exemple Ahmad Amîn : *Duhâ al-Islam* (« Le matin de l'Islam »), Le Caire 1934, I, chap. VI, pp. 137-162; Georges Vajda, « Les Zindîqs en pays d'Islam au début de la période 'abbâside », *Rivista degli Studi Orientali*, XVII, pp. 173-229, etc.

18. Cf. Mâwardî : *al-Ahkâm al-Sultâniyya*, *op. cit.*, pp. 14/30-32; de nos jours, nous en retrouverons l'énoncé textuel ou quasi textuel chez Rashîd Ridâ : *Khilâfa*, pp. 28/47-49, et le « Frère Musulman » 'Abd al-Qâdir al-'Ûda : *Siyâsa*, pp. 183-184.

19. « L'idée que l'exercice du pouvoir exécutif était mortel pour le

salut de l'âme devait devenir et rester un lieu commun de morale populaire », écrit G. E. Von Grunebaum, *op. cit.*, p. 28, et de citer Jalâl al-Dîn Rûmî.

20. A la différence de l'école mâlikite qui appliquait l'interdiction à toute boisson produisant l'ivresse.

21. Voir l'article de Tâhâ al-Walî, « En Islam, pas de clergé, mais des savants », publié (en arabe) dans *Da'wat al-Haqq*, Rabat, janvier 1970. Pour éviter toute ambiguïté l'auteur récuse la dénomination, pourtant classique, d' « homme de la religion » *(rajul al-dîn)*.

22. Cf. notre *Cité musulmane*, pp. 134-145, 187-188, et les références indiquées.

23. Voir ci-après, IIIe partie, chap. IV, pp. 248-249, 252.

24. Fondateur de l'école de « théologie » (ou « apologie défensive », *'ilm al-kalâm*) la plus stricte et la plus suivie en Islam sunnite du xe au XIXe siècle.

25. *Ashâb al-dîn wa l-wara'*.

26. Abû Hâmid al-Ghazzâlî : *al-Munqidh min al-dalâl*, éd. UNESCO, Beyrouth 1959, avec traduction franç. de Farid Jabre (« Erreur et Délivrance »), pp. 47/110.

27. Ghazzâlî, *ibid.*, pp. 54/120.

28. *Ibid.*, pp. 55/121.

29. Tels le *Luma'* de Sarrâj (texte édité par R. A. Nicholson, London, « E. J. W. Gibb Memorial », 1914); le *Kitâb al-ta'arruf* de Kalâbâdhî (éd. par A. J. Arberry, Le Caire, 1934), *Qût al-qulûb* d'Abû Tâlib al-Makkî (plusieurs éd. non critiques, e.g. Le Caire 1351 H./1932, 2 vol.); la *Risâla* de Qushayrî (éd. courantes au Caire), etc.

30. Voir ci-après, IIIe partie, chap. V, pp. 271-273, et IVe partie, chap. II, pp. 310-313.

31. Voir son autobiographie, complétée par son élève al-Jûzajânî, et publiée (11 pages) en tête du *Mantiq al-Mashriqiyyîn* (« Logique des Orientaux »), Le Caire 1328 H./1910.

32. Cf. art. « *Karâma* », *EI*².

33. Long développement au tome XV du *Mughnî*.

34. Cf. Tanûkhî : *Nishwâr*, éd. du Caire, I, pp. 54-87 *(passim)*; 172-173; 248, etc.

35. Voir le célèbre *Adab al-kâtib* d'Ibn Qutayba (nombreuses éd.); autres réf. dans F. Krenkow, art. « *Kâtib* », *EI*¹.

36. Tout *kâtib* n'est pas *adîb*, mais tend à le devenir. Tout *adîb* a, suréminemment, les qualités requises du *kâtib*. Les frontières de l'une à l'autre dénomination sont parfois assez floues.

37. Cf. le texte de Miskawayh : *Tajârib*, II, 328, cité par Mohammed Arkoun : *Essais sur la pensée islamique, op. cit.*, pp. 75-76.

38. Cf. L. Gardet : *Essais de philosophie et de mystique comparées*, Paris, Vrin, 1972, pp. 120-127, et réf.

39. Elle fut éditée à Téhéran, à l'occasion du Congrès Bîrûnî de septembre 1973, par les Prof. S. H. Nasr et M. Mohaghegh, sous le titre *Abû Rayhân Bîrûnî wa Ibn Sînâ, al-As'ila wa l-Ajwiba* (« Questions et Réponses »).

40. *Kitâb al-Hawâmil wa l-Shawâmil*, éd. au Caire par A. Amîn et A. Saqr.

41. Cf. Mohammed Arkoun, *op. cit.*, pp. 93, 120, 123.

42. *Ibid.*, pp. 102-105.

43. « Cercles » ici traduit l'arabe *majâlis* (sing. *majlis*). Ainsi donc les *majâlis* humanistes et les *halaqât* sûfies se rendent par le même mot français, mais selon des acceptions qui ne se recoupent pas.

44. Respectivement *adab* (savoir vivre), *muhâdara* (conversation), *munâzara* (discussion).

45. Cf. Tawhîdî : *Imtâ'*, I, 123; voir Marc Bergé, *op. cit.*, p. 276.

46. Cf. Mohammed Arkoun : *Contribution à l'étude de l'humanisme arabe, au IVe/Xe siècle*, Paris, éd. Vrin, 1970, p. 63.

47. M. Rodinson : *Islam et capitalisme*, Paris, le Seuil, 1966, p. 81. — Livre remarquable par son information, son souci d'objectivité, sa finesse d'analyse. Nous nous y référerons plus d'une fois, sans faire nôtre, cependant, sa visée centrale, commandée par « une orientation sous-jacente » dit l'auteur lui-même (p. 195) : le postulat marxiste par lequel il entend relier les rapports des structures économiques de base et de la superstructure idéologico-religieuse, et donc, en somme, tout le type de société. Sans adopter par ailleurs le rapport d'identité établi entre marxisme et socialisme.

48. Mas'ûdî : *Murûj*, VIII, 114.

49. Cl. Cahen : *L'Islam...*, *op. cit.*, p. 109.

50. « Concession » : *qatî'a*, pl. *qatâ'i'*, de la racine *qt'*, « couper », « morceller ». C'est le statut de l'*iqtâ'*, dont il convient de reconnaître la spécificité, et dont les applications purent varier au gré des pays et des temps. Cf. Cl. Cahen, art. « *Iqtâ'* », *EI²*.

51. Cl. Cahen : *L'Islam...*, *op. cit.*, p. 149.

52. Cf. L. Gardet : *La Cité musulmane*, p. 81 et note 3.

53. Cf. M. Rodinson : *op. cit.*, pp. 45 et 82.

54. Psaume 49.

55. M. Rodinson : *op. cit.*, chap. III.

56. « Là où le capitaliste et le travailleur (salarié) apparaissent, la corporation dans sa totalité, maître et compagnons, s'anéantit », Karl Marx : *Grundisse derpolitischen Œkonomie*, Berlin, éd. Dietz, 1953, p. 405 : cité par M. Rodinson : *op. cit.*, p. 146.

57. Voir la définition du commerce par Ibn Khaldûn : *Muqaddima*, p. 277 / II, 348; cf. M. Rodinson : *op. cit.*, pp. 47-49.

58. *Kasb al-dawâniq*, dit Tawhîdî; cf. M. Bergé, *op. cit.*, p. 424, renvoyant à *al-Sadâqa*, éd. Keilani, p. 5.

59. Cf. Tanûkhî : *Nishwâr*, I, 18-22; 35; 261-262.

60. *Ibid.*, I, 46 et sq.; 165, etc.

61. Voir des exemples de ces *hiyal* ap. M. Rodinson : *op. cit.*, pp. 52-54.

62. Cf. M. Arkoun : *Essais sur la pensée islamique*, *op. cit.*, p. 117 (réf. dans notes 2 et 3).

CHAPITRE III

LE PEUPLE

I. — LE PEUPLE ACTIF DES VILLES

Le monde des étudiants (tullâb)

Arrêtons-nous quelques instants à une catégorie sociale intermédiaire, et par nature transitoire : le monde des étudiants dans ses mosquées-universités et ses « collèges [1] ». Un bon nombre d'entre eux rejoindront plus tard les catégories sociales dominantes, soit parmi les « hommes de religion », soit parmi les scribes et lettrés. D'autres, après quelques essais sans lendemain, se retrouveront artisans ou commerçants, ou demi-lettrés au *sûq* des libraires, ou maîtres des *kuttâb*(s), les petites écoles de quartier, ou scribes privés au service des analphabètes...

Le nombre des étudiants fut très vite considérable pour l'époque. Population flottante, d'origine pauvre souvent, et qui s'efforçait, des années durant, de suivre les cours des maîtres les plus réputés. Il n'y avait pas à l'origine d'examens proprement dits. Le maître, quand il le jugeait bon, accordait à l'étudiant une *ijâza*, une « permission d'enseigner », et de grouper à son tour des disciples autour de lui. Il arrivait souvent qu'un savant *('âlim)*, muni d'une *ijâza* pour telle matière, continuât, pour telle autre, de s'asseoir aux pieds d'un maître.

L'organisation des études dans la cité 'abbâside, ou en Espagne à la même époque, a été souvent et fort bien étudiée [2]. Nous n'avons pas à y revenir, ni même à en tracer les grandes lignes, qui ne seraient pas sans évoquer les études universitaires telles qu'elles se développeront, quelques siècles plus tard, dans le Moyen Age chrétien. Il se peut d'ailleurs que les Universités latines n'aient pas été sans emprunter certains de leurs cadres au monde de l'Islam [3]. A titre d'exemples : quand se multiplièrent les internats des collèges ou *madrasa*(s), c'est par pays d'origine que les étudiants s'y groupèrent (cf. les « nations » médiévales); l'équivalent du *trivium* et du *quadrivium* se retrouve aisément dans l'enseignement des sciences religieuses musulmanes, et c'est dès les xe-xie siècles dans le Caire fâtimide, que la grande mosquée d'al-Azhar put être considérée comme Université d'État. — Nous nous bornerons donc à quelques remarques d'où se peuvent dégager les lignes de force d'une mentalité estudiantine.

1. L'influence de l'Islam est prépondérante. La perspective majeure est celle des sciences religieuses : lecture et commentaires du Coran, *hadîth*(s), droit *(fiqh)*, sources de la religion et apologie défensive *('ilm al-kalâm)*, précédées de leurs « sciences instrumentales », grammaire, belles lettres, calcul, astronomie. Les disciplines étrangères, science, médecine et philosophie grecques, sources iraniennes ou indiennes, sont laissées à l'initiative et aux lectures des maîtres et des élèves. Un bon nombre de professeurs en sciences religieuses, il est vrai, étaient eux-mêmes des humanistes, dont l'enseignement s'émaillait de références à la pensée hellénique ou persane. A côté des Universités et des Collèges officiels, des bibliothèques privées ou publiques, fort bien fournies, étaient ouvertes aux chercheurs; et des bourses, assurées par des fondations de mainmorte, pouvaient être accordées [4].

Mais quel que fût l'attrait des « sciences étrangères », nous ne devons pas oublier que tout étudiant avait été, dans son enfance, élève des *kuttâb*(s), écoles primaires si l'on veut, qui apprenaient à réciter le Coran par cœur, en y joignant les rudiments de la lecture et de l'écriture arabes. Les enfants du peuple, même s'ils ne devaient pas poursuivre leurs études, fréquentaient ces « écoles coraniques ». Ceux qui deviendront des humanistes à l'esprit quelque peu frondeur avaient ainsi, dans leur prime jeunesse, inlassablement répété et psalmodié le texte du Livre. On ne saurait trop insister sur l'impact de cette rumination

état des serfs qui étaient privés de la faculté de disposer de leurs biens par testament * État des biens appartenant à des personnes morales.

du texte, agissant sur tout l'être, et jusqu'aux zones du subconscient. « Mâchez et remâchez le Coran », est-il dit volontiers. Et cela reste vrai pour le peuple comme pour les lettrés, au long des siècles et jusqu'à nos jours.

Au surplus, l'enseignement, même supérieur, faisait largement appel à l'effort de mémorisation. Une très précise transmission orale du savoir gardait la précellence; elle était soutenue et comme garantie par la lecture de textes écrits connus par cœur. Il s'agissait d'entendre, de noter en leur mot à mot, de lire et d'assimiler en s'en pénétrant les commentaires du maître [5]. Cette méthode, très voisine de celle des Universités du Moyen Age latin, pouvait conduire, bien sûr, à un savoir de surface, non intériorisé ni discuté, et où l'extension des connaissances l'emportait sur leur compréhension. La psychologie moderne juge aisément avec mépris de tels procédés. Mais peut-être, ce faisant, néglige-t-elle quelque peu le rôle formateur de la mémoire. La culture musulmane classique fut à la fois écrite et orale, et bien des esprits réfléchis surent approfondir les données de base mémorisées. Il en résultait un respect de la parole et de l'écrit, non exclusif d'un appel à la réflexion, qui sut former des chercheurs de haute valeur scientifique. Nous avons ainsi d'une part des types d'hommes à l'esprit encombré d'affirmations massives et non contrôlées; d'autre part, des types d'hommes chez qui les connaissances mémorisées furent le point de départ de jugements personnels et d'œuvres originales. L'étudiant en tout cas apprenait de son maître que le savoir acquis par pure tradition passivement reçue *(taqlîd)* est sans valeur, et que seule la connaissance ou science *('ilm)* « prouvée » doit être prise en considération [6].

2. Bon nombre d'étudiants, nous l'avons dit, étaient d'origine pauvre. Pour un fils de petit boutiquier ou artisan, la mosquée-université ou la *madrasa* étaient peut-être la voie la plus sûre pour échapper à la seule perspective du travail manuel. S'y joignait le respect traditionnel en sémitisme à l'égard des œuvres de l'esprit : « l'encre du savant vaut mieux que le sang du martyr »... *(hadîth)* [7]. Une opposition de la famille pouvait contrecarrer ce désir, mais la famille, le plus souvent, était fière de compter un savant parmi les siens; et les coutumes sociales l'aidaient dans son sacrifice. De nombreuses bourses étaient

attachées à telle mosquée ou à telle *madrasa* [8]. En général, il s'agissait, là aussi, de biens de mainmorte, « fondations pieuses » instituées par testament. Bourses très modestes la plupart du temps, et qui n'assuraient que le strict nécessaire : le logement, fort réduit, et un pain quotidien. L'étudiant d'extraction pauvre restait pauvre tout au long de ses études, vivant chichement dans l'entassement des internats. Il lui arrivait d'y suppléer par de petits travaux, parfois par des moyens moins avouables. Les chroniques et les contes connaissent l'étudiant mendiant, roublard et chapardeur.

Ils connaissent non moins l'étudiant frondeur, prêt à réagir et à manifester pour des raisons corporatives ou politiques (politico-religieuses). Quand des docteurs de la Loi voulaient protester contre une mesure ou une attitude gouvernementale jugée pernicieuse, — et beaucoup de ces docteurs étaient professeurs, — il leur était aisé de mettre en mouvement la population estudiantine; car elle ne craignait point l'agitation de la rue, ni le heurt éventuel avec la police d'État *(shurta)*.

Par contre, il ne semble pas qu'il y eut jamais d'opposition constituée entre le corps professoral et le monde étudiant. En un sens, professeurs et étudiants appartenaient à la même « corporation ». Ils se côtoyaient hors des cours dans le *sûq* des libraires ou les bibliothèques, et le respect dû à la science et à l'âge n'était point remis en question. Il n'est que de relire divers textes de l'époque, ou les lignes que Ghazzâlî, au XIe siècle, consacra aux devoirs réciproques du maître et de l'élève [9].

Un certain comportement que l'on peut dire démocratique n'en était pas moins la règle. L'organisation des études était très libre, et l'étudiant s'inscrivait aux cours de son choix. Des maîtres peu considérés n'avaient guère de disciples, tandis que nombreux étaient les auditeurs des professeurs renommés. Avant d'opter pour une vie ascétique et mystique, Ghazzâlî, nous dit-il dans son autobiographie, groupait plus de trois cents étudiants aux cours de droit qu'il donnait à la célèbre *Madrasa Nizâmiyya* de Bagdad [10].

C'est du XIe siècle que datent la fondation et le développement des *madrasa*(s) ou collèges. Au XIIe siècle, Bagdad, qui traversait pourtant une période de déclin, n'en comptait pas moins de trente-cinq. Ces institutions de mosquées-universités et de collèges traversèrent les siècles. Il y a peu d'années encore, la vie des *madrasa*(s) de Fès restait inchangée, et le rajeunissement d'al-Azhar, la grande Université en sciences religieuses du Caire, fut l'un des soucis majeurs des Réformistes contemporains. Le problème vraiment nouveau sera la coexistence d'Universités d'État, de style occidental, et des mosquées-universités traditionnelles. Son impact sur la mentalité estudiantine sera un facteur non négligeable de la vie musulmane d'aujourd'hui.

Les artisans et boutiquiers

Approchons-nous maintenant du peuple proprement dit des villes, des marchands au détail et des artisans qui, dans les boutiques des *sûq*(s), vivaient de leur travail. Ils forment le substrat de la vie urbaine, la partie la plus agissante et la mieux constituée de ces couches populaires à l'égard desquelles nous avons vu les gens au pouvoir être tantôt attentifs et tantôt méprisants.

Un fond d'Islam, très enraciné, est certainement l'une des notes dominantes : un Islam vécu plutôt qu'intellectuellement intériorisé, et qui ne distinguera pas toujours entre les données de foi « nécessaires » et l'accumulation de coutumes locales ou corporatives, voire de pratiques superstitieuses. Les usages coutumiers seront entourés d'une aura religieuse, et tendront par la suite à se figer en « sociétés closes ». — Bien des commerces et des métiers étaient communs aux musulmans et aux « protégés » non musulmans, et obéissaient aux mêmes règles. Mais d'une part un maître d'œuvre musulman n'employait que rarement un compagnon juif ou chrétien, et *vice versa ;* et d'autre part certains métiers étaient exercés de préférence par telle famille religieuse. Des artisans juifs furent célèbres pour leur habileté à ciseler les métaux.

Commerçants et artisans se répartissaient dans les rues étroites et couvertes des *sûq*(s) et *bâzâr*(s) [11], groupés selon les professions : *sûq* des forgerons, des menuisiers, des tisseurs, des orfèvres, des épiciers [12]... Le *sûq* des mégissiers, en raison de l'odeur des peaux travaillées et tannées, et de la note d'impureté qui lui fut accolée, était cantonné à l'entrée des villes; cependant que le *sûq* des libraires se situait aux alentours des mosquées-universités et des *madrasa*(s). Cette répartition des métiers urbains se retrouve, de nos jours encore, dans les villes ou les quartiers restés traditionnels. Citons, parmi les plus célèbres (et les plus « touristiques »), les *sûq*(s) de Marrakech, de Fès, de Tunis, de Damas, d'Alep, de Qumm, de Tabrîz... D'autres villes musulmanes, bouleversées par l'urbanisme et l'industrialisation modernes, n'en gardent guère que des vestiges; mais ces vestiges, presque partout, portent témoignage du passé. Est-il possible de dégager ici quelques traits spécifiques?

1. *La vie de la Cité.* — Aux âges classiques, les boutiquiers et commerçants ne se désintéressaient point de la vie sociale et politique. Le rythme du travail le leur permettait : travail tout au long du jour sans doute, mais selon des cadences restées humaines. Les conversations des *sûq*(s), le café (plus tard le thé) offert volontiers dans les boutiques à l'ami ou à l'acheteur, voire au simple passant, étaient l'occasion d'entretiens sur les sujets les plus variés. Là aussi se développaient, à la mesure du peuple, un art de vivre et un réel souci des relations sociales. Précisons : des relations sociales entre hommes. C'est le chef de famille qui, le plus souvent, se chargeait des achats quotidiens; et il ne pouvait guère être question d'inviter les femmes, simples passantes ou acheteuses, à prendre part à ces « cercles », à ces *majâlis* inchoatifs des boutiques accueillantes. Mais des maîtres réputés, professeurs ou juristes, des fonctionnaires de quartier, n'hésitaient point à accepter l'invitation d'un commerçant ou artisan amis, dans le *sûq* des libraires surtout; ils se joignaient à ces réunions spontanées, et les présidaient en fait.

Vie de travail pour le gagne-pain et vie sociale des loisirs se compénétraient quotidiennement. Aux heures ou aux jours de fermeture des boutiques, les conversations habituelles, voire l'invitation « au pain et au sel », pouvaient se poursuivre dans les jardins publics mis à la disposition du peuple. Le périmètre urbain était relativement étendu, les « espaces verts » nombreux et délibérément aménagés, un grand nombre de villes avaient leur parc zoologique. Ce n'est que plus tard, au rythme de l'accroissement des populations, que les jardins durent céder la place à des constructions nouvelles, et l'on connaît l'entassement de certaines « médinas », dont celle de Fès peut offrir une idée. Il s'agit là, du point de vue de l'urbanisme et des relations sociales, d'une sorte de décadence.

Ces entretiens des *sûq*(s) portaient bien sûr sur les soucis les plus quotidiens, mais qui n'étaient point sans interférer avec les événements extérieurs, les faits et gestes des hommes au pouvoir, les édits par eux promulgués. C'est là, bien des fois, que des « hommes de religion » trouvèrent un point d'appui pour des menées contestataires. Le piétisme populaire des Hanbalites, et son appel à la « religion des Anciens [13] », s'y ravitaillaient. Il fallait cette politisation quotidienne pour qu'à la sortie des mosquées, après l'office solennel du vendredi, certains sermons enflammés fussent suivis de manifestations, voire d'émeutes. Sans doute les émeutes de rue, qui s'accompagnaient volontiers de pillages, étaient-elles redoutées des commerçants et artisans établis. Mais c'est bien le peuple des travailleurs, et ses organisations constituées de défense du métier ou de la profession, qui animaient les mouvements d'opinion. Les Souverains devaient tenir grand compte de cette sorte de démocratie spontanée, qui venait tempérer les autocraties de l'époque.

Il est vrai, chaque commerçant ou chaque artisan, maître ou compagnon, ne vivait point à la perfection toutes les exigences de l'Islam. Mais ils n'en discutaient pas le bien fondé. C'est à eux, tout autant, plus encore qu'aux lettrés, que s'adressaient les injonctions de Ghazzâlî :

> « Toi-même te sais en faute en buvant du vin, en faisant l'usure, en pratiquant la médisance, le mensonge, la calomnie [14]... »

L'idéal restait maintenu du respect de la parole donnée, du sens de la justice dans les rapports entre hommes, de l'égalité des croyants devant Dieu.

2. *Les soucis du pain quotidien et le « prix des denrées »*. — Mais les soucis quotidiens, et l'insécurité économique si souvent renaissante, venaient bousculer plus d'une fois les lignes de force de cet idéal. Les annales des villes mentionnent à l'envi des temps de disette, de rareté donc de cherté des vivres et des objets de première nécessité [15]. Mauvaises récoltes et imprévoyance du pouvoir, guerres intestines entres les émirats, gestion défectueuse des deniers publics, en étaient les causes principales. Nous en retrouverons la mention, en leitmotiv, tout au long de

l'histoire. La « politique » des *sûq*(s) était dépendante des politiques financières des vizirs et des princes. Presque toujours soucis économiques et revendications religieuses s'imbriquaient. Ainsi, lors des émeutes hanbalites, au début du xe siècle, à Bagdad.

En principe, les commerçants et artisans fixaient eux-mêmes les prix. Mais le régime le plus habituel n'était point celui de la libre concurrence. D'une part, les commerces et métiers, groupés par *sûq*(s), se défendaient. D'autre part, ils étaient mis sous la haute mouvance du responsable des marchés, le *muhtasib*, fonctionnaire d'État; et chacun d'eux dépendait plus directement d'un responsable secondaire, le *'ârif* ou *amîn*, assistant du *muhtasib*, et dont la compétence professionnelle était requise. Ces divers représentants protégeaient et surveillaient à la fois les métiers. Des délégations d'*amîn*(s) auprès des chefs de quartier, voire des vizirs, étaient fréquentes; c'est alors, dans les périodes de crise du moins, que se débattait le prix des denrées, en définitive étroitement contrôlé, voire fixé par l'État.

De qui dépend le prix des denrées? Une telle question, débordant le quotidien des *sûq*(s), en vint à se revêtir de valeurs théologiques. La plupart des manuels lui consacrent au moins quelques paragraphes, insérés dans le chapitre du *rizq* (pl. *arzâq*), les « ressources », les gains. Selon les Mu'tazilites, le *rizq* est ce que l'homme acquiert par sa « puissance contingente » libre, que Dieu a créée en lui; dès lors le prix des denrées relève de la seule décision de l'homme [16]. Pour les Ash'arites au contraire l' « acquisition » de tout homme est déterminée par Dieu [17]. Ainsi : quand un riche fait l'aumône à un pauvre, c'est que le bien remis en aumône n'était point destiné à être le *rizq* du donateur; il devient, de par l'investissement direct de Dieu, le *rizq* du pauvre qui le reçoit. De même, le prix des denrées ne peut que relever d'un décret divin [18].

La thèse ash'arite, certes, laissait intact le jeu des conditionnements politico-économiques. Mais dans la mesure où elle reçut audience, et audience généralisée jusqu'en la conscience populaire, elle ne put qu'infléchir les mentalités vers une acceptation résignée des aléas de la vie. Elle n'est point liée à l'Islam comme tel; mais à partir des xe-xie siècles, elle fut longtemps dominante. Le peuple des travailleurs continua, par les règlements et les conseils de ses *amîn*(s), à défendre, à essayer de défendre, l'équilibre de son budget. Mais toute action corporative s'inscrivait sur une toile de fond de remise de soi aux décrets inscrutables de Dieu, dans l'heur et le malheur. Sans être supprimée, la combativité des couches populaires, si sensible aux tout premiers temps de l'ère ʿabbâside, en sera quelque peu atténuée. Ou plutôt : elle se réfugiera en de brusques et instinctives flambées de colère, vite allumées et vite éteintes, sans guère poursuivre de desseins réfléchis. Toute une étude serait à faire en ce sens sur le comportement du peuple des villes musulmanes au long de l'histoire. Nous verrons l'époque contemporaine reprendre pour son compte et réactiver les données du problème.

3. *Métiers purs et impurs, « petits métiers », entreprises d'État.* — On peut dire que les métiers se répartirent, dans le sentiment commun, selon une double hiérarchie.

a) La plupart étaient de soi dignes et honorables : tout commerce légitime d'abord, s'il est honnêtement pratiqué, et avec lui tout artisanat dont la matière première n'est pas impure, ou dont les conditions d'exercice ne risquent pas de contrevenir aux prescriptions coraniques. Mais, en conséquence, certains métiers, nécessaires cependant à la vie des cités, furent marqués d'une note d' « impureté », et mettaient ceux qui s'y adonnaient quelque peu en dehors de la vie sociale [19]. Ainsi la préparation et le commerce des peaux, et ce n'était pas par simple question d'hygiène que les mégissiers étaient relégués aux sorties des villes. Des coutumes anté-islamiques furent réassumées. Les traditions iraniennes considéraient comme impur le métier de colombophile. L'explication donnée en fut que le colombophile devait aller souvent sur les terrasses des maisons, qu'il risquait d'y retrouver des femmes et de se mal conduire [20]. Le commerce des métaux précieux était tenu en suspicion de par l'interdiction coranique de toute forme d'usure; l'orfèvrerie lui fut adjointe, et volontiers confiée aux « protégés » non musulmans, principalement aux Juifs. Les sociétés shîʿites mirent l'accent, plus que les Sunnites, sur ces distinctions du pur et de l'impur.

b) Mais une autre perspective entrait en ligne de compte, et ne relevait que d'un point de vue très pragmatiste : celle des métiers florissants ou non. Au boutiquier ou au maître d'œuvre qui s'enrichissait, qui pouvait investir des capitaux dans son commerce ou son artisanat, qui avait sous ses ordres plusieurs employés, compagnons ou apprentis, s'ouvraient assez volontiers les rangs des catégories sociales privilégiées. Et les employés et compagnons à leur tour, s'ils étaient de condition libre, pouvaient espérer accéder à la maîtrise. Nous avons vu, au chapitre précédent, le petit joaillier Ibn Jassas devenir grand négociant et être reçu à la cour. L'exercice d'un métier manuel, même s'il s'agissait d'ouvriers peu lettrés, pouvait s'ouvrir à toutes les ambitions sociales. Cas d'exception sans doute, mais réels. D'autres, au contraire, subissant le contrecoup des crises économiques, voyaient leurs affaires péricliter, et, par exemple, de maîtres d'œuvre qu'ils étaient devenaient salariés dans une entreprise. Ils pouvaient aussi se replier sur de « petits métiers » qui n'exigeaient ni connaissances ni capitaux, et qui d'ailleurs n'étaient aucunement méprisés. Les *Mille et Une Nuits* nous parlent d' « un porteur (portefaix) qui, malgré sa profession basse et pénible, ne laissait pas d'être homme d'esprit et de bonne humeur ».

Relativement nombreux étaient les « petits métiers » des villes musulmanes : porteurs d'eau, portefaix, âniers louant des ânes pour circuler en ville ou chargés d'enlever les détritus des rues, marchands à la criée, d'autres encore. Emplois plus ou moins sporadiques, à la charnière des marchands-artisans tenant boutique et des asociaux, passant et repassant des uns aux autres... Une vie pouvait être traversée par des hauts et des bas, qui soulignaient la fragilité des réussites humaines. Les *Mille et Une Nuits* abondent en récits de la sorte.

Une autre solution pouvait s'offrir : devenir le salarié d'une entreprise d'État. Certaines industries en effet relevaient directement du pouvoir, tels les arsenaux, la frappe des monnaies, les travaux publics, et le tissage de ces étoffes ornées de métaux précieux, réservées aux princes ou aux étrangers que l'on voulait honorer. L'Égypte et l'Ifrîqiya (entendons l'ancien monde punique, la Tunisie et la partie orientale de l'Algérie) s'y illustrèrent [21]. Des esclaves étaient employés dans ces manufactures, mais également des ouvriers libres, anciens ruraux, artisans ou commerçants déchus, population flottante des petits métiers. C'est là, et là seulement que nous trouverions comme une préfigure de prolétariat urbain, au sens moderne de l'expression. Les chefs d'équipe ou de fabrication cependant faisaient plutôt figure de petits fonctionnaires, à la subsistance assurée. Les documents nous font défaut qui nous permettraient de parler éventuellement d'une mentalité, typique ou non, de ces ouvriers d'État.

Défense et organisation des métiers

Les degrés hiérarchiques, apprenti, ouvrier, contremaître et maître [22], étaient de règle, et pouvaient être franchis par tout homme libre. L'ouvrier ou compagnon, quand bien même il était de condition servile, recevait du maître son salaire. Il arrivait que des marchands ou artisans embauchassent des esclavent domestiques, soit qu'ils leur appartinssent, soit qu'ils fussent le bien d'un autre propriétaire (dont l'accord, en ce cas, était requis). L'esclave ne pouvait devenir maître d'œuvre qu'avec l'agrément de son propriétaire. Nous avons noté déjà qu'il pouvait être autorisé à ouvrir lui-même et à diriger un commerce, et donc à assumer toutes les opérations et charges afférentes [23].

Les secrets du métier étaient progressivement communiqués aux apprentis et compagnons, selon un coutumier *(dustûr)* oralement transmis. La fierté de l'œuvre accomplie était à l'honneur. Mais la fidélité à des traditions parfois pesantes (« ce qui s'est toujours fait... ») ne sollicitait guère à l'accueil de perfectionnements techniques. Une réelle « éthique du métier » ne s'en affirmait pas moins, soucieuse de probité, de « prix juste », de travail bien fait.

Faut-il aller plus loin, et parler, dès le début de l'âge ʿabbâside, d'une organisation corporative? Les *sûq*(s) ou *bâzâr*(s), répartis par métiers ou genres de commerce, le rôle du *ʿârif* ou *amîn*, défenseur reconnu des artisans ou commerçants de sa branche, sembleraient y solliciter. Nous rencontrons à ce sujet les interprétations divergentes de deux maîtres en sociologie musulmane.

Pour Louis Massignon, qui a étudié de près les corporations de métiers *(sinf; pl. asnâf)* en Islam [24], il va comme de soi qu'elles ont existé dès le xᵉ siècle, avec leurs règles d'entr'aide et leurs serments initiatiques [25]. Très vivantes sont les descriptions qu'il nous en donne, et qui soulignent leurs liens fréquents, à partir du XIe siècle, avec les « Confréries religieuses [26] ». Elles auraient eu leur organisation autonome, et c'est devant un tribunal corporatif qu'auraient été réglés les différents.

Ces corporations de métiers se recrutaient non tant parmi les Arabes et leurs mercenaires directs, que parmi les nouveaux convertis non Arabes, sans exclure Chrétiens et Juifs. Elles devraient leur organisation à l'influence qarmate, donc à son communisme initiatique et à son extrêmisme shî'ite. Elles lui devraient leurs serments de secrets, leurs cérémonies d'initiation, leurs tendances égalitaires [27]. C'est un fait qu'elles fleurirent dans l'Égypte fâtimide des Xe-XIIe siècles, dont le néo-ismâ'îlisme s'origina pour une part dans le qarmatisme officiellement vaincu par Bagdad. Quand Salâh al-Dîn (Saladin) aura à son tour vaincu les Fâtimides pour le compte de l'Islam sunnite, sa sévérité s'exercera contre les corporations de métiers, foyers de propagande shî'ite. Selon les analyses de Louis Massignon, les *asnâf*, précurseurs des corporations du Moyen Age latin, auraient maintenu, à travers tout le monde de l'Islam, la présence d'un idéal d'honneur dans l'exercice du métier; cependant que maintes de leurs chaînes initiatiques se réclamaient de protecteurs spécialement vénérés des Shî'ites, tel Salmân Pâk, le Compagnon iranien et probablement chrétien du Prophète [28]. La fonction de *'ârif* ou *amîn* coïncide alors avec l'un des degrés de la hiérarchie initiatique, celui de *naqîb* (« gouverneur ») ou, en persan, *pîr* (« père »).

Un certain nombre de questions, soulevées par M. Claude Cahen, tendraient à modifier cette description globale [29]. Qu'il y ait eu une organisation des métiers ne semble pas douteux. Elle islamisa des cadres déjà en place dans l'Empire byzantin et la Perse sâsânide. Mais s'agit-il d'organisations autonomes, comme le suggère Louis Massignon, ou d'organisations étatiques?

N'oublions pas que le *muhtasib*, responsable de la justice dans l'exercice du commerce et des métiers, était un fonctionnaire, et un haut fonctionnaire, de la Cité musulmane [30], donc nommé par le pouvoir. Mais bien plus, le *'ârif* ou *amîn*, lui-même homme du métier qu'il représentait, était directement le subalterne du *muhtasib*. Il semble bien avoir été désigné par lui, du moins en Islam sunnite, et non point avoir accédé à sa charge à la suite d'initiations progressives [31]. L'État entendait garder la haute main sur le contrôle des marchés et des prix, et l'honnêteté des transactions. Les « petits métiers » eux-mêmes, porteurs d'eau, âniers ou portefaix, avaient leurs *'ârif*(s) et devaient se soumettre à certaines conditions. Par ailleurs, la mise en place de sociétés d'entr'aide et de solidarité ne paraît point avoir été liée à l'origine à l'exercice des métiers. Nous aurions ainsi affaire, à l'âge classique, à des organisations professionnelles contrôlées par l'État, beaucoup plus qu'à des corporations proprement dites, de type autonome et communal, telles que les connut le Moyen Age chrétien. (Et ce dernier, sur ce point, serait directement dépendant de traditions romaines.) L'organisation des métiers préexisterait aux influences qarmates ou fâtimides, et trouverait ses garanties beaucoup moins dans des rites et serments initiatiques que dans une sorte de socialisme d'État, de type autoritaire.

Les descriptions de Louis Massignon, qui se réfèrent aux textes des coutumiers ou *dustûr*(s), gardent leur valeur. Mais les *dustûr*(s) n'ont été fixés par écrit que tardivement, et les textes qui nous sont parvenus datent du XVe siècle [32]. Ce qui semble probable, c'est que l'influence qarmate, puis ismâ'îlienne s'exerça sur des organisations déjà existantes, et qui, d'étatiques qu'elles étaient, devinrent, en certaines contrées du moins, sociétés de serment à références shî'ites. Il ne faudrait cependant pas urger, et étendre à tout le monde de l'Islam, à la large majorité sunnite, cette rencontre du shî'isme et de la vie concrète des boutiquiers et artisans. Plus d'une fois, ce fut au contraire le piétisme hanbalite — donc la mentalité la plus opposée au shî'isme — qui domina. Les boutiquiers et artisans étaient volontiers revendicatifs à l'égard du pouvoir établi et des mœurs de la cour : mais au nom d'un piétisme rigide, et non point tant (toutes les exceptions que l'on voudra étant sauves) sous l'animation de gnoses ésotériques.

Ce qui reste, et qui nous importe avant tout, c'est la réalité d'une éthique économique commandant l'exercice des métiers. Si les annalistes n'en ont que peu écrit, nous en retrouverions maintes traces dans les traités des juristes et des théologiens [33]. Nous y relèverions ces valeurs déjà rencontrées : respect et protection du métier, juste salaire et juste prix, entr'aide en faveur des clients comme en faveur des compagnons de travail. Aucune « lutte des classes », ni dialectique riche /pauvre, patron /ouvrier, n'y domine. Nous avons ici comme un prolongement des données de base, analogiquement égalitaires, de la « Communauté du Prophète »; et qui s'inscrit donc parmi les pôles attractifs des mentalités des hommes de l'Islam. Dans une conférence [34] où il analysait ces principes d'éthique économique, M. Henri Laoust concluait qu'ils allaient comme de soi dans un sens de « solidarisme » et de « communautarisme ». C'est volontairement que les termes choisis ne recoupent pas les habituelles expressions occidentales, et toute l'aura historico-politique qu'elles connotent. Mais c'est bien ainsi que se pourrait définir, en sa spécificité, une philosophie économique d'inspiration musulmane.

L'armée

Il nous semble difficile de considérer l'armée comme une « catégorie sociale » des cités musulmanes. Nous l'avons noté déjà : arabes tout d'abord, puis, en grande partie khurâsâniennes dès le début des empires, puis composées de mercenaires et d'esclaves, les gardes prétoriennes califales, ainsi que les troupes des empires et émirats, restèrent le plus souvent un corps « étranger » enclos en ses propres intrigues, docile à suivre les directives politiques des chefs, tantôt instrument du pouvoir en place, tantôt lui substituant un souverain à sa dévotion. Bon nombre de mercenaires et d'esclaves étaient ou devenaient musulmans; d'autres restaient chrétiens. Il faudra attendre les époques des Mamlûk(s) d'Égypte et de l'Empire ottoman pour que l'armée ait quelque influence directe sur les mentalités populaires.

Nous retrouverions, avec des nuances, un phénomène analogue dans l'Ouest musulman. Au XIe siècle, au Maghreb et en Andalus, les troupes almoravides, berbères sahariennes à l'origine, s'ouvrirent très vite à des mercenaires *ghuzz* (turcs) et chrétiens. Les garnisons qui protégeaient les gouverneurs des villes conquises n'eurent que des contacts passagers avec l'habitant. Plus tard, l'Ifrîqiya et le Maghreb central du XVIe siècle, le Maroc des Shurfâ' sa'diens, puis de divers sultâns 'alawides, virent s'opérer la mise en place d'armées composées uniquement de mercenaires, esclaves chrétiens affranchis et passés à l'Islam, esclaves noirs d'origine africaine, Andalous, Turcs, etc.. Elles furent, elles aussi, coupées de la population locale.

A l'âge classique, les récits et annales de l'Orient musulman, dont les auteurs étaient Arabes ou Irano-arabes, furent très sévères pour la soldatesque des mercenaires ou esclaves turcs. Le *Nishwâr* de Tanûkhî y insiste et se plaît à illustrer ses dires par des anecdotes vécues [35]. Le Shî'ite Mas'ûdî est non moins virulent : « Grâce à leurs révoltes, disait-il des troupes turques, l'Empire est démembré et notre *Imâm* ressemble à un étranger qu'elles hébergent » [36]. Un certain nationalisme ethnique colore sans doute ces jugements à l'emporte-pièce.

II. — LES ASOCIAUX

Les marchands, artisans, ouvriers et salariés de toute sorte avaient leur place dans les villes musulmanes classiques. Ils participaient à la vie de la cité. Plus ou moins instruits, ils étaient loin d'être tous illettrés, et savaient prendre part à l'occasion, à des joutes politico-religieuses. Mais derrière eux se profilaient des groupes d'asociaux, sans profession ni résidences reconnues.

Les mendiants

Une place à part doit être réservée aux mendiants. Trois termes différents peuvent les désigner, tous les trois coraniques : *sâ'ilûn*, « ceux qui demandent »; *fuqarâ'* (sing. *faqîr*), les « pauvres », ceux qui n'ont rien; *shahhâdhûn*, « ceux qui ne cessent de quémander et importuner ». Des Sûfîs faisaient délibérément choix d'un état d'indigence, et, devenus *fuqarâ'*, se joignaient aux mendiants de profession.

La mendicité n'était pas sans se revêtir d'une certaine aura religieuse. Le Coran parle plusieurs fois des mendiants *(sâ'ilûn)*, et recommande de ne point les repousser (*Coran*, 93,10); il les nomme parmi les bénéficiaires de l'aumône légale (2,177); il les rapproche et les distingue à la fois du *mahrûm*, le déshérité, l'exclu (51,19). Envers eux doit s'exercer la générosité des riches. Ils relèvent non seulement de l'aumône légale, devoir religieux impéré à tout croyant, mais des aumônes surérogatoires et libres, qui sont l'une des œuvres pies les plus agréables à Dieu.

La mentalité musulmane ne méprise pas le mendiant. Il est, par son indigence même, comme un témoin de Dieu, dont les nantis se doivent d'assurer la subsistance. Il est « hôte de Dieu », reçu comme tel dans la cité. On peut parler, dans les villes musulmanes de l'âge classique, de corporations de mendiants, hiérarchisées et organisées [37]. Ils se groupaient souvent autour des mosquées, et c'est en psalmodiant des versets coraniques qu'ils sollicitaient l'aumône. Ils fréquentaient aussi les *sûq*(s) et de nombreux boutiquiers leur réservaient des dons en nature. Mais il est des textes qui insistent sur la rapacité lassante du mendiant jamais découragé et jamais satisfait, sur son refus de tout travail, voire son arrogance. Il sera appelé en ce cas le « quémandeur importun » *(shahhâdh)*. Si bien que, dans les récits, le mendiant apparaît tantôt comme un déchet social, tantôt comme un sage, instruit par son malheur même, et remis à la miséricorde de Dieu et des croyants. Cette dernière note est à coup sûr la plus conforme aux principes de l'Islam.

Les 'ayyârûn (« voyous »)

Aux heures de crise, des mendiants pouvaient se joindre aux manifestations de rue, ou se livrer à des rapines. On ne saurait cependant les identifier, sans autre distinction, à ce « bas peuple » que nous avons vu désigné par le nom de *'ayyârûn* [38]. Le mot évoque l'errance, l'instabilité. S'y joignit l'idée de ruse, de « débrouillardise ». Le *'ayyâr*, c'est l'homme sans situation sociale, qui lutte pour sa vie, et « s'en tire » par des moyens plus ou moins avoués ou avouables.

Les statistiques précises font défaut, qui nous renseigneraient sans crainte d'erreur sur leur nombre. Il dut varier au gré des crises économiques, des disettes, des guerres. Les uns n'avaient guère connu d'emploi stable, et avaient rejoint, tout jeunes, des bandes structurées, non soumises aux lois de l'État, mais que liait « un pacte d'honneur ». Plus fréquemment, il s'agissait d'anciens soldats, ne connaissant que le métier de la guerre, et épris d'aventures. Ils pouvaient aussi avoir exercé un temps, ou exercer encore, quelque « petit métier »; ou pouvaient être enfin d'anciens salariés, voire artisans, qu'atteignaient des misères morales, physiques ou sociales. Les plus turbulents d'entre eux étaient les clients de choix de la police d'État; et objets de crainte de la part de la population stable et active.

Ils furent un élément non négligeable de la vie urbaine. Le pouvoir devait compter avec eux, voire traiter avec leurs chefs ou *qâ'id*(s). Asociaux sans doute, les plus extrêmistes des Sûfîs leur étaient assez proches [39]. Ils se tenaient le plus souvent dans les faubourgs; des liens s'établissaient entre eux et les « pilleurs de route », les razzieurs plus éloignés, terreur des caravanes. On peut les dire « sans loi », autre que celle qu'ils se donnaient à eux-mêmes; on ne saurait les dire « sans foi ». En des régions lointaines d'Asie centrale, ils se présentaient comme « combattants de Dieu ». Dans les villes, où ils faisaient figure d'opposants au pouvoir établi, mainte rebellion menée au nom de principes religieux cherchait à les recruter. Ils n'hésitaient pas à rançonner les riches, à prélever une sorte d'impôt « de protection », mais ils se voulaient gens d'honneur.

La futuwwa ou « pacte d'honneur »

« Pacte d'honneur », « gens d'honneur » : nous rencontrons une notion qui jouera un rôle de premier plan. Elle a toute une histoire qu'il n'est pas aisé de retracer, et les valeurs qu'elle véhicule sont loin d'être sans ambiguïté. Elle influera sur l'évolution des corporations de métiers, elle ne fut pas sans interférer avec certains aspects de la vie des cours.

C'est la *futuwwa*. Elle peut être mise en regard de l'ancienne vertu arabe de la *muruwwa* [40]. Elle tire son étymologie de *fatâ* (pl. *fityân*), « jeune homme ». Si la *muruwwa* est la vertu virile de l'homme mûr, la *futuwwa* est la vertu de la jeunesse, avec tout l'élan de courage, de générosité, la recherche d'une camaderie vécue, et aussi l'imprévoyance du lendemain, la contestation permanente, la volonté d'indépendance à l'égard du pouvoir établi, qui la caractérisent. La *futuwwa* est le lien qui unit les *fityân*.

Au début de l'ère ʿabbâside, et spécialement en ʿIrâq et en Iran, elle donna naissance dans les villes, voire dans les villages, à des groupes étroitement unis, groupes de jeunes, célibataires le plus souvent, sortes de « communes » fondées sur l'entr'aide et le pain partagé. Les *fityân* peuvent exercer un métier; ils peuvent n'en pas avoir. Le groupe ne se réfère aucunement à une appartenance familiale, ou tribale, ou même ethnique. Parfois, à l'origine du moins, il transcende l'appartenance religieuse, parfois au contraire s'y enracine. Mais toujours il porte témoignage d'un « esprit de corps » qui fait de la solidarité entre ses membres le seul bien commun à promouvoir.

Les textes qui font mention de la *futuwwa* sont abondants [41] : tantôt pour en souligner le mérite, tantôt pour déplorer les exactions et les mœurs des *fityân*. Que ces groupes aient revêtu très vite le caractère initiatique de sociétés de serment semble assuré; et de même que l' « esprit de corps » ne se soit pas refermé sur le groupe local, mais ait tissé des liens de fraternité entre les *fityân* des diverses villes ou contrées. Les détails font défaut sur ce qu'ont pu être, au début de l'ère ʿabbâside, la teneur et les degrés des initiations. Plus tardivement au contraire, et surtout sous la domination turco-mongole, des textes des XIVe et XVe siècles nous donnent maintes précisions : mais c'est qu'alors l'esprit du « pacte d'honneur » avait gagné les corporations de métiers, et que, spécialement en Anatolie, le coutumier de la corporation s'appelait aussi bien *futuwwa* [42].

Louis Massignon n'a pas tort de souligner le lien qui unira, au cours des siècles, corporations, *futuwwa*, et propagande ismâʿîlienne [43]. Mais il resterait abusif de ne voir la *futuwwa* que selon ces perspectives. Dans les villes de l'âge classique, la camaraderie des *fityân* réunit tout autant des asociaux, et plus peut-être, que des hommes de métiers. Les principes qui la commandent, sa moralité et son pacte d'honneur, sont avant tout au service de son « esprit de corps ». Si bien que ces groupes se présentent, sous la plume de maint annaliste comme des foyers de turbulence, toujours prêts aux coups de main et à l'émeute. *'Ayyârûn* et *fityân* deviennent alors quelque peu synonymes, à Bagdad entre autres, et sont traités en bloc de « pègre [44] ». La lutte qu'ils entreprennent contre les nantis, les « taxes de protection [45] » qu'ils prélèvent sans vergogne sur les boutiquiers, ne vont pas sans exactions. Quand le pouvoir est faible, *fityân* et *'ayyârûn* se manifestent au grand jour, et luttent contre les polices et milices d'État. Celles-ci à leur tour n'hésitent pas à les enrôler, et des chefs de police furent à leur dévotion, pour le plus grand dam des commerçants et artisans établis.

Par ailleurs, la propagande ismâ'îlienne ne fut point la seule à s'exercer sur les *fityân*. Il y eut des groupes à dominantes shî'ites; il y en eut, au moins aussi nombreux, à dominantes sunnites. Ils luttaient parfois les uns contre les autres, le commun « pacte d'honneur » restant sauf. Le piétisme hanbalite fut accueilli par bien des *fityân*, et parmi eux se recrutèrent des manifestants et des émeutiers quand des docteurs hanbalites s'élevaient contre le pouvoir, jugé infidèle ou trop tiède à l'égard de la « religion des Anciens ».

On voit donc que la *futuwwa* ne saurait être tout uniment assimilée à une « chevalerie », comme on le crut naguère [46]. Il s'agit bien plutôt, à l'origine, d'un phénomène « contestataire » de la jeunesse arabo- et irano-musulmane, et qui se revêtit d'aspects multiples. Liens de compagnonnage et pacte d'honneur cependant n'en furent jamais absents. Et tandis que la vieille *muruwwa* bédouine n'intervient qu'assez rarement dans les traités d'éthique, le dynamisme de la *futuwwa* attirera bien des esprits.

Celle dont nous avons parlé jusqu'ici fut surtout populaire et anarchique, et ainsi fut-elle en ses débuts. Un peu plus tard, des accords s'établiront entre la *futuwwa* et les Sûfîs d'une part, la *futuwwa* et les corporations de métiers de l'autre, et donc, par cet intermédiaire, entre traditions sûfies et corporations de métiers. En outre, le calife 'abbâside al-Nâsir — mais nous sommes déjà aux XIIe-XIIIe siècles — entendit réassumer et unifier les principes de la *futuwwa* [47]. Il se fit initier et institua une *futuwwa* de cour, à laquelle il convia les émirs de tout le monde de l'Islam. C'est alors, mais alors seulement, que l'on peut parler au sens strict de « chevalerie musulmane ». Une *futuwwa* aristocratique prit ainsi naissance, et connut pour un temps une certaine gloire en Syrie et Égypte. Elle ne supplantera nullement la *futuwwa* populaire, qui s'orientera non point vers les princes et les catégories sociales dominantes, mais vers les artisans et les hommes de métiers.

III. — LE PEUPLE DES CAMPAGNES

Nomades et ruraux

Faudrait-il ouvrir ici un chapitre sur les nomades? Ils étaient encore nombreux à l'âge classique. Une mentalité nomade, en ce qu'elle a de spécifique, nous renverrait assez vite à la mentalité arabe d'avant l'Islam et des tout premiers temps de l'Islam — voire aux mentalités nomades des steppes mongoles. C'est un genre de vie éminemment propice au maintien jaloux des coutumes et traditions orales. Sans doute l'ethnographie classique distinguera-t-elle entre tribus endogames et tribus exogames, et soulignera-t-elle toutes les différences qui en résultent dans le droit coutumier et quant au sort réservé aux femmes. Mais on peut dire que dans les unes et les autres, le goût de l'indépendance, la fierté, le respect de l'hôte, l'esprit de corps tribal, une dureté exigeante aussi bien envers soi-même qu'envers les siens ou envers l' « étranger », — tous ces traits de caractère, si séduisants à plus d'un titre, ont traversé les siècles. Le nomade face au sédentaire est l'un des grands « régionalismes » de l'Islam. Ibn Khaldûn en fut le chantre.

Si nous n'y insistons pas, c'est qu'ici tout reste en dépendance d'un genre de vie : comportement existentiel, plus que mentalité peut-être. Nous avons assez décrit le peuple des villes pour n'avoir pas à démontrer que le comportement nomade n'est aucunement *la* mentalité musulmane par excellence. Mais il en reste l'un des types. Car le caractère frondeur et quelque peu agnostique du Bédouin n'empêcha point les nomades islamisés d'intégrer la foi musulmane comme une évidence. Plusieurs dynasties maghrébines furent d'origine nomade; et c'est un nomade de « grande tente », l'émir 'Abd al-Qâdir, qui lutta

Absolu = inaccessible à esprit humain -

avec l'énergie et la noblesse que l'on sait contre la conquête de la terre algérienne par la France, et la mainmise de l' « infidèle ».

Faut-il ajouter que partout où la vie nomade se perpétue, la polygamie telle que l'autorise le Coran est fréquente, plus fréquente peut-être qu'en milieu urbain. Du moins chez les riches nomades. La raison en est d'ordre socio-économique. Car, sous la tente, la tradition exige que certains travaux ne soient accomplis que par les épouses légitimes. La polygamie y devient signe de noblesse.

Il y eut des flux et reflux de sédentarisation et de nomadisme, au gré des régions et des événements politiques. Prenons l'exemple du Maghreb des xe-xie siècles. Au xe siècle, le Shī'ite Ibn Hawqal nous décrit le Maghreb extrême (Maroc) comme un pays riche par sa culture de la terre et des arbres, ses mines, son élevage. L'économie de certaines régions reposait sur l'arboriculture et l'agriculture. D'autres vivaient de l'exportation de céréales, de laines et de cuirs par voie maritime ou terrestre (la route saharienne). D'autres encore étaient à la fois commerçantes et rurales; cependant qu'un artisanat urbain, à l'image de l'Orient, commençait à peine à se mettre en place [48]. Au sud du Maghreb (Sahara), des tribus nomades restaient irremplaçables pour le commerce à longue distance, mais leur importance numérique était faible eu égard aux sédentaires ou sédentarisés.

Dans la première moitié du xie siècle, une urbanisation à arrière-fond rural se développa intensément en Ifrîqiya sous les Zîrides qui sauront promouvoir un humanisme de cour à l'instar de l'Orient. L'extrême Ouest, morcelé en villes-États, connaîtra, lui, une urbanisation et une arabisation plus lentes.

Mais voici, durant la deuxième moitié du xie siècle, l'invasion des Hilâliens, ces tribus nomades influencées par la révolte qarmate, venues d'Arabie en Égypte, et lancées sur le Maghreb par les Fâtimides du Caire. Ils arrivaient munis de « concessions » en bonne et due forme, octroyées sur les terres maghrébines par le souverain fâtimide... Le grand nomadisme et le semi-nomadisme berbères furent comme renforcés par le nomadisme conquérant des tribus hilâliennes. Pour un temps, vie urbaine et vie rurale seront en difficulté au profit de la vie pastorale. Des valeurs propres à la vie nomade réapparurent, quasi officiellement, et le rôle politique des Hilâliens fut grand, en particulier dans le Maghreb central. Il ne semble cependant pas que leur nombre ait, à l'origine, dépassé quelque deux cent mille.

Les nomades, de fait, alors même que se maintenaient les groupements en douars et en tribus, ne représentèrent jamais qu'une minorité parmi les peuples d'Islam. Le nombre des sédentaires, qu'ils n'étaient pas sans mépriser, était nettement plus élevé. Et c'est beaucoup plus les travailleurs agricoles que les « Seigneurs du désert » qui composaient la masse rurale. A l'âge classique, les nomades gardaient une fonction importante comme chefs de caravanes, rouage par là du commerce par voie de terre. Ils apparaissaient aussi comme « coupeurs de route », et ont joué leur rôle dans les « pactes d'honneur » de la *futuwwa*. Mais au XIIe siècle, nous verrons les Almohades utiliser comme soldats ou collecteurs d'impôts ceux des nomades hilâliens qu'ils avaient soumis.

C'est en définitive sur le peuple des campagnes, petits propriétaires, métayers (nombreux), fermiers (plus rares), ouvriers agricoles, que s'appuyait l'économie de l'époque. Ils restaient certainement « la masse ». Or, si nous connaissons bien le régime des terres, les modes d'exploitation, la répartition des impôts fonciers et des taxes sur les récoltes, nous n'avons que peu de renseignements directs sur les sentiments de ces ruraux, leurs attitudes d'esprit, leur vision des choses. Force nous est donc d'être bref, si nous voulons éviter le risque d'interpoler, de juger les situations d'alors selon des critères contemporains, ou de reporter sur les travailleurs de la terre des IXe-XIe siècles un style de comportement bien plus tardif [49].

Essayons cependant de cerner d'une part les modalités de l'existence, d'autre part certains faits — certaines révoltes paysannes — qui ont laissé leurs traces dans l'histoire.

L'importance du droit coutumier

Il faut noter aussitôt que la conquête arabe, et donc l'impact de l'Islam, fut loin de bouleverser la vie rurale. Ce fut la sagesse de la dynastie umayyade, puis de l'administration ʿabbâside, que de respecter l'état de fait antérieur, dans toute la mesure où il ne contrevenait pas aux lois coraniques; et donc de sauvegarder les bases économiques des nouveaux États. Si bien que le comportement quotidien du peuple des campagnes resta pour une bonne part inchangé, et inchangé en conséquence ce que sa mentalité pouvait avoir de spécifiquement rural.

Des signes en sont évidents, si nous songeons au maintien et à l'importance du droit coutumier extra-islamique *('urf)* dans la vie paysanne, aussi bien en Iran et 'Irâq, en Syrie-Liban, en Égypte qu'au Maghreb. L'administration musulmane se calqua sur l'administration sâsânide, byzantine ou vandale, et c'est selon des calendriers solaires que se fit la rentrée des impôts. La vie rurale eut ainsi, d'une façon beaucoup sensible que la vie urbaine, une continuelle double référence à la mesure du temps : 1) le calendrier lunaire officiel, seul admis en principe en Islam, et qui commandait les grandes fêtes religieuses annuelles, fête des sacrifices en union aux sacrifices du pèlerinage de la Mekke, fête de la rupture du jeûne à la fin du *ramadân;* 2) un calendrier solaire ancien, d'origine ou persane ou copte, selon les milieux, ou (au Maghreb) conforme à l'ère julienne. C'est ce calendrier solaire non seulement toléré mais utilisé par l'administration, qui commandait le rythme des semailles et des récoltes. Il avait lui aussi ses fêtes, qui resteront très populaires, tel Nayrûs, le Premier de l'An iranien (au printemps), et ses équivalents dans les calendriers copte et julien, où demeuraient vivants bien des symboles liés à un sacré tellurique. De nombreux dictons de la « sagesse populaire » paysanne en garderont le souvenir jusqu'à nos jours. Ce double calendrier marquera d'une note de relativisme vécu l'appréciation du « temps qui passe », très conforme à la remise à Dieu seul demandée par l'Islam.

Les conversions à l'Islam, en outre, furent plus lentes à la campagne que dans les milieux urbains; et nous avons vu bien des nouveaux convertis chercher refuge à la ville. A la campagne, les paysans chrétiens, sabéens, mazdéens, restaient en convivium avec les musulmans. Les coutumes et le genre de vie étaient les mêmes pour les uns et les autres. Le droit personnel ou foncier favorisait à coup sûr les Musulmans, et bien des conversions en furent la conséquence. Mais cette coexistence des communautés religieuses rend d'autant plus difficile de dégager les traits spécifiques d'une mentalité musulmane rurale.

Au surplus, qu'il soit « protégé » ou membre de la Communauté du Prophète, le paysan comme tel n'était guère estimé. Il y avait le vieux mépris du nomade pour les cultivateurs sédentaires. « Ils sont regardés comme des êtres avilis », dit Ibn Khaldûn [50]. Si un *hadîth* élève l' « honnête marchand » au rang du combattant mort « sur le chemin de Dieu », un autre *hadîth*, authentique ou non, fait dire au Prophète, un jour qu'il vit un soc de charrue dans une maison de Médine : « Cela n'entrera pas dans la demeure d'une famille sans que Dieu y fasse entrer l'avilissement [51] ». Il y eut aussi le mépris de principe de l'humaniste lettré des administrations pour le paysan analphabète, rude et grossier. Le terme de *fallâh*, « laboureur-agriculteur », était souvent synonyme de rustre et de manant. Ainsi que le note M. Claude Cahen [52], le *fallâh* était fréquemment traité de *'ilj*, mot à mot : âne sauvage, ce qui soulignait par ailleurs sa non-appartenance à l'ethnie arabe. Le « peuple » dont parlait un Tawhîdî dans ses entretiens avec les hommes au pouvoir, désignait d'abord le peuple des villes, à peine le peuple des campagnes qui ne méritait guère que l'on s'occupât de lui. Au contraire de la civilisation byzantine et occidentale chrétienne, la civilisation musulmane ne fut pas foncièrement rurale, mais urbaine. Les villages et hameaux en cultivèrent d'autant plus leurs coutumes et traditions ancestrales.

Et cependant une progressive mais réelle islamisation devait s'opérer. Rares furent les agglomérations rurales qui n'eurent pas, dans la suite des temps, leur école coranique et leur mosquée. Au village aussi la vie quotidienne est scandée par les heures de la prière liturgique, et les fêtes religieuses officielles ont au moins autant d'importance que les fêtes coutumières et les événements familiaux. Maître d'école ou « juriste » *(faqîh)*, l' « homme de religion », donc ayant fait quelque étude, est présent au village. C'est à lui que l'on s'adresse pour dirimer les débats mineurs, à lui que l'on demande conseil pour soi et les siens, pour écrire une lettre — où se retrouveront les formules musulmanes habituelles, — pour connaître les quartiers de la lune, le jeu des saisons et du rythme solaire, et leurs influences, fastes ou néfastes, sur les semailles. Des juges (*qâdî*(s)), nommés par le pouvoir central, avaient des villages et des hameaux sous leur juridiction, et devaient, dans les sentences rendues tenir compte du droit coutumier.

Ainsi, une vie musulmane protégée s'instaura lentement, avec son poids de traditions non critiquées. Elle n'en sera pas moins très solidement établie; et pourra même s'élever, à partir des XIIe-XIIIe siècles, à une réelle ferveur, quand s'exercera sur le monde des *fallâh*(s) l'influence des Confréries religieuses. Des réformateurs y verront une atteinte à la pureté de la foi des Anciens, et ils n'eurent peut-être pas tort. Mais à travers tant de coutumes maintenues, anté ou extra-islamiques, c'est bien comme musulman que le travailleur de la terre prendra conscience de lui-même.

Les hiérarchies sociales

Nous avons rencontré déjà, à la ville, les grands propriétaires non résidentiels, et qui faisaient valoir leurs terres par l'entremise de gérants ou de métayers. Il convient de signaler en outre les domaines qui relevaient directement de l'État. Ici et là, surtout dans les vastes domaines, le gérant *(wakîl)* était aidé par des sortes de fonctionnaires subalternes, cependant que les travaux de la terre étaient confiés de préférence à des esclaves étrangers. Il n'y eut pas d'esclavage rural proprement dit; les esclaves qui furent ouvriers agricoles appartenaient soit aux grands propriétaires absentéistes, soit à l'État qui les employait à l'entretien des routes, des canaux, des terres domaniales. Nous les retrouvons aussi dans la mise en valeur des jardins publics ou privés qui entouraient les villes.

Importante fut la classe des moyens propriétaires, relativement aisés, chefs de village et notables, personnages respectés dans la région, les *dihqân*(s) selon un terme emprunté à l'administration sâsânide [53]. Au-dessous d'eux, se maintenaient les petits propriétaires, travaillant eux-mêmes leurs terres, obligés souvent de se mettre sous la protection d'un notable auquel ils payaient redevance. Moyens et petits propriétaires étaient constamment aux prises avec les agents du fisc, et n'étaient pas sans chercher à les frauder. C'est en cela surtout que le « patron » venait en aide au « client » qui se « recommandait » à lui : système de l'*iljâ'*, ou « recommandation [54] », et qui n'est pas sans évoquer, par l'étymologie même du mot, une idée de contrainte.

Un bon nombre, le plus grand nombre des travailleurs agricoles, n'étaient pas propriétaires. Le métayage restait la forme la plus courante de l'exploitation. Le contrat le plus habituel, celui de *muzâra'a*, portait sur les champs ensemencés, et n'attribuait au métayer que le cinquième de la récolte. La coutume s'en maintint jusqu'à nos jours, et, au Maghreb, le métayer en *muzâra'a* est appelé *khammâs*, celui qui touche le quint. Les contrats concernant les terres qu'il faut irriguer, *musâqât*, accordaient, en raison du travail plus exigeant, un partage par moitié; et le contrat de complant, *mughârasa*, répartissait entre métayer et possesseur du sol la propriété des arbres fruitiers. Les lois successorales musulmanes multipliant les subdivisions, on signalait il n'y a pas très longtemps, en Kabylie, des cas où les branches du même arbre fruitier se répartissaient entre plusieurs propriétaires.

Qu'il s'agisse du très petit propriétaire ou du métayer au cinquième, les années de sécheresse ou de mauvaise récolte les mettaient dans l'obligation d'emprunter aux paysans plus aisés et aux « notables ». Sans doute le droit musulman classique interdit-il toute forme de prêt à intérêt, assimilé à l'usure. Mais c'est en nature que devaient être remboursées les avances. Ce système de prêt, joint aux exigences du fisc, faisait du paysan pauvre un perpétuel endetté. Il n'y a là rien de spécifique aux sociétés musulmanes, et les juristes se bornèrent à entériner et clarifier des situations de fait. Le paysan pauvre n'avait point le droit de quitter sa terre tant que sa dette n'était pas épongée; s'il fuyait, la police pouvait le ramener de force. Ce n'était point un servage proprement dit (Moyen Age occidental, Russie tzariste), donnant droit au riche sur la personne du pauvre, mais plutôt une continuation du colonat antique. Ce régime de perpétuel endettement fut la plaie de bien des sociétés rurales traditionnelles, — il n'est que d'évoquer le rôle des zamindars à l'égard du paysan indien. Tout progrès social doit passer ici par une réforme agraire.

L'exploitation était souvent familiale, et ce fut l'une des raisons mises en avant, à l'époque contemporaine, pour le maintien en Égypte du droit à la polygamie. Mais métayers et surtout gérants des grands domaines embauchaient des commis ou des journaliers : soit des hommes libres, payés en nature, et mal, soit des esclaves astreints aux plus rudes travaux. Les esclaves des domaines ruraux de l'État étaient les plus durement traités, semble-t-il, plus durement encore que les esclaves-ouvriers des entreprises industrielles étatisées.

A l'âge classique il n'y eut pas d'auto-défense de la profession agricole, comme il y eut dans les villes une auto-défense du métier par le jeu de la « police des marchés » , des chefs de corporations, et des corporations elles-mêmes. La vie du village reflétait les hiérarchies sociales que nous venons d'esquisser, non toutefois sans qu'une volonté et même des institutions d'entraide n'en vinssent atténuer la rigueur. Bien des travaux se faisaient en commun. Coutumes anté-islamiques peut-être, mais auxquelles des références explicites à des valeurs musulmanes (« les croyants sont frères ») donnaient un prix nouveau. Beaucoup de villages en outre avaient des sortes de propriétés collectives [55], cultivées en commun ou réparties par rotation, et qui assuraient aux plus pauvres leur subsistance. Un certain bon sens paysan, et un respect de l'homme comme croyant, humanisaient les dures conditions de vie.

Révoltes et « support des épreuves »

Il reste que les grandes révoltes qui agitèrent l'Empire ʿabbâside du VIIIe au Xe siècle recrutèrent parmi les paysans défavorisés la masse de leurs troupes. A cette époque il est vrai, la paysannerie était loin d'être largement islamisée, et les revendications sociales s'unirent aux revendications des « peuples » *(shuʿûbiyya)* contre le conquérant arabe. S'y joignit souvent, à mesure que l'islamisation progressait, un sentiment religieux quelque peu anti-sunnite. Il est remarquable de voir combien le légitimisme shîʿite, d'origine arabe, se fit le défenseur des non Arabes en révolte et se recruta parmi eux. Et l'on connaît de reste le succès que le khârijisme connut un temps en milieu berbère.

Orient musulman ou Maghreb furent traversés par mainte rebellion ou mouvement autonomiste. Les foyers de protestation armée furent nombreux au Maghreb tout au long des VIIIe et IXe siècles [56]. A la même époque, trois grands mouvements de révolte, aux fortes incidences sociales, virent le jour au Proche et Moyen-Orient. Il s'agit 1) de la jacquerie des Coptes d'Egypte; 2) de la rebellion du célèbre Bâbak en Adharbâyjân; 3) de celle enfin de Mâzyâr au Tabaristân. Les deux dernières furent des mouvements anti-arabes, à tendances syncrétistes et promazdéennes. Elles s'appuyèrent largement sur le mécontentement de la paysannerie aux prises avec les nouveaux possesseurs. Au troisième livre de ses *Annales*, Tabarî nous a gardé le souvenir des mesures adoptées par Mâzyâr au profit des *fallâh*(s), cependant que son lieutenant Surkhâstân leur livrait les biens, les personnes et les familles des propriétaires. Les populations qui suivirent ces appels étaient peu ou n'étaient pas islamisées, et les chefs qui les menaient au combat se recommandaient d'anciennes croyances iraniennes [57]. Le pouvoir central réprima durement ces révoltes, et leurs promoteurs Bâbak et Mâzyâr furent exécutés.

La révolte des esclaves Zanj, que nous avons déjà mentionée, est de la fin du IXe siècle. Elle défraya les chroniques, et Tabarî en traite longuement. Les Zanj étaient des Noirs de la côte orientale africaine, amenés comme esclaves dans les domaines d'État de la Basse Mésopotamie. Cette révolte, prit figure, plus nettement que les précédentes, d'une « véritable guerre sociale [58] ». Fut-ce « au contact de l'Islam de leurs maîtres, par un phénomène d'induction spirituelle [59] », que les esclaves Zanj prirent conscience de leurs droits spoliés? Ils trouvèrent un chef, surnommé al-Burqû'î (« le Voilé ») qui s'affirma de descendance 'alide, et leur donna une organisation de type communiste initiatique. Il réussit un temps à s'emparer de plusieurs villes, dont le port de Basra. La révolte des Zanj dura de 868 à 883, et inquiéta gravement le califat de Bagdad. Al-Burqû'î fut exécuté en 883, et une répression « sauvage » s'abattit sur les survivants. Les Zanj deviendront à l'époque moderne comme le symbole des opprimés. *Thawrat al-Zanj* (« la révolution des Zanj ») est le titre d'un drame lyrique contemporain qui magnifie la révolution palestinienne.

L'insurrection qarmate [60] prit la relève. Elle eut ses heures de triomphe. Née elle aussi en Basse Mésopotamie, elle réussit à créer un État indépendant en Hasâ (Arabie), et à rayonner en Khurâsân, Syrie et Yaman. Son influence se prolongea quasi officiellement dans l'Empire fâtimide. Il s'agit cette fois d'un mouvement religieux musulman, d'inspiration shî'ite extrêmiste, aux doctrines gnostiques que protégeaient les serments de secret et les hiérarchies ésotériques. Sa propagande s'exerça principalement sur le peuple des travailleurs pauvres, ouvriers et paysans. Là où les Qarmates purent dominer, ils instituèrent à leur tour un régime communiste initiatique, et leur influence fut réelle sur l'organisation postérieure des corporations de métiers. Au début du xe siècle, ils parurent ébranler un temps le trône califal. Les 'Abbâsides noyèrent plus d'une fois dans le sang les progrès de l'insurrection, et réussirent à en stopper l'avance.

Politiques ou religieuses par leur inspiration première (le révolte des Zanj exceptée), il est caractéristique que ces rébellions armées aient largement trouvé audience dans les masses rurales qu'enthousiasmaient les promesses d'un égalitarisme absolu. Les dures conditions de vie continueront de les solliciter soit à des dissidences politico-religieuses, soit au maintien des particularismes ethniques : succès temporaire du mouvement khârijite (ibâdite) en Afrique du Nord, millénarismes toujours recommencés à l'appel d'un chef s'annonçant comme le *Mahdî* sauveur, divers mouvements autonomistes...

Mais la résurgence du sunnisme au xie siècle, et le renouveau sunnite opéré contre les Fâtimides du Caire par le Kurde Salâh al-Dîn (Saladin), se répercuteront sur les campagnes. La vie des villages et hameaux, toute précaire qu'elle fût, s'humanisa, nous l'avons dit. A l'âge des révoltes succédera, — en cœxistence avec des millénarismes renouvelés et des revendications d'autonomie, — l'humble et forte résignation du peuple croyant. Le paysan, soumis à l'aléa des sécheresses et des pluies, auquel il ne peut rien, fut plus disposé que les habitants des villes à l'acceptation de son sort. C'est ainsi qu'il vécut le « support des épreuves » envoyées par Dieu, cette vertu de *sabr* que les spirituels de l'Islam ne cessaient de valoriser. A partir du xvie siècle, l'influence grandissante des Confréries religieuses, et la décadence générale des États musulmans, l'y enfermeront. — Mais aujourd'hui, l'alphabétisation des campagnes et les réformes agraires en cours ont reposé le problème. Et, pour nous borner à cet exemple, on ne saurait oublier le rôle de premier plan que jouèrent en Algérie, dans la guerre d'indépendance, tant d'éléments venus des masses rurales.

NOTES

1. « Collèges » : *madâris*, sg. *madrasa;* d'où les formes francisées « médersa » et « médressé ». C'est à partir du XIe siècle que l'institution de la *madrasa* fleurit en terre d'Islam.

2. A. S. Tritton, *Materials on Muslim Education in the Middle Age*, London, éd. Luzac, 1957, et les travaux récents de George Makdisi.

3. Cf. Louis Massignon, « Situation de l'Islam », *Opera Minora I*, p. 27.

4. Ainsi le *Bayt al-hikma* (« Maison de la Sagesse ») de Bagdad, fondé par le calife Ma'mûn, protecteur des Mu'tazilites; *Dâr al-kutub* (« Maison des livres »), fondation privée de Basra, où les savants qui venaient y travailler recevaient une pension; *Dâr al-'ilm* ou *Dâr al-hikma* (« Maison de la Science » ou de « la Sagesse »), fondé au Caire au IVe siècle. H. par al-Hâkim, et qui fut un centre d'information et de propagande ismâ'îliennes; et la « Bibliothèque du Palais » fâtimide aux 18 000 ouvrages de « science étrangère »...

5. Cf. la conférence documentée et précise de Georges Vajda « De la transmission orale du savoir dans l'Islam traditionnel », prononcée à « l'Istituto per l'Oriente », Université de Rome, 8 novembre 1974; texte ronéoté ap. *L'Arabisant*, Paris, avril 1975, pp. 2-8.

6. A noter cependant le sens spécial donné à *taqlîd* par la doctrine hanbalite : non plus connaissance passivement reçue, mais tradition revivifiée des Compagnons du Prophète.

7. Cf. ci-dessus, Ire partie, chap. II, p. 52.

8. Ce fut, après l'échec d'initiatives privées, la raison de l'institution des *madrasa*(s). Partie de la Bagdad du XIe siècle, avec les vizirs Ibn al-Muslima et Nizâm al-Mulk, elle ne cessa de se répandre.

9. Cf. Abû Hâmid al-Ghazzâlî : *Ihyâ'*, I, 1,5, pp. 49,-52; II, p. 212; *Ayyuhâ l-walad* (« O jeune homme! »), éd. UNESCO, Beyrouth, spécialement pp. 38-39, 46-47; *Mîzân al-'amal*, éd. du Caire, 1328 H., p. 111, etc.

10. Cf. Ghazzâlî : *al-Munqidh min al-dalâl, éd. cit.*, pp. 18 /71.

11. *Bâzâr*, terme persan (qui a donné le « bazar » français), est l'équivalent du *sûq* arabe.

12. Cf. Louis Massignon, « Les corps de métiers et la cité islamique », *Opera Minora* I, pp. 369-384; voir la comparaison qui y est esquissée avec le classement des métiers des cités chrétiennes du Moyen Age latin, et la référence au classement « philosophique » des métiers dans *Rasâ'il Ikhwân al-Safâ'* (« Traités des Frères Sincères », l'encyclopédie ismâ'îlienne du Xe siècle.

13. *al-dîn al-'atîq*.

14. Cf. chap. précédent, p. 127.
15. Nombreux en seraient les exemples, au cours des annales d'Alep, de Damas, de Bagdad, et de bien d'autres villes.
16. Cf. 'Abd al-Jabbâr : *Sharh al-usûl al-khamsa* (« Commentaire des Cinq Principes »), éd. 'Abd al-Karîm 'Uthmân, Le Caire 1384 H. /1965, pp. 784-789.
17. Cf. Abû l-Hasan al-Ash'arî : *al-Ibâna fî usûl al-diyâna* (« Exposé des principes de la religion »), éd. du Caire 1348 H., pp. 12 et 59-60; *Maqâlât al-Islâmiyyîn* (« Les dires des Musulmans »), éd. Md. Muhyî al-Dîn 'Abd al-Hâmid, Le Caire, s.d., I, p. 324, etc.
18. Cf. Juwaynî : *Irshâd, op. cit.*, pp. 208-210 /310-312.
19. Il s'agissait donc, selon les expressions de M. Claude Cahen, *Des Origines au début de l'Empire ottoman, op. cit.*, p. 123, de « bas métiers » ou « métiers décriés ». « Corporations dissociales ou décriées », disait Louis Massignon, *Opera Minora I*, pp. 408-409.
20. *Ibid.*, p. 409.
21. Cf. Cl. Cahen, *op. cit.*, pp. 123-124.
22. Respectivement *muta'allim, sâni', khalîfa, mu'allim.*
23. Cf. ci-dessus, IIe partie, chap. I, p. 105.
24. Cf. « Les corps de métiers et la cité islamique », *art. cit.*
25. Voir « La ' Futuwwa ' ou ' pacte d'honneur artisanal ' entre les travailleurs musulmans au Moyen Age », spécialement Annexes I et II, *Opera Minora I*, pp. 418-420.
26. Cf. L. Massignon, art. « *Sinf* », *EI*[1].
27. *Ibid.*
28. Cf. L. Massignon, *art. cit.* « La Futuwwa », pp. 405-408.
29. Cf. Cl. Cahen, *op. cit.*, pp. 121-123.
30. Cf. Ibn al-Ukhuwwa, *Ma'âlim al-qurba fî ahkâm al-hisba*, éd. et trad. angl. de Reuben Levy, Cambridge 1938, spécialement pp. 4-32; ou encore, *Séville musulmane au début du XIIe siècle. Le traité d'Ibn 'Abdin*, trad. franç. de E. Levi-Provençal, Paris, Maisonneuve, pp. 42-45. Dans un compte rendu du *Journal Asiatique*, M. Georges Vajda remarque avec raison que le *muhtasib* trouverait un précurseur dans l'*agoranomè* grec (et dans un fonctionnaire analogue prévu par le *Talmud*).
31. Cf. Cl. Cahen, *op. cit.*, p. 122.
32. Cf. L. Massignon, « *Sinf* », *art. cit.* L'auteur mentionne cependant l'exposé bien plus ancien des *Ikhwân al-Safâ'*, mais s'exprimant « de façon malheureusement trop abstraite », et où se mêlent des « conceptions hellénistiques qui font croire à certaines survivances byzantines » *(ibid.)*.
33. Respectivement *fuqahâ'* et *mutakallimûn.*
34. Restée malheureusement inédite.
35. Cf. Tanûkkî : *Nishwâr, op. cit.*, I, 152.
36. Mas'ûdî : *Murûj.* VII, 578.
37. Et dont nous trouvons, de nos jours encore, de fortes survivances (ainsi à Marrakech).
38. Cf. chap. précédent, p. 119. Aux yeux des nantis, les *'ayyârûn* étaient les « voyous », des pilleurs sans vergogne, précise, à travers Miskawayh, M. Mohammad Arkoun, *Essais sur la pensée islamique, op. cit.*, p. 75.
39. Cf. Fr. Taescher, art. « *'Ayyâr* », *EI*[2], avec réf. aux traités de Hujwîrî et de 'Attâr.

40. Cf. ci-dessus, Ire partie, chap. I, p. 36. Pour les temps anté-islamiques, cf. Bishr Farès : *L'honneur chez les Arabes avant l'Islam, op. cit.*, et 'Umar al-Daqûqî : *al-Futuwwa 'ind al-'Arab*, Le Caire, 1953.

41. Cf. les longues bibliographies des art. *Futuwwa* de Cl. Cahen et Fr. Taeschner, *EI*[2].

42. Cf. Fr. Taeschner, *ibid.*, p. 989.

43. *Art. cit.*, « La *Futuwwa* ou pacte d'honneur artisanal ».

44. *Awbâsh.* Ils seront dits encore *shuttâr*, « dégourdis », et un peu plus tard *runûd*, « coquins ». Cf. Cl. Cahen, art. « *Futuwwa* », *EI*[2], p. 983.

45. *Khafâra, himâya*, « racket » si l'on veut.

46. Cf. J. V. Hammer-Purgstall, « Sur la chevalerie des Arabes », *Journal Asiatique*, 1949, suivi en cela par Massignon.

47. Cf. Cl. Cahen, *art. cit.*, p. 986.

48. Cf. Abdallah Laroui : *L'Histoire du Maghreb, op. cit.*, t. I, pp. 113 et 116.

49. Nous venons de voir le danger d'interpréter la *futuwwa* ou les corporations de métiers de l'âge classique à la lumière de ce qu'elles furent postérieurement. Le danger serait aussi grand en ce qui concerne la mentalité des masses paysannes, plus grand peut-être dès lors que moins de documents sont présentement à notre disposition.

50. Cf. *Muqaddima, éd. cit.*, p. 277 / II, 347. Il convient de noter qu'Ibn Khaldûn ne prend pas purement et simplement à son compte ce jugement péjoratif. Il verrait plutôt dans l'« avilissement » subi une conséquence des taxes arbitrairement imposées au *fallâh*, et qui le mettent à la merci du propriétaire foncier (*ibid.*, p. 277 / II, 348).

51. Bukhârî, colligeant ce *hadîth*, y voit, selon Ibn Khaldûn (*ibid.*) la condamnation non de l'agriculture, mais des soucis matérialisants auxquels elle peut conduire.

52. *L'Islam, des Origines au début de l'Empire ottoman*, p. 113.

53. *Ibid.*, p. 112.

54. Appelée aussi *taljî'a, ibid.*

55. Non reconnues comme telles par le droit musulman; mais d'origine anté-islamique, elles seront admises en fait, et jusqu'à nos jours, grâce à des fictions juridiques.

56. Protestations à tendances autonomistes. Les Barghwâta, au sud de Sebou eurent même leur « prophète » et leur Coran berbères; ils fondèrent un État qui se maintint du IIe au Ve siècle H. Autre « Islam berbérisé » au sud de Tétouan (région des Ghomâra). Cf. A. Laroui, *op. cit.*, pp. 97-99.

57. Il s'agissait non seulement du mazdéisme (dont Mâzyâr fut accusé), mais de cette « hérésie » que fut, dans le zoroastrisme même, à partir des Ve-VIe siècles, le mazdakisme, assez proche de certaines croyances manichéennes. Voir M. Guidi, art. « *Mazdak* », *EI*[1].

58. L'expression est de L. Massignon, art. « *Zandj* », *EI*[1], p. 1281.

59. *Ibid.*, p. 1282.

60. Spécialement étudiée par de Goeje, Massignon, Ivanow.

CHAPITRE IV

OUVERTURES A L'« AUTRE », REPRÉSENTATION DU MONDE ET TRADITIONS COMMUNES

Les voyageurs

Une caractéristique des sociétés musulmanes de l'âge classique nous ferait défaut si nous ne mentionnions l'importance prise, jusqu'en la vie de chaque jour, par les voyages à travers le monde de l'Islam, et hors de ses frontières. Ce n'est évidemment pas le peuple des campagnes qui voyageait, et non plus le petit peuple des artisans et boutiquiers des villes; encore que tel ou tel d'entre eux pouvait se retrouver un jour matelot sur un navire de commerce, ou portefaix de caravane. Mais les récits des marins ou caravaniers de métier défrayaient la chronique des *sûq*(s), voire les conversations de village. Si bien que la société musulmane se présente à nous non point close sur elle-même, mais ouverte à l'« autre ». Témoignages véridiques et légendes, notations géographiques, folklore et contes indiens ou persans, s'unissaient en des récits qui attestent à la fois la curiosité de l'esprit et le goût du merveilleux.

Le première explication de ce phénomène de culture est sans doute l'expansion du commerce [1]. Des navires, montés par des marins arabes et surtout iraniens, sillonnent le golfe arabo-persique et les mers de l'Inde. Les Maghrébins, musulmans, chrétiens ou juifs, se réservaient les côtes méditerranéennes. A partir du VIIIe siècle, les ports byzantins, à l'exception d'Istanbul, se fermèrent; mais ce n'empêcha point des corsaires et des marchands hispano-musulmans de parcourir sans cesse la Méditerranée occidentale et orientale. En pays d'Islam, des ports, tel Basra, connurent un remarquable développement. Au contraire des ports byzantins, ils restaient presque toujours ouverts aux bateaux étrangers, et des marins chinois, indiens, byzantins ou juifs y faisaient escale. Par ailleurs, des routes de terre reliaient par caravanes la Méditerranée au Golfe; d'autres continuaient, comme avant l'Islam, d'unir par divers itinéraires l'Asie centrale au Proche-Orient.

Des voyageurs, qui n'étaient pas tous commerçants, prenaient place sur les navires ou s'adjoignaient aux caravanes. Il s'agissait souvent de pèlerins, pauvres et riches, hommes du peuple ou nantis. Chaque année, la grande date du pèlerinage de la Mekke était l'occasion de voyages par terre et par mer, qui duraient parfois fort longtemps, scandés par de longs arrêts dans les villes du parcours. En outre, des récits nous ont conservé le type du « savant itinérant [2] », du voyageur parti « à la recherche de la science [3] », traversant montagnes, mers et déserts, pour rencontrer un traditionniste de renom et recevoir son enseignement, pour colliger ou confronter des manuscrits, pour étudier des « sciences étrangères », parfois pour faire connaître l'Islam à des peuples qui l'ignoraient [4]. Le XIe siècle nous garde le souvenir du célèbre savant, géographe et humaniste Bîrûnî, qui traduisit maint ouvrage scientifique ou philosophique du sanscrit en arabe, et de l'arabe en sanscrit. Des philosophes ou des Sûfîs maghrébins, tels les Andalous Ibn Masarra au IXe siècle et Ibn ʿArabî au XIIe (qui mourut à Damas), allaient s'instruire auprès de Maîtres orientaux; l'inverse était plus rare.

Par goût du savoir, et peut-être du dépaysement, bien des lettrés se déplaçaient ainsi à travers tout le monde de l'Islam, et entreprirent de visiter des « terres étrangères ». Dans les cercles humanistes, être « un grand voyageur », *jawwâl*, était un titre de gloire : « un de ces grands voyageurs qui ont parcouru les pays et percé les secrets de Dieu sur les hommes », disait Tawhîdî à propos du moraliste Abû l-Hasan al-ʿÂmirî [5].

La quête géographique et géopolitique connut une large extension. Le monde musulman fut inventorié de près, ville par ville, région par région. L'un des meilleurs « rapports » que nous ayons sur le résultat de ces voyages est celui de Muqaddasî au XIe siècle [6]. Les frontières extérieures furent franchies le plus souvent possible [7]. Dans les descriptions des pays lointains le souci de l'exactitude se mêle à des extrapolations mal contrôlées. Et par-delà les terres parcourues, se situent « les pays de la légende », Gog et Magog séparés des autres peuples par le « Mur », et le Wâq-Wâq « terre du bout du monde », sauvage et riche [8]. Il y eut des géographes de cabinet; il y eut même des « voyages imaginaires ». Mais il y eut d'authentiques voyageurs-explorateurs qui apportaient à pied d'œuvre des documents exploités ensuite par les géographes et cartographes. Citons, parmi les plus célèbres, Ibn Fadlân et Abû Dulaf Mis'ar qui parcoururent le premier le pays des Turcs et des Bulgares, le second la Turquie, l'Arménie et l'Iran; ou les shî'ites Ya'qûbî et Ibn Hawqal, « explorateurs » du Maghreb au IXe et au Xe siècles.

Des ambassades, des missions diplomatiques ou politiques, étaient chargées de fournir au pouvoir central des renseignements précis sur les contrées peu connues, islamisées ou en cours d'islamisation. Apparaissent parfois des sortes de missions scientifiques, telle l'expédition dite des Maghrûrûn [9] qui envoya huit jeunes marins de Lisbonne aux environs de Madère et des Canaries pour « reconnaître la configuration et les limites de la mer des Ténèbres (Océan Atlantique) [10] ». — Pèlerinage, recherche scientifique, soif de sagesse, missions politiques, un certain nombre de ces errants nous laissèrent un « journal de voyage » *(rihla)* où sont narrées les aventures vécues, et décrites en détail les coutumes, mœurs, croyances et religions des populations visitées. Les plus connus sont relativement tardifs : récits des Maghrébins Ibn Jubayr au XIIe siècle et Ibn Battûta au XIVe.

On peut dire qu'il y eut, dans les sociétés musulmanes de l'âge classique, un certain goût de l'errance à travers tout le monde de l'Islam et au-delà. Une triple coloration marque les récits qui en témoignent. *a*) La sobriété, ou plutôt l'objectivité disons scientifique avec laquelle sont consignées les notations de route. Ces récits sont souvent à l'opposé du romantisme moderne, M. André Miquel le remarque à juste titre [11]. Le ton cependant se subjectivisera dans les œuvres des XIIe-XIVe siècles. *b*) La cœxistence fréquente de cette objectivité et de l'intérêt pour l'inhabituel *('ajîb)*, le merveilleux. Les légendes racontées brodent et se brodent sur l'événement vécu. C'est peut-être là ce qu'en retinrent d'abord les conteurs populaires et la mémoire des *sûq*(s). *c*) La référence maintenue aux valeurs d'Islam comme à un critère sûr [12]. La société musulmane classique reste le point de repère.

Mais, pour autant, toute société non musulmane ne sera pas sévèrement jugée et condamnée. Sans doute ce qu'elle a de déficient, — le manque de lois justes, les coutumes « barbares », — sera-t-il lié à son ignorance de l'Islam. Mais par tout ce qu'elle a de valable, et que les voyageurs reconnaissent bien volontiers, elle relève déjà des lois divines dont l'enseignement coranique offre l'expression définitive. Il est même certains acquis dont les civilisations extra-musulmanes sont porteuses, et qu'il convient d'intégrer [13]. Nous songeons, entre autres, à l'utilisation que sut faire Bîrûnî de la science et de la philosophie indiennes. — Dans leur effort pour situer les peuples étrangers et leurs valeurs culturelles, les voyageurs sont tout près parfois de leur reconnaître, inchoative, une appartenance *naturaliter islamica* à l'ordre voulu par Dieu.

Il est difficile de dégager les origines de ce goût de l'errance. Sans doute les anciens Empires byzantin ou perse avaient-ils eu, eux aussi, des voyageurs, et les traditions n'en étaient point perdues. Mais est-ce accorder trop d'audience à une transposition symbolico-mythique que d'y voir, en outre, élargi aux dimensions des terres conquises, le continuel déracinement nomade des Arabes anté-islamiques, l'habitude des campements plus que des foyers stables, rayonnant autour des points fixes des puits, des oasis et du Temple sacré? L'Islam en tout cas, par son origine qui fut un expatriement (*hijra*, l'« hégire ») local et tribal, par l'accent mis sur le pèlerinage, point focal irremplaçable, quelle que soit la distance où l'on se trouve de la Mekke, par son annonce sans cesse répétée d'un au-delà de toute condition terrestre, valorise en quelque sorte l'appel au dépaysement, l'« invitation au voyage » enracinée dans le cœur de tout homme. « L'Islam est né expatrié et finira expatrié », dit une tradition souvent citée en shî'isme [14]. Sans doute les marins, caravaniers et voyageurs de l'âge classique donnaient-ils à leurs déplacements des buts plus immédiats et plus « intéressés ». Une curiosité éveillée, un sens objectif de l'« autre », une ouverture à l'étranger, et même à l'étrange, n'en sont pas moins caractéristiques d'une civilisation musulmane en plein essor. Faut-il citer une fois de plus le *hadîth* célèbre : « Cherchez la science, quand même ce serait en Chine »?

Représentation du monde

Sur quelle cosmologie de fond s'inscrivaient ces récits ou découvertes des voyageurs? La représentation du monde restait en gros celle de Ptolémée (traduit en arabe), son géocentrisme, ses sphères célestes. Ajoutons que bien des « hommes de religion », et le peuple à leur suite, l'explicitaient par des vues mythiques appuyées sur des interprétations très littérales et concordistes de versets du Coran. Ainsi : Dieu « a créé les sept cieux superposés » (67,3; cf. 41,12); il est dit encore que le jardin du Paradis est « aussi large que les cieux et la terre » (3,133), ou « que le ciel et la terre » (57,21). Les « sept cieux » du texte seront identifiés aux sphères ptoléméennes, et le chiffre sept prendra valeur de symbole pour désigner les sept couches concentriques de l'enfer, et les sept « paradis contigus ». Et le Trône de Dieu est au-delà. Mais la « largeur » évoquée des cieux et de la terre incitera à se représenter la terre comme une surface plane que les cieux recouvrent.

La représentation populaire la plus courante, et qui trouva longtemps sa place dans les « écoles coraniques » et les collèges de sciences religieuses, voyait la terre comme un disque circulaire et plat, sur lequel Dieu a créé monts et vallées, mers et fleuves. L'entoure et le soutient la célèbre « Montagne *Qâf* » *(Jabal Qâf)* [15], au-delà de laquelle commence le domaine de Dieu et des Anges. Cette « Montagne » inaccessible ne peut qu'évoquer des représentations analogues de l'Iran ancien ou de l'Inde. Elle donna lieu à d'abondantes descriptions mythiques, disons même mythologiques, où se complurent des récits devenus populaires, tels ceux de Yâqût, d'Ibn al-Wardî, de Thâ'libî. Des géographes comme Abû l-Fidâ' y font allusion [16]. Le *Jabal Qâf* (ou le « piquet », *watad*, sur lequel il repose) est fait d'émeraude, et le reflet en colore les cieux. Il est désert; mais s'y est réfugié l'oiseau géant Sîmurgh, oiseau-griffon ou phénix, doué de sagesse et de parole, et que l'ancienne mythologie iranienne localisait au mont Alburz. La Sîmurgh iranienne fut rapprochée par les auteurs arabes de la *'Anqâ'* que mentionne un *hadîth*, et dont la race, créée parfaite, devint pour les hommes un fléau [17].

Le *Jabal Qâf* n'est pas contigu à la terre. Il est séparé d'elle par la « Mer des Ténèbres », obstacle infranchissable au commun des hommes, car nul ne peut atteindre sa rive extérieure. L'Océan qui borde les côtes du Portugal et de l'Afrique lui fut souvent identifié; et c'est dans ce contexte que la mission des Maghrûrûn prend tout son sens. Au-delà des mers connues, Méditerranée, Mer Rouge, Océan indien, surgit ainsi l'appel de la « Mer Ténébreuse », chemin magique vers le *Jabal Qâf*, qui ne cesse d'exercer comme un dangereux attrait. L'Océan était la route à la fois symbolique et mystérique vers un « Autre Monde ». Le péril de toute navigation maritime se doublait par là d'un *tremendum* sacré, d'une charge de mystère dont s'empara le merveilleux des contes et récits. D'où, à partir du moins du VIIe siècle H. /XIIIe siècle, la protection maintes fois demandée pour les voyageurs de la mer à ces miraculés par excellence que sont, aux yeux de la piété musulmane, les Sept Dormants de la dix-huitième sûrate coranique. C'est après avoir invoqué « les gens de la Caverne » que les marins de l'Océan indien s'orientaient sur le « Nuage de Magellan »; et c'est sous leur protection que furent placées plus tard les marines de guerre et de commerce de l'Empire ottoman [18].

Ainsi donc les sept cieux superposés, la Montagne *Qâf*, l'oiseau Sîmurgh-'Anqâ' étaient autant d'*entia* mythiques, fréquemment mentionnés. Nous les retrouvons aussi bien chez l'humaniste Jâhiz (pour la *'Anqâ'*) que dans les commentaires du Coran. Bien d'autres représentations mytho-fabuleuses s'y joignaient, attestant ce goût du merveilleux, déjà signalé.

L'existence des *jinn* (pl. *jân*) est affirmée par le Coran. Mais l'imagination populaire broda sur les sobres mentions du Livre, et jusqu'à nos jours les sociétés musulmanes traditionnelles se plaisent à multiplier à l'infini la présence et l'action possible de ces « êtres élémentaux [19] », les uns bons et croyants, les autres néfastes. Surgit dès lors tout un monde de *jinn*(s) mauvais : *ghûl* (cf. la forme francisée « goule »), *'ifrît* (terme coranique) et *si'lât*, dont il faut se protéger. Le droit musulman lui-même en vint à parler d'unions possibles entre la race des hommes et celle des *jinn*(s).

Dès le début de l'âge classique, des réformateurs se méfièrent de ces surcharges imaginatives, et prirent conscience qu'elles n'étaient aucunement liées à une authentique foi musulmane. Si l'existence objective des *jinn*(s), mentionnée dans le Coran, ne saurait être mise en doute, et encore moins l'existence des Anges obéissants d'une part, celle d'Iblîs (Satan) de l'autre, il fut sans cesse rappelé qu'il n'y a point d'intermédiaires entre Dieu et l'homme. L'existence des Anges est l'un des cinq articles « nécessaires » de la foi musulmane [20]. Des rapports avec les *jinn*(s) croyants, comme en eurent Salomon et la Reine de Saba [21], sont tolérés; et tolérée en conséquence la « magie blanche » qui les soumet aux hommes. Mais toute « magie noire » qui entend traiter avec Iblîs et ses phalanges de *jinn*(s) mauvais, est sévèrement condamnée. Le *sihr*, enchantement, sortilège, magie, se dédouble donc en pratique licite, voire louable, et pratique blâmable [22]. La « magie louable », toutes les pratiques qui s'y rapportent, l'art des talismans et la physiognomonie, trouveront leur place dans les énumérations des « catalogues des sciences ». Le sociologue Ibn Khaldûn leur consacrera, au XIVe siècle, un long développement de sa *Muqaddima* [23].

La vie quotidienne du peuple se déroulait ainsi dans un climat où coexistaient les affirmations dépouillées de la foi musulmane en Dieu Un, et une multiplication prophylactique de croyances, pratiques et superstitions de tout ordre. Les philosophes, les humanistes polygraphes ou les mystiques recourront à ces récits ou coutumes populaires comme à autant d'images ou de symboles. Nous verrons un mystique-philosophe, tel Yahyâ Shurawardî au VIe siècle H. /XIIe siècle, prendre l'oiseau Sîmurgh comme symbole de l'union mystique [24].

Plus tard, au temps d'Abû l-Fidâ' (XIIIe-XIVe siècles), la vision de la terre comme un disque plat cessera d'être habituellement reçue. La représentation de la terre comme une sphère *(kura)* sera largement acceptée, — une sphère qui « flotterait sur l'eau ». C'est la partie découverte, donc la moitié de la terre seulement, qui aurait une forme circulaire *(dâ'ira)* et qu'entourerait l' « Océan environnant ». Ibn Khaldûn se fera l'écho de cette théorie, et la présente comme unanimement admise par « les sages qui ont pris l'univers pour sujet de leurs études [25] ». La Montagne *Qâf* est passée sous silence.

Des savants, en fait, étaient allés plus loin. Si Bîrûnî, au XIe siècle, maintint, à la fin de sa vie, le géocentrisme de Ptolémée, il n'en affirme pas moins, dans son livre sur l'Inde, la possibilité logique et cosmologique de l'héliocentrisme [26] et que la sphère terrestre pourrait tourner autour du soleil. C'est au cours de ses voyages en Inde, et de son étude de la pensée indienne, que fut suggérée à Bîrûnî cette vue pré-copernicienne, très en avance sur son époque.

Particularismes et traditions communes

Autant par son goût de l'errance que par la curiosité et l'objectivité de ses savants, la société musulmane de l'âge classique reste donc une société ouverte. Si les dominantes ethniques, par régions et par pays, sont une réalité, elles ne sont point refermées sur elles-mêmes. Leurs particularités sont plus sensibles peut-être dans les caractères apparents que dans les mentalités profondes. A cette époque, la « nationalité » est d'abord l'appartenance au monde de l'Islam. Les revendications des « peuples » contre la suprématie arabe se situent au sein de la Communauté du Prophète, et en son nom.

Sans doute les coutumes différaient-elles de région en région, et jusque dans la façon dont étaient vécus les rites religieux, soit familiaux (mariage, circoncision, enterrement), soit collectifs (fêtes de la rupture du jeûne et des sacrifices, commémoraisons diverses). Les rites de la Communauté musulmane se greffaient sur des héritages anté-islamiques, pour les assimiler et transmuer, parfois s'y engluer. Une riche moisson attend l'enquêteur qui voudra étudier dans leur détail les résurgences de ces coutumes anciennes sous le couvert et dans les cadres des rites communs.

Mais les nombreux va-et-vient des pèlerins, des voyageurs, des commerçants, contribuaient à faire sortir de leurs particularismes locaux les mœurs et coutumes. Elles devenaient en quelque sorte présentes les unes aux autres, et des emprunts s'opéraient. Il n'y eut point de brassage niveleur. La façon iranienne de fêter Nayrûs ne s'identifia pas aux réjouissances du Premier de l'An copte. Elle garda, et garde jusqu'à nos jours des symbolismes inscrits dans le vieil héritage mazdéen. Mais certains rites du feu, des fruits, des graines, se répondent, et plus encore l'accueil de ces fêtes « païennes », situées sans effort dans le tracé d'ensemble de l'année musulmane.

Le mariage, la circoncision, l'enterrement, prévus en leurs détails par le droit musulman, se revêtaient de pratiques fort différentes en Iran oriental et au Maghreb par exemple. Des coutumes locales pouvaient même recevoir, ici ou là, une sorte de consécration religieuse [27]. Mais il ne semble point que ces différences dans les rites observés aient jamais été jusqu'à compromettre la signification profonde des rites eux-mêmes. Partout le mariage est un contrat fait devant Dieu et soumis aux prescriptions coraniques. La circoncision, dont le Coran ne parle pas, n'est pas « obligation légale » *(fard)* mais « coutume obligée » *(sunna wâjiba)*. L'enterrement doit être précédé des rites d'ablution du cadavre, et le rôle des pleureurs et pleureuses, largement et diversement maintenu, s'efface devant la psalmodie coranique de la sûrate *Yâ Sîn*. Et partout, au jour sacré du 10 *dhû l-hijja*, chaque famille offre le « sacrifice du mouton », en union aux sacrifices du Pèlerinage, eux-mêmes commémoraison du sacrifice d'Abraham.

Parfois certaines traditions ou aspirations anté ou extra-islamiques semblent avoir dominé, jusqu'à donner une coloration nouvelle à des pratiques religieuses. C'est qu'il s'agit alors de traditions ou d'aspirations quasi universelles. Peut-être pourrait-on faire rentrer sous ce chef le « culte des saints », les visites-pèlerinages (non plus *hajj*, mais *ziyâra*) à leurs tombeaux ou cénotaphes. Rien, dans le pur exposé de la foi islamique, n'y sollicite; et les plus rigoristes des réformateurs ne cessèrent de s'y opposer. La stricte réforme wahhâbite du XVIIIe siècle [28] alla jusqu'à condamner les « visites » au tombeau du Prophète à Médine; les Réformistes contemporains, en Proche-Orient et au Maghreb, luttèrent contre le « culte des saints ». — Celui-ci, cependant, se répandit à travers tout le monde de l'Islam. Il s'exprima sous des formes variées, où purent se glisser de très anciennes coutumes venues des mythologies iranienne ou indienne, ou de l'animisme berbère. Des docteurs en admirent la licéité. Il devint, avec les présences multipliées des *jinn*(s) et l' « art des talismans », l'un des axes du comportement et des mentalités populaires que les réformateurs de toute époque cherchèrent à redresser.

Une « culture religieuse temporelle » et ses dominantes

Certaines notes se retrouvent présentes, à travers toutes les diversités. Elles fleurissent sur ce que nous pourrions appeler une commune « culture religieuse temporelle [29] », entendons ici : un comportement et un mode d'expression qui peuvent s'enraciner en d'anciennes coutumes, aussi variées qu'on le voudra, mais auxquels seule la réfraction de valeurs proprement musulmanes donne tout leur sens.

De très nombreuses « notes » pourraient être relevées. Nous nous bornerons à quelques exemples.

1. *Les caractéristiques d'un « art musulman ».* — L'interdiction de toute représentation d' « idoles » à figure humaine ou animale fut appliquée à la lettre dans l'architecture et l'art religieux. On connaît l'anecdote attribuée tantôt au calife 'Umar Ier, tantôt à Ibn 'Abbâs. Un artiste iranien, récemment converti à l'Islam, se désolait de devoir renoncer à son art. — « Allons donc ! aurait répondu le calife (ou Ibn 'Abbâs). Tu prends tes personnages, tu leur donnes la forme d'une fleur, et tu leur coupes la tête. » La réponse des sociétés musulmanes fut l'admirable entrelacs des lignes droites et des courbes dans l'ornementation des mosquées et des palais. Une certaine évocation de motifs floraux ou végétaux subsiste volontiers en Orient, tandis que le Maghreb passa maître dans l'art de valoriser et multiplier les harmonies géométriques. Ici comme là, et quelle que soit la langue courante du pays, le Nom divin *Allâh*, inlassablement répété, ou la formule de la profession de foi musulmane *(shahâda)*, ou des citations du Coran, feront des lettres arabes, et de leurs très beaux types d'écriture, les motifs de choix de l'ornementation.

Sans doute avons-nous, au début de l'ère umayyade, les représentations figuratives du palais de Mshattâ, et plus tard, en Andalus, la célèbre « cour des lions » de l'Alhambra de Grenade : cas exceptionnels, même pour l'architecture profane des palais. Nous avons surtout les miniatures persanes et turco-mongoles. Leur inspiration d'origine est iranienne ou indo-iranienne. Elles conquerront l'ensemble du monde musulman : scènes de batailles ou de palais, évocations de la vie du Prophète, de 'Alî et des siens, du sacrifice d'Abraham... Une imagerie populaire, aux factures naïves, se répandit, jusque dans les villages. Les représentations imagées, interdites dans les mosquées, furent tolérées dans la vie courante, mais non point les statues-« idoles ».

Architecture, ornementations, miniatures, des styles variés se rencontrent au gré des pays et des temps, aussi divers que les styles roman, romano-byzantin, gothique, flamboyant, du Moyen Age latin. Mais le « langage » qui les exprime dans la pierre, le marbre, le plâtre, ou sur les parchemins, reste le même. Les styles de l'art musulman communiquent entre eux. L'œil habitué à la forêt de voûtes en arcs outre-passés de la mosquée de Cordoue sera-t-il désorienté par les éblouissantes coupoles des mosquées iraniennes ou la sobre splendeur du Tâj Mahall indien? Il devra s'y adapter sans doute, mais en saisira aussitôt la portée expressive. C'est un même mode de saisie du réel, un même type de relation de l'homme au monde et à Dieu, que transcrivent ces chefs-d'œuvre de l'architecture et de l'ornementation.

2. *Le Coran et sa mélodie, les chants profanes et religieux.* — Reçu comme Parole de Dieu descendue sur le Prophète et adressée à l'universalité des hommes, le Coran fut le premier livre de lecture de tous les enfants musulmans, quelles qu'en soient l'ethnie et la langue maternelle. La psalmodie adoptée *(tajwîd)* offre des variantes, au gré des écoles et des rites. Mais il s'agit de variantes sur un même thème. Aux mêmes heures du jour, à travers toutes les villes et tous les villages, depuis l'Asie centrale jusqu'en Andalus, résonnent les mêmes invocations de l' « appel à la prière » *(adhân)*, psalmodiées par la voix humaine, selon des rythmes et des neumes aux modulations précises. Une communauté vécue de l'univers sonore répond ici à la communauté vécue des lignes et des formes.

L'interdiction de la musique profane et des instruments fut parfaitement observée dans la liturgie des mosquées. Elle fut enfreinte sans vergogne, nous l'avons vu, dans les festins des cours et des palais; elle est, sur le plan musical, la réplique de l'interdiction des images. La musique instrumentale et profane est tolérée comme le sont les miniatures. Dans ses diversités locales, elle porte la marque des cultures anciennes, elle utilisa et adapta les instruments anciens. Mais elle reste partout musique modale non polyphonique, aux thèmes objectivement très proches. Il fallut l'apport de l'ʿIrâqien Ziryâb [30] pour mettre en place la musique andalouse. Celle-ci n'est pas la musique orientale, et encore moins indo-musulmane, — l'Oriental cependant y sera sans peine accordé.

La licéité d'un chant religieux autre que le *tajwîd* coranique, mais purement vocal (et modal), en principe sans accompagnement d'instruments de musique, fut discutée. C'est le *samâʿ*, ou « oratorio spirituel », qui fut particulièrement en honneur dans les cercles sûfis, et qui atteint une réelle beauté d'expression. Il est, lui aussi, de l'Est comme de l'Ouest. Les paroles sont demandées à des poèmes mystiques, ou à la *Sîrat al-nabî* (« vie du Prophète »); elles peuvent être en arabe, en persan, en turc ou en ûrdu. Le chant psalmodié du *Mathnavî*, le grand et beau poème (persan) de Jalâl al-Dîn Rûmî (XIIIe siècle), reste l'une des gloires de l'Iran. En dépit de l'opposition de cercles rigoristes, le *samâʿ* fut en fait agréé, et Ghazzâlî s'en fit le défenseur [31]. Dans la pratique, un accompagnement instrumental fut assez largement toléré.

3. *Quasi-absence de l'art dramatique.* — A l'opposé de la Grèce, les sociétés musulmanes, orientales ou maghrébines, ne connurent pas, à l'âge classique, un véritable art dramatique. On peut en donner des raisons de convenance d'ordre social : toute interprétation de rôles féminins, soit par des actrices, soit par des travestis, eût été condamnée par les traditionnistes et docteurs de la Loi. Mais, plus profondément, il semble bien que nous soyons en présence d'un « fait de mentalité ». Il n'est pas sans signification que les abondantes traductions du grec en arabe aient porté leur choix sur les seuls textes philosophiques et scientifiques. A peine Bîrûnî mentionne-t-il Homère [32]. Les grands tragiques sont pratiquement inconnus. La poésie arabe est avant tout lyrique, traversée par un souffle épique en certaines *qasîda*(s) [33]; et la poésie iranienne post-islamique lui fera écho. La littérature de l'âge classique ne s'avança point en cette analyse des caractères qui campe les types humains de la comédie; et elle ignora la lutte de l'homme contre son destin qu'avaient magnifiée les Tragiques. L'homme musulman n'est pas déchiré par un sort qui l'accable. Il s'en remet à Dieu, le Pourvoyeur, le Miséricordieux, en toute confiance. La *qissa*,

sorte de « chante-fable », présente bien une dramatisation inchoative des événements narrés, mais elle reste au stade du récit. — Encore convient-il de noter que son succès lui vint surtout de la littérature populaire et des conteurs ambulants, dont les théâtres d'ombres attiraient souvent les foules.

Cette absence d'art dramatique en une société qui connut une si brillante production littéraire est signifiante, certes, d'une forme de mentalité, pour qui le jeu scénique ne pouvait qu'entretenir illusions et tromperies, — un peu comme la sculpture (interdite) ouvrait la voie à l'idolâtrie. Seule la piété shî'ite a connu, bien qu'assez tardivement sous sa forme achevée, un théâtre sacré, celui des *ta'ziya*(s) [34], « mystères » au sens médiéval du terme, « jeux de la passion » de 'Alî, Hasan et Husayn. Fâtima et ses filles y tiennent un rôle privilégié, et sans que ce recours à des personnages féminins ait posé de problème. On peut définir la *ta'ziya* comme un genre lyrico-tragique, par tableaux scéniques juxtaposés, et qui vise à émouvoir vitalement la sensibilité religieuse du spectateur.

Mais il faudra longtemps pour que la mentalité musulmane accueille sans réserve l'art dramatique. Sur le plan profane, les premiers essais de théâtre arabe datent de la fin du XIXe siècle et du début du XXe. Ils puisent souvent leur inspiration dans les contes des *Mille et Une Nuits*, et se présentent comme des sortes d'opéras-comiques avec chants et musique [35]. Il s'agit avant tout de magnifier le passé arabe. Le lyrisme y domine. L'action est centrée sur des comédies ou drames de situation, et le rebondissement d'épisodes inattendus. Les personnages sont « sans épaisseur » et les caractères « simplifiés à l'extrême [36] ». Ce n'est qu'à une époque toute récente, et sous des influences occidentales, que la littérature arabe (et persane) donna naissance à un vrai théâtre comique ou tragique.

4. Bien d'autres données socio-culturelles pourraient être analysées. Ainsi, la condamnation par le droit musulman de tout jeu de hasard, de tout pari, de tout contrat aléatoire. La pratique condamnée ne s'en maintint ou ne s'en développa pas moins, dans les couches populaires comme à la cour, et nombreux furent les « jeux » inventés. Les moralistes le constatent, comme ils constatent l'usage des boissons fermentées et des danses profanes; ils le déplorent et le dénoncent.

Dernière notation enfin : quelle que soit la diversité des usages coutumiers, on peut dire que le sens de l'hospitalité resta l'une des marques des peuples de l'Islam. Les règles des repas pris en commun peuvent varier selon les pays, la *diyâfa*, cette vieille vertu arabe, garde son caractère quasi sacré. « Le partage de l'eau et du sel » continua de sacraliser l'hôte reçu. La plupart des civilisations musulmanes, quelles que soient leurs ethnies d'origine, appartiennent aux aires culturelles où le repas partagé est signe de com-union. Il en va autrement, par exemple, dans l'Inde traditionnelle. Une enquête ethno-sociologique serait à poursuivre sur la valeur d'une nourriture prise ensemble pour les populations indiennes converties à l'Islam.

L'objectivité des voyageurs et des savants à l'égard de ce qui est « autre », la curiosité du peuple pour l'étrange et le merveilleux, trouvent en quelque sorte leurs points de repère et de confluence en des comportements communs, si divers qu'en soient les modes. Si bien que la et les sociétés musulmanes de l'âge classique se présentent à nous comme restant fidèles, en leur fond, à l'asymptote de l' « idéal historique concret ». Mais elles s'attardent souvent en des sinuosités de parcours, où tantôt la forte pression de coutumes anté-islamiques, tantôt les séductions de la Grèce ou de l'Iran ancien, tantôt les recherches des humanistes « inquiets », et tantôt, plus simplement, les faiblesses ou égoïsmes individuels, contrarient l'axe principal.

C'est selon une rapide vue phénoménologique que nous avons essayé de cerner la diversité des catégories sociales et leur comportement à une époque donnée. Nous sommes conscient des limites de cette enquête, qui devrait s'enrichir de nombreux apports de sociologie locale. A ce stade de la recherche cependant, nous croyons pouvoir dire qu'il n'est aucunement illusoire de parler d'une mentalité ou de mentalités *musulmanes*. Car des dominantes demeurent, qui drainent les diversités.

Mais une question centrale pourrait s'exprimer comme suit : l'islamisation eut-elle pour résultat de niveler, voire de détruire les spécificités des divers peuples? Fut-elle une occasion, au contraire, pour chacun d'eux, d'affirmer sa personnalité? Cette personnalité, dit-on fréquemment, se manifesta par l'adoption d'Islam(s) marginaux, khârijisme en Berbérie, shî'isme en Iran. Mais le Maghreb, en son ensemble, sera sunnite, et ce n'est qu'à partir du XVIe siècle que l'Iran fut officiellement shî'ite. Le problème n'est pas simple. La personnalité iranienne, riche de son prestigieux passé anté-islamique, ne fut certes point étouffée par l'Islam; elle fut au contraire l'un des agents les plus dynamiques de la culture musulmane. Et l'historien marocain Abdallah Laroui voit dans « l'islamisation définitive du Maghreb » comme une garantie de son autonomie [37]. Une étude socio-historique serait à poursuivre sur les conditions et les modalités de l'islamisation selon les régions et les ethnies.

Mais faut-il parler ici au singulier ou au pluriel? Un Islam ou des Islam(s)? Il est temps, croyons-nous, de compléter cette trop rapide phénoménologie sociale par une brève typologie des attitudes et des mentalités spécifiquement religieuses.

NOTES

1. Cf. Cl. Cahen, *L'Islam..., op. cit.*, pp. 127-142.
2. Cf. G. Vajda, *art. cit.*
3. *Fî talab al-'ilm, ibid.*
4. Faut-il signaler ici les voyages d'un Hallâj au IXe siècle, qui, par souci apostolique, parcourut le Sind et alla jusqu'aux frontières de Chine?
5. Tawhîdî : *Imtâ'*, III, 95, cité et traduit par Mohammed Arkoun, *Essais..., op. cit.*, p. 157.
6. Dans son *Ahsân al-taqâsîm fî ma'rifat al-aqâlîm* (« La meilleure répartition pour la connaissance des provinces »), texte édité en 1906 par de Goeje, partiellement traduit et annoté par André Miquel, Damas, 1963.
7. Voir le résultat des explorations hors les frontières de l'Islam dans A. Miquel, *La Géographie humaine du monde musulman*, Paris-La Haye, Mouton, t. II, 1975, chap. III-VIII : Extrême-Orient, Afrique noire, Espaces ouralo-altaïques, Europe de l'Est, Europe de l'Ouest, et, « au plus près du monde musulman », Byzance.
8. *Ibid.*, chap. IX, pp. 483-514.
9. Ou « Fils de l'Aventure »; cf. A. Miquel, *ibid.*, t. I (1967), pp. 146-147; t. II, pp. 20-21.
10. *Ibid.*, t. I, p. 147, note 2.
11. Cf. A. Miquel, « La connaissance concrète du monde », dans

l'ouvrage collectif *La connaissance du monde dans l'Islam classique*, Paris, « Association pour l'avancement des Études islamiques (colloque) », 1972, p. 12.

12. *Ibid.*, pp. 16-17.

13. Remarquable est par exemple la notation du philosophe Abû Ya'qûb al-Kindî (IXe siècle) : « Nous ne devons pas avoir honte de reconnaître la vérité et de nous l'assimiler, quelle qu'en soit la source, même si elle nous est apportée par des générations anciennes et par des peuples étrangers », *Rasâ'il al-Kindî*, éd. Abû Rida, Le Caire, 1369 H./1950, p. 103. (Il s'agissait ici, essentiellement, de la pensée grecque.)

14. Le sixième *Imâm* shî'ite, Ja'far al-Sâdiq (VIIIe siècle) disait : « L'Islam a commencé expatrié, il redeviendra expatrié (...) Bienheureux les expatriés. »

15. *Qâf* est le nom de la vingt et unième lettre de l'alphabet arabe; nous rencontrons le sens mystérique attribué en sémitisme aux lettres-consonnes. L'*Imâm* Ja'far en fit toute une science, le *jafr*.

16. Ainsi dans le *Taqwîn al-buldân*, qui date du XIVe siècle; éd. par Reinard et Slane, Paris, 1840 (voir pp. 19, 376); trad. par Reinard (1848) et St. Guyard (1883).

17. Rejoignant ainsi une seconde description de la Sîmurgh iranienne, être nocif cette fois, combattu et tué par Isfandiyâr (cf. V.F. Büchner, art. « *Sîmurgh* », *EI*[1], p. 445).

18. La dix-huitième sûrate du Coran, intitulée « La Caverne », réfère à la légende des Sept jeunes Arabes chrétiens qui, fuyant la persécution de l'Empereur Dèce (IIIe siècle), se réfugièrent dans une caverne près d'Ephèse, où ils s'endormirent sous la garde d'un chien fabuleux. Miraculeusement préservés, ils se réveillèrent au bout de trois cent neuf ans (des textes chrétiens disent cent soixante-dix sept ans)... L'essentiel de ce récit, commun aux traditions musulmane et chrétienne, fut l'origine, en chrétienté comme en Islam, d'un culte populaire (« les Sept Dormants d'Ephèse »). La sûrate « La Caverne » doit être récitée dans les mosquées à l'office solennel du vendredi. L. Massignon étudia de près le sens littéral et le sens spirituel de cette croyance islamo-chrétienne, et s'efforça de l'actualiser en des rencontres et pèlerinages communs. Voir données de base et réf. ap. L. Massignon, « Les Sept Dormants, Apocalypse de l'Islam », *Opera Minora*, III, pp. 104-180.

19. L'expression est de L. Massignon. La croyance en l'existence des *jinn*(s) serait à mettre en regard de la croyance quasi universelle en l'existence des fées, gnomes, korrigans, trolls, etc.

20. Cf. *Coran*, 2,177 et 285; 4,136; et de nombreux *hadîth*(s).

21. *Coran*, 27, 40-44.

22. *Tarîqa mahmûda* et *tarîqa madhmûna*.

23. C'est le chapitre intitulé « Sciences de la magie et des talismans », *Muqaddima, éd. cit.*, pp. 348 et sq. /I, pp. 171-187. — Il est suivi du chapitre Sciences des secrets des lettres de l'alphabet », pp. 353 et sq. /I, pp. 188-200.

24. Dans son traité écrit en persan *Safîr-e Sîmurgh* (« L'incantation de la Sîmurgh »), édité au vol. II des *Œuvres philosophiques et mystiques* de Shihâbbadîn Yahyâ Suhrawardî, par S. H. Nasr et Henry Corbin, Téhéran-Paris, 1970, pp. 309-332.

25. *Muqaddima*, pp. 32 et sq. /I, pp. 90 et sq.

26. Cf. Bîrûnî : *Tahqîq*, éd. (Londres, 1887) et trad. angl. (1888 et 1890) par C. E. Sachau sous le titre *Alberuni's India*, I, p. 277. —

L'héliocentrisme, précise Bîrûnî, ne s'oppose aucunement aux notions de création et de révélation monothéiste.

27. De nos jours encore, et à titre d'exemple : la région de Tlemcen pratique la proclamation faite à la mosquée, en l'absence des futurs époux, d'un mariage prévu, — coutume ignorée en d'autres régions.

28. Voir ci-après, IVe partie, chap. IV, p. 333.

29. Nous empruntons cette expression à Olivier Lacombe : *Chemins de l'Inde et Philosophie chrétienne*, Paris, Alsatia, 1956, p. 28.

30. Élève, en musique, des célèbres Mawsilî; transfuge, au IXe siècle, de la cour 'abbâside de Bagdad à la cour umayyade de Cordoue où il fut « l'arbitre des élégances ».

31. Cf. Ghazzâlî : *Ihyâ' 'ulûm al-dîn, éd. cit.*, II, pp. 236 et sq. — Cf. M. Asin Palacios, *La Espiritualidad de Algazel*, Madrid-Granada, 1940, t. III, chap. XXIX « El canto religioso », pp. 137 et sq.

32. Traduit cependant en syriaque au VIIIe siècle par Théophile d'Edesse.

33. Poème à la forme très définie, datant de l'Arabie anté-islamique.

34. Cf. R. Strotmann, art. « *Ta'ziya* », *EI*[1].

35. Ainsi les œuvres du Libanais (chrétien) Mârûn al-Naqqâsh, du Syrien Abû Khalîl al-Qabbânî, de l'Égyptien Mahmûd Wâsif.

36. Cf. Rachid Bencheneb, « Les Mille et Une Nuits et les Origines du théâtre arabe », *Studia Islamica*, XL, 1974, p. 160.

37. Cf. Abdallah Laroui, *L'Histoire du Maghreb*, *op. cit.*, I, pp. 90, 117.

TROISIÈME PARTIE

UN ISLAM OU DES ISLAM(S)?

Essai de typologie religieuse

CHAPITRE PREMIER

LES MENTALITÉS RELIGIEUSES ET LE PROBLÈME DES « SECTES »

Sectes et écoles

Comme toute grande religion, l'Islam connut la multiplicité des écoles, des divisions, des sectes ou schismes. L'école, c'est le *madhhab;* la division, le *khilâf;* la secte, la *firqa.* Ce dernier terme pourrait également se traduire par « schisme ». Mais il faut noter aussitôt qu'il n'a point en arabe le sens péjoratif de « secte » ou « schisme » dans les langues européennes, et qu'il désigne également la « fraction de tribu », le « clan ». La *firqa* (pl. *firaq*) est une troupe d'hommes différenciée (de toute autre). Si bien que ce que nous appellerions, un peu vite peut-être, « ligne orthodoxe » (ou mieux : dominante) est aussi *firqa.* Plutôt que des sectes ou schismes, disons que les *firaq* sont les « groupes » ou les familles spirituelles de l'Islam. C'est en effet l'idée de « différence » que connote d'abord la racine *frq. Al-faraq* évoque la première lueur de l'aurore qui distingue la nuit du jour; cependant qu'*al-furqân* est l'un des noms sacrés du Coran, la Loi religieuse qui « sépare » le bien du mal.

Certes, les *firaq,* à la fois « sectes » et « familles spirituelles », lutteront les unes contre les autres, parfois violemment, et souvent les armes à la main. C'est au nom de la pureté et de la vérité de l'Islam qu'elles s'opposent; donc au nom du Coran, de l'enseignement du Prophète, et de la « religion des Anciens », *al-dîn al-ʿatîq.* En chacune d'elles nous retrouvons ces mêmes revendications premières, s'exprimant selon des formulations précises, à l'origine politico-religieuses, et qui ne cesseront, au cours des âges, de moduler diversement croyances, comportements, attitudes de cœur et d'esprit. A l'intérieur de chaque *firqa*, des divergences mineures d'écoles se feront jour, en droit, théologie, ou exégèse. Et plus d'une fois, de *firqa* à *firqa*, des écoles se répondront, recréant, sur un fond nettement différencié, des communautés de vues ou d'attitudes mentales.

C'est donc bien la dialectique unité/diversité à laquelle nous nous heurtons une fois de plus. Nous avons vu les mentalités musulmanes être informées par les conditions de vie et les catégories sociales. Elles le seront, plus profondément peut-être, par l'appartenance aux *firaq*. Ou plutôt : elles se diversifieront et se compénètreront selon un chassé-croisé, où des valeurs socio-culturelles et leurs conditions économiques d'une part, l'enseignement politico-religieux et les professions de foi qui s'ensuivent d'autre part, se rejoignent sans cesse.

Jusqu'ici, nous avons pu dégager certaines notes, assez largement communes aux mentalités musulmanes, abstraction faite, ou presque, de la réalité diversifiante des « sectes ». C'est cette réalité-là que nous devons maintenant nous efforcer d'atteindre. A première vue, elle semble dresser des barrières quasi infranchissables, qui conduiraient à des multiplicités d'Islam(s), enfermé chacun en ses traditions. Et cependant, l'une des revendications maximales des docteurs musulmans les plus représentatifs, et spécialement des Réformistes contemporains, sera de transcender les frontières des *firaq* (et des écoles encore plus) en une affirmation unitaire, regroupant, comme le disait Ghazzâlî, tous « ceux qui prient tournés vers la *ka'ba* de la Mekke ».

Les grandes divisions

C'est très tôt que s'opérèrent les plans de clivage. La date en est bien connue : bataille de Siffîn en l'an 37 de l'hégire (657 de l'ère chrétienne). Deux faits sont à noter : ce fut une bataille entre Musulmans, et qui opposait des Arabes à des Arabes, et des non Arabes à d'autres non Arabes; et c'est la désignation du Calife ou *Imâm*, lieutenant-successeur du Prophète à la tête de la Communauté, qui fut à la source des affrontements. ʿAlî, quatrième calife, cousin et gendre de Muhammad, s'opposait à Muʿâwiya, du clan des Banû Umayya, grands marchands caravaniers de la Mekke, convertis *in extremis* après avoir lutté des années durant contre l'État de Médine. La bataille de Siffîn était en quelque sorte l'aboutissement de la « grande épreuve », ou « grande crise », *al-fitna al-kubrâ*, où des Compagnons s'étaient affrontés à des Compagnons, et qui s'était soldée par l'assassinat de ʿUthmân, troisième calife et contribule des Banû Umayya.

Nous l'avons noté déjà [1] : cette « grande épreuve » marqua et marque toujours, comme une hantise douloureuse, la mémoire de la Communauté. C'est un attachement dévotionnel à l'égard du Prophète et de sa famille, à l'égard donc des sources les plus profondes de l'Islam, dont se recommandèrent les partisans de ʿAlî; c'est aux réalités existentielles dont dépendait la formation du jeune Empire musulman, donc à un souci de grandeur et de défense de l'Islam, qu'obéirent ceux qui acceptèrent le pouvoir de fait de Muʿâwiya. De part et d'autre, une même volonté de fidélité à l'Islam, et s'orientant selon des dominantes de soi complémentaires. Le jeu des dissensions ou ambitions personnelles et des luttes de clans en fera des oppositions délibérées.

A Siffîn, le sort des armes sembla se dessiner un temps en faveur des troupes califales de ʿAlî. Ce fut l'habileté des adversaires que de savoir imposer alors un arbitrage : les feuillets du Coran accrochés aux lances des partisans umayyades imposèrent à la piété ʿalide la suspension des combats. La souplesse manœuvrière de ses conseillers consomma le triomphe de Muʿâwiya. Deux grandes tendances se firent jour parmi les vaincus. Les extrêmistes blâmèrent ʿAlî d'avoir accepté la trêve, et se refusèrent à le suivre. Ils « sortirent » des rangs de ses partisans. Ils se refusèrent non moins à l'obédience de Muʿâwiya, et se replièrent sur l'absolu des valeurs coraniques. Ils furent appelés les *Khawârij* (forme francisée Khârijites), les « Sortants », et des historiens occidentaux les présenteront comme « les puritains de l'Islam ». Cette *firqa* se perpétua au cours des siècles, groupa bien des mécontents, connut des heures de gloire et d'expansion, puis d' « obscurcissement », et survit de nos jours encore au Mzâb algérien, au Jabal Nafûsa de Tripolitaine, dans l'île de Jerba, dans la région montagneuse de l'Oman.

L'autre tendance, que l'on peut dire « légitimiste », fut le « parti de ʿAlî, *shîʿat ʿAlî*, d'où « shîʿisme », fidèle coûte que coûte à ʿAlî et à ses descendants. La question capitale à ses yeux fut celle de la légitimité du Guide suprême, de l'*Imâm*, à la tête de la Communauté. L'*Imâma* n'est accessible qu'aux descendants de ʿAlî. Au gré des *Imâm*(s) reconnus, cette tendance se subdivisera en maintes sectes ou écoles, qui se combattirent. Elle marqua profondément l'histoire de la pensée et de la culture des terres d'Islam. Si elle ne représente guère aujourd'hui que le dixième des Musulmans, elle n'en est pas moins vivante et active, avant tout en Iran, mais aussi au Pâkistân et en Inde, et en certains pays arabes tels que Liban, Syrie, ʿIrâq.

La majorité cependant ne récusera point le pouvoir de fait des Umayyades. Elle saura le combattre le moment venu, lors de la révolution ʿabbâside, — sans pour autant rallier le « parti de ʿAlî ». Ce sont les Sunnites, qui entendent rester fidèles à la « tradition » *(sunna)* du Prophète, mais sont prêts à accepter tout Calife ou *Imâm* qui ne commande rien de contraire aux lois coraniques.

La lutte violente contre les premiers Shîʿites fut le fait des Umayyades, plus que des Sunnites comme tels. C'est sous les Umayyades, plus exactement sous l'impulsion de Zayd, fils de Muʿâwiya, que fut consommée la « passion » de Husayn à Kerbela. Les Sunnites vénèrent, eux aussi, la famille du Prophète, et nombre d'entre eux furent et restent extrêmement sévères à l'égard du peu sympathique Zayd [2]. Nous avons noté déjà que des descendants de ʿAlî, reconnus comme *Imâm*(s) par les Shîʿites, reçurent des pensions du pouvoir ʿabbâside, à la condition de renoncer à toute entreprise directement politique. Les intrigues furent nombreuses, et les Shîʿites accuseront « le bras séculier » du meurtre (de la « passion ») de plusieurs de leurs *Imâm*(s). L'âge d'or ʿabbâside, IXe et Xe siècles, connut des affrontements, mais aussi d'étonnants phénomènes de cohabitation entre Sunnites et Shîʿites : sur le plan politique d'abord, quand le souverain ʿabbâside (sunnite) commandait en droit à des dynasties de premiers vizirs ou d'émirs shîʿites; sur le plan socio-culturel aussi, et l'on peut dire que le brillant humanisme du temps fut profondément imprégné de valeurs et de comportements shîʿites. Mais cette cohabitation, qui parfois frise l'osmose, rendra d'autant plus violents, aux heures de crise, les affrontements. Bien des troubles socio-économiques se soldèrent à Bagdad par des émeutes populaires où les quartiers shî'ites étaient incendiés et pillés, non sans effusion de sang. Ainsi au xe siècle les deux incendies du riche quartier commerçant d'al-Karkh.

Face aux revendications shî'ites, le sunnisme se présente beaucoup moins comme une *firqa* à l'orthodoxie et à l'orthopraxie exigeantes, que comme une attitude de fait, soucieuse de juste mesure et de modération, et peu portée aux gnoses du « sens caché ». Il entend bien vénérer, lui aussi, le Prophète et les « gens de la Maison », mais se fait en même temps, — à l'encontre des Khârijites et des Shî'ites, — le défenseur de l'entière légitimité des quatre premiers califes. Il se refuse par ailleurs à distinguer *Imâm* et Calife.

C'est au IIIe siècle H./IXe siècle que s'opéra la mise en place des principales écoles sunnites de droit *(fiqh)*, plus ou moins liées à des positions théologiques, ayant chacune ses dominantes théoriques et pratiques, et l'on peut dire sa mentalité propre. Une place à part doit être faite à l'école hanbalite, ennemie de toute « théologie »; nous y reviendrons. Tenue en méfiance sous Ma'mûm, durant le bref triomphe de l'humanisme mu'tazilite, elle sut garder l'audience de larges couches populaires. Elle devait lors de la réaction de Mutawakkil (fin IIIe siècle H. /IXe siècle) se présenter comme le défenseur de la foi et de la tradition des Anciens. C'est sous son influence que les Sunnites furent définis comme « les hommes de la Communauté et de la Tradition [3] »...

Cette prise de conscience fut décisive. Elle commandera, à partir du XIe siècle, ce que l'on a pu appeler « la résurgence du sunnisme ». Les oppositions au shî'isme (et au khârijisme), de politico-religieuses qu'elles étaient, devinrent de plus en plus doctrinales. On peut dire que les étroites intussusceptions des premiers temps firent place, durant des siècles, aux apologétiques de combat et aux ignorances réciproques. Ce ne fut pas, semble-t-il, pour un épanouissement culturel. La pensée sunnite, coupée des approches et des revendications shî'ites, eut tendance à se figer. Le shî'isme, lui, connut des renouveaux, spécialement le shî'isme imâmite devenu religion d'État en Iran à partir du XVIe siècle. Aux XVIe-XVIIe siècles, des penseurs imâmites (iraniens), tels Mîr Dâmâd et Mullâ Sadrâ Shîrâzî, surent poursuivre une réflexion philosophico-religieuse originale : mais qui devait rester sans grande prise sur la vie et la pensée des peuples d'Islam en leur ensemble.

Il est devenu fréquent de parler du déclin vécu par la culture musulmane à partir des xve-xvie siècles. Et l'expression reste exacte, en dépit de ce renouveau shî'ite-imâmite, trop localisé, et ne s'adressant, dans l'Iran lui-même, qu'à des cercles intellectuels restreints. Dans notre dernière partie, nous reviendrons sur la courbe générale du déclin, et les raisons et conditions très variées qui le commandent. Mais la coupure qui alla s'accentuant entre le monde sunnite et le monde shî'ite, si elle n'en fut pas la cause principale, y contribua, semble-t-il bien, pour sa part.

Firaq, ethnies et catégories sociales

Les *firaq* inspirent donc certaines attitudes psychologiques, certains comportements intellectuels et pratiques, accentuant par là des divergences de mentalités. Faut-il y voir le simple contre-coup des options religieuses de base? et n'y eut-il pas, à l'abri des professions de foi diversifiées, un jeu d'influences ethniques et sociales?

La question est complexe. D'une part, nous avons vu les grandes révoltes sociales du ixe siècle, qu'il s'agisse des Zanj ou des Qarmates [4], se réclamer de principes et de traditions shî'ites; et c'est dans un climat de shî'isme ismâ'îlien que se développèrent préférentiellement les sociétés de serment et corporations de métiers, et leur goût pour l'ésotérisme. D'autre part, les *firaq* opposées au sunnisme se recrutèrent volontiers parmi des populations non arabes. Les royaumes khârijites furent berbères, cependant que, depuis le xvie siècle, shî'isme imâmite et monde iranien tendent à s'identifier.

De fait, des ensembles de peuples non arabes, et les couches sociales les plus déshéritées, adoptèrent naturellement ces *firaq* revendicatives qu'étaient le khârijisme et le shî'isme. Des influences ethniques particularisantes auront par là tendance à en colorer les formulations. Le tempérament berbère peut expliquer certains traits du khârijisme ibâdite tel qu'il se survit dans le Mzâb algérien. Le nationalisme iranien n'est sans doute pas sans avoir contribué à dessiner la figure du shî'isme imâmite d'aujourd'hui.

Cependant, nous ne croyons pas qu'il soit possible d'identifier, même à titre d'hypothèse de travail, mentalité shî'ite et mentalité iranienne d'une part, mentalité ibâdite et mentalité berbère de l'autre. Cette explication ethno-géographique des familles religieuses en Islam ne saurait résister à une analyse plus serrée. Les tout premiers Khârijites se recrutèrent parmi des Arabes et des « clients » *(mawâlî)* orientaux non Arabes. Les premiers Shî'ites furent Arabes. C'est dans la continuité même de l'histoire arabe de l'Islam que s'inscrit la naissance des *firaq*. L'ascendance des *Imâm*(s) shî'ites, qui doit remonter à 'Alî, est arabe; et les plus grands centres à la fois religieux et culturels du shî'isme imâmite, Najaf et Kerbela, villes saintes où sont vénérés les tombeaux de 'Alî et de son fils Husayn, et où vinrent si longtemps s'instruire les « hommes de religion » iraniens, sont des villes du sud-ouest de l''Irâq. Bien sûr, de nos jours où les aléas de la politique ont dressé un temps des barrières entre l'Iran et l'Irâq, les *mullâ*(s) iraniens bénéficient sur leur propre sol d'Universités religieuses : à Mashhad et à Qumm, où sont vénérés les « tombeaux saints » du huitième *Imâm* 'Alî al-Ridâ (Reza) et de sa sœur « Fâtima l'immaculée », et à Tabrîz. Mais la référence à Najaf et à Kerbela demeure, et l'espoir d'y revenir librement.

Au surplus, si le shî'isme imâmite est devenu, depuis près de cinq siècles, la religion officielle de l'Iran, nombreux, au Liban-Syrie et en 'Irâq, sont les Imâmites arabes. Certes, entre le « Metwali » libanais et l'Iranien dévôt, les différences de race et de culture ancestrale ne sont point négligeables; mais leurs mentalités religieuses se répondent étroitement. En un sens, le Metwali, de par son comportement concret à l'égard de Dieu et des hommes, sera « frère » de l'Iranien plus directement peut-être que du Sunnite libanais; et l'actuel « grand muftî » shî'ite du Liban est originaire de Qumm. De même le *mullâ* dévôt de Qumm ou de Mashhad se sentira très proche de tout Imâmite, quelle qu'en soit l'origine; tandis qu'il s'opposera délibérément à une certaine forme de nationalisme iranien, fréquente de nos jours, valorisant les gloires de la Perse antique, et selon des références plus laïques (voire laïcistes) que musulmanes.

Le shî'isme ismâ'îlien, lui aussi, recouvre des aires géographiques fort diverses. Nous le retrouvons, en ses formes les plus outrancières d'ailleurs, en pays arabe : Druzes, Alawites... Nous le retrouvons au Pâkistân, en Inde, en Afrique Orientale, ainsi les Khôjas, fidèles de l'Âghâ Khân, mais dont l'un des lieux sacrés est situé en Haute Égypte. Dans le passé, il y eut de nombreuses Congrégations ismâ'îliennes en Iran, où elles donnèrent naissance à des œuvres, — celle de Nâsir-e Khosraw par exemple, — qui restent l'une des gloires de la culture iranienne. Il y eut surtout le brillant Royaume fâtimide du Caire (xe-xie siècles), de facture et de culture arabes, et que vainquit le Kurde sunnite Salâh al-Dîn (Saladin). — Ajoutons que de grandes œuvres shî'ites, ismâ'îliennes comme imâmites, sont écrites en arabe aussi bien qu'en persan ou en ûrdu.

Il serait donc vain de vouloir expliquer les mentalités shî'ites par de simples dominantes ethniques. En parallèle, il serait non moins vain de voir dans le sunnisme l'expression religieuse d'une mentalité proprement arabe. C'est au profit du sunnisme que se firent les plus larges conversions des peuples « étrangers » : Turcs et Turco-Mongols, Kurdes, Berbères, Indonésiens, Africains... Jusqu'au xvie siècle, de notables penseurs sunnites, tel Ghazzâlî, furent Iraniens; l'Afghânistân est sunnite, et le Pâkistân le reste en sa majorité (ainsi que l'Islam indien). S'il existe une mentalité sunnite, elle est faite d'un comportement psychologique et religieux commun, s'inscrivant sur un fond multiforme d'ethnies et de tempéraments.

Dans notre essai de phénoménologie culturelle centrée sur l'âge classique, nous avions rencontré d'identiques valeurs musulmanes ou d'inspiration musulmane, diversement vécues sans doute, mais communautairement assumées. L'apparition des *firaq* et leur rôle dans l'histoire musulmane nous portent à affirmer l'existence de mentalités, au pluriel, où se retrouvent ces valeurs toujours identiques, mais que viennent différencier des options d'ordre proprement religieux. Une brève typologie nous semble pouvoir l'expliciter.

Certes, qui dit typologie dit en un sens simplification. Les mentalités khârijites, shî'ites, sunnites, sont des réalités.

Les analyser ne nous conduira pas à cerner la mentalité concrète de tout homme ou de tout groupe d'hommes en Islam. Car la coloration des ethnies, des conditions historiques, des tempéraments individuels enfin, ne cesse d'y mettre son chatoiement quasi indéfini, voire son imprécision. Mais la façon même dont ce chatoiement fut canalisé par des mentalités religieuses communes fut, peut-être bien, l'un des apports notables de la culture et de la civilisation islamiques.

Deux remarques

Deux remarques pour clore ce rapide survol. Nous ne devrons jamais oublier l'origine politique, au sens large, des *firaq*. Avant toute discussion sur les données de foi, voire avant toute exégèse coranique, c'est la constitution même de la Communauté musulmane qu'elles mettent en question. C'est à propos de la légitimité de l'*Imâm* ou Guide suprême de la Communauté que s'opérèrent les brisures. Et ce sont les conditions et les conséquences de cette légitimité qui conduisirent à des divergences doctrinales parfois profondes. Les vérités à croire ou les erreurs à récuser restent avant tout commandées par le destin de la Communauté du Prophète, identiquement cher à tout cœur musulman.

Et voici notre seconde remarque, qui nous servira plus d'une fois de fil conducteur. Ce serait s'abuser que de juger les *firaq* selon de pures références d'orthodoxie ou d'hérésie. Il est dit souvent que le sunnisme est l' « orthodoxie » de l'Islam; et que telle école est l' « orthodoxie » du sunnisme. Pour commode qu'elle soit, l'expression reste ambiguë. C'est l'une des fiertés de l'Islam de n'avoir pas de magistère spirituel autre que le Coran [5]. Aucun « pouvoir » ne peut définir un *credo* commun. Seul l'*ijmâʿ*, c'est-à-dire le consensus *unanime* de la Communauté, y serait apte; ce pourquoi l'*ijmâʿ* est habituellement considéré comme la quatrième source du droit, après le Coran, la Tradition du Prophète et le « raisonnement par analogie » *(qiyâs)*. Car « ma Communauté ne tombera pas d'accord sur une erreur », dit un *hadîth*. Mais la théorie de l'*ijmâʿ*, et surtout ses principes d'application, sont loin de faire eux-mêmes l'unanimité [6]. Le shîʿisme n'admet *d'ijmâʿ* que garanti par l'*Imâm*. Les écoles hanbalite et zâhirite [7] le réduisent au consensus des Compagnons. Et si les autres écoles le définissent par l'accord des docteurs de chaque époque, jamais encore, au cours des siècles, cet accord ne put déboucher sur une institution établie. La notion en jeu est l'un des principes dynamique de la conscience d'elle-même que prend la Communauté musulmane, et les Réformistes contemporains s'efforceront de la revaloriser [8]. Mais l'inorganisation de l'*ijmâ'* reste un problème posé.

Si bien qu'il y eut beaucoup moins, dans les faits, un *ijmâ'* de Communauté [9] que *des ijmâ'*(s) de groupes, s'exprimant en des professions de foi qui varient selon les écoles ou les sectes, et qui, parfois, se condamnent les uns les autres. Remarquable en Islam est ce souci d'élaborer des « professions de foi » *('aqâ'id).* Chacune d'elle entend expliciter les données communes par des réponses précises à tel ou tel problème. On peut dire que l'abondance des « professions de foi » est l'un des traits de la mentalité religieuse musulmane, et c'est à travers elles souvent que nous pourrons la mieux cerner.

Or, s'il ne saurait être question de définir en Islam une « orthodoxie » incontestée, chaque école ou chaque secte, par contre, entend se présenter, face à ses opposants, comme « la vraie religion » ou « le vrai Islam ». Trois principales « notes » théologico-juridiques reviennent constamment : 1) le *kufr*, la non-foi, l'impiété, et l'accusation de *takfîr* (« pratiquer le *kufr* ») est l'une des plus graves qui puisse être dressée; 2) le *shirk*, l'atteinte à l'Unicité divine, « le fait de donner à Dieu des associés », de ne plus professer l'absolue transcendance du Très-Haut [10]; 3) et, en mineur, la *bid'a*, l' « innovation blâmable ». Au contraire les deux premières notes, elle ne s'oppose pas directement à la foi; mais elle la gauchit et la compromet, au gré d'options subjectives qui ne s'enracinent plus dans le Coran ou la Tradition. *Kufr, shirk, bid'a,* furent des armes sans cesse brandies non seulement de secte à secte, mais d'école à école. Et maintes fois, nous l'avons vu, des docteurs très soucieux de la défense de la foi, qu'il s'agisse d'Ash'arî ou de Ghazzâlî par exemple, ou des Réformistes contemporains, s'élevèrent véhémentement contre des condamnations abusives [11].

Plutôt qu'une « orthodoxie » clairement et doctrinalement définie, ce sont des dominantes de fait que nous rencontrerons.

L'ash'arisme est-il l'expression de la stricte orthodoxie sunnite [12]? Il fut, du xe au xixe siècle, l'enseignement officiel dominant en théologie; mais d'autres lignes, tel le hanafisme-mâturîdisme, furent agréées aussi, et de nos jours se dessine une tendance de plus en plus marquée vers un pluralisme d'écoles. Le sunnisme lui-même est-il l'orthodoxie musulmane? Il serait plus juste de le dire simplement l'Islam majoritaire, une *firqa* lui aussi, mais *firqa* dominante, et par là éminemment expressive des attitudes et réactions musulmanes. Et rien n'empêche qu'il ne s'essaie à nouveau, comme aux ixe-xe siècles, à accueillir certains apports shî'ites.

Dans les relations mutuelles des *firaq* et des écoles, nous retrouvons donc à la fois, selon les circonstances, cet « esprit de secte » déjà signalé comme l'une des tentations majeures des « hommes de religion », et une propension à globaliser des tendances fort diverses dans l'unité maintenue de la Communauté du Prophète [13]. Une unité s'opérant par adjonctions plus que par intégration structurée peut-être; une unité qui se fait, se défait, se reconstitue, au gré de contingences politiques, mais qui jamais ne se renonce elle-même.

NOTES

1. Cf. ci-dessus, Ire partie, chap. III, pp. 85-86.
2. Ainsi Tâhâ Hussein dans *al-Fitna al-kubrâ* (trad. franç. « La grande épreuve »,) *op. cit.*
3. Dans son *'Aqida* I, 31, Ibn Hanbal les appelle « les gens de la Tradition, de la Communauté et de la Continuité » *(ahl al-sunna wa l-jamâ'a wa l-athar)*, cf. H. Laoust : *La profession de foi d'Ibn Batta*, p. 11, note 1. Cf. également le texte d'Ibn Batta, *ibid.*, pp. 5 /10-11.
4. Cf. ci-dessus, IIe partie, chap. III, p. 173-174.
5. Un Réformiste mort en 1935 dira : « Le Calife est donc, à tous les points de vue, un souverain temporel (...) Il n'y a, dans l'Islam, d'autre pouvoir spirituel que celui que confère le devoir d'exhortation et d'apostolat. Ce pouvoir, Dieu l'a donné au plus humble des Musulmans (...) L'obéissance véritable n'est due qu'à Dieu », Rashîd Ridâ, *al-Khilâfa*, *op. cit.*, pp. 126-127 et 129 (trad. Laoust, pp. 213,215, 217).

6. Cf. Camille Mansour, *L'Autorité dans la pensée musulmane, — le concept d'ijmâ'*, Paris, Vrin, 1975.

7. Le zâhirisme est une école de droit *(fiqh)*, contemporaine des débuts du hanbalisme (IIIe siècle H. /IXe siècle). Fondée par Dâ'ûd Ibn Khalaf, et particulièrement attachée au sens obvie (« apparent », *zâhir*) du texte, elle fut, par la suite, écartée des écoles officiellement reconnues.

8. En particulier le Syrien Rashîd Ridâ et le Punjabî Muhammad Iqbâl.

9. Du moins explicitement formulé *(ijmâ' qat'î)* et considéré comme « irréformable ». Le seul qui s'exerça en fait fut l'*ijmâ'* « tacite » *(khâfî)*, sorte de *vox populi*, et qui peut toujours être rompu par un consensus explicite contraire.

10. L'école ash'arite attribuera la note de *shikr* à la théorie de l'efficace des « causes secondes », soutenue par les *Falâsifa*.

11. Ce qui n'empêchera point Ghazzâlî dans son *Tahâfut al-Falâsifa* (« L'effondrement des *Falâsifa* »), éd. Bouyges, Beyrouth, 1927, pp. 376-377, d'accuser de *takfîr* quatre des thèses soutenues par ses adversaires.

12. Comme certains islamisants occidentaux, ainsi I. Goldziher dans *Le Dogme et la Loi de l'Islam* (trad. de l'allemand par Arin, Paris, Leroux, 1920), sembleraient le soutenir.

13. Un Shî'ite contemporain, l'Iranien Seyyed Hossein Nasr, écrit : « Dans l'Islam qui, en tant que religion universelle, est destiné à des types ethniques et raciaux très divers, la possibilité de deux perspectives différentes a également existé dès le commencement. Le Sunnisme et le Shî'isme sont l'un et l'autre des interprétations orthodoxes de la révélation islamique, providentiellement contenues dans l'Islam pour que puissent s'y intégrer des hommes de constitutions psychologiques différentes (...) On peut donc appeler le Shî'isme l'Islam de 'Alî, de même qu'en un certain sens, on peut appeler le Sunnisme l'Islam d'Abû Bakr », *L'Islam* (trad. de l'anglais par H. Crès), Paris, Buchet / Chastel, 1975, pp. 179-180 et 187.

CHAPITRE II

LE KHÂRIJISME, SES GLOIRES ET SON OCCULTATION

S'il y eut des *firaq* en Islam, c'est que des groupes se détachèrent de l'ensemble du peuple, au nom de la pureté de la foi. La vision des hommes et du monde, dont notre deuxième partie (chap. 4) s'est efforcée d'esquisser la genèse, restait première et en un sens commune à tous. Aussi bien n'est-ce point par la mentalité sunnite, pour dominante qu'elle soit, que nous inaugurerons notre essai de typologie. Dans la mesure où le sunnisme est, lui aussi, une *firqa,* un groupe et une famille spirituelle, nous ne saurions en dégager les notes spécifiques qu'en réaction contre l'attitude des opposants. Le sunnisme comme doctrine ne prit corps qu'au IIe siècle de l'hégire, « dans le siècle qui a précédé la fin des Umayyades et suivi l'avènement des ʿAbbâsides [1] ». Il est né d'un refus d'accorder audience aux revendications des groupes minoritaires, qui donc, chronologiquement parlant, restent premiers. Ainsi que le dit M. Henri Laoust : « Toutes les grandes sectes, ou, si l'on préfère, toutes les grandes familles spirituelles de l'Islam, sont nées conjointement dans un même contexte historique, et *se sont définies les unes en fonction des autres* [2] ». Le sunnisme n'est pas antérieur au khârijisme et au shîʿisme; il en présuppose, en un sens, les exigences revendicatives.

Rappels historiques [3]

Les *Khawârij,* les « Sortants », furent ceux qui se refusèrent à l'arbitrage de Siffîn. Naguère partisans de ʿAli, ils ne lui pardonnèrent pas d'avoir soumis à un arbitrage humain le pouvoir venu de Dieu. Par là, il perdait à leurs yeux tout droit au Califat ou *Imâma*. Ils furent les ennemis les plus acharnés du shî'isme, et, en 661, ce fut un Khârijite extrêmiste qui assassina 'Alî à la porte de la mosquée de Kûfa. Trois ans auparavant, et un an après Siffîn, en 38 H. /658, les Khârijites révoltés avaient été défaits à Nahrawân par des troupes que commandait 'Ali. Les deux chefs de la rebellion y furent tués. Politiquement et militairement vaincus, des survivants de Nahrawân diffuseront le khârijisme au-delà des frontières de l''Irâq, en Arabie centrale, au Yaman, en Oman, en Jazîra. Nous le retrouverons aux temps umayyades, virulent parti d'opposition, subdivisé lui-même en tendances ennemies : les Azraqites extrêmistes [4], et les « modérés » Ibâdites et Sufrites, pour nous borner aux principales. L'ibâdisme fut très vivant à Basra, et prit solidement pied au Maghreb à partir de 740, sous le règne de l'Umayyade Hishâm. Bien d'autres terres musulmanes connurent pour un temps des implantations et des influences khârijites.

C'est au Maghreb, spécialement au Jabal Nafûsa de Tripolitaine, en Ifrîqiya (Tunisie) et en Algérie, que les Khârijites vécurent leurs heures de gloire. Vaincus par les troupes califales 'abbâsides en Tripolitaine et en Ifrîqiya, ils organisèrent et gouvernèrent en Algérie l'émirat ibâdite de Tahart (Tahert) et les émirats sufrites de Tlemcen et de Sijilmâsa. Le « Royaume rustumide de Tahert », fondé en 144 H. /761, devait durer 147 ans. Nous n'avons pas à en refaire ici l'histoire [5]. Disons que son dernier éclat date du IVe siècle de l'hégire (Xe siècle); et qu'à partir du VIe siècle H. /XIIe siècle, les Khârijites d'Afrique du Nord se replieront en de petites communautés vigoureusement organisées, au Jabal Nafûsa, un temps à Wargla (Ouargla) et au Righ, plus tard au Mzâb.

Le rigorisme

Ce très bref rappel historique souligne combien la fusion spirituel-temporel est profondément enracinée en la pensée khârijite : le but poursuivi est la constitution d'une Communauté musulmane « juste », en laquelle pouvoir temporel et pouvoir spirituel s'identifient.

Les « Sortants » de Siffîn avaient récusé aussi bien ʿAlî que Muʿâwiya. Les Khârijites professeront qu'aucune condition d'ascendance, familiale ou tribale, ne doit commander le choix du Calife ou *Imâm*. Tout musulman élu par la Communauté peut-être Calife, à quelque ethnie qu'il appartienne : il ne lui est pas demandé d'appartenir à la famille du Prophète, ni même à la tribu de Quraysh, et non plus à la race arabe [6]; il lui est demandé d'être pieux et juste, entendons de commander selon la Loi coranique, et de l'observer, pour son compte personnel, en son intégralité. Cette perfection personnelle du Calife sera une exigence capitale. Parmi les premiers califes, les « bien dirigés », les Khârijites stricts ne reconnaîtront vraiment que les deux premiers, Abû Bakr et Umar; et récuseront les deux autres, ʿUthmân et ʿAlî, en raison des fautes par eux commises. Bien plus, ils enseigneront que les croyants ont le droit (le devoir, diront les Azraqites) de s'insurger contre tout Calife coupable de fautes personnelles graves; et qu'un Calife « injuste », donc illégitime, mérite la mort (d'où l'assassinat de ʿAlî par un Azraqite). Car ce n'est point en son nom propre qu'un Calife ou *Imâm* exerce le pouvoir. La rigueur khârijite entend appliquer à la lettre les versets coraniques 6,57 et 42,10 : « La décision [7] n'appartient qu'à Dieu. »

Et tel est peut-être l'un des traits les plus caractéristiques de la mentalité khârijite : prendre à la lettre notions et valeurs coraniques, et les conduire à leur extrême conséquence. Nous avons pu parler du large esprit de tolérance dont firent preuve les Musulmans éclairés de l'âge classique; il serait difficile d'en dire autant du khârijisme dont le rigorisme moral ne cessa de s'accentuer.

Si le Calife coupable de fautes graves perd tous ses droits à l'exercice de sa charge, c'est qu'il cesse, par le fait même, d'être croyant et musulman. Pour les Khârijites, la foi musulmane est tout ensemble témoignage du cœur et de la langue, et actes des membres. Une faute grave non repentie fait passer du statut de croyant *(mu'min)* à celui de *mushrik*, l'homme qui n'atteste plus la pure Unicité divine. Et le *mushrik* sera rejeté de l'Islam, dès cette terre d'abord par la Communauté des croyants, dans l'éternité ensuite par le Décret de Dieu qui le condamne à l'enfer. A l'époque umayyade, les plus notables parmi les ennemis des Khârijites seront les tenants de l'école murji'ite, qui envisageaient pour le pécheur *un temps* d'enfer et « espéraient » en la Miséricorde de Dieu. Ils s'en remettaient à Lui. Un enfer temporaire pour le pécheur non repenti qui reste croyant deviendra la réponse la plus officielle du sunnisme, ash'arite aussi bien que mâturîdite. Les Khârijites, eux, se refuseront à distinguer entre impiété et faute grave, et maintiendront avec force la condamnation sans recours du *mushrik*.

Dans les professions de foi des docteurs khârijites, deux notions inlassablement reviennent. Tout d'abord la *walâya*, que l'on peut traduire ici par consanguinité spirituelle et communion. Les conditions d'appartenance à la *walâya* sont soigneusement étudiées : seuls en définitive en bénéficient les vrais musulmans (entendons : les Khârijites), fidèles d'une fidélité sans ternissure à la proclamation du Dieu Un enseignée par le Coran. « Nul d'entre nous ne dit que les gens qui se tournent vers la Mekke sont tous objets de la *walâya* [8] ». Nous avons donc ici une affirmation directement et délibérément opposée à celle de bien des docteurs sunnites.

A la *walâya* répond, en corrélatif d'opposition, la *barâ'a*, ici inimitié, excommunication. C'est, peut-on dire, une forme khârijite de « la commanderie du bien et de l'interdiction du mal [9] »; et c'est à son sujet que s'opposeront, avec violence parfois, les diverses tendances de la secte. — Quiconque ne jouit pas de la *walâya* est soumis à la *barâ'a*. Or celle-ci ne se définit pas uniquement comme une exclusion de droit; elle comporte une attitude personnelle intérieure que tout croyant doit manifester *ad extra*. « La *barâ'a* signifie essentiellement l'hostilité dans le cœur et l'insulte sur la langue. Elle est obligatoire envers quiconque en a fait l'objet, et elle incombe à quiconque s'est désolidarisé de l'homme ainsi atteint [10] ». Le texte ajoute : « elle n'est due que pour des actions mauvaises ». Ces dernières, à coup sûr, sont tout ce que le Coran interdit; mais elles définissent le comportement même de tout « *Imâm* injuste », de « son vizir, son qâdî, son trésorier et son secrétaire [11] » et de quiconque les suit de plein gré.

La *barâ'a* doit-elle s'appliquer sans distinction à tout Musulman qui obéit à l'*Imâm* injuste? Les Azraqites l'affirmeraient. Pour les Ibâdites au contraire peut intervenir ici la notion de *taqiyya* ou *kitmân*, la dissimulation, le « voilement » de la foi. Ce « voilement » sera non seulement autorisé, mais conseillé, voire obligatoire en certains cas : quand le témoignage de la foi authentique entraînerait d'irrémédiables dommages pour les siens ou pour la Communauté des vrais croyants. En ce cas-là « la *taqiyya* est une couverture pour le croyant; celui-là qui n'a pas de *taqiyya* n'a pas de religion [12] ». C'est ainsi que les Ibâdites de Basra, au VIIIe siècle, restaient en contact avec les Sunnites sympathisants, dont ils espéraient la conversion, ou du moins l'alliance. Logiques avec leurs prémisses propres, les Azraqites, eux, se refuseront au « voilement de la foi », du moins quand il ne s'agit que de préserver les biens matériels. — Il est à noter que la « famille spirituelle » ennemie, le shî'isme, et surtout le shî'isme ismâ'îlien, entendra justifier largement la notion et l'usage de la *taqiyya* [13].

Extrémistes et modérés

C'est au sujet de l' « excommunication » que se distinguèrent et s'opposèrent le plus nettement les diverses tendances. L'ouvrage auquel nous nous sommes référé est l'une des bases du khârijisme ibâdite, et reste encore, actuellement, l'un des plus appréciés au Mzâb algérien. Les Ibâdites et les Sufrites sont considérés, en khârijisme, comme les « modérés ». De fait, la *'Aqîdat al-tawhîd* n'exige du croyant, à l'égard de qui encourt l' « excommunication » que « l'hostilité du cœur et l'insulte verbale ». On peut y voir une prise de position contre les anciennes tendances extrêmes des Azraqites.

Selon les traditions khârijites, les Azraqites, ou *Azâriqa*, se seraient « séparés » des Ibâdites dès l'an 65 de l'hégire /684. La révolte qu'ils menèrent contre le pouvoir établi fut violente; elle menaça un temps l'unité de l'Empire umayyade, mais fut vaincue en 78-79 H. /698 [14]. Au contraire des Ibâdites donc, les *Azâriqa* se refusent à tout « voilement de la foi », quelles que soient les circonstances [15]. La seule attitude valable à leurs yeux est la révolte à main armée. Dans la même ligne de pensée, l'assassinat d'un *Imâm* ou d'un chef « injuste » est légitime [16]; et non seulement les opposants « injustes », mais leurs femmes et leurs enfants avec eux, méritent la mort. L'exclusion de l'Islam, la *barâ'a*, s'étend très largement à quiconque s'oppose à la secte ou est rejeté par elle.

Les points de doctrine particuliers aux Azraqites seront relevés et dénoncés dans tous les ouvrages sunnites d'hérésiographie [17]. Leurs tenants restent, dans les traditions d'écoles, les théoriciens d'un terrorisme politico-religieux *(isti'râd)*, — qu'ils mirent d'ailleurs fréquemment en pratique. Mais, vaincus par les armes, ces extrêmistes disparurent en fait assez vite, et le khârijisme postérieur sera représenté par les tendances « modérées » des Ibâdites et des Sufrites. Les premiers se manifestent très tôt, antérieurement même aux Azraqites, dont ils furent les adversaires [18]. Les seconds surgissent vers l'an 76 de l'hégire / 695. Moins « modérés » que les Ibâdites, ils restent marqués par une tendance ascétique et dévotionnelle, mais qui fut loin de les préserver contre toute lutte ou révolte sanglantes. Ils s'opposèrent aux Ibâdites en Oman au IIe siècle H. /VIIIe siècle, et s'allièrent au contraire avec eux en Afrique du Nord, lors de la grande révolte berbère. Ils se trouvèrent progressivement inclus dans les rangs des Ibâdites qui, première secte constituée, resteront et restent de nos jours encore, les seuls représentants de l'ancien khârijisme. C'est donc sans hésiter que nous prenons comme référence principale deux textes ibâdites parmi les plus connus : d'abord la célèbre profession de foi intitulée *'Aqîdat al-tawhîd* ou « *'Aqîda* des Nafûsa » d'Ibn Abî l-Khayr al-Jannâwumî (Ve siècle H. /XIe siècle), déjà citée, et secondairement la moderne *al-Risâla al-shâfiyya* de Muhammad Atfayyash (m. 1914), qui date du début du XXe siècle, au temps de la présence française [19].

Ce second texte, nous dit son auteur, a été rédigé à la demande des chrétiens, entendons l'autorité militaire française. Le *shaykh* Atfayyash prend grand soin de distinguer les Ibâdites authentiques de sectes khârijites à ses yeux aberrantes, les unes se disant ibâdites, les autres non. Le souci affleure constamment de situer et de garantir historiquement la foi musulmane-ibâdite. La *'Aqîda* des Nafûsa relevait de ce genre littéraire si florissant en Islam que sont les « professions de foi » : encore qu'elle n'ait point la rigueur et la netteté des tout premiers *credo*(s) sunnites par exemple. La *Risâla*, rédigée à la demande de non musulmans, se livre à une continuelle apologétique historique, que viennent étayer maints épisodes édifiants. Le chapitre VII s'essaie à établir la liste des « transmetteurs du savoir » depuis les origines [20]. Précieux pour l'histoire de l'ibâdisme et de ses traditions, le texte est étonnemment sobre quant aux données doctrinales. Nous trouvons cependant au chapitre III [21], et présentée comme une caractéristique de l'ibâdisme, l'affirmation que Dieu ne saurait être vu ni en ce monde, ni dans l'autre : c'est la célèbre thèse mu'tazilite, étayée par les arguments philosophiques et exégétiques qui lui sont habituels. Une seconde thèse lui fait suite, et qui déjà se réfère à l'histoire, puisqu'il s'agit des meurtres de 'Uthmân et de 'Alî.

Il semble patent que cette sobriété doctrinale soit voulue, en raison même de l'interlocuteur « chrétien » et de la loi du secret. Mais elle suppose acquises toutes les précisions de la *'Aqîda* des Nafûsa. Les Ibâdites, et jadis les Sufrites plus encore, furent volontiers des doctrinaires, et eurent tendance à expliquer et justifier les événements de l'histoire par les données mêmes de leurs professions de foi.

Les « états » ou « voies »

Il est en tout cas une notion qui devint l'une des notes dominantes du khârijisme-ibâdisme : celle des « états » ou « voies » par lesquels peut passer et passe la Communauté. Les définitions et applications qui en sont faites varient selon les tendances et écoles; les termes mêmes qui les désignent demeurent.

Il y a quatre états ou voies. Avant tout, « la voie de la Manifestation » *(zuhûr)*, que l'on traduit parfois comme « état de gloire ». C'est, dit la *'Aqîda*, celle des deux premiers califes, Abû Bakr et 'Umar [22], qui gouvernaient ouvertement, et appliquaient droitement la Loi coranique. Ce devrait être l'état normal de la Communauté, celui auquel, en tout cas, elle ne doit cesser de tendre. Il ne fut guère retrouvé qu'au temps des triomphes khârijites parmi les Berbères, spécialement au temps du Royaume de Tahert. A cette époque, peu s'en fallut qu'Ibn Rustum ne fît l'unité de tous les « vrais croyants », et ne se présentât comme l'*Imâm* authentique de la Communauté. Bien plus, Ibâdites et Sufrites alliés, et résistant victorieusement aux attaques ʻabbâsides, purent envisager alors de traiter avec le calife umayyade de Cordoue [23]. Du IIe au IVe siècle de l'hégire (VIIIe-Xe siècles), la « voie de la Manifestation » connut des hauts et des bas, pour s' « occulter » lors de l'ultime défaite du Royaume de Tahert.

Le deuxième état est « la voie de la Défense *(difâʻ)* », quand la Communauté doit lutter pour son existence. Les rebellions, luttes et guerres des diverses tendances khârijites, soit contre les Sunnites umayyades puis ʻabbâsides, soit contre les Fâtimides shîʻites-ismâʻîliens, soit entre elles, en sont l'illustration. « La voie de la Défense » cesse quand cessent les combats [24].

Le troisième état est « la voie du Sacrifice *(shirâ')* » : celle des hommes « qui livrent leurs âmes à Dieu pour son paradis », et qui n'ont « de cesse que l'ordre de Dieu soit devenu manifeste [par la voie de la Manifestation], dussent-ils mourir pour cela [25] ». Ces hommes sont les « sacrifiés » *(shurât)*. Ils doivent se préparer à « livrer leurs âmes » et à « sortir » (entendons : prendre les armes) dès que leur nombre est suffisant. Et c'est seulement quand ce nombre est atteint que doivent être appliquées les lois de « la voie de la Manifestation » concernant l'*Imâma*. — Une divergence se fit jour à ce sujet entre Ibâdites et Azraqites. Pour les premiers, la « sortie » n'était permise qu'une fois atteint le nombre de quarante sacrifiés. Pour les seconds, le nombre de vingt suffisait. Mais les quarante hommes qui « sortaient » devaient, selon les Ibâdites, être prêts au total sacrifice de leur vie, et n'y renoncer que quand leur groupe était réduit à trois, ou moins de trois [26].

Quand ce chiffre de quarante ne peut être atteint, ou quand les « sacrifiés » sont morts au combat, la Communauté entre en son quatrième état, qui est « la voie de l'Occultation » (ou de la Clandestinité, *kitmân*). Les Azraqites, qui refusaient tout « voilement de la foi », refusaient par là même l'état de *kitmân*. Pour eux, seules étaient légitimes la voie du Sacrifice et la voie de la Défense, préliminaires à l'état de Manifestation. Mais après le IVe siècle H. /xe siècle, les Ibâdites considérèrent que la Communauté entrait dans l'état de Clandestinité : les lois concernant l'élection de l'*Imâm* et son rôle comme Guide unique et suprême, s'effacent; il n'y a plus dans les mosquées de « sermon du Vendredi » fait en son nom.

Cependant, « la voie de la Clandestinité » peut s'interpréter en deux sens différents. Ou bien les Khârijites, dispersés parmi les Musulmans non fidèles à la foi pure, « voilent » leur appartenance à la Communauté authentique, à laquelle ils doivent rester d'autant plus attachés dans le secret de leur cœur. Ou bien, dans la mesure du possible, ils s'organisent en petites communautés indépendantes; les prescriptions de la secte, jusqu'aux moindres, y doivent être fidèlement suivies, dans l'unité vécue du spirituel et du temporel. Seules les règles de l'*Imâma* liées à « la voie de la Manifestation » ne sauraient être appliquées.

« Un homme pubère et sain d'esprit doit absolument connaître la ' voie ' dans laquelle il se trouve », dit la *'Aqîda* des Nafûsa [27]. Or, l'état d' « Occultation » est celui des actuels Ibâdites, et sous sa double modalité. L'exemple du Mzâb algérien est bien connu. Au Mzâb, les Ibâdites sont groupés dans l'organisation théocratique de l'Heptapole, les « Sept Villes [28] », qui entendit maintenir toujours son autonomie. La loi du secret y domine, et l' « étranger » qui y est reçu, même musulman, n'y participe pas. Ajoutons que les plus notables parmi « les hommes de religion » ont volontiers entretenu des relations épistolaires à travers le monde de l'Islam, et que maint de leurs correspondants n'était point khârijite. Le *shaykh* Atfayyash était en rapport avec le Sultân ottoman 'Abdul Hamîd II et avec le Réformiste sunnite Muhammad 'Abduh [29]. — Hors de l'Heptapole, les Mzâbite sont mêlés aux populations musulmanes. C'est ainsi qu'ils ont en Algérie une réputation méritée de commerçants honnêtes, avisés et habiles. Ils se reconnaissent ibâdites, puisque, de nos jours, aucune persécution ne les menace; ils doivent observer, observent par-devers eux, les pratiques et coutumes qui leur sont propres, mais sans souci d'apostolat. En cas de persécution, ils auraient le droit et le devoir de s'abriter sous le *kitmân* entendu comme « voilement de la foi ».

Le khârijisme et l'ethnie berbère. Quelques dominantes

Les Ibâdites d'Algérie, de Tunisie (île Jerba) et de Tripolitaine sont fiers d'être Berbères, comme les Imâmites d'Iran sont fiers d'être Iraniens. La *Risâla* d'Atfayyash se complait en maintes anecdotes en l'honneur des Berbères [30]. « Là où est survenue la sédition, est-il dit, les Arabes se sont battus pour les choses de ce bas-monde et pour de l'argent; mais les Berbères combattent pour établir la religion de Dieu ». Et le texte n'hésite pas à s'appuyer sur une « parole du Prophète » présentée comme *hadîth* : « O gens de la Mekke, ô gens de Médine ! Je vous recommande de craindre Dieu et les Berbères, car ceux-ci vous apporteront du Maghreb la religion de Dieu [31]. »

Mais les Ibâdites, de nos jours, ne sont parmi les Berbères qu'une faible minorité [32], et se reconnaissent volontiers frères des groupes khârijites de l'Oman arabe. Si l'on peut parler d'une mentalité khârijite ou ibâdite, le tempérament berbère ne saurait à lui seul l'expliquer.

Sans doute le rigorisme khârijite, et sa propension à se muer en violence, est-il en consonance avec la rudesse et la fierté berbères. Mais ce sont bien des choix doctrinaux qui commanderont les attitudes. Arabes ou non Arabes, — la plupart des premiers chefs de la rebellion furent des *mawâlî* d'origine grecque, — les « Sortants » de Siffîn furent d'abord ceux qui se refusèrent aux compromissions du pouvoir. L'égalitarisme de la Communauté prenait à leurs yeux valeur absolue, et l'observance des préceptes coraniques mesurait seule l'échelle de la foi et des valeurs morales. Ce que l'on peut appeler une mentalité khârijite se présente en somme comme l'une des virtualités, poussée à l'extrême, de toute mentalité musulmane. L'*une* des virtualités : car ici, l'esprit de tolérance, et l' « ouverture à l'autre », que nous avons rencontrés dans les sociétés musulmanes sunnites et shî'ites de l'âge classique, font défaut. Le rigorisme doctrinal et moral des « Sortants » s'affirme, sans contre-partie.

Dans quelle mesure cèdera-t-il au goût de la violence? Justification de l'assassinat politique, rebellion à main armée, mise à mort non seulement des adversaires, mais de leurs familles, on peut parler sans exagération du « terrorisme » des Azraqites. Mais ne serait-ce pas une injustice que de faire de ce terrorisme une composante spécifique du khârijisme comme tel? Il ne se manifesta qu'après la bataille de Nahrawân et le massacre qui s'ensuivit. Comme le dit M. Laoust : « Le terrorisme, dont l'histoire charge le khârijisme, peut fort bien avoir été beaucoup plus la conséquence que la cause de Nahrawân [33]. » Il est remarquable en tout cas que l'extrémisme azraqite fut sans lendemain, et que la majorité des Khârijites le récusa. L'ibâdisme, qui seul a traversé les siècles, n'écarte point la violence, il est vrai; mais il lui fixe des limites, et la tempère.

Au rigorisme, à l'égalitarisme foncier, et aux risques de violence qui en découlent, se joindront, en ibâdisme surtout, le goût et la pratique du secret. Ce n'est pas pour lui-même que le secret est recommandé, ou commandé, mais comme la meilleure protection possible de la pureté de la foi. Rien n'indique qu'il s'agisse là d'une composante musulmane, et point davantage berbère; mais bien plutôt de l'auto-défense d'un groupe minoritaire, et qui lutte pour sa survie. — Ce recours à la loi du secret, nous le retrouverons en shî'isme, surtout ismâ'îlien, et selon des dominantes plus accentuées peut-être.

L'état actuel du Mzâb algérien

Les « Sept Villes » du Mzâb sont et deviendront plus encore sans doute un lieu privilégié de tourisme. Leur beauté, faite d'harmonie et de dépouillement, où la présence humaine, loin de la rompre, prolonge et valorise la nudité du désert, est indéniable. Le touriste en admire les lignes et les tons, au gré des jeux d'ombre et de lumière. Il reste regrettable qu'il lui soit fort difficile, en général, d'en pénétrer la raison d'être et la vie profonde. Si nous n'hésitons pas à y insister, c'est que cette Heptapole du désert algérien est sans doute le seul lieu où se perpétuent aujourd'hui les règles de vie d'une communauté ibâdite voulue et constituée comme telle. Le Mzâb a gardé (encore?) une spécificité communautaire que les autres groupes, dans l'île Jerba de Tunisie, au Jabal Nafûsa de Lybie, en Oman où règnent les lois du pétrole, ne semblent pas avoir maintenue avec la même rigueur. C'est dans les médersas du Mzâb que venaient, jusqu'à ces dernières années, s'instruire maints Ibâdites des diverses contrées; et l'on rencontre toujours, dans les rues et les mosquées des « Sept Villes », des étudiants ou des *shaykh*(s) jerbiens.

La population de l'Heptapole n'atteint certainement pas une centaine de mille d'habitants. Six ou sept cent mille âmes peut-être seraient à dénombrer à Jerba, au Nafûsa, dans la région montagneuse de l'Oman, pris comme un tout. Donc, et à parler sommairement, moins d'un million d'Ibâdites dans le grand ensemble des quelque huit cents millions de musulmans. S'agit-il d'une survivance qui ira se diluant, à mesure que joueront les lois de la « Clandestinité »? Et n'est-ce point pour lutter contre une progressive érosion que les Mzâbites s'efforcent de maintenir jalousement une sorte d'autonomie vécue, qui entend prendre en charge jusqu'aux moindres actes et au comportement concret de la vie la plus quotidienne?

Les villes du Mzâb furent fondées à partir de 1011, après l'ultime défaite d'Ouargla. Elles sont comme un refuge qui se voulut quasi inaccessible, en un désert dénudé, plateau pierreux où ne passaient guère les grandes routes de transhumance. Chacune d'elles fut construite selon un plan identique : sur un piton d'où l'on peut voir venir l'étranger ou l'ennemi, que des rues étroites bordées de maisons blanchies et bleutées à la chaux escaladent, et que dominent au sommet la mosquée et son minaret au style pyramidal, si caractéristique [34]. A l'origine, la mosquée était à la fois lieu de prière, magasin, dépôt d'armes et forteresse; cependant qu'au bas de la colline la classique place du marché était, elle, lieu de réunion et d'échanges commerciaux aux règles très strictes. Au gré des points d'eau, la cité se double d'une oasis fort bien entretenue, et aux jardins cultivés. Chaque ville, isolée, mais relativement proche des autres, reste à mesure humaine, à la mesure d'une communauté de vie où tous se connaissent. Et ce n'est que récemment que les rues-faubourg de Ghardaïa la capitale commencent à rejoindre le pied du piton où se dresse sa voisine al-Malîka...

L'organisation interne de chaque ville, et par là de l'Heptapole tout entière, est restée fidèle aux traditions ibâdites, — qui se veulent les traditions de l'Islam le plus pur. C'est peut-être, à l'heure actuelle, le seul exemple précis que nous ayons d'une forme de théocratie populaire. La distinction est maintenue entre « les hommes de religion », que nous pouvons appeler les « clercs », et le peuple des *'awâmm*, des « laïcs » si l'on veut. Les uns et les autres ont leur rôle dans le gouvernement des cités; les uns et les autres ont leur « assemblée », assemblée délibérante, et se réunissent parfois pour prendre en commun des décisions d'intérêt général.

L' « assemblée » des « clercs » se dénomme *halqa*, le « cercle ». Elle groupe les savants en science religieuse (ibâdite), appelés en arabe *talba* [35], en berbère *i'azzâben*. Ce sont les répondants de la Communauté. Ils étaient à l'origine groupés autour d'un *shaykh*, à la fois Ancien et Maître spirituel, mainteneur des traditions authentiques. C'est à eux que revenaient les décisions concernant les lois pénales et leurs applications, certaines règles concernant le costume, y compris le port obligé et la forme de la barbe, la permission accordée ou refusée de guitter l'Heptapole, pour des raisons d'étude ou de commerce par exemple, et le rythme périodique des retours. L' « assemblée » des « laïcs » prenait en charge l'exécution des décrets ainsi promulgués; elle avait à sa tête le *hâkim* (« sage »), quelque peu confondu par la suite avec le *qâ'id* (caïd).

Le pouvoir des « assemblées » continue de s'exercer. Deux exemples récents. 1) Au temps de la présence française, le Mzâb avait obtenu que ses ressortissants ne fussent point soumis au service militaire obligatoire, et seuls des engagés volontaires portaient éventuellement les armes. L'Algérie indépendante ne maintint point ce privilège. Mais l'Heptapole envoya auprès du Président Boumediène une délégation de ses clercs, de ses *i'azzâben*. Ils posèrent leurs conditions qui furent agréées : toute facilité serait donnée aux jeunes Mzâbites durant leur présence à l'armée pour qu'ils puissent être fidèles aux cinq prières quotidiennes de l'Islam, et qu'ils observent toutes les pratiques ibâdites ancestrales. — 2) C'est toujours le conseil des clercs qui envoie les sujets les plus doués, choisis par lui, poursuivre des études à l' « étranger », qu'il s'agisse d'Alger, de Paris, de Genève, de Bagdad ou des Universités américaines. C'est lui qui fixe le temps des études et leur orientation, et qui impose aux étudiants, — sous peine d'exclusion de la Communauté, — des retours périodiques. C'est lui également qui veille à ce que le statut de la femme soit conforme aux normes traditionnelles. Le port du voile et d'un voile fort strict, est impéré.

Le sentiment reste vif d'appartenir à l'élite de l'Islam, d'être les seuls vrais et authentiques musulmans. La rigueur des mœurs, nous pourrions dire l'ascèse, continue d'être à l'honneur. Les cités du Mzâb ignorent encore la forêt des antennes de T.S.F., et tout Ibâdite, clerc ou laïc, doit consacrer chaque jour un temps au travail des mains. Les *shaykh*(s), *muftî*(s) ou *qâdî*(s) réparent eux-mêmes leurs maisons et cultivent leurs jardins.

Les gens du Mzâb, à l'ordinaire, récusent aujourd'hui l'appellation de Khârijites, car ce terme a pris dans la langue courante un sens quelque peu péjoratif. Les lettrés seuls se reconnaissent en privé les descendants lointains des « Sortants » de Siffîn. Ils préfèrent se dénommer simplement Ibâdites, s'opposant par là aux autres Musulmans algériens, les Mâlikites. Mâlikites, mais non Sunnites, car, à leurs propres yeux, les Ibâdites sont les vrais Sunnites, les seuls qui observent en plénitude la *Sunna* ou Tradition du Prophète. Au surplus, les exigences de la vie sociale et économique aidant, l' « excommunication » de quiconque n'est pas ibâdite se tempère de contacts acceptés, d'un point de vue temporel, avec les « Mâlikites », et même les non musulmans du voisinage.

Avant et après la deuxième guerre mondiale, quand des groupes réformistes entreprirent de s'opposer au fait de la colonisation et de préparer l'indépendance de l'Algérie, des *shaykh*(s) ibâdites se joignirent à eux. Le *shaykh* Bayoud de Guerrara, âgé aujourd'hui de soixante-seize ans, et qui reste la figure la plus attachante et la plus rayonnante du Mzâb actuel, fut l'ami et le compagnon de lutte des principaux « *'Ulamâ'* algériens ». L'Heptapole depuis lors connaît deux grands partis, au sens politique du mot : les « Réformistes », qui suivent le *shaykh* Bayoud, et les « Conservateurs », appelés parfois « parti de la Mosquée ». Les uns et les autres entendent être pleinement et fidèlement ibâdites, et se retrouvent dans les cercles ou assemblées des clercs ou des laïcs. Les premiers cependant s'appliquent à promouvoir diverses réformes, telle la reviviscence du sermon du vendredi à la mosquée, et une certaine éducation de la femme. Les médersas réformistes ont des classes réservées aux filles, du moins jusqu'à leur nubilité.

La spécificité ibâdite se maintiendra-t-elle dans l'Heptapole, sur le double plan spirituel et temporel? Un effort très suivi d'enseignement se poursuit dans les médersas (privées). Les ouvrages ibâdites, les professions de foi, les biographies des grands ancêtres, les traités de droit et d'exégèse coranique, sont réédités [36]. Le Mzâb se reconnaît algérien, mais entend garder encore les notes qui lui sont propres.

L'actuel gouvernement algérien, volontiers unificateur, a eu la sagesse de ne point attaquer de front ce particularisme ibâdite. Chaque Mzâbite occupe, comme par le passé, la place à lui fixée par les *i'azzâben* dans la vie communautaire. Il n'y a pas de chômeur au Mzâb, cependant que les mesures socialisantes concernant l'industrie ou le commerce s'arrêtent aux frontières de l'Heptapole. Mais un lent processus d'érosion ne s'en dessine pas moins, et qui semble appelé à dissoudre dans l'ensemble algérien cette ultime survivance khârijite. Aux médersas traditionnelles se joint l'enseignement obligatoire des écoles publiques. Les sorties « à l'étranger » se multiplient; et le retour des exilés temporaires apporte, au sein même de la Communauté, des notions nouvelles, voire des styles de vie nouveau [37].

Par ailleurs, et depuis assez longtemps déjà, les nécessités du commerce et de l'artisanat ont ouvert les portes de Ghardaïa aux tribus « mâlikites » des environs. Leurs représentants sont devenus majoritaires, et mâlikite est le maire de la commune administrative. — Une grande zone industrielle est en préparation. Les usines prévues appartiendront sans doute à des Mzâbites, mais la main d'œuvre de base devra se recruter en grande partie parmi les « Mâlikites ». Il est difficile de dire ce qui restera dans quelques décennies de la théocratie traditionnelle. Les « Réformistes » reconnaissent volontiers que la « voie » présente, toujours « voie de Clandestinité » en principe, se colore d'une liberté reconnue dans l'affirmation de la foi et dans la pratique communautaire. Par là, disent-ils, elle se rapprocherait (de loin) de la « voie de la Manifestation ». Mais peut-être est-ce à une nouvelle forme de « clandestinité » que les bouleversements socio-économiques déjà en cours conduiront le « petit reste » qui se voudra fidèlement fidèle à l'ibâdisme.

NOTES

1. H. Laoust : *Les Schismes dans l'Islam. op. cit.*, p. 83.
2. *Ibid.*, p. 460 (c'est nous qui soulignons).
3. Cf. H. Laoust, *ibid.*, pp. 36-48.
4. Dont se sépareront, en réaction contre leurs outrances, les *Najadât:* venus du Yaman vers 682, ils s'infiltreront dans l'Oman et le Yaman, menaçant le Hijâz et jusqu'à Basra. Leur chef Najda fut assassiné par le clan (khârijite) d'Abû Fudayk.
5. Voir le long article de T. Lewicki, « *al-Ibâdiyya* », *EI²*.
6. Les Khârijites s'appuient volontiers sur un *hadîth:* « Il faut écouter et obéir, quand même le chef serait un esclave abyssin (noir) ».
7. *Hukm*, décision, jugement, d'où (en concurrence avec *amr*, commandement) le pouvoir exécutif.
8. Ibn Abî l-Khayr al-Jannâwunî, (Ibâdite de la première moitié du ve siècle H/xie siècle) : *'Aqîdat al-tawhîd*, appelée encore la *'Aqîda* des Nafûsa, lithographie aimablement communiquée par Pierre Cuperly, p. 49; trad. franç. de Pierre Cuperly, encore inédite.
9. Cf. ci-dessus, Ire partie, chap. III, p. 78-79.
10. Jannâwunî, *'Aqîdat al-tawhîd*, p. 12 (trad. Cuperly).
11. *Ibid.*
12. Jumayil b. Khamîs, *Qâmûs al-sharî'a*, Zanzibar, 1297-1304 H., XIII, p. 127 sq.; cité par R. Strothmann art. « *Takîya* », *EI¹*.
13. Cf. chap. suivant, p. 241.
14. Cf. R. Rubinaci, art. « *Azârika* », *EI²*.
15. Au nom de leur premier chef Nâfi' b. al-Azraq, fils d'un forgeron affranchi d'origine grecque *(ibid.)*.
16. Ce sont des *Azâriqa* qui assassinèrent d'abord 'Alî en 661, puis le Gouverneur de Basra en 64 H./683.
17. Tels ceux d'Ash'arî, Baghdâdî, Ibn Hazm, Shahrastânî, etc. — La condamnation des Azrâqites et de leur terrorisme relève donc d'un large consensus sunnite.
18. Durant les deux premières générations (vers 65-86 H./684-705), les Ibâdites entretinrent des liens, au moins épistolaires, avec le calife umayyade 'Abd al-Malik b. Marwân. A la mort de ce dernier, qui coïncida avec une « radicalisation des Ibâdites basriens », ces relations devinrent de plus en plus mauvaises. Cf. T. Lewicki, « *al-Ibâdiyya* », *art. cit.*, p. 670.
19. Les remarquables travaux de Pierre Cuperly sur le premier de ces textes sont encore inédits; sur le deuxième, nous avons, du même savant; *Aperçus sur l'histoire de l'ibâdisme au Mzâb*, polycopie de 1973.
20. Cf. la liste établie par P. Cuperly; *Aperçus sur l'histoire...*, pp. 131-132.
21. *Ibid.*, p. 52.
22. Jannâwunî, *'Aqîdat al-tawhîd*, p. 18.
23. Cf. T. Lewicki, *art. cit.*

24. *'Aqîdat al-tawhîd*, p. 20.
25. *Ibid.*, p. 19 (trad. Cuperly).
26. *Ibid.*
27. *Ibid.*, pp. 17-18.
28. Ce sont (selon les orthographes courantes) : El-Ateuf, Ghardaïa la capitale, Melika, et Beni Izguen la sainte, sur l'oued Mzâb ; et, de fondation plus récente, légèrement à l'écart, Berriane et Guerara.
29. Cf. Pierre Cuperly, *Aperçus...*, pp. 13-14.
30. Tels ces éloges des Berbères attribués à 'Alî lui-même et à 'Â'isha, l'épouse préférée du Prophète (cf. Cuperly, *ibid.*, pp. 60-64).
31. *Ibid.*, p. 60.
32. L'ensemble des Berbères (Kabyles d'Algérie, Chleuhs marocains, Touareg...) est d'obédience sunnite-mâlikite.
33. H. Laoust, *Les Schismes dans l'Islam*, p. 14.
34. Style qui a influencé les mosquées du Soudan et du Niger; voir J. Schacht, « Sur la diffusion des formes d'architecture religieuse musulmane à travers le Sahara », *Travaux de l'Institut de Recherches sahariennes*, XL, 1954, pp. 11-27 (cf. Lewicki, *art. cit.*, p. 618.)
35. C'est-à-dire « étudiants », mais prix ici comme quasi synonyme de *'ulamâ'*, « savants ».
36. Tel le *Sharh al-Nîl* (arabe) du *shaykh* Atfayyash; cf. Marcel Mercier, art. « Mzâb », *EI*[1], supplément, p. 179. — Il s'agit 1) de rares textes anciens écrits en berbère et en caractères arabes; 2) de nombreux textes et livres directement rédigés en arabe.
37. Le shaykh Bayoud, dans une conversation privée, se désolait récemment que des jeunes, envoyés étudier à Bagdad revinssent marxisés, tandis que ceux envoyés dans les Universités américaines restaient croyants. « Eh bien, nous n'en enverrons plus en 'Irâq », disait-il.

CHAPITRE III

LES MONDES SHÎ'ITES

C'est le jugement porté sur les quatre Califes ou *Imâm*(s) du temps de Médine qui différencie d'abord les « sectes » ou « familles spirituelles ». Les Sunnites les appelleront tous les quatre les *Râshidûn*, les « bien dirigés », c'est-à-dire d' « inspiration droite [1] ». Les Khârijites ne reconnaîtront pleinement que les deux premiers, Abû Bakr et 'Umar. Les Shî'ites distingueront à l'ordinaire Califat de *Imâma*, accorderont le premier aux quatre *Râshidûn*, mais enseigneront que dès le début c'est à 'Alî seul que revenait l'*Imâma*.

Les ruptures de Siffîn feront des Khârijites les ennemis les plus acharnés des Shî'tes. Les premiers siècles de l'ère 'abbâside connurent des temps de lutte, mais aussi d'osmose entre Sunnites et Shî'îtes; aucune alliance, aucune compromission ne rapprocha Shî'ites et Khârijites. Les Sunnites manifesteront respect et dévotion à l'égard des « Gens de la Maison », 'Ali, son épouse Fâtima, fille du Prophète, leurs deux fils Hasan et Husayn. Partisans déçus de 'Alî, les Khârijites continueront, et jusqu'à nos jours, à en écarter le souvenir, tandis que leur piété s'adressera non point à Fâtima, mais à 'Â'isha, fille d'Abû Bakr, adversaire de 'Alî et épouse préférée du Prophète.

I. — NOTES COMMUNES

Comme tous les « légitimistes », nous l'avons dit, les Shîʿites ne tarderont pas à se subdiviser en sectes multiples. Il serait éclairant de pouvoir suivre ce processus dans le détail de son contexte historique [2]. Ce sont des faits politiques et sociaux qui souvent commandèrent les prises de position, même doctrinales; et c'est à une histoire très riche en événements que nous aurions affaire.

Faute de pouvoir nous attacher aux interactions sans cesse renaissantes des sectes, des écoles, des crises économiques et des événements politiques, nous nous bornerons à souligner d'abord ce qui est commun à la mentalité shîʿite comme telle, ensuite ce qui différencie les trois attitudes dominantes des Zaydites, des Imâmites ou « Duodécimans », des Ismâʿîliens ou « Septimaniens ». Il nous faudra pour ce faire procéder à quelques incursions dans les doctrines en jeu.

Shîʿisme et « théologie » (ʿilm al-kalâm)

Les professions de foi shîʿites, spécialement imâmites, restent fort proches de la problématique habituelle pour tout ce qui regarde Dieu, son Existence, ses Noms, ses Attributs, et son Agir à l'égard des hommes. Si elles se distinguent sur ces points de l'enseignement sunnite le plus courant, c'est avant tout d'une distinction d'école.

Les tout premiers traditionnistes de la *shîʿat ʿAlî* avaient récusé, comme les traditionnistes sunnites, les mises en problème des « théologiens ». La pensée shîʿite cependant interfèrera maintes fois dans les discussions. Au VIIIe siècle, Hishâm b. al-Hakam, converti au shîʿisme sous l'influence, croit-on, de Jaʿfar al-Sâdiq, sixième *Imâm*, sera compté un peu vite parmi les *Jahmiyya* [3]. Il ne sera pas sans professer un certain littéralisme, faisant de Dieu « un corps [4] ». Mais très vite dominera l'influence des écoles muʿtazilites, principalement l'école de Basra.

Les Muʿtazilites avaient été les théologiens attitrés de la cour du calife ʿabbâside Ma'mûn. Ils s'étaient montré sévères pour le râfidisme, shîʿisme imâmite aux tendances extrêmes. A partir de Mutawakkil, la résurgence du sunnisme les condamnera violemment pour avoir professé la non distinction de l'Essence et des Attributs en Dieu, pour avoir proclamé le Coran créé, pour avoir affirmé l'homme libre créateur de ses actes selon un « pouvoir » créé en lui par Dieu. Or, rejetée par le sunnisme officiel, la pensée muʿtazilite fut largement accueillie en des lignes dissidentes. Son influence est indéniable sur certains traités khârijites; elle se retrouvera, plus délibérée encore, dans le monde shîʿite.

Le muʿtazilisme pourchassé cessait de représenter en sunnisme une école reconnue. Les Shîʿites, zaydites ou imâmites, en agréèrent l'apport. Nous en retrouvons la trace au cours des âges, et jusqu'à l'époque moderne. Au XIIIe siècle de l'hégire (XVIIIe siècle), le Zaydite al-Maqbalî (Yaman) écrivait que ce serait une grave erreur de considérer les Muʿtazilites comme des hommes d'un autre temps : « ils sont des millions, et tous les Shîʿites [entendons ici les Zaydites] sont muʿtazilites [5] ». Un catéchisme imâmite, écrit en arabe à la fin du XIXe siècle, et traduit en persan, est fort répandu en Iran à l'heure actuelle [6]. La deuxième partie (pp. 13-27 de l'édition du Caire), qui traite de Dieu, et des rapports de l'homme avec Dieu, est à peu de chose près la reprise de l'ancienne axiomatique des discussions et solutions muʿtazilites.

Rôle de la raison ou intellect (ʿaql)

La spécificité shîʿite s'affirmera à propos de quatre thèmes majeurs : *a*) le rôle de la raison ou intellect dans l'effort interprétatif des textes scripturaires, et le maintien de l' « effort personnel » *(ijtihâd)*; *b*) le traité de l'*Imâma* et la dévotion à l'égard des « gens de la Maison »; *c*) les gnoses du « sens caché »; *d*) le « retour » *(rajʿa)* qui doit précéder la résurrection et le Jugement dernier. — Précisons quelques points.

L' « effort personnel » de recherche restera l'une des revendications shîʿites, et tout recours à une tradition non intellectuellement élaborée *(taqlîd)* sera récusé. Alors qu'en sunnisme « les portes de la recherche personnelle *(ijtihâd)* » se fermèrent dès le IIIe siècle de l'hégire (IXe siècle), lors de la mise en place des écoles juridiques constituées, le shî'isme continuera d'en revendiquer l'exercice. En sunnisme, seuls les grands fondateurs d'école sont appelés *mujtahidûn*, ceux qui pratiquent la recherche; le shî'isme continue d'honorer de ce titre les plus notables de ses docteurs. Par là, les Réformistes contemporains (sunnites) qui réclament « la réouverture des portes de l'*ijtihâd* » se trouvent rejoindre en un sens une attitude shî'ite.

Cet « effort personnel », notons-le, n'est nullement une « libre pensée », comme on l'a dit parfois. Il est un effort d'interprétation et d'élucidation des textes du Coran et de la *Sunna*, et que seul est habilité à poursuivre le musulman qui y est apte et en est digne. Dans la pratique, le shî'isme contemporain réserve l'appellation de *mujtadidûn* à des docteurs en science religieuse dûment instruits et reconnus tels [7]. Tout homme de religion, même diplômé, ne saurait s'en prévaloir. A l'heure actuelle, la distinction est nette entre les nombreux « hommes de religion », — *mullâ*(s) en Iran, *shaykh*(s) en pays arabes, — et les rares *mujtahidûn* agréés.

L'exercice de l' « effort personnel » suppose études, recherches et réflexions. Il est œuvre d'intelligence *('aql)*. De fait, le recours à l'intelligence, à la réflexion, à la connaissance ou sagesse jouera en shî'isme un rôle important [8]. En sunnisme, les quatre bases de l'élaboration du droit sont le Coran, la *Sunna* ou Tradition du Prophète, le raisonnement par analogie *(qiyâs)*, le consensus de la Communauté *(ijmâ')*. En shî'isme, le *qiyâs* cèdera la place au *'aql*. Il ne s'agit point cependant d'une forme de « rationalisme » au sens occidental du terme. Car, nous le verrons mieux au paragraphe suivant ,l'*Imâm* seul est éminement détenteur du *'aql;* et le « consensus » doit s'entendre non du consensus direct de la Communauté, mais de l'accord unanime des docteurs en union avec l'*Imâm*. C'est l'autorité de l'*Imâm* qui garantit et valorise aussi bien l'effort personnel d'interprétation que l'exercice de l'intelligence et les décisions prises en consensus. L'*Imâm* est le gardien et l'interprète autorisé du texte coranique.

Le culte des Imâm(s)

L'attachement à l'*Imâm*, attachement qui va jusqu'au culte, reste la note dominante de la mentalité religieuse shî'ite. Ce n'est pas l'éclat d'un règne ou la puissance temporelle qui est première. Le destin tragique de 'Alî ou de Husayn reste comme un prototype : avant tout, cette bataille de Kerbela qu'engagea Husayn contre les troupes du traître Zayd fils de Mu'âwiya, alors qu'il savait aller au devant de la défaite et de la mort. Les traditions shî'ites célèbrent inlassablement le sacrifice de Husayn s'offrant, sans espoir de réussite terrestre, pour le salut de la Communauté.

L'*Imâma* appartient de droit à 'Alî et à ses descendants; et les docteurs de citer des traditions, récusées par les Sunnites et les Khârijites, où le Prophète désigne nommément 'Alî comme son successeur. Les Zaydites s'en remettent à l'élection des notables pour choisir l'*Imâm* parmi les descendants de 'Alî. Selon les autres groupes, c'est l'*Imâm* régnant qui désigne par testament son successeur. Mais l'*Imâm* est loin de n'être, comme le Calife sunnite, que le chef temporel d'une communauté politico-religieuse. L'inspiration divine du Prophète se prolonge à travers lui, et reste, par lui, toujours vivante et présente.

Très vite fut affirmée l' « impeccabilité » non seulement du Prophète, mais de l'*Imâm*. Les Zaydites seuls ne l'attribuent pas obligatoirement à ce dernier, à l'exception, ajoutent certains, de 'Alî et de ses deux fils, Hasan et Husayn. Mais pour les Imâmites et les Ismâ'îliens, du moins depuis le IIe siècle de l'hégire (IXe siècle), tout *Imâm* légitime est de droit impeccable. La notion ne cessera de se préciser. Les fautes d'inadvertance elles-mêmes, naguère admises, furent écartées. Bien plus, Prophètes et *Imâm*(s) furent déclarés impeccables non seulement durant le temps de leur charge, mais de leur naissance à leur mort; non point d'ailleurs en raison d'une qualité intrinsèque qui en ferait par nature des sur-hommes, mais par une grâce ou don de Dieu *(lutf)* qui les constitue tels [9].

On voit donc la portée et le sens de ce culte des *Imâm*(s). Qu'ils aient ou non dirigé la Communauté, leur règne n'en est pas moins légitime. Un Calife sunnite peut être chef visible de l'État; son pouvoir n'invalide aucunement la réalité de l'*Imâma* 'alide qui lui coexiste. Il y eut des *Imâm*(s) shî'ites, — et Hasan le premier, — qui, pensionnés par le Gouvernement, n'eurent guère d'action politique; d'autres commandèrent un temps des groupes ou des États fidèles. Mais ce sont eux, toujours, qui portent devant Dieu le poids de la Communauté des croyants, et lui enseignent le sens authentique et caché de la révélation du Prophète.

Le culte des « gens de la Maison » fut à l'origine de ces « mystères » dramatiques que sont les *ta'ziya*(s) [10]. A leur suite, toute une *saga* des *Imâm*(s) se développa, en milieu imâmite surtout. Si l'assassinat de 'Alî à Kûfa, le sacrifice de Husayn à Kerbela sont indubitables, l'histoire reste indécise quant aux causes de la mort de Hasan et de plusieurs *Imâm*(s) après lui. Les Shî'ites en rendront responsable le bras séculier, si bien que des « passions » seront fidèlement célébrées au cours des âges. La foi shî'ite prit ainsi une double coloration, tout ensemble historique et dévotionnelle, qui la distingue de la foi sunnite. A la suite de l'épopée de Kerbela, la souffrance et la mort reçoivent valeur bénéfique pour la Communauté. Bien connues — et toujours actuelles — sont les confréries de pénitents qui, aux dates anniversaires du « martyre » des *Imâm*(s), se flagellent jusqu'au sang dans une atmosphère de piété violente et exaltée.

Les gnoses du « sens caché »

Des traditions shî'ites enseignent que Muhammad avait révélé à 'Alî le sens réel et profond *(haqîqa)* de la Parole divine. Tout *Imâm*, de par son impeccabilité, la perfection de son intelligence et la saveur de sa science religieuse, et lui seul, est apte à pénétrer à son tour le secret des versets coraniques. Très tôt la distinction se fit entre « sens apparent » *(zâhir)* et « sens caché » *(bâtin)*. La recherche de l'interprétation mystérique du Coran *(ta'wîl)* fut l'une des caractéristiques du shî'isme, justifiant ainsi l'accent mis sur l' « intellect » et la « science savoureuse ». Là encore, les Zaydites s'opposèrent aux extrémistes, et maintinrent les droits du sens obvie et des prescriptions légales et juridiques qui en découlent. Dans le monde imâmite, les références au sens caché iront s'accentuant, et fleuriront dans l'école dite shaykhie; elles deviendront dominantes en ismâʿîlisme, jusqu'à refuser, en mainte secte, toute valeur pratique aux principes codifiés du droit *(sharîʿa)*. Ce sont des Ismâʿiliens qui seront désignés par le terme de *Bâtiniyya*, ces partisans exclusifs du sens caché, que tant de docteurs sunnites entreprirent de réfuter.

La pensée et la piété shîʿites dominantes seront profondément marquées par ce sens caché et mystérique qu'il faut atteindre et « réaliser », pour en vivre, au-delà du sens apparent. Ainsi comprendra-t-on que le martyre des *Imâm*(s) est le vrai triomphe. Sur le texte coranique se développera toute une gnose savoureuse réservée en principe à l'*Imâm*, et aux « initiés » qui en reçoivent par lui communication. Les interprétations varieront selon les groupes et les écoles. Tous les articles de la foi musulmane seront repris en leur mot à mot, devenu pur symbole de la réalité des choses. C'est sa double note dévotionnelle et historique qui distingue le plus visiblement, avons-nous dit, la foi populaire shîʿite de la foi sunnite; mais la foi des initiés, — et tout shîʿite est, ou peut devenir « initié », — s'en distingue plus encore par ce recours secret à une gnose non seulement explicative, mais salvatrice. Plus qu'une remise à Dieu dans la foi, il s'agit ici d'une vision du monde, et des rapports du monde et de Dieu, qui est connaissance positive.

Par là, la pensée shîʿite se trouvera étrangement perméable à des influences extra-musulmanes, qu'il s'agisse des grands mythes de l'Iran ancien, des religions à mystères de la Grèce antique, ou des gnoses héritées du moyen et du néo-platonisme. Dans la mesure où elle s'exprime par son culte des *Imâm*(s), si véhément soit-il, la piété shîʿite se présente à nous comme une forme possible de mentalité musulmane, différente sans doute de la mentalité sunnite majoritaire mais incarnant des virtualités qui n'en sont pas moins directement et profondément liées à l'Islam. Quand elle s'abandonne à son goût de la gnose, elle peut donner naissance à de grandes élaborations philosophico-théologiques. Y reviennent à coup sûr des thèmes et des termes empruntés au Coran, et ces élaborations restent bien l'une des gloires de la culture islamique prise en son ensemble. Mais ce faisant, la pensée shîʿite opère un amalgame avec des pensées « étrangères », parfois fort éloignées des données de base coraniques, et que l'on ne saurait, sinon d'un point de vue historique, référer tout uniment à l'Islam.

Le « retour » (raj'a)

Il s'agit d'une vue millénariste : le « retour à la vie », entendu non pas comme la résurrection des corps au jour du Jugement, mais comme un premier temps de résurrection, concernant les saints et les justes seuls, et s'épanouissant, sous la conduite du *Mahdî* attendu, en « parousie ». Ce sera le règne des justes revenus sur terre, *avant* le grand anéantissement de la fin du monde, la résurrection générale et le Jugement.

Les Râfidites et extrêmistes de toute sorte y insistèrent volontiers. C'est l'une des grandes perspectives de l'imâmisme : liée au retour de l'*Imâm* « disparu ». La gnose ismâ'îlienne la transposa pour son compte sur un plan spirituel extra-temporel. Mais ce « retour » est une croyance devenue spécifique du shî'isme seul. Les Mu'tazilites déjà l'avait récusée comme « vaine [11] ». Le sunnisme postérieur à son tour n'écartera pas moins cette résurrection partielle et anticipée. Le seul « retour » par lui envisagé est celui de l'humanité tout entière, lors du « rassemblement » universel, en vue du Jugement des méchants comme des bons, des impies comme des croyants.

II. — LES GRANDES DIVISIONS DU SHÎ'ISME

Trois lignes principales

C'est selon des plans de clivage assez nettement distingués que nous retrouverons ces diverses composantes, au gré des sectes ou groupes et de leur évolution. De ce point de vue, la mentalité zaydite reste proche des mentalités sunnites habituelles. Une fois admis que l'*Imâma* doit obligatoirement revenir à un A'lide, le zaydisme, pour tout le reste, ne présente guère que des nuances d'école : telles les conditions et modalités de l'élection de l'*Imâm*, ou encore la faveur dont les thèses et la problématique mu'tazilites continuèrent de jouir à ses yeux. C'est au Yaman, terre privilégiée du zaydisme, que furent retrouvés en 1958, par une mission égyptienne, les manuscrits de la première grande œuvre mu'tazilite qui nous soit accessible [12]. Aussi bien, quand le Réformiste sunnite Rashîd Ridâ cherchait comment restaurer l'unité de la Communauté musulmane, il n'hésita pas à suggérer l'*Imâm* zaydite du Yaman comme Calife possible [13]. On peut se demander, il est vrai, si les derniers événements politiques, la déposition de l'*Imâm* zaydite comme souverain temporel, la coupure du Yaman en deux républiques, les revendications marxistes du Yaman sud, n'iront pas compromettre les survivances du zaydisme en tant qu'attitude religieuse.

A l'heure actuelle, ce sont les deux grands courants, imâmite et ismâ'îlien, qui se partagent préférentiellement les communautés shî'ites. — Après avoir donné naissance à bien des groupes secondaires, l'imâmisme, qu'il soit arabe, iranien ou indo-pâkistânais, présente une suffisante unité de doctrine. Il continue d'exercer dans les terres d'Islam, et sur la politique des pays musulmans, une influence notable. Il est, depuis le XVIe siècle, la religion officielle de l'Iran, et atteint, en 'Irâq et au Liban, d'importantes couches de population.

Les Ismâ'îliens au contraire restent différenciés. Les Druzes libano-jordaniens, les Nusayrîs de Syrie, les Bohorâs de Bombay, d'autres encore, ont des origines fâtimides. Leur importance, politique et religieuse, réelle à coup sûr, est avant tout locale. Une autre ligne ismâ'îlienne, qui se recommande de Nizâr b. Mustansir, est représentée aujourd'hui par les Khôjas, disciples de l'Âghâ Kkân. Ils marquent de leur dynamisme social et économique la vie pâkistânaise, et secondairement la côte de l'Afrique Orientale, du moins jusqu'aux mesures prises en Ouganda contre les « étrangers ». Ils ne sont d'ailleurs pas sans avoir cédé à diverses infiltrations hindoues. Pour diverses, voire opposées, que soient les traditions et les doctrines de ces multiples sectes, elles ont en commun le goût du secret et des hiérarchies ésotériques. En tout cas, les gloires du passé, du temps de l'Empire fâtimide, ou même des Tayyibites, semblent révolues.

Ajoutons, à titre de référence, que l'ensemble des communautés shî'ites représente à l'heure actuelle moins du dixième des musulmans, — disons, très approximativement, entre 60 et 65 millions de croyants.

Quelques dominantes de la mentalité imâmite

Sans vouloir entrer dans le détail des nombreuses tendances ou écoles [14], est-il possible de dégager quelques traits spécifiques? La dévotion imâmite est centrée sur le culte des Douze *Imâm*(s) par elle reconnus. Selon le temps nombré de l'histoire humaine, leur succession ne recouvre guère plus de deux siècles; elle se clot lors de la « disparition » ou « absence » *(ghayba)* de Muhammad al-Mahdî, douzième *Imâm*, né à Sâmarrâ en 225 H. /869, et « disparu » dès son enfance dans un souterrain de cette ville.

Ces douze *Imâm*(s) sont tous vénérés, car chacun d'eux a reçu le don d'impeccabilité et la connaissance parfaite qui font de lui comme une réfraction de la pureté et de la science divines sur terre. Mais le culte qui leur est voué touche à l'hyperdulie à l'égard d'abord de 'Alî, Hasan, Husayn, les trois premiers *Imâm*(s), et de Fâtima, leur épouse et mère, fille du Prophète, Fâtima l'éplorée, qui ne survécut qu'un an à son père; à l'égard ensuite de Zayn al-'Abidîn, quatrième *Imâm*, réputé pour sa piété, et dont ont été conservés de très beaux textes de prières; à l'égard de Ja'far a-Sadîq, sixième *Imâm*, dont la réputation en « science cachée » dépassa largement les frontières du shî'isme [15]; à l'égard de Mûsâ al-Kâzim son fils cadet [16]; à l'égard de 'Alî al-Ridâ, huitième *Imâm*, enterré à Mashhad où son tombeau est le centre toujours vivant de pèlerinages d'une extrême ferveur, et avec lui sa sœur Fâtima l'immaculée, morte à quatorze ans, dont le mausolée fait de Qumm une ville sainte par excellence; enfin, et surtout peut-être, à l'égard du douzième *Imâm*, Muhammad al Mahdî, le « disparu » *(al-ghâ'ib)*.

« Disparu », mais non point mort. La foi imâmite croit en sa survie mystérieuse, espère et attend son retour. C'est lui qui sera la Preuve suprême, le *Mahdî* bien dirigé du dernier âge du monde, « Maître du Temps » *(wâli al-zamân)*, et qui fera régner la justice sur terre, lors de la parousie millénariste, avant que ne sonne l'heure du Jugement. Sa « disparition » *(ghayba)*, en prolongeant l'attente des fidèles, « prolonge » le dernier jour du monde. Car la Communauté ne saurait subsister sans *Imâm*. Et ainsi Muhammad al-Mahdî reste présent, d'une présence invisible mais réelle, soutenant en secret le monde par ses « Substituts » *(abdâl)* et les Saints *(awliyâ')*. Son culte est aussi vivant, plus vivant parfois que celui de Fâtima, de ʿAlî ou de Husayn. Des saints et des grands docteurs *(mujtahidûn)* sont mystérieusement en communication avec lui. L'actuel Empereur d'Iran, Shâhinshâh Muhammad Ridâ, nous conte dans son autobiographie qu'étant encore Prince héritier, il rencontra, aux détours des allées du Parc impérial, l'*Imâm* « disparu »... Le douzième *Imâm* est le Désiré, l'Attendu *(al-Muntazar)*, que rejoint la ferveur du dévot, dont l'appel du priant peut hâter le retour.

C'est sur cette trame du culte des *Imâm*(s) que se développa l'ésotérisme duodéciman. Ici cependant, le « sens caché » n'alla jamais jusqu'à détruire le « sens apparent », et les prescriptions de la Loi religieuse gardent leur valeur. Le « cycle solaire » du temps de la prophétie, clos à la mort du Prophète de l'Islam, maintient sa précellence sur le temps de l'*Imâma*, « cycle nocturne » de la *walâya*, ici « fidélité spirituelle » comme traduit Henry Corbin. L'enseignement des *Imâm*(s), tel le commentaire du Coran attribué à Jaʿfar, en transmet la teneur.

Mais, sous l'influence semble-t-il de gnoses ismâʿîliennes, l'imâmisme postérieur accentua sa recherche du sens caché, et ses références aux hiérarchies spirituelles des « Substituts » et des « Saints ». L' « absence » *(ghayba)* proclamée du douzième et dernier *Imâm* commença en 329 H. /940. Ibn Bâbawayh de Qumm fut le grand nom de cette époque. Les VIIe et VIIIe siècles de l'hégire (XIIIe et XIVe siècles) seront illustrés par Nasîr al-Dîn Tûsî, adepte et commentateur d'Avicenne, et par Ibn al-Mutahhar Hillî dont les exposés didactiques, fortement influencés de muʿtazilisme, continuent jusqu'à nos jours à être enseignés [17]. Le triomphe définitif de l'imâmisme en Iran sous les Safévides favorisa un large renouveau intellectuel où les perspectives s'affirmeront plus philosophiques (« gnose sapientiale ») que directement théologiques [18]. Nous avons ainsi aux XVIe-XVIIe siècles les célèbres Mîr Dâmâd et Mullâ Sadrâ Shîrâzî, qui intégrèrent l'apport sûfi; et, à leur suite, l'école d'Ispâhân. Les xviiie-xixe siècles furent illustrés par Ahmad Ahsâ'î, maître de l'école ésotérique shaykhie, et le xixe par Hâdî Sabzawârî dont la métaphysique (en arabe) a été récemment éditée [19].

Ces grands écrits imâmites sont fortement marqués d'une part par l'influence néoplatonicienne, principalement à travers les « philosophes hellénistiques » *(Falâsifa)* de l'Islam, d'autre part par des influences sûfies, récusées jadis, maintenant agréées. Mentalités de savants et d' « initiés », qui refluent à coup sûr sur la mentalité populaire. Mais bien plus qu'aux gnoses du sens caché, cette dernière continuera de s'abreuver à une ferveur dévotionnelle à l'égard du Prophète, des « gens de la Maison » et des *Imâm*(s). Telle semble bien être sa note caractéristique.

L'ismâ'îlisme en ses principes [20]

C'est à la mort de l'*Imâm* Ja'far que se consomma la dissidence ismâ'îlienne. Ja'far al-Sâdiq avait d'abord désigné son fils aîné Ismâ'îl pour lui succéder. Les traditions imâmites rapportent que, devant l'inconduite d'Ismâ'îl qui s'adonnait aux boissons fermentées, son père le maudit, récusa son premier « testament », et porta son choix définitif sur son fils cadet Mûsâ. Ce dernier, Mûsâ al-Kâzim, sera le viie *Imâm* des Duodécimans, ancêtre donc de l'*Imâm* « disparu ». Un certain nombre de partisans shî'ites, par contre, au nom de l'impeccabilité de l'*Imâm*, refusèrent d'admettre que Ja'far ait pu ainsi se tromper et se dédire. Ils entendirent rester fidèles à l'aîné Ismâ'îl, qui devint pour eux le septième *Imâm*, depuis la mort de Muhammad, et qui reviendra, *Mahdî* suprême, à la fin des temps. C'est à cette option délibérée qu'ils durent leur nom habituel d'Ismâ'îliens ou de Septimaniens [21].

Mais en fait il s'agit de tout autre chose que d'une simple question de légitimité dynastique. Très vite des oppositions doctrinales et toute une attitude d'esprit séparèrent Imâmites et Ismâ'îliens [22]. Trois notes peuvent caractériser leur mentalité religieuse respective. 1) Si les Imâmites mettent l'accent sur le « sens caché », il n'en maintiennent pas moins la valeur du sens apparent; pour les Ismâ'îliens, le sens caché et son interprétation ésotérique primeront d'une façon absolue. 2) Les Imâmites voient dans les *Imâm*(s) les interprètes des Prophètes; le cycle de la *walâya*, qui est celui des *Imâm*(s), succède au cycle prophétique comme une nuit illuminée d'étoiles succède au jour éblouissant. Pour les Ismâ'îliens, le cycle de l'*Imâma* est supérieur au cycle de la prophétie, il l'accompagne tout au long de la proto-histoire, de l'histoire et des cycles cosmiques, il en est la réalité secrète. 3) Selon la foi imâmite, le douzième *Imâm* est « disparu », physiquement absent, mais vivant toujours et mystiquement présent. Ce n'est pas à cette notion d'« absence » *(ghayba)* que se réfère l'ismâ'îlisme, mais à celle d'« occultation » *(satr)*.

Ici, les interprétations varient au gré des contextes politiques. Nous essayerons d'en cerner les grandes lignes.

L'ismâ'îlisme en ses diversités

Pour les premiers Ismâ'îliens, chaque prophète « parlant » était suivi de sept *Imâm*(s) maîtres du sens caché. Le septième revenait au cycle suivant comme prophète; et sept grands cycles mesuraient l'histoire du monde. Muhammad fut le prophète du sixième cycle. Ismâ'îl, septième *Imâm*, devait donc être le prophète « surgissant » *(qâ'im)* du septième et dernier cycle, c'est-à-dire le *Mahdî* attendu. Depuis la mort d'Ismâ'îl jusqu'à son retour s'étend une ère d'occultation. Mais deux lignes divergentes, et chacune selon des exégèses mutiples, vinrent interférer. La première fut celle des souverains fâtimides, qui triompha un temps en Égypte et se poursuivit après leur défaite. C'est lors de la succession du huitième calife fâtimide, Mustansir billâh (ve siècle H. /xie siècle), que s'opéra une brisure. La ligne proprement fâtimide resta fidèle à Musta'lî, neuvième *Imâm*, fils cadet de Mustansir, alors que des opposants rejoignaient son fils aîné Nizâr écarté du trône [23].

a) *Ligne fâtimide (et musta'lie)*, fondée au xe siècle par un *Imâm-Mahdî* 'Ubayd Allâh. L'ismâ'îlisme connut une période de gloire lors de la dynastie fâtimide qui, après avoir tenté en vain de s'établir en Ifrîqiya, régna au Caire du ive au vi^e^ siècle de l'hégire (fin x^e^-xiie siècles). Ce fut une époque culturellement brillante. Cette prise de pouvoir n'alla pas sans certains aménagements de doctrine. Tantôt en effet des docteurs fâtimides enseignèrent que les *Imâm*(s) continueraient à se succéder au-delà de l'heptade habituellement reconnue; et tantôt les souverains fâtimides furent considérés comme réalisant mystiquement le « retour » du « Surgissant ». Une imminente réalisation eschatologique continuera d'être annoncée et attendue.

Les Fâtimides se présentaient à la fois comme *Imâm*(s) au sens ismâ'îlien et comme les Califes d'un Empire temporel constitué. En conséquence, ils gardèrent au « sens apparent » des textes une valeur juridique et politique. La primauté absolue du sens caché n'est point remise en question, mais c'est au sens apparent que se réfèrent les prescriptions administratives [24]. Le droit fâtimide, codifié par le *qâdî* Nu'mân est très proche du droit imâmite. — Une exégèse ésotérique cependant continue à commander la vision du monde. Nous y retrouverions, selon des schèmes néoplatonisants, divers systèmes émanatistes : *Amr* (« Ordre ») divin, Intellect, Ame d'où découlent les sept sphères célestes; ou une succession de dix Intellects [25]. Des hiérarchies initiatiques sont mises en regard, où se répondent microcosme humain et macrocosme universel. Ainsi, par ordre descendant, les « grades » de l'*Imâm*, de la « Preuve » *(hujja)*, de l'Instructeur-prédicateur *(dâ'î)*. Après la chute des Fâtimides, vaincus et chassés du Caire par le Kurde sunnite Salâh al-Dîn (Saladin), les Musta'lites d'Égypte auxquels se rattachent les Druzes, et les Tayyibites du Yaman et de l'Inde enrichirent et compliquèrent encore cette cosmologie et cette anthropologie gnostique. Les célèbres Boharâs de Bombay s'en rapprochent [26].

b) *Ligne nizârie*, qui doit son nom à Nizâr, fils aîné du Fâtimide Mustansir. Son centre principal fut Alamût en Iran, mais elle se diversifia par la suite, au gré des pays, en Inde, au Daylam, en Syrie. Elle fut un temps proclamée religion officielle au Daylam, et c'est du nizârisme que se réclament de nos jours les adeptes de l'Aghâ Khân.

Les écrits du grand écrivain persan Nâsir-e Khusraw, quasi contemporain de Nizâr, et qui subit bien des influences fâtimides, furent particulièrement en honneur en maintes communautés nizâries. Il enseigne l'union des « deux sagesses », entendons la philosophie grecque, Plotin surtout et le pseudo-Empédocle, et la gnose ismâ'îlienne [27] : vue émanatiste du monde, où le sens caché réassume les données coraniques; angélologie où les traditions de l'Islam sont orchestrées par les mythes de l'Iran ancien; attente de l'universelle libération, où la Matière même, troisième principe émané, « sera absoute de son assujettissement à la forme [28] »; métamorphose de l'âme et interprétation gnostique s'unissant dans une expérience qui se veut libératrice. — A la suite du pseudo-Empédocle, une notion de « Matière spirituelle » comme Premier Émané se fera jour.

On peut dire qu'un siècle après Nâsir-e Khusraw l'inspiration nizârie connut son apogée lors de la « Réforme d'Alamût » quand fut proclamée en 669 H. /1164 la « Résurrection *(qiyâma)* des résurrections ». Le sens initiatique et caché triomphe. Le sens apparent est aboli. La résurrection proclamée, c'est le surgissement de l'*Imâm*, dont la réalité spirituelle l'emporte sur toute descendance ou filiation charnelle [29]. Dans la ligne « mystique », illustrée par exemple par Shabistârî, on peut dire que la sphère de l'*Imâma* est ouverte aux initiés. Ils s'élancent de la « caverne » ou de l'« arche », qui est l'appel *(da'wa)* à l'initiation ismâ'îlienne, pour entreprendre par une « métamorphose intérieure » l'ascension du « Sinaï mystique, au sommet duquel se dresse l'Olivier béni, l'*Imâm* [30] ». Il n'est plus requis que « l'*Imâm* du temps présent » gouverne visiblement la Communauté. Aux périodes de triomphe et de dévoilement *(kashf)* succèdent des périodes d'occultation *(satr)*. L'*Imâm* est le plus souvent occulté *(mastûr)*. Ainsi en fut-il quand, après les massacres de Hûlâgû le Mongol (654 H. /1256), les Seigneurs d'Alamût, sous couvert sans doute du « voilement de la foi », firent profession extérieure de sunnisme. Le *Mahdî* suprême, le Surgissant *(qâ'im)* sera précédé de trois *Imâm*(s) occultés.

L'ismâ'îlisme dans la culture musulmane

On est loin, certes, de la vision à la fois linéaire et discontinue de l'histoire des hommes, qui est celle de l'Islam sunnite; fort loin aussi de l'accent mis par l'imâmisme sur la prédication muhammadienne, la précellence des Prophètes, et sur l'ascendance charnelle 'alide exigée de l'*Imâm*. Au cours des oppositions et des luttes, Imâmites comme Sunnites contestèrent la légitimité de bien des *Imâm*(s) ismâ'îliens; ces discussions concernant le lignage charnel restèrent lettre morte aux yeux des affiliés. Volontiers Sunnites et Imâmites feront des Ismâ'îliens des *ghulât*, des « outranciers », des extrêmistes. Et il sera reproché à maints d'entre eux d'avoir eu le secret dessein, sous le voile d'un jeu initiatique d'interprétations et de gnoses, de nier tout prophétisme historique. Ils seront encore des *Ta'lîmiyya*, entendons : ceux qui reçoivent en secret leur doctrine d'un Maître, détenteur absolu de la Vérité [31].

Non seulement les Sunnites, mais les Imâmites eux-mêmes combattirent les Septimaniens, tantôt par des écrits polémiques, tantôt par les armes. Si l'on excepte le temps du triomphe fâtimide, l'« état d'occultation » fut le sort le plus habituel des Congrégations ismâ'îliennes, et elles se réfugièrent fréquemment dans le « voilement de la foi ». L'usage du secret et des étapes initiatiques creusa un fossé entre la foi des simples et celle des initiés : nous en retrouvons la rigueur, toujours actuelle, dans les sectes druze et nusayrie.

Il est difficile, pour ces diverses raisons, de proposer des chiffres précis. Dans l'ensemble du monde musulman, les Septimaniens reconnus pour tels sont relativement peu nombreux. Mais sous la garantie du « voilement de la foi », fréquentes furent les rencontres entre ismâ'îlisme et sûfisme postérieur. Si bien que l'ismâ'îlisme fut et reste l'une des composantes de la culture musulmane. Nous songeons par exemple à la fameuse et ancienne Encyclopédie des « Frères Sincères » (ɪvᵉ siècle H. /xᵉ siècle), fort connue du monde sunnite [32]. La cosmologie des *Falâsifa* orientaux, Fârâbî, Avicenne, se développa selon des schèmes assez proches de la cosmologie fâtimide, si différent que puisse être, ici ou là, le traitement philosophique des sources grecques. Mais ainsi les fortes influences persanes et grecques dont témoigne la gnose ismâ'îlienne se trouvèrent intégrées dans l'héritage de l'humanisme musulman, dans cette jonction des « deux sagesses » prônée par Nâsir-e Khusraw.

Esprit de revendication

Les Shî'ites, comme les Khârijites, appartiennent sans aucun doute à l'histoire musulmane et à son aire culturelle. C'est d'abord par des références musulmanes que s'explique leur attitude mentale et spirituelle. Or, face au sunnisme majoritaire, ils apportèrent un ferment revendicatif non seulement doctrinal, mais social. Les Khârijites ne cessèrent d'urger un principe d'égalitarisme absolu. Le légitimisme shî'ite en semblerait, à première vue, le contradictoire; et cependant c'est au nom d'un shî'isme extrêmiste que s'élabora le communisme initiatique des Zanj révoltés et des Qarmates. Nous avons vu par ailleurs combien furent étroits les liens entre l'ismâ'îlisme fâtimide et les corporations de métiers. C'est dans le peuple des pauvres que l'attente eschatologique du *Mahdî* Surgissant trouva son terrain de prédilection.

Khârijites et Shî'ites se considérèrent souvent comme ennemis. Mais remarquable est le commun esprit de revendication qui les anime [33]. Ici et là, des notions analogues sont plus d'une fois mises en avant. Ainsi, la notion de *walâya*, communion ou « fidélité spirituelle » (à quoi les Khârijites ajoutent, en contre-partie, la *barâ'a* ou excommunication). Les uns et les autres insistent sur les alternatives de manifestation ou gloire, et de clandestinité ou occultation. Les uns et les autres recommandent, exigent en certains cas, le « voilement de la foi »; et les uns et les autres mettent en avant la loi de secret.

Sans doute, à cet esprit de revendication la foi shî'ite joint-elle d'être plus dévotionnelle, plus historique et plus eschatologique que la foi sunnite, — d'une eschatologie qui est d'abord terrestre : le « retour » des justes, groupés autour de l'*Imâm-Mahdî*, et qui précèdera la résurrection générale et le Jugement. Mais l'attente du *Mahdî* est progressivement devenue celle de l'Islam tout entier [34]. Al-Mahdî fut le surnom de bien des *Imâm*(s) ou Califes, de toute appartenance : le premier *Imâm* fâtimide, le onzième calife umayyade d'Espagne, plusieurs *Imâm*(s) zaydites... Le réformateur berbère Ibn Tumart le revendiqua lors de la révolution almohade, tout inspirée de radicalisme sunnite, mais qui ne fut pas sans drainer des influences shî'ites.

Aux heures de crise, bien des réformateurs ou révolutionnaires s'affirmeront *Mahdî*(s). Et Mahdî est un prénom souvent donné à l'enfant musulman.

Pour minoritaires qu'ils soient, on peut dire que Khârijites et Shî'ites se présentent comme un ferment dynamique qui concourt à informer les mentalités musulmanes. Les gnoses initiatiques, il est vrai, ne s'expliquent que par le jeu d'apports « étrangers ». Mais ce n'est peut-être pas là la note essentielle de ces « familles d'esprits ». Leurs revendications d'absolu, par contre, restent comme une question ouverte et toujours posée à la Communauté du Prophète.

NOTES

1. L'expression est de Muhammad Arkoun, *Essais sur la pensée islamique, op. cit.*

2. Cf. H. Laoust, *Les Schismes dans l'Islam, passim* (voir Index général établi par les soins de Y. Moubarac, 1969, à Fâtimides, Imâmisme, Ismaëliens, Ismaëlisme, Nusairya, Qarmate, Râfida, Zaidisme, etc.).

3. Cf. W. Madelung, art. « Hishâm b. al-Hakam », *EI*², p. 513. — Les *Jahmiyya* représentent une tendance du « pré-*kalâm* » des IIe-IIIe siècles H. /VIIIe-IXe siècles et qui fut par la suite très sévèrement jugée.

4. On doit tenir compte ici : 1) que les *Jahmiyya* entendaient « chose » *(shay')* au sens de « substance »; 2) que la pensée shî'ite s'adonna à des gnoses interprétatives centrées sur le mythe de l'« Homme Parfait », image de Dieu.

5. Maqbalî, *al-'Alam al-shâmikh* (éd. du Caire 1328 H. /1910); cité par Robert Caspar, « Le renouveau mo'tazilite », *MIDEO*, 4, Le Caire 1957, pp. 175-176.

6. Ce sont *al-'Aqâ'id al-imâmiyya* (« Croyances imâmites ») du *shaykh* Muhammad Ridâ al-Muzaffar, rédigées à Najaf.

7. Voir dans *al-'Aqâ'id al-imâmiyya* les deux chapitres consacrés à l'*ijtihâd* et au *mujtahid* (pp. 10-12).

8. *Ibid.*, pp. 7-9.

9. Cf. W. Madelung, art. « *'Isma* » (« Impeccabilité »), *EI*², p. 190.

10. Cf. ci-dessus, IIe partie, chap. IV, p. 190.

11. Cf. Khayyât, *Kitâb al-intisâr*, réfutant Ibn al-Rawandî, *éd. cit., passim*, spécialement, pp. 95-97 /118-120.

12. Ce sont les trois ouvrages du *qâdî* 'Abd al-Jabbâr : la somme

du *Mughnî fî l-abwâb al-tawhîd wa l-'adl,* le compendium du *Sharh al-usûl al-khamsa,* et le *Kitâb al-majmû' fî l-muhît bi l-taklîf;* tous les trois édités aujourd'hui au Caire.

13. Cf. Rashid Ridâ, *al-Khilâfa..., op. cit.,* pp. 70-71-119.

14. Tels les *Wâqifiyya,* centrés sur le culte du septième *Imâm,* dont ils refusaient la mort, les *Qat'iyya,* qui acceptèrent 'Alî al-Ridâ comme huitième *Imâm,* et toutes les sous-sectes des uns et des autres. Cf. H. Laoust, *Schismes,* pp. 81-82.

15. Ja'far est connu dans tout l'Islam par son *Tafsîr* et son *Kitâb al-jafr.*

16. Spécialement vénéré à Kâzimayn, aux environs de Bagdad, grand centre shî'ite où se trouve son tombeau.

17. Par exemple son *Minhâj al-karâma* que le Hanbalite Ibn Taymiyya entreprit de réfuter dans son *Minhâj al-sunna* (éd. du Caire, 2 vol., 1382 H. /1962).

18. A noter cependant un commentaire des sûrates coraniques (en arabe) très suivi actuellement en milieu shî'ite, *Majmu' al-bayân fî tafsîr al-Qur'ân* plusieurs fois publié, édité en 5 vol. à Beyrouth.

19. A Téhéran en 1969 par M. Mohaghghegh et T. Izutsu; ainsi plus récemment encore (1973) que le commentaire de Sabzawârî par M. Ashitiyânî (mort en 1952).

20. Voici, à titre d'exemple, deux *credo*(s) ismâ'îliens, rédigés en arabe : 1) *al-Qasîda al-sûriyya* de Muhammad Ibn 'Alî al-Sûrî, missionnaire *(dâ'î)* ismâ'îlien mort vers 487 H. /1094, éditée par 'Arif Tâmir, Institut français de Damas, 1955; 2) *Kitâb simt al-haqâ'iq* de 'Alî b. Hanzala, mort en 626 H. /1229, édité par 'Abbâs al-'Azzâwî, *ibid.'* 1953. — Ou encore (en persan) le commentaire de la *Qasîda* d'Abû l-Haytham al-Jurjânî, attribué à Ibn Surkh al-Nishâbûrî (IVe-Ve siècles H. /Xe-XIe siècles), édité par Henry Corbin et Muhammad Mu'în, Téhéran-Paris, 1955. Cf. également W. Madelung, art. « *Ismâ'îliyya* », *EI*[2].

21. Le chiffre Sept évoquant ici non seulement le nombre des Sept premiers *Imâm*(s), mais le rythme mystérique des heptades qui gouvernent le cosmos. Cf. Henry Corbin, *Nâsir-e Khosraw,* Téhéran-Paris, 1953, « Étude préliminaire », p. 5.

22. Cf. Henry Corbin, introd. aux *Ta'wîlât,* ap. *Trilogie ismaëlienne,* Téhéran-Paris, 1961, pp. (81)-(89).

23. Nous retrouvons donc ici, à l'intérieur de l'ismâ'îlisme, le même type de clivage qui sépara Duodécimans et Septimaniens lors de la succession de Ja'far.

24. D'où le nom de « néo-Ismâîliens » que leur donna W. Ivanow, art. « *Ismâ'iliyya* », *EI*[1], suppl.

25. Schèmes qui seraient à rapprocher et à distinguer de la cosmologie avicennienne.

26. Les deux premiers textes, édités et traduits par Henry Corbin dans sa Trilogie ismaëlienne relèvent le premier de l'époque fâtimide (Abû Ya'qûb Sijistânî, IVe siècle H. /Xe siècle), le second de l'époque post-fâtimide (Sayyidunâ al-Husayn Ibn 'Alî, VIIe siècle H. /XIIIe siècle). L'un et l'autre sont écrits en arabe.

27. Nâsir-e Khusraw : *Kitâb-e jâmi' al-hikmatayn,* texte persan édité par Henry Corbin et Muhammad Mu'în, Téhéran-Paris, 1953.

28. Henry Corbin, *ibid.*, « Étude préliminaire », p. 133.

29. Un exemple de la tradiion postérieure issue d'Alamût nous est donné par le troisième texte (en persan) de la « Trilogie ismaëlienne », *op. cit.*, *Ta'wîlât-e golshan-e râz* (« Interprétation de la roseraie du mystère ») de Mahmûd Shabistârî. Ce texte, qui date du VIIIe siècle H. /XIVe siècle, témoigne de la jonction opérée entre ismâ'îlisme et sûfisme ésotérique.

30. Henry Corbin, Introduction aux « Interprétations de la roseraie du mystère », *Trilogie ismaëlienne*, p. (92).

31. Les réfutations en furent nombreuses. Ainsi, en sunnisme : plusieurs longs développements du *Farq bayn al-firaq* de 'Abd al-Qâhir al-Baghdâdî; le *Qustâs* et divers autres traités de Ghazzâlî; cf. du même *Munqidh min al-dalâl, éd. cit.*, pp. 28-34 /85-94.

32. *Rasâ'il Ikhwân al-Safâ'* (IVe siècle H. /Xe siècle). Trois éditions : Bombay, 1888; Le Caire, 1928; Beyrouth, 1957. Nombreux travaux. Voir en français : 'Âdil 'Awâ, *L'Esprit critique des Frères de la Pureté*, Beyrouth-Damas, 1948, et Yves Marquet, *La philosophie des Ikhwân al-Safâ'*, Alger, éd. SNED, 1976. — Nous trouvons en ces *Rasâ'il* le témoignage d'un ismâ'îlisme modéré à fortes influences hellénistiques. La *falsafa* et tout l'humanisme de cour aux premiers siècles 'abbâsides y puiseront maintes inspirations.

33. Volontiers mis en valeur par des islamisants marxistes; ainsi Maxime Rodinson, *Islam et capitalisme*, *op. cit.*, p. 272, note 101.

34. Le *Mahdî* attendu par les principales lignes shî'ites est tantôt le douzième *Imâm* (Imâmites), tantôt Ismâ'îl b. Ja'far (Septimaniens). Au IIe siècle H. /VIIIe siècle, le grand docteur sunnite Shâfi'î accrédita, sur la base d'un *hadîth*, l'affirmation : « Point de *Mahdî*, si ce n'est Jésus » *(lâ Mahdî illâ 'Îsâ)*. Plus tard, à partir du IV-Ve siècles H. /X^e-XIe siècles, les Sunnites admirent la venue aux derniers temps du monde et de Jésus et du *Mahdî*. Ils les distinguent donc, et enseignent volontiers la suprématie du premier sur le second.

CHAPITRE IV

LA ET LES MENTALITÉS SUNNITES

Origine du sunnisme

Le sunnisme est donc, en Islam, très largement majoritaire. Si bien que les rapides fresques dessinées dans nos deux premières parties décriraient d'abord le comportement sunnite, — ou plus exactement ce qu'ont de profondément commun, dans leurs réalisations de vie concrète, les trois familles sunnite, khârijite, shî'ite.

Les *ahl al-sunna*, les « gens de la Tradition », sont ceux qui ne sont pas « sortis », qui ne se se sont pas « séparés » à Siffîn. Il serait inexact d'y voir des « partisans de Mu'âwiya », au sens où les Shî'ites sont les « partisans de 'Alî ». Au cours des âges, nous l'avons dit, bien des historiens sunnites seront sévères pour la politique de Mu'âwiya, et plus encore pour la personne et le rôle de son fils Zayd, responsable de la défaite et de la mort de Husayn à Kerbela. Mais, face aux revendications des dissidents, l'attitude sunnite sera une acceptation des faits, quels qu'ils soient , dans la mesure où ils ne contreviennent pas aux prescriptions coraniques. Pour les Khârijites, tout Calife ou *Imâm* commettant personnellement une grave faute, — tel 'Alî se pliant à l'arbitrage de Siffîn, — cesse par là même d'être le guide de la Communauté. Pour les Shî'ites, l'*Imâm* (que certains distingueront du Calife) est de soi impeccable. Pour la majorité sunnite, seuls les Prophètes sont impeccables dans l'accomplissement de leur mission. Le Calife ou *Imâm* ne l'est point. Il peut commettre des fautes personnelles, ce qui est regrettable. Mais tant qu'il ne commande à sa Communauté rien de contraire à la Loi coranique, il ne saurait être destitué de sa charge.

Ce n'est donc qu'à la fin des temps umayyades et aux débuts de l'ère ʿabbâside que les Sunnites prirent conscience d'eux-mêmes en tant que communauté distincte : en opposition, précisément, aux dissidences minoritaires des Khârijites et des Shîʿites. Et c'est seulement aux IIe-IIIe siècles de l'hégire (VIIIe-IXe siècles) que, sous l'influence de l'école hanbalite, se répandit l'appellation de *ahl al-jamâʿa wa l-sunna*, « les gens de la Communauté et de la Tradition ». Au cours d'un premier laps de temps, Sunnites et Shîʿites, tantôt en lutte, tantôt en quasi symbiose, vécurent mêlés. Il en ira rarement de même entre Sunnites et Khârijites, encore qu'une certaine entente s'opéra entre eux, quelques années durant, au Ier siècle H. /VIIIe siècle, à Basra [1]. C'est lors de la réaction de Mutawakkil, donc dans la première moitié du IIIe siècle H. (vers 850), que le sunnisme se définit en opposition aux autres tendances, et devint à son tour une famille spirituelle, la grande famille spirituelle, la grande *firqa* de l'Islam. Au XIe siècle, sa « résurgence » fut pour une large part assurée grâce aux Turcs saljûqides à l'Est, aux Berbères almoravides à l'Ouest. Le sunnisme depuis lors ne cessera de gagner en nombre, et s'imposera aux neuf-dixièmes de la Communauté.

I. — ÉCOLES ET TENDANCES

A travers la variété des pays et des peuples, à travers les siècles et l'évolution des âges historiques, des dominantes sunnites communes se feront jour et se maintiendront. Mais multiples seront les écoles juridiques ou théologiques qui, sur ce fond commun, préciseront des options doctrinales, elles-mêmes reflet d'attitudes spirituelles et intellectuelles. Les ethnies, là aussi, apporteront plus d'une fois leurs notes propres. Voici quelques composantes.

Les écoles juridiques

On peut dire que chaque école juridique reste représentative d'un type de mentalité. L'apparition des écoles constituées ne fut pas un fait primitif, mais elle fut rapide. Au ɪᵉʳ siècle H. (vɪɪᵉ siècle) dominait la « juste opinion » *(ra'y)* des juges et des *prudentes*, compte tenu des textes coraniques et des coutumes diverses [2]. Dès les ɪɪᵉ-ɪɪɪᵉ siècles H., apparurent des divergences et des options de base, dont certaines se perpétueront jusqu'à nos jours. Nous pouvons, très brièvement, et selon l'ordre chronologique, les résumer comme suit :

a) Chez *les Hanafites*, nous trouvons une certaine extension du raisonnement par analogie *(qiyâs)*, fondé qu'il sera à leurs yeux sur la cause ou principe *('illa)* qui justifie le jugement porté. S'y joint une finalisation par la « recherche du mieux » *(istihsân)*; et en dégradé une souplesse jurisprudentielle qui sera reprochée à l'école. Elle aboutira à toute une littérature de casuistique, les fameuses *hiyal* hanafites, perspicacité et savoir-faire, mais aussi ruses et stratagèmes.

b) Chez *les Mâlikites* dominera un effort pour unir consensus des savants de chaque époque *(ijmâ')*, raisonnement par analogie *(qiyâs)*, jugement personnel du *prudens (ra'y)*, recours éventuel aux coutumes extra-islamiques *('urf)*, dans un souci de servir l'intérêt général *(maslaha)*.

c) *Les Shâfi'ites* maintiendront le recours à un consensus vivant *(ijmâ')*, mais se méfieront du jugement personnel *(ra'y)*. Ils mettront volontiers l'accent sur le raisonnement par analogie *(qiyâs)*, dirimant un cas nouveau par référence au cas analogue déjà jugé par le Coran ou la Tradition.

d) Les *Hanbalites* enfin préconiseront la fidélité rigoureuse à la « religion pure des Anciens », et n'admettront de consensus que celui des Compagnons du Prophète : ce qui n'est aucunement contradictoire avec une certaine liberté de recherche, là où aucun texte ne vient guider l'appréciation. Un piétisme rigoriste sera l'une des notes du hanbalisme, et lui valut plus d'une fois l'appoint de la ferveur populaire. — Ajoutons que d'autres écoles, non reconnues par la suite, n'en furent pas moins, pour un temps, représentatitives : tel *le zâhirisme*, l'école du « sens apparent », et son nominalisme sémantique qu'illustrèrent l'anti-hallâgien Ibn Dâwûd aux IIIe-IVe siècles H. /IXe-Xe siècles, et l'andalou Ibn Hazm un siècle plus tard [3].

Hanafisme, mâlikisme, shâfi'isme, eurent pour fondateurs directs de grands maîtres *(mujtahidûn)*: Abû Hanîfa, le plus ancien, iranien d'origine, qui enseigna en 'Irâq, et mourut en 150 H. /767; Mâlik Ibn Anas, Arabe de Médine (m. 179 H. / 795); Shâfi'î, Arabe de la tribu de Quraysh, disciple de l'école de Médine, qui mourut au Caire en 204 H. /820. Le hanbalisme se recommande du grand Ibn Hanbal, d'origine arabe, et qui vécut en 'Irâq (m. 241 H. /855). Au contraire des autres *mujtahidûn*, il ne laissa pas de traités de science juridique, mais de nombreuses « professions de foi », et un recueil de traditions ou *hadîth*(s), le *Musnad*. Persécuté sous Ma'mûn au temps du triomphe mu'tazilite, réhabilité sous Mutawakkil, Ibn Hanbal restera le type même de la fidélité aux « pieux Anciens ».

Ces quatre écoles, divergentes d'esprit, sont également agréées par l'Islam sunnite, et ce sont actuellement les seules. Tout sunnite, en principe, appartient à l'une d'entre elles, mais, pour un cas donné, peut choisir l'une ou l'autre, quel que soit son pays d'origine. En fait, des dominantes locales s'affirmèrent au cours des âges. Le hanafisme, fondé en 'Irâq, s'y maintint (mais non point seul), ainsi qu'en Syrie. Il se répandit préférentiellement en Afghânistân, dans le subcontinent indien, et parmi les musulmans d'origine turque. L'Empire ottoman fut officiellement d'obédience hanafite, et les pays qui en dépendirent gardent tous des minorités hanafites. Le mâlikisme, né en Arabie, se répandit en Haute-Égypte, au Maghreb et en Afrique noire. Le shâfi'isme, originaire de Basse-Égypte, s'y implanta, ainsi qu'en certaines régions d'Arabie. Il eut la faveur des Indonésiens et des Malais. Le hanbalisme, jadis très vivant en 'Irâq, fut réactualisé au XVIIIe siècle par la réforme wahhâbite du Najd. Il est aujourd'hui l'école juridique officielle du Royaume sa'ûdite, et ne semble plus guère être largement pratiqué hors de la Péninsule. Les trois autres écoles au contraire groupent indistinctement Arabes et non Arabes.

Théologie ou « apologie défensive » ('ilm al-kalâm)

Les écoles juridiques sont et restent formatrices de mentalités dans la praxis des rites et des relations sociales; les écoles théologiques, plus exactement ces écoles d'apologie défensive qui relèvent de la science dite *'ilm al-kalâm*, entendons « la science de la parole (sur ou de Dieu) », leur répondent au plan doctrinal. Il s'agit de mettre la réflexion et les arguments rationnels au service de la défense de la foi.

Si nous écartons le mu'tazilisme, que le sunnisme récusa à partir du IVe siècle de l'hégire (xe siècle), deux lignes de pensée, deux attitudes fondamentales se feront jour :

a) Avant tout, l'*ash'arisme*, du nom de son fondateur Abû l-Hasan al-Ash'arî (IIIe-IVe siècles H. /IXe-Xe siècles), lui-même transfuge du mu'tazilisme de Basra. Il en prit le contre-pied, mais en garda les principales mises en question et le vocabulaire. En vain se recommanda-t-il d'Ibn Hanbal; les Hanbalites jamais n'agréèrent les arguments dialectiques proposés.

Défenseurs de la pure et nue transcendance divine, les Ash'arites nieront l'efficace des causes secondes, et donc le fondement ontologique de la liberté humaine. Le libre choix *(ikhtiyâr)* n'est en l'homme qu'une « acquisition » *(kasb, iktisâb)* directement créée par Dieu, pour l'acte mauvais comme pour l'acte bon, et qui ne dure que le temps de l'accomplir. L'école mit l'accent sur un absolu volontarisme divin, — Dieu est le Très-Haut « qui agit sans motif » et que « l'on n'interroge pas ». Elle domina l'enseignement officiel du xe au XIXe siècle, et ne fut peut-être pas sans responsabilité dans ce qu'on appela abusivement « le fatalisme de l'Islam ».

b) Parallèlement, et officiellement agréée elle aussi, se maintint en mineur la ligne dite *mâturîdite*. Elle se recommande de Mâturîdî de Samarqand, contemporain d'al-Ash'arî, mais qui ne fut point personnellement fondateur d'école. Les références majeures se retrouvent en des professions de foi hanafites [4], plus directement peut-être que dans le *Kitâb al-tawhîd* de Mâturîdî [5]. Comparée à l'ash'arisme, cette seconde ligne se présente comme de tendance plus intellectualiste et plus psychologique. Si Dieu crée la racine *(asl)* de chaque acte, c'est le choix humain qui lui donne sa qualification morale *(sifa)*. Et le Décret prédéterminant est l'œuvre non d'une Volonté inscrutable, mais de la Prescience du Très-Haut.

Il est donc des thèses qui appartiennent à l'une ou l'autre lignes, ash'arite ou mâturîdite, et qui ne se se recoupent point. Mais les influences mutuelles ne sont pas rares. Un ash'arite évolué, tel Fakhr al-Dîn al-Râzî, propose parfois des solutions de saveur mâturîdite; l'autorité d'un Mâturîdite célèbre, tel Taftâzânî, sera mise en avant par des Ash'arites.

Les liens entre praxis et doctrine

La science du droit et la science « de la parole sur (ou de) Dieu » sont deux sciences religieuses distinctes [6]. Mais elles se rejoignent dans le concret existentiel de la foi vécue. Trop souvent, des islamisants occidentaux les ont présentées comme deux disciplines autonomes. Si nous nous interrogeons sur les mentalités qu'elles informent, il nous faut souligner que l'homme musulman relèvera de la double appartenance, juridique et théologique, qui, en lui, se confondra.

Là encore, des dominantes se feront jour. C'est parmi les Shâfi'ites que se recruta d'abord l'ash'arisme [7]; après lui avoir témoigné leur méfiance, voire leur opposition, les Mâlikites l'adopteront à leur tour. Sur ce point, la réforme d'Ibn Tumart fut décisive. A partir de la fin du XIIe siècle, le Maghreb, en forte majorité mâlikite, fut ash'arite en *kalâm*, et ash'arite conservateur.

Les lignes de pensée mâturîdites s'étaient appuyées dès l'origine sur des professions de foi hanafites, et presque toujours c'est en milieu hanafite qu'elles se développeront. Plutôt que d'une « école mâturîdite », il conviendrait, semble-t-il bien, de parler de tendances hanafites-mâturîdites. Après leur condamnation sous Mutawakkil, de nombreux Mu'tazilites rallièrent les milieux shî'ites, spécialement zaydites; mais certains d'entre eux s'intégrèrent sans doute aux Hanafites-Mâturîdites; et il n'est pas écarté que le « mâturîdisme » postérieur ne leur doive cette coloration « intellectualiste » qui le distingue de l'ash'arisme.

Le hanbalisme seul n'est lié à aucune école de *kalâm*. Il

est à coup sûr une école reconnue en droit musulman. Mais ce n'est pas un traité de droit qu'Ibn Hanbal légua à ses disciples. Si bien qu'il s'agira d'une vision des choses qui déborde de beaucoup le domaine juridique au sens habituel du mot, et qui s'affirmera doctrine de la foi aussi bien que praxis. Les Hanbalites récusent la science du *kalâm* elle-même, et répondent, sur leur plan à eux, mais par d'autres méthodes, aux problèmes qu'elle pose. Tout usage dialectique de la raison pour défendre les données de la foi est sévèrement écarté. Au XIe siècle, un mystique hanbalite, l'Afghân Ansârî avait écrit un virulent *Dhamm al-kalâm* (« Mise en accusation du *kalâm* »). Au XIVe siècle, le grand Hanbalite Ibn Taymiyya renverra dos à dos Muʿtazilites et Ashʿarites, les englobant dans une égale réprobation, alors même que des conclusions ashʿarites sembleraient s'inspirer d'affirmations hanbalites.

En résumé, c'est à deux composantes des mentalités musulmanes que nous avons affaire ici :

1) D'une part, *ʿilm al-kalâm* et les trois écoles juridiques qui le reconnaissent, est admis l'usage, avant tout dialectique, de la raison. Pour les Ashʿarites et les Mâturîdites, certes, la raison, le *ʿaql*, cesse d'être le critère de la Loi religieuse, comme le voulaient les Muʿtazilites. La Loi a, par elle-même, valeur absolue, et la raison, humblement, se met à son service. Mais, dans le *kalâm* sunnite aussi bien que dans le *kalâm* muʿtazilite, la raison, toujours, entend *prouver*.

2) D'autre part, hanbalisme, tout est centré sur le maintien monolithique des données de foi, au-delà de tout argument rationnel *(ʿaqlî)*, dans le respect inconditionné du texte scripturaire, seule « preuve » indiscutable. Cette attitude-là orientera aussi bien l'esprit des solutions juridiques que les affirmations des *credo*(s). Bien plus, on peut dire que chez les Hanbalites le souci de garder pures les données de foi et les valeurs morales commandera bien des solutions juridiques. Attachés aux notions de justice *(ʿadl)*, de rectitude absolue de l'agir *(ihsân)*, de sincérité et dévouement sincère *(ikhlâs)*, ils entendront, au chapitre des contrats par exemple, sauver l'esprit plutôt que la lettre. Les « stratagèmes » *(hiyal)* hanafites sont ici impensables. Si bien que le hanbalisme, la plus « rigide » des écoles de droit, sera en même temps la plus ouverte à certaines aspirations de l'esprit

et du cœur. Ainsi s'expliquent son piétisme qui traversa les siècles, et la faveur dont elle jouit auprès des Réformistes contemporains.

II. — PAR-DELÀ LES DIVERSITÉS

Une école juridique commune?

Ainsi donc, souci d'apologie rationnelle et usage d'une dialectique au service des données coraniques ou traditionnelles, — affirmation sans faille d'une foi socialement attestée et tout ensemble intériorisée : tantôt l'une, tantôt l'autre attitude dominera, au gré non tant des écoles que des divers tempéraments intellectuels. Elles formeront des types d'hommes, qui parfois s'affronteront violemment. Mais sont-elles contradictoires?

Tel ne serait certainement pas l'avis des Réformistes contemporains. Si nous nous référons aux *Salafiyya* des pays arabes, leur sympathie pour le hanbalisme s'affirme sans ambage, et c'est de deux Hanbalites notables entre tous, Ibn Taymiyya et son disciple Ibn Qayyim al-Jawziyya, qu'ils se réclament le plus volontiers. A la suite de ces Maîtres, il leur arrive d'être sévères pour les jeux dialectiques de la science du *kalâm*, et les méandres des inlassables discussions d'écoles. Ils n'hésitent cependant pas à reprendre à leur compte bien des problèmes posés par les « théologiens » du passé, et à chercher une ligne de solution qui ferait l'accord de tous. De fait, leurs préférences hanbalites ne les conduisent nullement à récuser l'usage de la raison, — ils se plairont au contraire à insister sur le « rationalisme » de l'Islam. Pour eux, la réflexion dans la foi reste un devoir religieux. Et nous verrons un Muhammad ʿAbduh intégrer, sur un fond de solutions ashʿarites, des thèses muʿtazilites; ou plus exactement s'efforcer d'atteindre comme un au-delà et du muʿtazilisme et de l'ashʿarisme [8].

Qui plus est : la revendication majeure et instante des « Réformistes » sera celle de la « réouverture des portes de la recherche personnelle *(ijtihâd)* », de cette réflexion sur les textes qui conduisit à la constitution des quatre écoles juridiques reconnues. Chacune d'elle, nous l'avons dit, répond à une attitude intellectuelle et spirituelle dominante. C'est à établir des courants d'échanges et de travail en commun que s'efforceront les *Salafiyya.* D'où leur espoir d'une école *(madhhab)* non plus exclusivement hanafite, mâlikite, shâfi'ite ou hanbalite, mais bien, selon une expression empruntée à Ibn Taymiyya, « muhammadienne » *(al-madhhab al-muhammadî),* où tous les Sunnites se retrouveraient fraternellement, et qui serait largement ouverte aux Shî'ites [9].

Cette revendication date des débuts du XXe siècle. Toute question de réalisation pratique mise à part, elle peut suffire à nous prouver que le chatoiement des écoles en sunnisme, et les types d'hommes ainsi formés, ne s'inscrivent aucunement à l'encontre d'une vocation plus profonde à l'unité.

Le « juste milieu »

Ce n'est point l'appartenance à telle ou telle école particularisée qui fera d'un musulman un Sunnite; mais tout d'abord un esprit de modération et de « juste milieu », et donc un effort sans cesse repris d'intégration de valeurs aux provenances les plus diverses. « Nous avons fait de vous, dit le Coran, une Communauté de juste milieu *(wasat)* » (2,143), vouée par là à un rôle d'intermédiaire ou d'intercesseur. Se tenir « éloigné des extrêmes » sera un souci constant de chaque école sunnite. C'est ainsi que les Ash'arites aiment à se présenter en réaction à la fois contre les partisans de « l'homme créateur de ses actes » (*Qadariyya* et Mu'tazilites), et contre les partisans de la pure « contrainte » divine *(Jabriyya)* [10]. Et c'est par ce « juste milieu » que le Hanbalite Ibn Taymiyya se plaira à caractériser la « secte sauvée », entendons les croyants fidèles à l'inspiration première de l'Islam.

La recherche du « juste milieu » conduira à un esprit communautaire aussi large que possible, à une solidarité non plus de « secte », mais volontiers étendue à « quiconque prie tourné vers la *ka'ba* de la Mekke ». Le seul critère revendiqué sera « la Tradition du Prophète », *sunnat al-nabî.* L'expression hanbalite qui deviendra la définition même du sunnisme, « les gens de la Communauté et de la Tradition », n'entend point porter à priori d'exclusive. L'« excommunication » *(barâ'a)* est une notion clef en khârijisme. Elle ne l'est pas en sunnisme. Ce sont les « dissidents », les « sortants » qui, par leur dissidence même, se sont exclus de la Communauté. Les condamnations portées contre eux ne font qu'entériner une rupture venue d'eux seuls. Et c'est dans la mesure où elles ne sont plus enracinées dans la Tradition du Prophète que leurs croyances et coutumes doivent être rejetées.

Le sunnisme se montrera méfiant à l'égard de toute outrance doctrinale. Il préférera une acceptation des faits à une idéalité arbitrairement construite. Car tout fait accompli est signe d'une volonté de Dieu. Souvent, dans le concret, « la loi de nécessité » primera et justifiera d'apparentes entorses aux principes révélés. Du moins pour un temps : car toute injustice doit être combattue dès là qu'une raisonnable chance de succès est assurée. Une acceptation provisoire ne signifie nullement l'abandon définitif.

Sur le plan politico-religieux, les options fondamentales du sunnisme illustrent cette attitude. Il appellera « bien dirigés » les quatre premiers *Imâm*(s) ou Califes, c'est-à-dire les quatre Compagnons qui succédèrent au Prophète à la tête de l'État de Médine. Il les reconnaîtra tous les quatre Guides autorisés et privilégiés de la Communauté, y compris le troisième, 'Uthmân, tenu en suspicion à la fois par les Khârijites et les Shî'ites. Pour les Sunnites, l'impeccabilité est un privilège strictement prophétique, et l'*Imâm* peut faillir. Les faiblesses de 'Uthmân sont reconnues, mais n'infirment point la validité de son titre. Si certains docteurs se refusent à établir un ordre de précellence après les deux premiers califes [11], la tradition la plus commune s'en tient au fait accompli : « Quant aux 'Bien dirigés', ils sont meilleurs que les autres [*Imâm*(s)], et leur ordre d'éminence, selon les Sunnites, est l'ordre même de leur accession à l'*Imâma* [12] ». En bref : il faut savoir suivre la voie de l'équilibre *(iqtisâd)*. Il faut écarter ce qui va contre la raison. Il faut rester fidèle à ce qui est traditionnellement établi.

C'est bien l'acceptation du fait accompli qui conduisit la majorité à s'incliner devant l'arbitrage de Siffîn, et qui est donc à l'origine même du sunnisme. Ce qui n'empêcha point par la suite les oppositions à la souveraineté umayyade, sa mise en échec violente quand ce devint possible, et le triomphe 'abbâside au nom d'un Islam plus authentique. La « loi de nécessité » enfin justifiera le Califat ottoman (non qurayshite), mais sans aucunement en avaliser le principe. Il ne serait peut-être pas très difficile de retrouver ces mêmes attitudes foncières en filigrane de prises de position politiques plus récentes.

Quelques composantes de l'attitude religieuse

Nous avons pu caractériser la foi shî'ite comme dévotionnelle et historique. On peut dire que, comparée à la foi sunnite, ses manifestations gardent un caractère de véhémence affective. Le sunnisme, soucieux toujours de « juste milieu », sera d'expression plus sobre. Les flagellations de pénitents, en souvenir commémoratif de la mort de 'Alî et de Husayn, ne sont point son fait; elles restent à ses yeux une *bid'a*, une « innovation blâmable ».

Mais, à l'exception des très rigides Wahhâbites, les Sunnites sont loin de récuser toute dévotion à l'égard des « gens de la Maison », Muhammad lui-même, 'Alî, Fâtima, Hasan et Husayn. Les Sunnites ne sont aucunement les « partisans » au sens fort des califes 'Abbâsides, et encore moins des Umayyades. Par contre, ils respectent et vénèrent les « gens de la Maison », et, avec eux, les épouses du Prophète, 'Â'isha comprise, maudite par les Shî'ites, vénérée par les Khârijites [13]. Les épouses du Prophète, sans distinction, et Fâtima avec elles, sont, pour les Sunnites, « Mères des croyants ». A l'exception de l'*Imâm*, Ja'far, on peut dire que les *Imâm*(s) reconnus par les Shî'ites de diverses tendances sont quasi ignorés. Mais un réel et pieux respect est voué à 'Alî, Hasan et Husayn; et il est des Sunnites dévots qui s'adonnent à un jeûne surérogatoire au début de *muharram*, le premier mois de l'année hégirienne, en commémoraison de la mort de Husayn à Kerbela. — Au gré des tempéraments et des traditions populaires, il arrive que ces dévotions sunnites revêtent, elles aussi, une vibration affective : ainsi au Caire, de nos jours encore, dans les mosquées dédiées à Husayn et à Zaynab, fille du Prophète. La vibration affective cependant se gardera ici de la véhémence shî'ite.

Pour réelle qu'elle soit, cette piété à l'égard des « gens de la Maison » ou des « Mères des croyants » s'efface devant le culte de dulie voué au Prophète. La fête du *Mawlid* (ou *Mawlûd*) qui commémore la naissance de Muhammad est une grande liesse populaire dans le monde sunnite. Et en dépit des interdictions du wahhâbisme, et de sa crainte d'un culte de latrie, la visite pieuse *(ziyâra)* au tombeau du Prophète, à Médine, reste comme le complément dévotionnel du pèlerinage de la Mekke.

Sans doute est-ce surtout dans la piété populaire que la foi sunnite revêt cette coloration dévotionnelle. Historiquement il put y avoir des influences shî'ites. Mais il s'agit premièrement semble-t-il, d'un besoin affectif qu'une stricte et rigide observance ne saurait combler. Nous en retrouverons l'impact dans le « culte des saints » que les Confréries religieuses issues du sûfisme développèrent si largement. Les Réformistes contemporains s'y opposeront avec vigueur : car, disaient-ils, tout culte rendu aux « saints », risque, en raison de sa ferveur même, de s'entourer de superstitions et de « donner à Dieu des associés ».

La piété musulmane comme telle oscilla toujours entre un culte de dulie, mesuré, mais fervent, à l'égard des grandes figures de l'Islam, et une foi qui s'adresse à Dieu seul, dans une fidélité absolue au texte coranique. Car bien plus encore qu'à la personne du Prophète, c'est au texte du Coran, Parole de Dieu, que va la dévotion. Ou si l'on préfère, le culte rendu au Prophète n'est que le reflet et la conséquence du culte rendu à Dieu et à Sa parole.

Cette vénération du Coran est totale. Elle est au centre même de toute piété musulmane. La méditation et la récitation des versets coraniques y ont une place privilégiée. En dépit des mises en garde réformistes, on y peut joindre la récitation sur le chapelet *(subha)* des quatre-vingt-dix-neuf « plus beaux Noms » de Dieu, la plupart d'origine coranique. Il n'est pas rare de trouver une note de piété et d'intériorisation chez les Sunnites du Maghreb, par exemple, en Egypte, dans le Subcontinent indien, en Indonésie... — A l'opposé des dominantes shî'ites, le culte du texte coranique ne va point à un « sens caché » accessible aux initiés seuls. La pensée sunnite fut toujours méfiante à l'égard du *ta'wîl* entendu comme interprétation ésotérique du texte. Elle donne par contre tous ses soins au *tafsîr* ou exégèse explicative. Il n'y a pas en sunnisme de hiérarchie initiatique.

Est-il licite enfin de « voiler la foi »? La *taqiyya* n'est pas écartée, mais là encore prévaudra le « juste milieu ». Entre les Azraqites qui la récusent, et les Ibâdites ou les Shî'ites qui en font une obligation religieuse, les Sunnites se contenteront de la tolérer en cas de nécessité absolue. Le principe en est justifié par des versets du Coran : quiconque, sous contrainte, recourt à des aliments interdits ne pèche point (2,173); l'homme qui renie Dieu est voué au « courroux divin » et au « tourment terrible », — « excepté celui qui a subi la contrainte et dont le cœur est resté apaisé dans la foi » (15,106). La *taqiyya* reste permise pour les êtres faibles, femmes, enfants, vieillards, malades, et ceux qui les assistent. Les hommes valides préféreront s'expatrier à l'exemple du Prophète quittant la Mekke pour Médine, et ne peuvent « voiler la foi » qu'en cas de danger extrême et soudain. Si cependant la contrainte ne dépasse pas ce qui est supportable, qu'ils sachent souffrir et rendre témoignage! — La *taqiyya* ne saurait être coupable pour qui l'exerce à bon escient; mais celui qui souffre et même meurt pour sa foi est *shahîd*, le « témoin », le « martyr », à qui la récompense de l'Au-delà est promise sans retard.

Les diverses écoles agréées en sunnisme se rejoignent ainsi, en dépit de leurs divergences, en une commune attitude. On pourrait dire que *la* mentalité sunnite est riche du chatoiement *des* mentalités qui l'informent.

Cette unité de base pourra-t-elle vaincre les ruptures, parfois profondes, qu'opérèrent les dissidences des *firaq*? Les Khârijites excluent, avec des nuances, Sunnites aussi bien que Shî'ites, non de l'Islam en sa réalité historique, mais de la « vraie religion ». Les Shî'ites accorderaient aux Sunnites un Islam quelque peu mineur, restant à la surface de l'enseignement prophétique. Les Sunnites, eux, regarderont Khârijites et Shî'ites comme d'authentiques musulmans, qui se sont enfermés en leurs dissidences, mais qui restent liés à la Communauté du Prophète. Aujourd'hui, un désir commun d'unité traverse la diversité des « groupes », et tendrait à pallier les oppositions. Il n'est pas rare que se fasse jour une certaine tendance au dialogue, spécialement entre Sunnites et Shî'ites.

NOTES

1. Cf. chapitre II ci-dessus, note 18.
2. Cf. J. Schacht, art. « *Fiqh* », *EI*[2], p. 908.
3. Cf. Roger Arnaldez : *Grammaire et théologie chez Ibn Hazm de Cordoue*, Paris, Vrin, 1956.
4. Ce sont les quatre textes désignés comme *Fiqh Akbar* I, II et III, et *Wasiyyat Abî Hanîfa* (« Testament d'Abû Hanîfa »); voir A. J. Wensinck : *The Muslim Creed, op. cit.*
5. Edité et annoté récemment par Fathalla Kholeif, Beyrouth, éd. Dâr el-Machreq, 1970.
6. « Le juriste *(faqîh)* reçoit sans discussion les données de foi et les actions déterminées par le Législateur, et en fait des fondements dont il tire les conséquences. Le théologien *(mutakallim)* fait triompher les principes que le *faqîh* emploie comme fondement, mais sans en déduire des conséquences nouvelles », nous dit le « philosophe » Fârâbî dans son « Catalogue des Sciences » *(Ihsâ' al-'ulûm)*, éd. Palencia, Madrid 1933, pp. 56-57.
7. Ash'arî est considéré habituellement comme shâfi'ite; mais la question est discutée (cf. L. Gardet et G. C. Anawati : *Introduction à la théologie musulmane*, 2e éd., Paris, Vrin, 1970, p. 55 et réf. note 3).
8. Cf. Muhammad 'Abduh : *Risâlat al-tawhîd*, Le Caire, 1353 H.; voir en particulier pp. 69, 80 (trad. franç de B. Michel et Mustafa Abdel Raziq, Paris, Geuthner, 1925, pp. 49 et 56).
9. Cf. H. Laoust : *Le Clifat dans la doctrine de Rashîd Ridâ, op. cit.*, p. 268, note 49 et réf.
10. Cf. Ibn 'Asâkir : *Tabyîn kadhîb al-muftarî*, éd Damas 1347 H., p. 149 et sq.
11. Cf. Juwaynî : *Irshâd*, éd. arabe et trad. franç. de J. D. Luciani, Paris, éd. Leroux, 1938, pp. 242 361, citant une « information » *(khabar)* qui remonterait à 'Alî : « Le meilleur des hommes, c'est Abû Bakr et après lui 'Umar; mais après eux, Dieu seul sait quel est le meilleur ».
12. Ghazzâlî : *Iqtisâd*, éd. du Caire, sd., p. 100.
13. En souvenir de son opposition à 'Alî.

ANNEXE

DE QUELQUES « SECTES » MARGINALES

Nous dirions volontiers, pour conclure nos trois chapitres précédents : Khârijites, Shî'ites et Sunnites non seulement appartiennent de fait à l'aire socio-culturelle musulmane, mais l'informent directement les uns et les autres, de par les valeurs religieuses qu'ils mettent en œuvre. Leurs divergences entrent comme autant de composantes dans des types de mentalités qui spécifient l'Islam. Car une unité demeure entre tous les croyants qui reconnaissent Muhammad comme « le sceau des prophètes », et le Coran comme l'ultime Parole révélée aux hommes par Dieu Un et Unique.

Certaines sectes, par contre, dès qu'elles mettent en cause l'une ou l'autre de ces deux bases fondamentales, se situent à la frange de l'Islam, et sont presque toujours condamnées par le consensus de la Communauté. Telle la secte berbère des Barghwâta, fondée au IIe siècle H. /VIIIe siècle dans la région atlantique du Maroc par le « prophète » Sâlih b. Târif, et aujourd'hui disparue. D'autres subsistent toujours. En voici quelques exemples :

1. C'est pour avoir obscurci la pure Unicité divine que furent rejetés les Yazîdîs. Leurs références musulmanes en effet s'inscrivent sur un fond dualiste venu du manichéisme, voire du mazdéisme. Et de fortes influences chrétiennes (nestoriennes) s'y sont jointes [1]. Les Yazîdîs ne comprendraient plus, à l'heure actuelle, que soixante à cent mille fidèles au maximum, répartis principalement en 'Irâq, secondairement en Syrie et en Arménie soviétique. Ils apparaissent dans l'histoire musulmane au début

des temps umayyades, mais se recommandent eux-mêmes de traditions bien plus anciennes.

2. Mention pourrait également être faite de la secte persane (Iran occidental) des Ahl Haqq, appelée souvent (par dérision) secte de ʿAlî-Ilâhî. Très syncrétiste sur un fond d'ismâʿîlisme extrémiste, elle est toute centrée sur la croyance en la métempsychose et dans une succession d'avatârs divins.

3. L'influence des gnoses ismâʿîliennes conduisit d'autres groupes à relativiser la notion de prophétie, à reconnaître ou annoncer un nouveau prophète venu expliciter l'enseignement de Muhammad, et de nouvelles Ecritures. Ainsi, au XIXe siècle, le bâbisme, du surnom de son fondateur al-Bâb (« la Porte »), persécuté, condamné et exécuté par l'Iran imâmite. Le bahâ'isme lui succéda. Fondé par Husayn ʿAlî, surnommé Bahâ' Allâh (« la Gloire de Dieu »), il entend réconcilier toutes les croyances et promouvoir une « religion humanitaire » de l'Amour universel, sans rites ni dogmes précis, et sans hiérarchie. Son centre principal est le « Temple d'Or » de Haïfa. Approuvé jadis par Renan et Tolstoï, relativement toléré en divers pays d'Islam, le bahâ'isme n'en fut pas moins au Maroc, voici quelques années, l'objet d'un procès à tendances politiques, qui se termina par de sévères condamnations [2]. Il groupe plusieurs millions d'adhérents, dont quelques milliers d'Européens.

3. Le statut des Ahmadiyya de l'Inde-Pâkistân est non moins controversé. Ils furent fondés au XIXe siècle par Mirzâ Ghulâm Ahmad de Qâdiyân (1839-1908). L'une des affirmations ahmadie est que Jésus, — qui ne fut crucifié qu'« en apparence » (*Coran*, 4,157), — vint mourir en Inde et est enterré à Srînagar. En 1891, Ghulâm Ahmad se proclama Messie, c'est-à-dire Jésus revenu sur terre, et *Mahdî*, « réapparition » *(burûz)* de Muhammad lui-même. Il devait en 1904 se présenter encore comme un avatâr de Krishna. L'inspiration principale de Ghulâm Ahmad semble avoir été un sûfisme largement indianisé.

A sa mort, ses disciples se séparèrent en deux groupes distincts. Le plus important numériquement parlant est la *Jamâʿat Ahmadiyya*, la « communauté ahmadie ». Son centre est aujourd'hui au Pâkistân, dans les environs de Lahore. Elle reconnaît à son fondateur le statut de prophète [3], se considère comme le seul Islam authentique. et déclare « impies » les

Musulmans qui se refusent à suivre Ghulâm Ahmad. Anathématisée par l'Islam, spécialement l'Islam sunnite, la *Jamâ'at Ahmadiyya* n'en continue pas moins à s'adonner à une intense propagande.

Le second groupe est l'*Ahmadiyya Anjuman*, dont le centre actuel est dans la ville même de Lahore. Il fait de Ghulâm Ahmad un « rénovateur » *(mujaddid)*, non un prophète. Par là, ce second groupe a pu être considéré par certains comme relevant toujours de la foi musulmane. Nettement moins nombreux que le premier, il manifeste un vif souci missionnaire en faveur de l'Islam comme tel, et, pour ce faire, multiplie les écrits, les revues, les fondations de mosquées, les traductions du Coran. Il envoie dans les pays les plus divers, y compris en Europe et aux Etats-Unis, d'ardents prédicateurs qui ont su promouvoir maintes conversions à un Islam modernisé. La mosquée ahmadie de Londres est célèbre. Cette mentalité missionnaire reste la caractéristique de l'*Ahmadiyya Anjuman*.

Mais voici que récemment (7 septembre 1974) une décision législative *(bill)*, prise à l'unanimité, donc selon les règles de l'*ijmâ'* [4], par l'Assemblée Nationale et le Sénat pâkistânais, a retiré aux Ahmadiyya des deux groupes le statut de musulmans, dont ils se réclamaient. Ils seront au Pâkistân une religion « minoritaire » au même titre que le christianisme ou le judaïsme [5]. Le roi Faysâl, qui régnait alors en Arabie sa'ûdite et des *shaykh*(s) de la Mekke félicitèrent le Pâkistân de cette décision.

NOTES

1. Cf. l'article documenté de Th. Menzel, « *Yazîdjî* », *EI*[1].
2. Pour plus de précisions doctrinales, cf. H. Laoust : *Les schismes dans l'Islam*, pp. 364-370.
3. Il est dit dans la formule d'adhésion : « ... Je considère le saint Prophète Muhammad comme le sceau des prophètes, et je crois également à tout ce qu'a affirmé le Prophète Ahmad de Qâdiyân »... (cité par W. Cantwell Smith, art. « *Ahmadiyya* », *EI*[2], p. 311.
4. Cf. ci-dessus, chap. I, pp. 205-206.
5. Cf. par exemple le Quotidien pakistanais *Dawn*, Karachi 20 sha'bân 1394/8 septembre 1974.

CHAPITRE V

LE SÛFISME ET LA RECHERCHE DES ÉTATS SPIRITUELS

Pour compléter cette comparaison rapide des attitudes religieuses, il convient de mentionner ici l'apport du *tasawwuf* ou sûfisme, la « mystique musulmane ». Nous avons rencontré, dans la vie urbaine de l'âge classique, des « cercles sûfis », leurs outrances, et les jugements sévères portés sur eux par plusieurs annalistes [1]. Il serait fort injuste de ne voir le sûfisme que sous cet angle-là. Sans doute occupe-t-il, parmi les « sciences religieuses » de l'Islam, une situation marginale. Mais il a marqué profondément de larges secteurs de spiritualité, et, sous la forme populaire des Confréries religieuses, de larges couches de populations. Il laissa de grandes œuvres littéraires, poèmes et proses, qui sont l'une des gloires non seulement du legs culturel des pays musulmans, mais de la culture universelle elle-même.

Le phénomène sûfi appartient à toutes les terres d'Islam. Son expression littéraire, arabe, iranienne, turque, ûrdue, indonésienne, se diversifiera selon les pays et les langues, et des dominantes diverses pourront apparaître. Les témoignages rendus cependant ne cesseront de se référer à quelques grands maîtres, communs à tous. Les écoles de sûfisme se répartissent au gré des influences reçues, bien plus que selon les ethnies.

Nous n'avons pas à refaire ici l'histoire du sûfisme, histoire très riche et complexe. Nous devons la supposer suffisamment connue en ses grandes lignes [2]. Nous nous efforcerons seulement de dégager la portée du *tasawwuf* dans la réalité socio-culturelle des peuples; dans quelle mesure il est signifiant d'une mentalité, et dans quelle mesure il put contribuer à l'informer.

Les origines

En ses sources, Louis Massignon l'a fort bien montré, le sûfisme reste un phénomène musulman [3]. Les influences extra-musulmanes qu'il intégra sont nombreuses et fortes. Mais les tentatives de certains islamisants occidentaux pour lui donner un point de départ « étranger » tournent court. Blochet, en attendant Henry Corbin, se plaira à souligner l'inspiration iranienne; Goldziher ou Nicholson insisteront sur les sources indiennes (et plotiniennes); Asin Palacios y verra une transposition de l'antique monachisme chrétien, spécialement les Pères du Désert de Syrie et d'Egypte... Il ne s'agit là, en fait, que d'explications partielles. L'influence la plus forte, et qui dominera toute une ligne sûfie sera celle de Plotin, à travers les *Falâsifa* et la pseudo *Théologie d'Aristote*. Mais elle ne s'exerça à plein qu'en un second temps, à partir du VIIe siècle H. /XIIIe siècle.

Les écoles sûfies en effet aiment à se recommander des premiers ascètes *(zuhhâd)* de l'Islam, avant tout de deux Compagnons du Prophète, Abû l-Dardâ' et, plus encore, Abû Dharr al-Ghifârî. Les ascètes, les « renoncés », se groupèrent assez vite; non point en une forme de vie proprement monastique, mais en des cercles réunissant quelques disciples autour du maître, du *shaykh*. Le but premier fut la recherche d'une règle de vie centrée sur la méditation du Coran, spécialement les versets (nombreux) où il est dit que Dieu aime « ceux qui font le bien », et les deux versets qui évoquent un amour mutuel entre Dieu et l'homme [4].

Car les Sûfîs furent en Islam des « assoiffés de Dieu ». Par ses prophètes, Dieu communique aux hommes sa Parole. Comment une foi attestée et intériorisée n'aurait-t-elle pas eu soif de vivre la réalité même de cette Parole, et donc, un jour, de s'avancer à la rencontre de l'Interlocuteur? Dieu, est-il dit souvent, est l'Hôte *(dayf)* des cœurs qui lui sont soumis. De ce point de vue, le *tasawwuf* reste l'une des virtualités du climat religieux musulman. De fait, le milieu des tout premiers Sûfîs et le milieu des traditionnistes se confondirent souvent. Le sûfisme du IIe siècle

H. /VIIIe siècle, celui des Hasan Basrî, Râbi'a, Bistâmî, ne semble point avoir été mis en question.

Les premières ruptures

Une rupture cependant allait s'opérer entre sûfisme et Islam officiel. Les IIIe-IVe siècles de l'hégire (IXe-Xe siècles), temps de l'apogée 'abbâside, fut à la fois l'âge où se constituèrent les écoles juridiques qui devaient informer et commander les mentalités sunnites, et un âge d'intense fructification du sûfisme, — son âge d'or peut-être. Et c'est alors que des docteurs et des juges (*qâdî*(s)) en vinrent à poursuivre devant les tribunaux ceux qui faisaient d'une recherche de l'union à Dieu leur raison d'être [5]. Les milieux mu'tazilites, hanafites, mâlikites, leur témoignèrent une constante méfiance. Ces attaques culmineront avec le procès, les tortures et la mise à mort de Hallâj (309 H. /922), dont le gibet reste, au cœur même de l'Islam, comme une question inlassablement posée.

Comment expliquer une telle opposition? En partie sans doute par les outrances anarchiques de certains groupes sûfis. Des raisons politiques, par ailleurs, furent mises en avant, telle l'accusation abusive portée contre Hallâj d'être un *dâ'î*, un « prédicateur » ismâ'îlien. En fait, Hallâj fut victime d'intrigues de palais, de l'inimitié de deux vizirs, et de la politique financière de l'un d'eux. La décision « prise à l'unanimité » qui le condamna fut l'œuvre de juristes hanafites et mâlikites, et de quelques Shâfi'ites. Bien des Hanbalites, au contraire, si attachés à la « foi des Anciens », furent de ses partisans.

Mais plus profondes se révéleront les causes de la mésentente. Cet amour de Dieu et de l'homme, que recherchent les Sûfîs, ne va-t-il pas porter ombrage à la pure et nue transcendance de l'Unique? « Je Le désire et Il me désire », disait de Dieu Hasan Basrî. Or, n'est-il pas blasphématoire d'évoquer en Dieu le *'ishq*, le Désir passionné? Râbi'a avait parlé d'amour, *hubb* [6]; Hallâj reviendra avec insistance sur le *'ishq* [7]. Le terme qui prévaudra par la suite sera *mahabba*, amour mutuel sans doute, mais purifié de toute passion. C'est un peu la célèbre querelle d'*eros ('ishq)* et d'*agapè (mahabba)* [8]; et des fervents de

Hallâj, pour le laver de tout soupçon, n'hésiteront pas à remplacer, dans ses poèmes ou ses proses, *'ishq* par *mahabba.*

L'adoption de *mahabba* cependant ne désarma pas les opposants. La volonté de l'homme est créée, dirent les théologiens du temps; elle ne peut donc avoir d'objet que limité. Son acte d'amour peut s'adresser à la Loi, au Commandement, au Bienfait de Dieu, non à Dieu Lui-même. Ibn Taymiyya au XIVe siècle, et certains Réformistes contemporains, reprendront l'argument : Dieu est objet d'adoration, non d'amour, car l'amour suppose « concordance » *(munâsaba)*, et point de concordance entre le Créateur et la créature [9].

Pour mal compris qu'il ait été dans ses conséquences, c'est donc le souci si profond en Islam d'affirmer Dieu comme infiniment Dissemblable de tout le créé, qui commanda la réaction anti-sûfie de bien des docteurs. Une nouvelle instance, encore plus rigoureuse, peut être suggérée. Dans leur désir d'union à Dieu, les Sûfîs s'attachèrent très vite à une recherche expérimentée d'« états spirituels » (*ahwâl; sg. hâl*). L'expérience intérieure, avec ses risques toujours possibles d'illusion et d'orgueil, devint alors l'ultime critère. Or, pour la foi musulmane, Dieu révèle par ses prophètes le mystère de son Agir à l'égard des hommes, Il ne *Se* révèle pas en son mystère intrinsèque. Il reste l'Inaccessible. En son « voyage nocturne » et son « ascension » jusqu'au Trône du Très-Haut, Muhammad ne pénétra point en l'enceinte scellée de la *lâhût*, c'est-à-dire Dieu en son Essence [10]. Le Sûfî qui se veut, qui se croit uni à Dieu tel qu'Il est en Lui-même, entend donc s'avancer vers un au-delà de sa foi explicite. Assez rares furent les « assoiffés de Dieu » qui surent maintenir, dans leur recherche même de l'union, l'absolu d'une transcendance qui reste ici séparante et séparée; et qui surent faire de leur foi en l'Unique le critère de leur expérience.

De nombreux textes de Hallâj relativisent la portée de la seule expérience personnelle face à Dieu. Ainsi :

« Pour moi, si je suis délaissé, c'est encore une société pour moi que Ton délaissement » [11];

ou :

« C'est Toi mon ravisseur, ce n'est pas mon oraison *(dhikr)* qui m'a ravi » [12],

cependant que le Shâdhilî Ibn 'Abbâd de Ronda (XIVe siècle)

guidera ses correspondants sur la voie du discernement des esprits. Mais très souvent, union à Dieu et acquisition des « étapes » et « états » spirituels, *maqâmât* et *ahwâl*, semblent se confondre, dans un au-delà de toute Loi religieuse. Les mainteneurs de la « Communauté du Prophète » ne pouvaient qu'en prendre ombrage. N'est-ce point ce qu'entrevit Hallâj qui appela de ses vœux sa propre condamnation, et l'accepta par avance comme don suprême à sa Communauté, dans un abandon de soi où souffrance et amour se répondent [13]?

Dans la suite des siècles

Le cas de Hallâj sera maintes fois évoqué par les Sûfîs postérieurs. Hallâgiens et anti-hallâgiens s'affronteront. Des Sûfîs iraniens, turcs, indiens, honoreront sa mémoire, et toute une légende, abondante en merveilleux, le célèbrera [14]. Mais pour beaucoup, il restera le *maqtûl*, le « tué » par ordre de l'autorité légitime. *Maqtûl* aussi seront au VIe siècle H./XIIe siècle deux grandes figures de la mystique musulmane, ʻAyn al-Qudât, exécuté en 525 H./1130, et Suhrawardî (589 H./1193), sûfi, philosophe et gnostique, dont la « doctrine de l'illumination » *(ishrâq)* garde toujours des partisans dans l'Iran imâmite.

Dès le IVe siècle H./Xe siècle cependant, des manuels célèbres chercheront à prouver l'« orthodoxie » sunnite des principaux Sûfîs, et le réformateur du Ve siècle H./XIe siècle, Ghazzâlî, leur obtiendra droit de cité. Hanbalites, et reconnus tels, étaient de grands Sûfîs, l'afghân Ansârî ou le baghdâdien ʻAbd al-Qâdir al-Jîlânî. A partir du VIIe siècle H./XIIIe siècle, le *tasawwuf* postérieur, celui qui subira si fortement l'influence néoplatonicienne, ne connaîtra plus les persécutions d'antan. Il n'est pas rare de retrouver maintes influences sûfies en des traités de « théologie » *(ʻilm al-kalâm)*, voire chez le rigide Ibn Taymiyya, qui récusait pourtant l'amour de Dieu.

De nos jours, si les Réformistes *Salafiyya* témoignent volontiers de leur méfiance à l'égard de la mystique, c'est qu'ils visent d'abord ces formes dégradées de sûfisme que sont les « séances » des Confréries religieuses. « Il n'y a pas de mystique musulmane », imprimait voici quelques décennies la revue officielle de la grande mosquée-université d'al-Azhar. Des cours de sûfisme (falcutatifs) n'en sont pas moins donnés à al-Azhar, et l'actuel recteur de la célèbre Université, le *shaykh* 'Abd al-Halîm Mahmûd, s'affirme lui-même fervent de *tasawwuf*. Les œuvres des Sûfîs les plus notables sont étudiées dans les départements de philosophie des Universités d'État, et sont publiées en édition critique comme l'une des gloires de la culture musulmane [15].

Sûfisme et imâmisme

On peut noter une évolution quasi parallèle dans les rapports entre *tasawwuf* et shî'isme imâmite. En ses débuts. celui-ci récusait le sûfisme. Les raisons mises en avant ne recoupaient point celles des docteurs sunnites. Pour les Shî'ites les plus stricts, le désir des Sûfîs de pénétrer vitalement le Mystère divin était l'usurpation indue et illusoire d'un privilège réservé à l'*Imâm*. *L'Imâm* seul entre de plein droit dans les secrets de la science et de la vie divines. C'est à travers lui et par son enseignement que les fidèles y participent. En fait, le bras séculier qui pourchassa et persécuta plusieurs Sûfîs était d'obédience sunnite, et nombreux furent les grands poètes mystiques iraniens de langue persane. Il n'est que d'évoquer 'Attâr, mort en 1229, hagiographe hallâgien des Sûfîs, Sa'dî (xiiie siècle), Hâfiz (xive siècle), et surtout Jalâl al-Dîn Rûmî (xiiie siècle), dont le *Mathnâvî* aux quarante-sept mille vers, inlassablement lu et psalmodié en Iran, chante, sous de très riches symboles et allégories poétiques, l'ivresse de l'amour de Dieu.

Aux xvie-xviie siècles, nous l'avons noté déjà, deux grands maîtres contribuèrent au renouveau doctrinal de l'imâmisme devenu religion officielle de l'État iranien : Mîr Dâmâd, et son disciple Mullâ Sadrâ Shîrâzî. Or l'un et l'autre avaient été profondément marqués par le Sûfî andalou Muhyî al-Dîn Ibn al-'Arabî, contemporain de 'Attâr. Leur *ta'wîl* ou interprétation exégétique rejoignait la gnose sapientiale et savoureuse d'Ibn 'Arabî, qui préludait aux futures affirmations de l'« Unicité de l'Être ».

Nous avons affaire ici à une étroite intussusception entre

une expérience spirituelle de l'âme comme esprit et une vue émanatiste de la production des êtres, la seconde étant sans doute commandée par la première. De fortes influences avicenniennes, donc néoplatonisantes, se sont exercées; mais l'expérience vécue reste première, le revêtement philosophique n'étant qu'un point de repère et un point de départ à la fois. Ibn Taymiyya reprochera véhémentement aux Sûfîs d'avoir accueilli cette influence d'Ibn Sînâ. L'union à Dieu devient une identification *(ittihâd)* dans l'acte d'existence où, par les symboles vécus de l'imagination transcendantale, la « sphère de l'humanité » se résorbe et se projette en la « sphère de la Divinité ». Cette Unicité de l'Être, enracinée en une expérience spirituelle, justifiée par une théorie de la connaissance de type plotinien, sera la commune dominante du sûfisme à partir du XIIIe siècle, et de la gnose imâmite philosophico-sapientiale depuis le XVIe. Combattue par Ibn Taymiyya en sunnisme, elle consommera l'accord profond du *tasawwuf* et des gnoses shî'ites les plus marquantes.

Les deux lignes

En dépit des attaques d'Ibn Taymiyya, et de plusieurs autres avec lui, le sunnisme majoritaire ne porta point contre l'« Unicité de l'Etre » les condamnations officielles qu'avaient connues les Sûfîs des IIIe-IVe siècles H. /IXe-Xe siècles. La méfiance qui put s'exercer ne dépassa guère les oppositions d'école. On peut s'étonner que ce monisme expérientiel n'ait pas suscité de plus décisives mises en garde. N'est-il pas, à la première vue, à l'opposé d'une mentalité musulmane informée par la transcendance du Très-Haut et sa Dissemblance d'avec toute créature?

Nous croyons très juste la vue synthétique de Louis Massignon distinguant, dans tout l'élan du sûfisme, deux tendances profondes [16] : celle de la *wahdat al-shuhûd*, que l'on peut traduire par « Unicité de Présence testimoniale », et celle de la *wahdat al-wujûd*, « Unicité de l'acte d'être ». La première culmina chez Hallâj, et se retrouve chez le Hanbalite afghân Ansârî ou l'Andalou Ibn 'Abbâd. La deuxième, esquissée aux XIIe-XIIIe siècles chez Ibn al-Fârid, devait envahir le *tasawwuf* postérieur nourri d'Ibn 'Arabî, pour culminer par exemple chez un 'Abd al-Karîm Jîlî (XIVe-XVe siècle), et en divers représentants du ṣûfisme iranien.

L'une et l'autre voie recherche une union d'identité. Mais pour la première, l'Union à Dieu, le « devenir un » avec Lui, ne s'opère point dans et par une identité de substance ou d'essence. La dualité du Créateur et de la créature demeure; c'est l'union intentionnelle d'amour, non l'absorption substantielle qui fait l'unité. « C'est Dieu, disait Hallâj, qui, présent dans le cœur fidèle, Se témoigne validement Lui-même à Lui-même. » Pour la seconde tendance, c'est dans et par sa création, ainsi que l'affirmera Ibn 'Arabî, que Dieu s'exprime nécessairement à Lui-même. L'union à Dieu sera le retour de la créature au Créateur, une réinvolvation de la créature en son Créateur par une annihilation *(fanâ')* d'elle-même, où elle ne subsistera que de la subsistence perenne *(baqâ')* de Dieu seul. « Ce qu'il y a en réalité, c'est le Créateur-créature, Créateur sous une dimension, créature sous une autre, mais le tout concret est un seul Tout (...). Il est à la fois ce qui se montre et ce à quoi il se montre [17]. »

Or, c'est l'« Unicité de Présence testimoniale », du moins sous la forme abrupte que lui donna Hallâj, qui suscita l'opposition la plus radicale. Elle était cependant comme l'aboutissement logique d'une soif de Dieu Un et Créateur, « séparé de sa créature de toute la fissure des temps » [18]. Mais cette présence de Dieu se témoignant dans le cœur fidèle apparaîtra aux docteurs défenseurs de la foi et de la Communauté comme une habitation non de grâce mais de substance, qui donc *mêle* Essence divine et essence créée... C'est le *hulûl*, « infusion de susbtance » [19], par quoi l'Islam traditionnel stigmatise la notion chrétienne d'Incarnation. C'est une atteinte directe à l'inaccessibilité de Dieu, comme l'était cet appel au Désir ou à l'Amour mutuel, qui suppose, disait-on, « concordance » dans le degré d'être.

« L'Unicité de l'Être » (et plus précisément « l'acte d'être ») au contraire, ne « mêle » point Existence divine et existence humaine; elle abolit la seconde dans la première. Et par là, rejoint paradoxalement la ligne ash'arite la plus rigoureuse, qui enseigne l'inanité de la créature [20], la vacuité des « causes secondes », et que Dieu est « seul Être et seul Agent ». Dans l'« unicité de l'Être », le mystique ne s'unit pas à Dieu; il disparaît, annihilé en son existence propre, et seule subsiste l'Existence inconnaissable et souveraine. Ce ne veut point dire que les docteurs ash'arites ou hanbalites se reconnurent dans ce « monisme existentiel » (L. Massignon), les attaques d'un Ibn Taymiyya nous le prouvent. Mais une certaine ambivalence demeure, protégée par l'usage d'une gnose philosophique ardue, et qui tend à intégrer l'« unicité de l'Être » dans une possible expression de la foi musulmane.

Les Confréries religieuses

Tantôt condamné, tantôt agréé, tantôt simplement toléré, le sûfisme reste l'une des composantes de bien des mentalités sunnites ou shî'ites. Par la large diffusion des « Confréries religieuses », il pénétra la vie la plus quotidienne du peuple.

Les « Confréries », ce sont les *turuq* (sing. *tarîqa*), les « voies », entendons : les voies qui conduiront les adeptes à l'obtention des états spirituels [21]. Les cercles sûfis des origines, leur habit particulier, — tunique de laine *(sûf)* ou costume rapiécé *(muraqqa'a)*, — leurs jeûnes et leurs pieux exercices surérogatoires, leurs « litanies » et oraisons inlassablement répétées (*wird* et *dhikr*), préfigurent les « Confréries ». Chacune d'elles a son fondateur qui, en général, se recommande d'une tradition remontant à tel ou tel Compagnon du Prophète. Une chaîne ininterrompue de « Maîtres » en perpétuera l'enseignement et les pratiques. Chaque groupe constitué a son *shaykh* (l'« Ancien »; en persan *pîr* le « Père »), ses « directeurs » (*muqaddam*(s)), ses fidèles ou frères (*ikhwân*, sing. *âkh*), ses novices *(murîdûn)*.

L'une des plus anciennes Confréries, et actuellement encore l'une des plus répandues dans tout le monde de l'Islam, celle des Qâdiriyya, remonte au Sûfî hanbalite 'Abd al-Qâdir al-Jîlânî, « patron de Bagdad » (XIe siècle). L'une des plus célèbres est celle des Mawlawiyya (« derviches tourneurs ») fondée par Mawlânâ Jalâl al-Dîn Rûmî (XIIIe siècle). La même époque vit la naissance des Shâdhiliyya, institués par 'Alî al-Shâdhilî de Tunis, qui se recommandait d'Abû Madyan de Tlemcen (XIIe siècle). Il y eut des sortes d'ordres militaires, dont les

« frères » se groupaient périodiquement pour la défense de l'Islam, en des couvents fortifiés (*ribât*(s)) où ils devaient venir seuls, sans femmes ni enfants [22]; et l'on connaît de reste l'action politique et militaire des Sanûsiyya de Tripolitaine au XIXe siècle. L'Egypte donna naissance à des congrégations de « Sœurs »; il y eut enfin, dans le passé, les fameux vagabonds Calenders, fort maltraités par les *Mille et Une Nuits*...

Il ne s'agit point de vie monastique ou cénobitique. Il s'agit de centres appelés *zâwiya* en Afrique du Nord [23], ou *ribât* pour les « ordres militaires », et *khânqâ* en Orient [24]. Seuls le *shaykh* et quelques compagnons y résident à demeure. L'ensemble des « frères » gardent leur vie familiale et sociale, mais se réunissent régulièrement sous la direction du « guide spirituel » *(murshîd)*.

Les « voies » les plus diverses se firent jour. Le *Salsabîl al-mu'în* de Sanûsî [25] les groupe sous quarante chefs principaux, d'après les procédés et techniques de prière adoptés dans les « séances ». Louis Massignon recense cent quatre-vingt confréries environ, les principales d'entre elles se subdivisant en de nombreuses branches. S'il est des confréries, — Qâdiriyya, Shâdhiliyya et leurs dérivées, Mawlawiyya même, — qui restent liées aux grandes traditions sûfies, d'autres, dans leur recherche à tout prix d'« états spirituels » se laissèrent contaminer par l'animisme africain, tels les trop célèbres 'Îsâwiyya, ou par le shamanisme, le yoga du corps et le tântrisme dans l'Islam indien. A côté des confréries « légales », l'Inde connut des confréries « non légales » [26]. Parfois tout procédé fut bon pour obtenir la transe extatique : aide de la drogue, tel l'emploi du hashîsh par les disciples ismâ'îliens du *Shaykh al-jabal* [27] au temps des Croisades, cris scandés des « derviches hurleurs », lacérations et procédés hypnotiques des 'Îsâwiyya... Ces outrances contribuèrent grandement à discréditer les *turuq*, et, à travers elles, tout le sûfisme. « Les jongleries acrobatiques de certains adeptes de basse classe, dit Louis Massignon, la corruption morale de trop de chefs, font encourir à presque toutes [les *turuq*] l'hostilité et le mépris de l'élite musulmane moderne [28]. »

Il reste que du XIVe au XIXe siècle les mentalités musulmanes populaires furent profondément marquées par les Confréries. Plusieurs d'entre elles, au Maghreb surtout, jouèrent un grand rôle politique, et devinrent, face à l'administration centrale, de réels pouvoirs locaux. L'État dut en tenir compte [29].

Certaines Confréries n'eurent de rayonnement que limité; d'autres se retrouvent à travers tout le monde musulman : ainsi les Naqshabandiyya, venus du Turkestan et fort répandus en Inde, ou les Qâdiriyya, arabes d'origine, dont les branches et sous- branches se recrutent du subcontinent indien à l'Afrique Noire. L'influence exercée, qui s'étend à toute la vie sociale, reste ambiguë, entre la recherche abusive des états spirituels et l'obéissance inconditionnée au *shaykh* d'une part, et d'autre part une dévotion intériorisée qui n'est pas sans véhiculer, en des âmes simples et droites, de réelles valeurs religieuses. Il semble bien que le large succès des Confréries contribua à informer un certain type de mentalité, celui-là même que l'on attribue trop souvent à l'Islam comme tel, où dominent un abandon résigné et le désintéressement du destin temporel des peuples. Nous aurons à y revenir au cours de notre IVe partie. Ce n'est pas tant la piété des Confréries que combattirent les Réformistes, que cette résignation et ce désintéressement. « Le sûfisme, disait Muhammad 'Abduh, a efféminé l'Islam »; et par sûfisme nous devons entendre ici les formes de dévotion vécues dans les *turuq*.

Maintes Confréries finirent par pactiser avec les pouvoirs coloniaux. Si bien que de nos jours un bon nombre d'États musulmans se méfient de leur influence et de leurs traditions, où ils voient autant de freins apportés au nécessaire progrès social et économique. Certains d'entre eux les interdirent ou cherchèrent à les interdire. Nous assistons, en réplique, à un effort de renouveau de telle ou telle *tarîqa*, en Egypte par exemple [30] ou au Maroc [31]. Au Sénégal, la confrérie assez peu « orthodoxe » dite des Murîdîn met l'accent sur le travail manuel et sur sa valeur formatrice, à la fois spirituelle et sociale : non sans favoriser pour autant une sorte d'exploitation du travail de ses adeptes, de type capitaliste [32]. Et cette valorisation du travail des mains rejaillit sur d'autres confréries plus traditionnelles [33].

Convient-il d'esquisser une nouvelle conclusion provisoire? Unité /diversité, — les « familles d'esprit » auxquelles nous

nous sommes référé ne font que souligner cette instance dialectique. Catégories sociales, ethnies diverses, options et positions doctrinales fort tranchées le plus souvent, s'entrecroisent, se diversifient sans cesse, mais toujours selon des systèmes de référence qui appartiennent en propre à une et à des cultures musulmanes.

Les temps modernes et l'âge contemporain maintiendront-ils cette spécificité? La durciront-ils? ou tendront-ils à la diluer sous l'impact d'une évolution plus générale des États et des peuples?

NOTES

1. Cf. ci-dessus, IIe partie, chap. II, pp. 128-130.

2. Voir, entre autres, L. Massignon : *Essai sur les origines du lexique technique de la mystique musulmane, op. cit.*; du même *La Passion d'al-Hallâj, martyr mystique de l'Islam*, Paris, *op. cit.*; A. J. Arberry, *An Introduction of the History of Sûfism*, Londres, 1942, G. C. Anawati et L. Gardet : *La Mystique musulmane*, Paris, 3e éd., Vrin, 1977; Paul Nwyia : *Exégèse coranique et langage mystique*, Beyrouth, éd. Dâr El-Machreq, 1970, etc.

3. Cf. L. Massignon : *Essai*, chap. II et III.

4. *Coran*, 3,31 et 5,54.

5. Ainsi, au IIIe siècle H./IXe siècle, Dhû l-Nûn Misrî, persécuté en Egypte; Muhâsibî, le maître de l'« examen de conscience », à demi banni à Kûfâ; le « philosophe » Ibn Karrâm, emprisonné; Sahl al-Tustarî, apôtre de l'attrition continuelle, mort en exil à Basra; Nûrî, qui enseigna l'amour divin non sans pointes de dolorisme, relaxé, après avoir été traduit, ainsi que ses disciples, devant le tribunal...

6. Par exemple, en son célèbre poème « Je T'aime de deux amours » (cf. Kalâbâdhî : *Kitâb al-ta'arruf, éd. cit.*, p. 80; trad. anglaise d'A. J. Arberry : *The Doctrine of the Sûfîs*, Cambridge 1935, p. 103). Voir encore Abû Tâlib AL-MAKKÎ : *Qût al-qulûb* (« La nourriture des cœurs »), *éd. cit.*, p. 84, et Ghazzâlî : *Ihyâ', éd. cit.*, IV, pp. 266-267.

7. C'est l'attribut divin du « Désir essentiel », *'ishq dhâtî;* cf. L. Massignon, « Interférences philosophiques et percées métaphysiques dans la mystique hallâgienne : notion de l'Essentiel Désir », *Opera Minora*, II, pp. 226-253; et du même, *Passion d'al-Hallâj*, III, pp. 114-116.

8. Cf. L. Massignon, *Opera Minora*, II, pp. 251-252; *Passion*, III, pp. 117-118.

9. Cf. le résumé de la pensée d'Ibn Taymiyya (et réf.) par H. Laoust, *Essai sur les doctrines (...) d'Ibn Taimîya, op. cit.*, p. 471.

10. Nous faisons allusion aux deux faits traditionnels de l'*isrâ'* (« voyage nocturne ») et du *mi'râj* (« ascension »), à base de textes coraniques (*Coran*, 17,1; 53,1-18; 96,19), et que méditèrent souvent les Sûfîs. Ainsi, Hallâj dans son *Kitâb al-tawâsîn*, éd. Louis Massignon, Paris, Geuthner, 1913, pp. 19-20 et 25-40; voir commentaire et trad. franç. dans *La Passion d'al-Hallâj*, III, pp. 311-323.

11. *Dîwân d'al-Hallâj*, texte arabe et trad. franç. de L. Massignon : *Journal Asiatique*, Paris, 1931, p. 51 (trad. revue et éditée dans *Cahiers du Sud*, « Documents spirituels », n° 10, 1955, p. 51).

12. *Ibid.*, p. 53 (*Cahiers du Sud*, p. 57).

13. Cf. la *qasîda* « Tuez-moi donc, mes féaux camarades, c'est dans mon meurtre qu'est ma Vie! » (*ibid.* pp. 33/35; *Cahiers du Sud*, pp. 26-27).

14. Cf. *La Passion d'al-Hallâj*, II, chap. IX et X.

15. Editions au Caire de A. Badawî, Nûr al-Dîn Shraybî, etc.; à Bagdad, de Kâmil M. al-Shaybî, etc. — Voici quelques années, le « Conseil supérieur des Arts, des Lettres et des Sciences sociales » a publié au Caire un volume en mémoire d'Ibn 'Arabî (Le Caire 1389 H./1969); de même en 1395 H./1975 un volume en mémoire de Suhrawardî « le *maqtûl* ».

16. A la suite de plusieurs Sûfîs et auteurs musulmans; mention allusive en est faite dans la *Muqaddima* d'Ibn Khaldûn, *op. cit.*, pp. 330/III, 99-100, qui distingue entre la voie du *tajallî* (« irradiation ») et celle de la *wahda* (« unité »). — Le sûfisme indien insistera sur la distinction établie.

17. Ibn 'Arabî : *Fusûs al-hikam* (« Les gemmes de la Sagesse »), éd. du Caire 1365 H./1946, I, p. 121; trad. Henry Corbin dans *L'Imagination créatrice dans le çoufisme d'Ibn 'Arabî*, Paris, Flammarion, 1958, p. 147.

18. *Dîwân d'al-Hallâj*, p. 29 (*Cahiers du Sud*, p. 19 : trad. modifiée).

19. *Hulûl* appartient de fait au vocabulaire hallâgien, mais doit s'entendre alors comme une inhabitation (de grâce) sauvegardant la dualité.

20. « Tout périt si ce n'est sa Face » (*Coran*, 28, 88).

21. Cf. *Encyclopédie de l'Islam*, *EI*[1], art. « *Tarîka* » (L. Massignon), et *Encyclopaedia Universalis*, art. « Le monachisme en Islam (L. G.) et réf.

22. D'où le terme *al-Murâbitûn*, les « habitants d'un *ribât* », origine de la forme francisée « les Almoravides », dynastie de Sultâns maghrébins, venus d'un *ribât* de l'île Saint-Louis du Sénégal. Autre forme francisée de *murâbit:* « marabout ». Ce terme sonnant aux oreilles arabes comme un mot d'une langue étrangère a reçu le pluriel de *marabûyyât*. Au Maghreb, au temps de l'occupation coloniale, « marabouts », « maraboutisme » en sont venus à désigner péjorativement le monde des Confréries religieuses, et par assimilation les prêtres et religieux chrétiens.

23. Sens premier : « coin », « cellule ».

24. Au pluriel *khanâqa* : mot d'origine persane.

25. Fondateur de la confrérie militaire des Sanûsiyya de Tripolitaine, mort en 1276 H./1859.

26. Respectivement dénommées *bâ-shara'* et *bê-shara'*.

27. « Maître (spirituel) de la Montagne », le fameux « Vieux de la

Montagne » des annales du Moyen Age latin. Ses disciples qui usaient du *hashîsh* furent appelés al-Hashshâshûn, dont les langues franques firent « les assassins ».

28. L. Massignon : « *Tarîka* », *art. cit.*

29. A titre d'exemple : les Hafsides de Tunisie canalisèrent et dominèrent les Confréries; les Almoravides venaient d'un *ribât*. On peut dire que la dynastie marocaine des *Shurfâ'* sa'diens était « maraboutique »; et les 'Alawides, à la fois Sultâns et *Imâm*(s), tantôt luttèrent contre l'influence des *turuq*, et tantôt l'utilisèrent.

30. Cf. E. Bannerth, « La Khalwatiyya en Egypte », *MIDEO* VIII, Le Caire 1964-1966; et « La Rifâ'iyya en Egypte », *MIDEO* X, Le Caire 1970.

31. Ainsi les Derqâwa, sous-branche des Shâdhiliyya.

32. Cf. A. Bourbon, « Mourides et Mouridisme 1953 », ap. *Notes et études sur l'Islam en Afrique Noire*, Paris, éd. Perponnet, 1963, pp. 53-74.

33. Cf. F. Quesnot, « Influence du mouridisme sur le tidjanisme », *ibid.*, pp. 117-125 (cité par Maxime Rodinson, *Islam et capitalisme*, p. 283, note 94.)

QUATRIÈME PARTIE

LES MENTALITÉS MUSULMANES AUX ÂGES MODERNE ET CONTEMPORAIN

La dimension diachronique et ses prises de conscience

CHAPITRE PREMIER

LES MUTATIONS HISTORIQUES DU PASSÉ

I. — LA DIMENSION « TEMPS » ET SA PROJECTION DANS L'HISTOIRE

Le temps subjectif des peuples

Tout au long de nos précédents essais d'analyse, nous avons rencontré en filigrane l'importance majeure de la dimension temporelle. Plus profondément que l'influence des ethnies, ou même la diversité des langues de culture, ce sont de très complexes données historiques qui dessinent et délimitent les plans d'horizon. Les conditionnements socio-économiques et socio-culturels dont nous avons pu cerner l'impact s'inscrivent selon des courbes dont la dérivée varie au cours des âges. Il n'est pas jusqu'aux mentalités des divers « familles spirituelles » qui, au gré des appels ou des exigences de l'histoire, ou bien seront susceptibles d'accueillir un dynamisme ouvert à l' « autre », ou bien se replieront en un souci ombrageux d'autodéfense. Que deviendront ces variances diachroniques aux époques moderne et contemporaine?

Une double perception du temps, nous l'avons noté [1], commandera la vision musulmane de l'histoire : l'écrasante durée temporelle *(dahr)* est continuellement traversée par une suite discontinue d'instants ponctuels *(awqât)*, signes tangentiels d'une Présence. L'histoire des hommes se poursuit donc selon un schéma linéaire, mais discontinu. La notion d'un progrès constant et nécessaire, tellement en honneur dans l'Occident moderne, s'efface devant un rythme brisé et sans cesse renaissant de triomphes, de déclins, de renouveaux. Et chaque « temps » ne prend sa signification plénière que par un retour immobile sur soi-même où se rejoignent l'instant premier des Origines et l'Heure dernière. Les peuples, et éminemment la Communauté du Prophète s'avancent ainsi vers le « Terme fixé », selon une discontinuité progressive sans doute, mais que nous pourrions dire spiroïdale [2]. Car chaque peuple, comme chaque individu, a son *ajal*, son « terme fixé » par Dieu. — Les gnoses ismâ'îliennes, il est vrai, feront intervenir de larges vues cycliques du monde, non tant un « éternel retour » de mode indien ou grec ou nietzschéen, que d'incessantes descentes et remontées vers le terme de la résurrection spirituelle [3]. Mais elles restent marginales; c'est avant tout le destin des hommes depuis la création du monde jusqu'au Jugement final qui est en jeu.

L'histoire *(ta'rîkh)* fut un genre abondamment exploité. Est-ce ce sentiment discontinu du temps qui, durant tout l'âge classique, valorisa les « annales » et leurs juxtapositions événementielles? Les grands historiens grecs, les Hérodote ou Thucydide, ne furent point traduits (au contraire des philosophes et savants). Il faudra attendre le XIVe siècle et l'entreprise novatrice d'Ibn Khaldûn pour que cette suite d'événements fasse place à une recherche de causes explicatives, à une sociologie des peuples. Encore ne serait-il pas très difficile de montrer que les analyses d'Ibn Khaldûn sont de type plus structural que directement historique. Et l'importance accordée par lui aux conditionnements matériels n'est point exclusive d'une vue ponctuelle des instants vécus [4].

Ces quelques notations — trop rapides — peuvent suggérer ce que furent, au cours des âges, la philosophie et la théologie de l'histoire dominantes en terre d'Islam. Les cercles humanistes d'une part [5], les hommes de religion de l'autre [6], nous ont laissé maintes élaborations sur leurs plans respectifs. Élaborations que nous retrouverions, diluées et comme spontanément assumées, dans la conscience populaire. Car les grandes dates de l'histoire, et les bouleversements qu'elles apportent dans une civilisation donnée, sont aussi des faits de conscience. Certes, un contexte historique modèlera toujours peu ou prou les mentalités : mais selon des lignes de force que commandent l'accueil de la dimension temporelle et le sens qui lui est reconnu. Le contexte historique modèle les mentalités; il ne les crée pas. Nous dirions volontiers que les hommes musulmans ont réagi et réagissent aux impératifs de leur histoire autrement que l'homme chrétien, ou hindou, ou bouddhiste, ou l'Occidental moderne ne l'eussent fait. Le temps subjectif, qui est capital dans la formation des mentalités, se joue ici du temps quantifié.

Age classique et « moyen âge »

On peut décrire sommairement l'évolution diachronique des sociétés musulmanes selon un rythme ternaire.

Premier temps : le grand âge de l'Islam, qui se situe du VIIe au XIIIe ou XIVe siècle environ. Il peut lui-même se subdiviser en trois étapes : *a*) L'époque de combat et de conquête, de la mort du Prophète (632) à la fin du VIIIe siècle. L'Islam s'universalise, en rupture et en continuité à la fois avec ses sources arabes. *b*) L'époque d'apogée et d'épanouissement (VIIIe-XIIe siècles), en Orient aussi bien qu'au Maghreb. Époque de grand rayonnement et d'humanisme, qui ne fut cependant pas sans connaître de cruelles divisions et bien des troubles. *c*) Une époque de luttes contre les dissociations qui s'annoncent, et l'influence croissante, à l'Est, d'ethnies nouvelles (turco-mongoles) : XIIIe et XIVe siècles.

Deuxième temps : des XVe-XVIe siècles à la fin du XIXe. Après un siècle ou deux durant lesquels triompha la puissance militaire ottomane, ce fut une longue période de fixation puis de déclin, en dépit d'authentiques réussites (limitées) qui se firent jour dans l'Iran safévide et dans l'Empire mughal (l'Inde des « Grands Mogols »).

Troisième temps, enfin : depuis le dernier quart du XIXe siècle, une volonté et un effort de renouveau s'affirment, dans les pays arabes et arabisés, mais aussi bien en Turquie, Iran, Inde puis Pâkistân, Indonésie. Ce renouveau est aux prises partout avec la révolution industrielle, la puissance technique et dominatrice de l'Occident, ses modes de pensée et ses idéologies, ce qu'il est convenu d'appeler la « modernité ».

Il n'est pas sans intérêt de mettre en regard la courbe historique du monde occidental. L'âge des conquêtes et des apogées musulmanes (du VIIe au XIIe siècle) est contemporain de la décadence byzantine d'une part, et d'autre part de ces « siècles de fer » du haut Moyen Age latin, qu'éclairera pour un temps « la renaissance carolingienne », en attendant la reprise du XIIe siècle. La lutte contre les dissociations menaçantes (XIIIe-XIVe siècles) coïncide avec la grande époque du Moyen Age occidental, le temps des Sommes, des cathédrales et des guildes; puis avec certains signes avant-coureurs de la future « Renaissance ». Et voici qu'au long temps de fixation et de déclin des peuples d'Islam, répondent en Occident, après la peste et les « danses macabres » du XVe siècle, les succès des « grandes découvertes », de la conquête du « Nouveau Monde », de la Renaissance en tout son éclat, et l'âge moderne avec ses triomphes politiques et sa puissance technique.

En terre musulmane et en Occident, les divisions de l'histoire ne se répondent donc pas. Ce sont les temps modernes occidentaux qui furent le vrai « moyen âge » de l'Islam, au sens le plus restrictif du terme; cependant que son « âge classique » avait connu son plus vif épanouissement lors des « siècles de fer » de l'Occident latin. Ce décalage historique n'est pas sans conséquence. Il colore et en un sens met en question la contemporanéité des pays musulmans d'aujourd'hui et de l'Occident du XXe siècle. S'il est vrai qu'en Islam l'âge classique a précédé le moyen âge, il serait vain de faire du renouveau présentement en recherche de lui-même une simple réplique de la Renaissance occidentale. L'âge classique fut vécu d'abord, et ses grands apports culturels ne sont point lettre morte. Ils restent vivants dans la mémoire des peuples. Mais peuvent-ils être mis aujourd'hui en continuité avec les exigences de l'heure? Apportent-ils des éléments de solution à des problèmes très actuels? Ou ne sont-ils qu'une grande gloire passée, qu'il convient de vénérer sans doute, mais qui ne pourrait conduire qu'à un « moyen âge » plus sclérosé encore si l'on voulait arbitrairement la faire revivre?

Ce sont là des interrogations brûlantes au cœur de l'homme musulman contemporain. Ici l' « avance » des nations techniquement développées ne saurait apporter de réponse décisive. Cette science moderne et cette technique, les pays d'Islam entendent bien les assumer à leur tour. Mais à quel prix? Le désir d'une « révolution culturelle [7] » se fait jour. Mais sera-ce en renonçant à ce qu'a de plus valable l'héritage des grands âges passés ; ou selon une mutation endogène, aussi originale en ses principes et sa mise en œuvre que le fut, au temps 'abbâside, l'intégration d'apports venus de la Grèce et de la Perse antiques? Et quel serait l'impact d'une telle mutation sur les mentalités des élites et des masses?

L'homme musulman d'aujourd'hui ne peut se comprendre sans recourir à ce que fut l'homme musulman des âges classiques, puis des siècles de déclin. Et de même, l'homme moderne occidental et ses problèmes de civilisation ne se peuvent comprendre sans un effort pour saisir de l'intérieur d'une part ce que fut en Occident l'histoire du christianisme, d'autre part les ruptures de l'âge moderne. Or, l'Occident ne connaît l'histoire des terres d'Islam (si peu!) que de l'extérieur, et a beaucoup de peine à intérioriser pour son compte la réalité vécue par l'homme musulman. *Mutatis mutandis,* non moins extérieure est la connaissance que la plupart des musulmans ont du christianisme, et du distancement de tant de lignes occidentales de pensée à son égard. Chacun *croit* connaître l'autre; mais échoue presque toujours à le voir tel qu'il est et se veut être. Il en résulte une forme d'incompréhension réciproque, qui n'est pas sans poser un difficile problème à l'historien des cultures.

Les lignes de notre enquête

Les récents « siècles obscurs » de l'Islam méritent-ils considération? Certains musulmans contemporains auraient tendance à ne guère s'attarder sur un passé définitivement clos à leurs yeux. Et pourtant : ce n'est pas l'homme musulman de l'âge classique que rencontra l'Occidental du XIXe siècle quand les entreprises coloniales le remirent en présence de l'Islam; mais l'homme musulman façonné par les siècles de déclin (et cela nous donne la mesure de malentendus qui sont loin d'être tous dissipés). Et ce n'est pas non plus l'Islam de l'âge classique auquel s'affronte d'abord le musulman d'aujourd'hui. C'est à l'égard de l'Islam des déclins et des scléroses qu'il entend prendre ses distances, — cet Islam dont il récuse le traditionalisme figé, mais dont il est tout proche encore. Le « conflit des générations » se revêt ainsi d'une acuité non moins forte qu'en Occident, mais selon un tout autre processus. Et nous verrons se dessiner deux tendances, antagonistes bien qu'entremêlées plus d'une fois : soit un culte de la « modernité » comme valeur première, qui conduit à des perspectives laïcisantes et aux ruptures radicales; soit une volonté d'atteindre un Islam authentique, débarrassé du fatras accumulé au cours des siècles, capable de toutes les audaces, et dont les gloires passées sont la garantie des gloires à venir.

Autrement dit : est-il possible de prendre une mesure historique au moins approchée du questionnement que les « siècles de déclin » continuent d'adresser à l'homme d'aujourd'hui? Au yeux des Musulmans eux-mêmes, l'Islam des XV-XIXe siècles reste-t-il un Islam authentique? Et pourquoi? Ne sont-ce point, en fait, les mentalités d'hier qui permettent de comprendre les mentalités du renouveau en cours, et le sens des mutations brusques qu'il entend mener à bien?

II. — QUELQUES POINTS DE CRISTALLISATION

Il y a toujours quelque arbitraire à dater avec précision une mutation socio-culturelle. Un événement extérieur, victoire ou défaite, changement de régime politique, crise économique, est moins la cause de la mutation opérée que son point de cristallisation.

Au cours du grand âge 'abbâside, les crises économiques, les disettes, les émeutes furent fréquentes. La révolte qarmate parut ébranler un temps le trône de Bagdad. Des territoires entiers avaient échappé en fait, sinon en droit, au califat, tels maints émirats gouvernés par de véritables dynasties. L'Égypte fâtimide avait, deux siècles durant, affirmé sa totale indépendance. — A titre d'exemple : une ville comme Damas (Dimashq), capitale de la Syrie, fut, aux Xe-XIe siècles, successivement occupée par les Qarmates, les Fâtimides, un chef turcoman renégat des

Fâtimides, les Turcs saljûqides (sunnites), en attendant de devenir avec Nûr al-Dîn, au VIe siècle H. /XIIe siècle, la « métropole du sunnisme » [8]. Cet éclat se prolongera au XIIIe siècle avec le Kurde Salâh al-Dîn et la dynastie ayyûbide. — Mais sur ce fond économiquement et politiquement très agité, parfois incertain, un indéniable rayonnement culturel continuait de s'épanouir.

Le XIIIe siècle

Ce dynamisme se maintint sans doute au VIIe siècle H. / XIIIe siècle, qui fut l'une des brillantes époques de Damas. L'Andalus donna alors naissance à la grande œuvre d'Ibn 'Arabî, dont l'influence s'exerça par la suite si fortement sur le shî'isme imâmite. Et la fin du siècle vit l'échec définitif des Croisades. Il n'empêche que des signes précurseurs de déclin se faisaient jour. Le règne des trois derniers califes 'abbâsides de Bagdad témoignait de la faiblesse (de l'usure?) du pouvoir central. Les points de cristallisation furent d'une part les invasions mongoles, d'autre part les progrès de la *reconquista* espagnole.

Les hordes mongoles, commandées par Hûlâgû, avaient envahi l'Iran, et totalement détruit en 654 H. /1256 le centre ismâ'îlien d'Alamût. En 656 /1258, ce fut la prise de Bagdad, et deux ans plus tard le raid sur Damas. Le sac de Bagdad est resté tristement célèbre. Hûlâgû, bouddhiste, et qui avait une épouse chrétienne, se montra relativement favorable aux chrétiens, mais brutalement cruel à l'égard de la population musulmane. La plupart des membres de la famille califale, et leurs entourages, furent massacrés [9]. — A l'Ouest, la *reconquista* s'étale durant quatre siècles : de 1085 (prise de Tolède) à 1492 (chute de Grenade). Le moment crucial entre tous se situe en 1248, quand les troupes chrétiennes s'emparèrent de Séville.

Les deux grandes défaites du XIIIe siècle, Séville tombée aux mains des Chrétiens, et Badgad saccagée par les Mongols, marquèrent profondément les consciences musulmanes. Après cinq siècles de présence, après les gloires du califat de Cordoue et les résurgences almoravide et almohade, l'Andalus échappait de plus en plus à la Communauté du Prophète. Le petit sultânat nasride de Grenade demeurait seul, replié sur lui-même, tourné plutôt vers les Royaumes berbères d'Afrique du Nord que vers la Castille. A l'Est il est vrai, les Mongols s'islamisèrent, et c'est comme musulman que Tîmûr Lang (Tamerlan) entreprit, aux XIVe-XVe siècles, ses randonnées conquérantes et sa lutte contre les Turcs (musulmans, eux aussi). Musulman fut l'empire fondé par les Grands Mughal (« Mogols ») d'Afghânistân et d'Inde. L'Inde musulmane a une longue histoire, qui peut remonter, au moins, au IVe siècle de l'hégire, plus nettement encore au VIIe siècle H./XIIIe siècle, lors de la fondation du sultânat de Delhi. Afghâns, Persans, Turcs musulmans régnèrent en divers sultânats du subcontinent, non d'ailleurs sans se combattre les uns les autres; mais c'est l'Empire mughal qui donnera, avec le prestigieux Akbar, tout son éclat à la culture indo-musulmane.

Quantitativement parlant, la perte de l'Andalus sera donc largement compensée. Mais le sentiment restera vif de la défaite, de la « cruauté de l'heure », d'atteinte à la *umma*. Il ne s'agissait plus de « querelles de famille », de luttes entre sultânats ou émirats musulmans, cette *fitna*, cette « épreuve » permise par Dieu qu'est le sang musulman versé par des musulmans. C'étaient des bouddhistes à l'Est, des chrétiens à l'Ouest, qui ravageaient et conquerraient des terres d'Islam.

Le « déclin » et son contexte historique

Bien d'autres causes, économiques et politiques, ont commandé ou précipité ce que nous avons appelé le « moyen âge » et la période de déclin. Il convient d'y insister : le XVe siècle fut en Inde le grand âge mughal, cependant que l'Islam iranien, à partir du XVIe siècle, connut sous les Safévides et leurs successeurs maintes avancées de la pensée imâmite. Mais en Islam arabe, c'est du XIVe siècle qu'il faut dater les dernières très grandes œuvres : ainsi les écrits quasi antinomiques d'Ibn Taymiyya et d'Ibn Khaldûn [10]. Si l'on peut alors parler de déclin, c'est que le monde musulman cessa progressivement d'occuper sur la scène historique la place privilégiée qui lui revenait jadis. La science musulmane avait été, aux XIe-XIIe siècles, très en avance sur son époque. Mais à l'aube des temps modernes, les « grandes découvertes » occidentales, leurs applications techniques surtout, ne franchirent que bien peu les frontières du monde de l'Islam. La route de la soie et des épices, par terre ou par mer, qui avait fondé la richesse économique de maints États musulmans, se vit surclassée par les longues randonnées maritimes des pays européens. A partir des XIIIe-XIVe siècles, le commerce méditerranéen lui-même fut de plus en plus dominé par les flottes de Venise, de Gênes, d'Espagne et de Portugal. Et la civilisation musulmane ne fut point partie prenante dans la découverte et l'occupation coloniale du « Nouveau Monde ».

Déclin? Chaque pays ou groupe de pays devrait être étudié à part. A titre d'exemple. C'est au long des XIVe, XVe et XVIe siècles que se consomma la décadence du Maghreb, rongé par des luttes intestines. En vain aux XIIIe-XIVe siècles, les Hafsides d'Ifrîqiya et les Marînides marocains s'efforcèrent-ils de stopper cette courbe descendante. L'Afrique du Nord, florissante du Xe au XIIIe siècle, se replia sur des structures dépassées, tribales et quasi féodales, cependant que le commerce méditerranéen lui échappait au profit de l'Europe. Elle perdit définitivement l'Andalousie lors de la chute de Grenade à la fin du XVe siècle. En 1501 la « pragmatique sanction » des Rois Catholiques ne laissa aux musulmans d'Espagne que le choix entre l'exil ou le renoncement à l'Islam. Elle sera suivie, tout au long du XVIe siècle, de mesures violemment discriminatoires, jusqu'au décret d'expulsion définitive porté par Philippe III en 1609. Les « Andalous » se réfugièrent en Afrique du Nord où ils furent reçu en frères. Ils garderont une forte et vibrante nostalgie de l'Espagne musulmane. A cette époque, Espagnols et Portugais eurent, sur les côtes d'Afrique du Nord, de temporaires possessions; des Princes et Chefs locaux maghrébins signèrent des traités de commerce, parfois de vassalité, avec les Royaumes chrétiens d'Espagne [11]. L'Ifrîqiya et le Maghreb central (Tunisie et Algérie) devinrent par la suite provinces de la Sublime Porte.

Car cet « âge de déclin » fut, jusqu'à l'aube du XVIIIe siècle, l'époque de la puissance militaire de l'Empire ottoman. Aux XVe-XVIe siècles, non seulement le Proche Orient et une large partie de l'Afrique du Nord, mais bien des régions de l'Est européen, lui furent soumis. Les sultâns d'Istanbul prirent le titre de califes, et leur non appartenance à la tribu de Quraysh fut justifiée par la « loi de nécessité ». Dans la première moitié du XVIe siècle, l'Empire ottoman s'étendait à l'Ouest jusqu'à la péninsule balkanique et la rive nord de la mer Noire. Il échoua de justesse dans la conquête de l'Europe. Il n'est que de rappeler les avancées jusqu'à Vienne et les invectives de Luther contre cet Islam conquérant. Les Turcs osmanlis [12] furent ainsi, durant tout l'âge moderne, le « sabre de l'Islam », *sayf al-Islâm*. Seuls se refusaient à leur suzeraineté dans le monde musulman l'Iran, l'Afghânistân et l'Inde à l'Est, le Maroc à l'Ouest.

Progressivement, du XVe au XVIIIe siècle, la plupart des pays arabes ou arabisés se soumirent à cette domination. L'exemple de l'Égypte est frappant. A la fin du XIIIe siècle, les Mamlûk(s) d'Égypte, après avoir accueilli l'héritier ʿabbâside échappé de la prise de Bagdad par les Mongols et des massacres qui s'ensuivirent, rétablirent le califat (659 H. /1261). Mais les califes ʿabbâsides du Caire ne le furent jamais que nominalement, sous le pouvoir réel et absolu du sultân mamlûk. Pendant deux siècles et demi environ, l'Égypte fut le rempart de l'Islam sunnite, arabe ou arabisé. Les Mamlûk(s) stoppèrent les avancées de Gengis Khân, puis luttèrent avec succès contre les Mongols islamisés de Tîmûr Lang. Les hordes de Tîmûr, qui avaient triomphé de Bâyzazîd Ier et des Turcs ottomans à la bataille d'Ancyre [13], furent vaincues par les Mamlûk(s). Mais quand ces derniers s'affrontèrent aux Ottomans, ils furent à leur tour défaits près d'Alep en 922 H. /1516 : et l'Égypte, conquise, devint une province de l'Empire. Seul le premier gouverneur du Caire fut un Mamlûk. Ses successeurs, nommés par Istanbul, seront ottomans. Et l'on peut dire que, dans une large mesure, Turcs osmanlis et Mamlûk(s) fusionnèrent [14].

Il en alla sensiblement de même à travers tout l'Empire. Chaque province gardait sans doute ses notes spécifiques, dues au tempérament et aux traditions des peuples. Mais une osmose s'opérait. La bourgeoisie dite « mauresque » d'Afrique du Nord en serait une autre illustration. Il faudra attendre le XVIIIe siècle pour que la péninsule arabique, animée par l'Islam dur et pur des Wahhâbites, entreprenne de secouer l'emprise ottomane. Mais la « révolte arabe » contre les Turcs ne sera décisive qu'au xxe siècle. Elle sera l'une des conséquences de la guerre de 1914, qui avait fait des Turcs les alliés des Allemands; elle sera inspirée et puissamment soutenue par la politique britannique.

Le problème turc

Bien des penseurs arabo-musulmans d'aujourd'hui rendent l'Empire ottoman et sa domination responsables du déclin de l'Islam, et très précisément des pays arabes [15]. Certains même auraient tendance à en accuser les Turcs comme tels. Les oppositions ethniques retrouvent ici leur virulence. L'Islam, dit-on, avait rayonné tant que dominaient la langue et la culture arabes, et leur propension à une libre recherche intellectuelle. L'arrivée des Turcs et leur oligarchie militaire en stoppa l'élan [16].

C'est devenu le lieu commun de toute une littérature que d'expliquer ainsi, par la domination turque, les siècles de déclin et de stagnation. Sans vouloir discuter en détail le bien ou mal fondé de cette thèse, nous dirions cependant qu'une distinction doit être faite. On oublie parfois que les Turcs furent présents au monde de l'Islam durant les âges d'apogée. C'est dès le ive siècle H. /xe siècle qu'ils commencèrent à s'islamiser. Ils le firent librement. Influence des razzias sans doute, mais aussi des échanges commerciaux, et plus encore de la propagande et de la prédication sûfies [17]. Il s'agissait alors d'un sûfisme où se mêlaient de fortes traditions shî'ites, et son empreinte sur les couches populaires fut profonde. Turcs sédentaires ou restés nomades (Turcomans), c'est donc par un Islam quelque peu marginal qu'ils furent d'abord séduits. Il fut même un temps où en Anatolie (comme en Perse) les Confréries religieuses furent le seul principe stable, voire l'unique forme d'organisation sociale [18]. Cela dans le peuple. Mais tout au long des siècles, on vit les lettrés, les fonctionnaires, les dirigeants turcs adopter délibérément l'Islam sunnite majoritaire. Cette double tendance sera sensible encore dans l'Empire ottoman.

En tout cas, à partir du ive siècle H. /xe siècle, nombreuses furent les milices turques dans l'Empire 'abbâside. C'est avec une milice turque qu'Ibn Sînâ (Avicenne), vizir de Hamadhân, eut maille à partir. Et lors des troubles de Bagdad, « les Shî'ites se sont soulevés sous la bannière de Bakhtiyâr et des Daylamites [des Iraniens], tandis que les Sunnites se sont soulevés sous la bannière de Sukubtekîn et des Turcs »[19]. De la fin du IVe à la fin du VIe siècle de l'hégire (du Xe au XIIe siècle), la dynastie turque des émirs (ou sultâns) ghaznavides régna dans l'Est de l'Iran, en Afghânistân, puis au Punjab (Lahore) sur un large territoire qui eut longtemps Ghazna pour capitale. Les Princes de Ghazna adoptèrent l'arabe comme langue officielle.

Le Ve siècle H. /XIe siècle, âge de la « résurgence du sunnisme », fut aussi l'âge de la prise de pouvoir vizirale opérée par les Saljûqides, famille princière turque. Ils reconnurent la suprématie 'abbâside. Ils ne s'opposèrent point au pouvoir califal, mais aux dynasties iraniennes de vizirs et d'émirs shî'ites qui, en principe, le servaient. Les Saljûqides furent les grands défenseurs et promoteurs du sunnisme; c'est au temps de leur domination que l'Iranien Ghazzâlî put poursuivre son œuvre de « revivification des sciences religieuses ». Au VIe siècle H. / XIIe siècle enfin, Salâh al-Dîn, Kurde ayyûbide, vassal des Saljûqides, vainqueur des Croisades et des Fâtimides, amena en Égypte des troupes turques; elles devaient de là passer au Maghreb et jusqu'en Andalousie. — On peut dire en bref que les élites et les milices turques participèrent largement à la vie des grands siècles culturels, et selon de nettes dominantes sunnites.

Temps de fixation

Quand l'Empire ottoman s'établit en Asie Mineure, les populations sur lesquelles s'exerça son pouvoir étaient islamisées depuis le Ve siècle H. /XIe siècle environ, lors des conquêtes saljûqides. Elles avaient donc quatre siècles d'Islam en moins que les populations arabes et iraniennes qui entouraient le trône de Bagdad. Si bien que dans les couches populaires d'Asie Mineure les valeurs musulmanes se mêlaient à nombre de survivances, ou byzantines ou païennes. Et ces valeurs elles-mêmes restaient teintées par les influences sûfies qu'avaient véhiculé les tout premiers efforts missionnaires. Les cadres dirigeants, eux, s'en dégageront au profit d'un sunnisme représenté et vécu par l'école hanafite. L'Empire sera officiellement hanafite, attaché aux traditions et à la jurisprudence de l'école [20]. Hanafites seront les gouverneurs et fonctionnaires ottomans de l'Égypte shâfi'ite ou du Maghreb mâlikite.

Volonté de puissance et de conquêtes militaires, repli sur un Islam d'école, il n'y eut pas dans l'Empire ottoman le bouillonnement de recherches humanistes qu'avaient connu les temps 'abbâsides, la Cordoue umayyade ou même la Séville almohade. Le XVe siècle vit se stabiliser une forme de civilisation musulmane que l'on peut dire « close », si on la compare à la civilisation musulmane « ouverte » de Bagdad. Il n'y eut guère de vivants échanges entre Istanbul et l'Iran safévide. Les contacts furent bien plus fréquents avec les voisins byzantins et européens : parfois sous le couvert d'ententes et de traités d'alliance [21], le plus souvent au rythme des oppositions et des luttes.

Le XVIe siècle connut le sommet de la puissance militaire ottomane. On peut dire qu'à cette époque-là les conditions de vie concrète des couches populaires, urbaines ou rurales, ne devaient pas être extrêmement différentes en Europe, au Maghreb, en Asie Mineure. Mais voici que l'Europe allait s'avancer sur la voie de l'industrialisation et des conquêtes techniques, tandis que les pays musulmans, soumis ou non à la Sublime Porte, se figeaient en un style de vie qui put sembler abusivement lié à l'Islam comme tel. Et c'est ainsi qu'à l'opposé des principes égalitaires de base (« les croyants sont frères »), le décalage ira grandissant entre le luxe des hautes classes et la misère du peuple. Ce décalage se retrouvera aussi bien dans l'Empire mughal (plus encore peut-être) que dans l'Empire ottoman.

Les pays musulmans ne suivirent pas l'essor industriel européen. Aux XVe et XVIe siècles au contraire, le régime aussi bien des contrats agricoles que de l'artisanat urbain ne fit que se scléroser. C'est alors que furent élaborés en détail des *dustûr*(s), les « chartes » des corporations de métiers, et certaines formes de « pacte d'honneur » *(futuwwa)*. Les mentalités dominantes se replièrent sur le maintien et la protection des acquis du passé; cependant qu'allait grandissante l'influence des Confréries religieuses. Tout un *adab*, tout un code de vie et de comportement, devint un ensemble indissociable. En fait, de nombreuses coutumes locales se mêlaient aux impératifs religieux (coraniques), et se trouvaient comme réinterprétées et organisées par ces derniers. Un étroit attachement à cet *adab*-là prit figure pour les observateurs étrangers, et pour les Musulmans eux-mêmes, de fidélité à la foi coranique.

Une telle fixation, qui était une auto-défense, ne saurait aller sans durcissement. D'accueillante qu'elle avait été, la mentalité la plus courante se revêtit d'intolérance. Au début des conquêtes ottomanes, et jusqu'à la fin du XVIe siècle, les « minoritaires » (fort nombreux) juifs et chrétiens furent bien traités, et souvent selon l'interprétation la plus libérale du « pacte de protection ». Faut-il mentionner cependant cette forme très spéciale d'impôt qu'était le *devshirme?* Il ne s'agissait plus seulement de la capitation ou de la taxe foncière des régimes umayyade et ʻabbâside, mais d'une levée obligatoire de jeunes garçons chrétiens, écartés de leurs famille, pris en charge par l'État, délibérément islamisés, destinés à être incorporés dans la fameuse troupe d'élite des janissaires, ou, secondairement, à remplir des fonctions publiques. L'impôt atteignait de préférence les populations rurales, réputées plus saines.

A vrai dire, et malgré l'islamisation obligatoire, ce n'est pas tant le fanatisme religieux qui commandait ici que d'anciennes coutumes militaires turques ou turco-mongoles, accommodées non sans arbitraire par les juristes aux principes du droit musulman. Le *devshirme* tomba en désuétude dans la première moitié du XVIIe siècle, au moment même où le sentiment populaire anti-chrétien prenait de la virulence, et où les « minoritaires » eurent à souffrir, presque périodiquement, d'explosions de fanatisme, de pillages et de massacres. En fait, de difficiles conditions juridico-économiques nourrissaient ces crises d'intolérance.

Le choc de l'Occident

1. *Dans l'Empire ottoman.* — A la même époque en effet, le régime dit des « Capitulations » *(intiyâzât)* pesait lourdement sur l'économie et l'indépendance politique de l'Empire ottoman; secondairement, de la Perse safévide. A l'origine, les Capitulations se rattachaient à la notion traditionnelle d'*amân*, la

« sauvegarde » accordée par libre faveur à des « étrangers » (non musulmans) [22]. Or, cette sauvegarde se mua en privilèges commerciaux et immunités personnelles, la plupart du temps sans contre-partie. A partir du XVIIe siècle, les Capitulations devinrent, dans la politique de puissance des États européens, une sorte de colonialisme larvé. Les abus du statut consulaire dont jouissaient les Européens résidant en terres musulmanes furent grands. Ils devinrent économiquement et politiquement insupportables quand ce statut juridique, sous la pression des Puissances occidentales, et à l'encontre du droit musulman traditionnel, fut étendu aux sujets chrétiens (les « protégés ») de l'Empire. En vain la Sublime Porte s'efforça-t-elle de faire abolir les Capitulations; à la fin de la guerre de 1914, le traité de Sèvres les maintenait encore. Ce n'est qu'au traité de Lausanne, en 1923, qu'elles furent supprimées.

Les Capitulations restent, dans la mémoire des peuples d'Islam, comme un symbole de l'impérialisme *(isti'mâr)* européen, et de l'état de sujétion où il entendait les maintenir. Les XVIIIe et XIXe siècles (jusqu'en 1880) furent par excellence un temps de confrontation entre terres d'Islam et Occident moderne, selon un mouvement alternatif d'influences accueillies dans le sens d'une nécessaire modernisation, et d'une rancœur sans cesse accrue contre les tentatives d'asservissement.

L'Empire ottoman comprit la nécessité d'une modernisation. Ce fut l'époque des *tanzimât*, des « mesures réglementaires » déclarées « bienfaisantes ». Mais il faut noter aussitôt que ces « mesures » ne furent point l'effet d'un mouvement endogène d'évolution. Les pays musulmans renonçaient en somme à leurs valeurs culturelles propres, pour se mettre à l'école de l'Europe. Les *tanzimât* se bornèrent souvent à la transplantation massive de codes juridiques européens : du moins dans le domaine commercial et pénal, voire le statut « réel » des biens. Les statuts personnels, fondés sur le *jus religionis*, étaient maintenus. Des tribunaux mixtes furent institués où, pour les chrétiens, les privilèges consulaires jouaient à plein. Dans l'esprit du législateur ottoman ou d'obédience ottomane (Égypte), cette modernisation-là devait logiquement entraîner la fin des Capitulations. Il n'en fut rien.

L'ère des *tanzimât* fut brutalement close en 1880, et un

régime d'absolutisme ombrageux lui succéda. Ce dernier ne prendra fin qu'avec la révolution de 1923, la suppression du califat (1924), la mise en place de la « Turquie nouvelle », et le laïcisme de Kemal Atatürk.

2. *Le colonialisme.* — Un choc plus décisif encore fut la conquête européenne de terres musulmanes. Ce fut, dès le XVIIIe siècle l'arrivée des Britanniques dans l'Empire mughal indien; et surtout aux XIXe et XXe siècles, les politiques coloniales française et britannique.

Il faut noter ici que tout au long des « siècles obscurs » les relations du Maghreb avec l'Europe avaient été nombreuses et suivies, aussi bien au Maroc qui échappait à la suzenaineté ottomane, qu'en Algérie et Tunisie. Relations de violence : la « course », les temporaires occupations de ports méditerranéens ou atlantiques par les Espagnols et les Portugais; mais relations pacifiques le plus souvent : traités d'amitié et de commerce incessamment reconduits, et où l'Europe du Nord, aussi bien que méditerranéenne, intervenait. Bien connus par ailleurs sont les relations mutuelles qu'entretenaient les cours marocaine, française, anglaise, l'appel adressé à des architectes, commerçants, instructeurs militaires occidentaux. Aux XVIIe et XVIIIe siècles, le commerce avec l'Europe assurait le plus clair du budget central des États maghrébins. Ainsi s'était dessiné un équilibre précaire, tandis que s'ankylosaient toujours plus les formes traditionnelles de la vie musulmane.

Mais tout devait changer quand aux traités de commerce se substitua une occupation permanente, sous forme de colonies directes ou de protectorats. On peut dire que l'ère coloniale fut pour la mentalité musulmane un point de cristallisation plus actif encore que ne l'avaient été le sac de Bagdad par les Mongols ou le reconquête chrétienne de l'Espagne. Ces deux événements historiques avaient préludé aux temps de déclin. L'établissement des colonies et protectorats put sembler un temps consommer l'irrémédiable défaite du monde de l'Islam, appelé à perdre toute spécificité sous l'impact triomphant de valeurs occidentales. Il fut en fait, de par le choc même qu'il suscita dans les consciences, le point de départ d'une volonté profonde et farouche de renouveau, et sur le plan culturel aussi bien que politique ou économique.

C'est, nous le verrons mieux bientôt, à une reéelle mutation de mentalités que nous avons affaire. Pourquoi? Et quelles furent donc les mentalités dominantes du traditionalisme figé qu'il s'agira de combattre?

NOTES

1. Cf. ci-dessus, Ire partie, chap. II, pp. 64-66.

2. C'est ainsi que le Tunisien Muhammad Talbî définit à juste titre la vision du monde d'Ibn Khaldûn : « Son ' cyclisme ' est celui d'un univers à trois dimensions, il est spiroïdal », dans « Ibn Khaldûn et le sens de l'histoire », *Studia Islamica*, XXVI, Paris, 1967, p. 138.

3. Projection d'un imaginaire transcendantal en valeurs de proto et meta-histoire, cf. ci-dessus, IIIe partie, chap. III, p. 244, note 21.

4. Cf. L. Gardet, « Vues musulmanes sur le temps et l'histoire », dans l'ouvrage collectif *Les cultures et le temps, op. cit.*, pp. 240-241.

5. Cf. Mohammed Arkoun : *Essais sur la pensée islamique, op. cit.*, pp. 51-68, — Une place de choix devrait être ici réservée à l'œuvre de Bîrûnî.

6. Seraient à mentionner certaines vues de Ghazzâlî, d'Ibn Taymiyya, etc.

7. L'expression, empruntée à la Chine populaire, est l'une des idées-programmes des révolutions algérienne et libyenne. Voir ci-après, chap. V, p. 367 et note 15.

8. Cf. N. Elisséeff, art. « *Dimashk* » *EI²*, p. 291.

9. Si bien que le Souverain hafside de l'Ifrîqiya, d'obédience almohade, s'attribua, un an durant, le titre califal. Mais la dynastie 'abbâside sera restaurée au Caire par les Mamlûk(s) en 1261. Cf. ci-après, p. 288.

10. C'est du premier que se réclameront les Réformistes contemporains. Le deuxième sera célèbre par son œuvre originale d'historien et de sociologue. Son nom (ainsi que celui d'Avicenne) figure au fronton de la Bibliothèque Sainte Geneviève à Paris; et nous avons assisté ces dernières décennies aux efforts de la pensée marxiste pour en faire — abusivement et gratuitement — l'ancêtre de la dialectique historique. L'Égypte d'Ibn Taymiyya était gouvernée par la dynastie mamlûk. Ibn Khaldûn sentit profondément la décadence qui se préparait au Maghreb. Notons cependant que le Maghreb du XIVe siècle connut un certain épanouissement culturel. Il se divisait alors en trois Royaumes : les Hafsides qui régnaient en Ifrîqiya, les Marînides du Maroc qui se dénommèrent « commandeurs des croyants », titre califal, le pouvoir zayyânide (capitale Tlemcen), plus faible, et qui se contentait du titre d'émir (cf. Abdallah Laroui, *op. cit.*, I, pp. 192-193).

11. Voir la suggestive analyse de la décadence du Maghreb, et de ses causes, ap. Abdallah Laroui, *ibid.*, II, chap. x et xi.

12. Osmanli est ici quasi-synonyme d'ottoman. L'appellation vient du nom de 'Uthmân (Osman) Ier, calife ottoman.

13. En 804 H. /1402. — A noter l'amitié de Tîmûr et de l'Empereur byzantin.

14. Cf. J. H. Kramers, art. « *Mamlûk* », *EI*[1], p. 233.

15. « De fait, la civilisation arabe commença à décliner à partir du moment où elle tomba sous la puissance des hordes mongoles et tartares, et où elle fut assujettie à la domination ottomane qui la figea et interrompit sa marche ascendante » (texte tiré de la « Déclaration finale », colloque du Koweit, 7-12 avril 1974, sur *La crise de l'évolution culturelle dans la patrie arabe ;* trad. P. Cuperly).

16. Ajoutons qu'une accusation parallèle sera volontiers portée par des Iraniens contre les Arabes, au nom cette fois non point de l'Islam, mais des gloires de la Perse antique.

17. Cf. Cl. Cahen, art. « *Ghuzz* », *EI*[2]. — Cette prédication fut le fait de Sûfîs « errants », tels les Calenders et les Haydariyya, qui circulaient dans l'Iran septentrional et la Transoxiane (cf. J. H. Kramers, art. « *Türks* » *(EI*[1]*)*.

18. Cf. H. A. R. Gibb, « Interpretation of Islamic Story », *Cahiers d'histoire Mondiale* I (1953-1954), spécialement pp. 61-62 (étude citée et analysée par G. E. Von Grünebaum, *op. cit.*, pp. 60-64).

19. Miskawayh, *Tajârib al-umam*, II, 328; cité par Mohammed Arkoun, *Essais...*, *op. cit.*, p. 76.

20. Cf. ci-dessus, IIIe partie, chap. iv, p. 249.

21. Il n'est que de rappeler les rêves d'un Jean Bodel, et l'alliance de François Ier et du « Grand Turc ».

22. Cf. L. Gardet : *La Cité musulmane, op. cit.*, pp. 77-78.

CHAPITRE II

MENTALITÉS POPULAIRES AUX ÂGES DE DÉCLIN

Nous avons vu les sociétés de l'âge classique, arabo-iraniennes à l'Est, et intégrant déjà bien des éléments turcs, arabo-berbéro-ibères à l'Ouest, être des sociétés ouvertes et progressives, volontiers frondeuses au demeurant. Voici que les invasions étrangères et les défaites politiques, la stagnation économique face aux progrès techniques de l'Occident, les transformèrent en sociétés closes, repliées sur des traditions passivement reçues. Seules les oligarchies militaires, Égypte mamlûk un temps, Empire mughal durant son apogée qui fut brève, Empire ottoman jusqu'au xxe siècle, maintinrent une façade de grandeur et de force. La force militaire était réelle encore aux xve-xvie siècles. Elle aussi alla se dégradant. Comment les peuples d'Islam vécurent-ils ces « siècles obscurs »? Et comment et pourquoi trouvèrent-ils, en ce monde clos devenu leur, la volonté et l'élan du renouveau actuel?

Nous pourrions multiplier des descriptions phénoménologiques; nous pourrions camper des types d'hommes musulmans au gré des pays et des siècles. Nous avons ici toute une littérature moderne, principalement en arabe, déjà très fournie [1]. Riche folklore populaire, héros de nouvelles ou de romans, personnages d'un art dramatique que le xxe siècle vit se développer, les récits et dialogues abondent où se côtoient riches et pauvres, juges et plaideurs, grands et petits fonctionnaires, hommes des villes et paysans, dévôts et « libres penseurs », traditionalistes et modernistes [2]... Mentalités, tempéraments ethniques, caractères individuels, traditions religieuses et coutumes ancestrales y sont indiscernablement liés. Et presque toujours se profile à l'horizon la silhouette de l'homme occidental, point de repère et foyer d'opposition à la fois, saisi moins peut-être en sa réalité propre qu'à travers des genres de vie et des modes de pensée que bouscule le seul fait de sa présence [3].

Trois notes apparaissent aussitôt :

1) Une différence, encore plus marquée qu'à l'âge classique, entre riches et pauvres. 2) Chez les uns et les autres cependant de très strictes traditions qui commandent la vie familiale, ses fêtes, ses deuils, l'éducation des enfants : l'« art de vivre » que secrétaient les milieux urbains des IXe-XIIIe siècles se maintient, — et se fige; il reste à mesure profondément humaine, mais n'est pas, par les exigences dont il entoure la vie concrète, sans freiner quelque peu toute évolution ou progrès économique. 3) Une évasion des misères quotidiennes par les séances des Confréries religieuses, ou par le rêve eschatologique du *Mahdî*, du Sauveur attendu.

I. — BACKGROUND ÉCONOMIQUE

Nous donnerons quelques brèves indications sur le climat social et économique.

Les riches et les pauvres

Les artisans et commerçants urbains seront protégés par les chartes des corporations de métiers [4]. Le peuple des très pauvres reste à la merci de bien des aléas. En dépit des corporations, un régime de capitalisme libéral tend de plus en plus à s'instaurer [5]. Des coutumes locales en alourdissent encore le poids. Et les fortunes des gros négociants ou des propriétaires fonciers deviennent strictement héréditaires.

Sous le régime ottoman, les privilégiés par excellence seront les gouverneurs (turcs), beys ou deys, ceux qui gravitent autour d'eux, et les officiers des milices; à leur suite, la hiérarchie des fonctionnaires locaux, dont les désignations turques, *âghâ*, *bâsh-âghâ*, deviendront d'usage courant. Chez les nomades ou semi-nomades enfin, les chefs traditionnels ou *qâ'id*(s) (« chef », « commandant ») tendront à se fonctionnariser à la mesure de l'obédience accordée au pouvoir central. Ce terme de *qâ'id* (caïd) sera d'ailleurs d'un emploi très général.

Les oligarchies militaires et leurs miliciens d'élite veillent à l'ordre dans la cité. Peut-être y a-t-il moins d'émeutes et de luttes intestines que jadis. Mais dans les temps de crise, c'est la razzia des quartiers juifs et chrétiens qui s'offrira, comme un exutoire, à la misère du peuple. Il n'est pas sûr que ces exactions aient toujours été réprimées par les hommes au pouvoir. — En bien des régions ou des pays, là surtout où une vie nomade ou semi-nomade se maintient, le pouvoir central du sultân ou du gouverneur va se dégradant, et ne dépasse guère, en fait, certaines zones délimitées. Au-dehors règnent l'insécurité des rebellions, les péages prélevés sur tout voyageur, seul ou en caravane, sorte de féodalité si l'on veut; et les chefs locaux, quel que soit le titre qu'ils se donnent ou qu'on leur attribue, exercent en fait un pouvoir quasi discrétionnaire. Une illustration bien connue en sera fournie, au début du XXe siècle encore, par le Maroc : divisé en *bilâd al-makhzan*, régions où l'on payait l'impôt, donc situées sous l'autorité directe du sultân, et *bilâd al-sibâ'*, pays de l'insoumission, où s'affrontaient, sous la conduite de chefs locaux, les oppositions ancestrales des tribus berbères.

Durant les longs siècles de fixation et de déclin, on peut dire que les nomades et semi-nomades ont gardé, plus aisément que les sédentaires pauvres, une dignité de vie. Certes, un fossé social sépare, là aussi, les riches des pauvres, les « gens de grande tente » de leurs « clients » moins fortunés. Mais les exigences et les aléas de la vie nomade sont communs à tous. Razzias et insoumissions à l'égard du pouvoir central entretiennent cet esprit combatif des anciens Arabes, si souvent dénoncé; cependant que la nécessité de groupements en douars alimente « l'esprit de corps » tribal et la coutume de l'endogamie.

Lors de la conquête de l'Algérie par la France, c'est d'abord parmi des tribus nomades que se recrutèrent les opposants à l'envahisseur. Profondément attachés à l'Islam, leur foi est parfois peu éclairée, mais parfois aussi nourrie de lectures et d'études. Une certaine vie intellectuelle n'est pas incompatible avec tout nomadisme, et célèbre fut la tente-bibliothèque de l'émir ʿAbd al-Qâdir. Et comment ne pas mentionner ici que c'est dans le milieu nomade pauvre du désert de la grande Syrte que s'enracine la personnalité politique et religieuse de Muʿammar al-Qadhdhâfî (Kadhafi), et tout le mouvement révolutionnaire des « Officiers unionistes libres » qui firent la révolution libyenne de 1969 [6]?

La vie nomade s'est maintenue longtemps, se maintient encore dans les pays à zones désertiques ou steppiques. En bien des régions, en pays touareg par exemple, les nomades continuent d'exercer comme une suzenaineté à l'égard des sédentaires des oasis. Mais au fur et à mesure des envahissements européens, la paix imposée rendit de plus en plus impossibles les razzias, rendit donc inutiles les agglomérations en douars de notable importance. L'émiettement qui en résulta, les conditions économiques nouvelles, préparèrent un lent processus de sédentarisation. Et quand surgissaient les années de sécheresse, ou quand les épidémies s'abattaient sur les troupeaux, les nomades les plus atteints n'avaient d'autre ressource que de vendre leur cheptel encore existant, puis les coffres à provision, puis les bijoux des femmes, enfin — ultime déchéance — leur tente elle-même; et de s'essayer, au bourg voisin ou à la ville voisine, à quelque « petit métier » de fortune.

Car les pauvres, les sans travail, — et parmi eux les « nomades déchus », — les mendiants (organisés) sont nombreux dans les villes. Mais c'est bien parmi les populations rurales, parmi les ouvriers agricoles dépourvus de terre, que se recrutent les plus pauvres [7]. Loin de s'assouplir, les contrats de métayage se font plus lourds. La *khammâsa*, le contrat « au cinquième » est la norme, et le métayer est presque toujours fortement endetté envers le propriétaire résidentiel ou non, — non résidentiel le plus souvent [8]. Une sorte de capitalisme agraire, que l'on pourrait dire spontané, s'instaura de la sorte.

Le problème des « biens de mainmorte » (awqâf)

L'un des handicaps les plus sérieux qui grevèrent la propriété foncière aux XVIIIe et XIXe siècles fut l'abus, faut-il dire le scandale, des biens de mainmorte. Ce sont les *awqâf* (sing. *waqf*), dits *hubus* (« habous ») au Maghreb. Le *waqf* est une institution religieuse : par testament, un propriétaire « immobilise » tout ou partie de ses biens au profit d'une œuvre pie ou d'utilité publique. C'est le retour à Dieu d'une propriété privée, sur laquelle d'ailleurs le haut-domaine du Créateur de toute chose n'avait cessé de s'exercer. Dans la cité musulmane classique, des aductions d'eau, des bains publics, des *madrasa*(s) et l'entretien des mosquées étaient assurés le plus souvent par de telles fondations.

L'abus ne vint pas de l'institution elle-même, mais de son utilisation indue pour tourner les lois successorales coraniques. A côté des *awqâf* directement « publics », la mise en place devint fréquente d'*awqâf* dits « familiaux » ou privés. En ce cas, la gérance du bien de mainmorte était, par testament toujours, confiée à telle ou telle personne désignée et à ses descendants. Ils recevaient en compensation le revenu du bien « immobilisé », — étant sauf le principe que l'ultime bénéficiaire serait, à l'extinction de la descendance, une œuvre pie. Très souvent étaient ainsi nommées pour la forme les « deux villes saintes » de la Mekke et de Médine. Mais tant que la descendance du premier bénéficiaire se perpétuait, le gérant du *waqf* jouissait sans limite de l'usufruit. Le gérant n'était point propriétaire, il ne pouvait ni vendre, ni céder à des tiers. Mais sur ce bien confié à sa charge, il n'avait aucun impôt à payer. Il devait seulement veiller à l'entretenir, ou le faire entretenir, et à le faire valoir. — La situation se compliqua d'ailleurs quand les « modernisations » du droit n'hésitèrent pas à reconnaître, en dépit de la loi coranique condamnant l'usure, la licéité de prêts à intérêt, à des taux parfois fort élevés; et à autoriser de telles opérations bancaires sur les *awqâf*, aussi bien agraires qu'urbains. Ainsi en fut-il dans l'Empire ottoman, au temps des *tanzimât*.

Bien des fortunes furent constituées en *awqâf* familiaux,

soit au profit du fils aîné et aux dépens des autres héritiers légitimes, soit au profit d'un « étranger ». Dès lors, le droit d'aînesse, non reconnu par le Coran, pouvait être rétabli en fait, et les garanties des « héritiers réservataires » tombaient [9]. Les villes musulmanes connurent toute une classe d'usufruitiers des biens de mainmorte, petits ou gros rentiers, oisifs, et qui n'avaient qu'à jouir de leur revenu. Petite ou grande bourgeoisie quasi improductive, de mentalité toute conservatrice...

Mais c'est le régime foncier qui eut le plus à souffrir de tels abus. D'importantes superficies de terres cultivables furent, au cours des âges, constituées en *waqf*, au profit d'une famille ou d'une institution, d'une Confrérie religieuse par exemple. Les chrétiens ou juifs « protégés » pouvaient, eux aussi, mettre leurs biens en *waqf*, et c'est ainsi que des églises et des monastères chrétiens s'enrichirent plus d'une fois. Il était fréquent que la gérance des *awqâf* terriens fût attribuée à la famille régnante ou à ses représentants : marque de révérence à l'égard du Souverain, reconnaissance pour des privilèges accordés, ou, plus simplement, conclusion drastique de mésententes familiales. Les statistiques sont révélatrices. En 1922, dans l'ancienne Turquie, les trois quarts de la superficie cultivée étaient en biens de mainmorte, et le septième en Égypte, au profit des cinq millièmes seulement de la population. En dépit de quelques aménagements, cette situation se prolongera en Égypte jusqu'à la révolution de 1952 [10]. L'immobilisation des terres *awqâf*, le statut non résidentiel de la grande majorité des bénéficiaires, étaient autant d'obstacles pratiquement insurmontables à toute réforme agraire. Cette situation fut l'un des premiers soucis des États musulmans modernes. Ils se prononceront dans l'ensemble pour la suppression non du principe comme tel, mais des *awqâf* « familiaux ».

Le principe premier visait, par ce retour au haut-domaine de Dieu, à une mise au service de la Communauté de biens possédés privément. Les *awqâf*, dans leur esprit même, se présentaient donc comme un frein à l'instinct de propriété, une invitation faite au croyant à restreindre, au profit de tous, l'acquisition et l'usage de la propriété privée [11]. Les abus qui en furent faits allèrent à l'encontre du principe premier. Ils en vinrent, par le détour du *waqf* familial, à susciter une classe d'usufruitiers héréditaires, à la rente assurée. Et les terres cultivables, ainsi immobilisées au profit de quelques privilégiés, finirent par se transformer en de véritables *latifundia*. Y végétait sans avenir le petit peuple fort pauvre des métayers au cinquième et des ouvriers agricoles.

Les *awqâf* familiaux sont un exemple probant des déviations que subirent au cours des siècles bien des institutions. On en trouverait des traces dès l'âge classique. Et des casuistes les justifiaient au nom de l'Islam. Les temps de déclin en alourdirent progressivement le poids.

L'influence de l'Europe et la division en « classes »

Que ce soit dans l'Empire ottoman ou en Inde, l'arrivée de l'Europe n'atteignit, en son premier temps, que la classe dirigeante et la bourgeoisie urbaine. Elles s'inspirèrent de l'Occident, en assimilèrent assez vite ce qui leur plaisait en son mode de vie, en apprirent volontiers la langue, le copièrent en un mot, et par là se coupèrent d'autant plus du peuple. Si, à l'âge classique, nous avons cru devoir parler de « catégories sociales » et non de « classes », c'est bien une différence de classes qui, sous l'impact de l'Occident, en viendra à s'affirmer. Un capitalisme industriel *importé* se greffa de la sorte sur le capitalisme agraire indigène, et le prolongea.

Nous évoquerons une fois de plus l'exemple de l'Égypte. A la veille de la révolution de 1952, le contraste était frappant entre les masses populaires, pauvres, à la vie difficile, quasi illettrées, et les « européanisés » au palais des Khédives ou à la ville, riches, de haute culture française et anglaise le plus souvent, connaissant assez mal le grand passé arabo-musulman. Au « Palais », on ne parlait guère que le français et le turc, — et l'arabe dialectal pour communiquer avec les domestiques. Depuis la fin du XIXe siècle cependant, une classe intermédiaire insistait sur l'arabe comme langue de culture, écrivait en arabe des essais, romans, pièces de théâtre de réelle valeur, et luttait pour la totale indépendance de l'Égypte. Mais les références allaient d'abord à un nationalisme de style européen [12]. Au sein de ce nationalisme politique et culturel, très modernisé, et non moins dans la « haute société », Palais compris, les « minoritaires » chrétiens et juifs jouaient un rôle fort actif, sans commune mesure avec leur faible importance numérique. La masse du peuple, analphabète ou presque, n'était guère concernée.

D'autres exemples, diversifiés selon les pays, pourraient être donnés. Nous y retrouverions les mêmes leitmotive, et la lente transformation des catégories sociales du passé en classes bien distinctes. Presque partout une division tripartite se dessine : d'une part le peuple des pauvres, riche seulement d'indéniables valeurs humaines, mais accablé par le poids de traditions contraignantes; d'autre part, l'existence fort aisée, le luxe des classes dirigeantes, modernisées dans leur style de vie et soucieuses de maintenir leurs privilèges; et en intermédiaire, mais sans beaucoup de prise ni sur le peuple illettré, ni sur le conservatisme des Grands, une nouvelle bourgeoisie nationaliste, celle des professions « libérales », inspirée le plus souvent par des modèles venus d'Occident. Seules peut-être des pays directement colonisés, et en raison même de la dureté de leur sort, cherchaient déjà, par-delà ce mirage occidental, des voies nouvelles de salut.

Il y eut des élans, vite réprimés, des tentatives de sursaut populaire, accrochées au rêve millénariste d'un *Mahdî* sauveur. Ces élans restaient sporadiques. Il n'y eut pas l'équivalent des profondes mutations tentées jadis par la révolte des Zanj ou le mouvement qarmate. La fermentation sociale qu'apportaient, au cœur même du monde sunnite, les revendications shî'ites faisait défaut. Et en Iran aussi, officiellement shî'ite, se retrouvait particulièrement grave ce double décalage entre le peuple, la nouvelle bourgeoisie et les privilégiés.

II. — VALEURS MAINTENUES?

Comment ces peuples d'Islam, à l'esprit jadis frondeur, et qui savaient peser sur les prises de position du pouvoir, en vinrent-ils à cette forte et humble résignation, où les duretés quotidiennes d'une existence rude et précaire ne trouvaient d'évasion que dans l'attente d'un monde meilleur, dès ici-bas si Dieu le voulait, dans les récompenses de la vie future du moins, telles que le Livre les avait promises?

L'ankylose du « savoir »

Une large part de responsabilité en revient, semble-t-il, à l'absence d'ouverture et de recherche intellectuelle, et à un souci d'ombrageux conservatisme. Après les XIVe-XVe siècles, nous l'avons dit, il n'y a plus guère dans le monde arabe de grandes œuvres originales, au rayonnement vraiment universel. L'influence d'un Mîr Dâmâd ou d'un Mullâ Sadrâ en shî'isme imâmite, d'un Shâh Walî Allâh dans l'Inde mughale, ne s'exerça qu'en des cercles restreints. L'âge moderne, — qui est le « moyen âge » de l'Islam, — est le temps des manuels stéréotypés, et des commentaires sur ces manuels, et des gloses sur les commentaires [13]. La problématique ne se renouvelle pas. Les adversaires à pourfendre, ce sont toujours les vieux Mu'tazilites du IXe siècle, ou les *Falâsifa* des Xe-XIIe siècles. Les arguments se ressassent, indéfiniment, d'un manuel à l'autre.

A cette sclérose de l'« apologie défensive » répond la sclérose du droit. La vie pratique est cette fois directement concernée. C'est une jurisprudence d'école qui partout domine, l'art d'attribuer à tout acte de la vie l'une des cinq notes juridiques : obligatoire, louable, permis, blâmable, interdit. Une simple illustration : quand apparurent téléphone et cinéma, les mentalités courantes cherchèrent moins à en expliquer la technique qu'à préciser la « note » méritée par ces inventions étrangères. Le Souverain du Royaume sa'ûdite eut recours, dit-on, à un subterfuge pour faire accepter le téléphone par ses « hommes de religion » [14]; et de nos jours encore, certains *mullâ*(s) iraniens, fort dévôts, récusent les images mouvantes du cinéma comme incompatibles avec la Loi religieuse.

En quelque pays que ce fût, l'influence de l'« homme de religion », de quelque nom qu'on le désigne, *'âlim*, *shaykh*, *faqîh* ou *mullâ*, ne cessa de s'exercer sur les mentalités populaires. Le peuple illettré a confiance dans les spécialistes du savoir religieux. Le respect de la science, qui fut certainement l'une des composantes de l'âge classique, se reporte sur les hommes qui en font profession. Car ce temps de déclin fut par ailleurs un temps d'enracinement de l'Islam dans les masses urbaines et paysannes. Chaque village, outre son « école coranique », a son *faqîh* ou son *'âlim*, ancien étudiant de grande mosquée ou d'un centre de Confrérie religieuse, et dont les jugements et conseils sont sollicités.

Or, ce *faqîh* ou ce *'âlim* n'a de bagage que les « manuels figés » et l'enseignement du maître qui les commentait. En Afrique du Nord et Proche Orient dominait un ash'arisme étroit qui récusait tout fondement ontologique à la liberté humaine. « L'homme sain, fort, et capable d'agir est, selon les gens de la *Sunna*, un être contraint dans le moule d'un être libre », disait déjà au xve siècle Sanûsî de Tlemcen; « l'homme est contraint en réalité, libre en apparence », précisait l'Égyptien Bâjûrî au xixe siècle [15]. Ils sont, l'un et l'autre, auteurs de manuels particulièrement en faveur. Bien sûr, on enseigne toujours que la foi de simple et passive tradition *(taqlîd)* n'est acceptable que pour celui qui ne saurait la dépasser; et que « la foi étayée par la science » lui est infiniment supérieure [16]. Mais la « science » n'est plus que redites et replis sur le passé. Et la plupart des « hommes de religion », au village comme à la ville, se bornent à enseigner une praxis juridique qui comprend tous les aspects de la vie.

La génération éprise de renouveau, celle qui mènera les luttes anti-coloniales, sera sévère à leur égard. Au lendemain de l'indépendance, le Maroc par exemple vit fleurir des comédies satiriques, tantôt en arabe classique, tantôt en dialectal, qui moquaient les « vieux turbans » englués par des coutumes traditionnelles et des jugements tout faits. Ces attaques n'allèrent peut-être pas sans quelque injustice. Plus encore qu'à l'âge classique, il y eut des hommes de religion qui, sans doute, les méritaient; il y eut aussi des hommes droits et pieux, mais mal armés, de par leur formation même, pour susciter ou simplement assumer l'évolution nécessaire.

La vie du peuple

Respect du « savoir », et donc confiance dans le *faqîh* ou le *'alîm*... Le bon sens populaire, il est vrai, sut plus d'une fois distendre les mailles tissées par la casuistique des juristes. Le peuple des pauvres resta, durant des siècles, attaché à un Islam traditionnel, alourdi par bien des superstitions, mais vécu en confiance, et traversé par toute la richesse humaine d'un folklore ancestral. Le goût du merveilleux, revanche des misères et des dures conditions de la vie, sut créer maintes légendes peuplées de *jinn*(s) croyants ou infidèles, bons ou malfaisants... Contre cette possible malfaisance, fréquent était l'usage de talismans de toute sorte. Récits et chants des « diseurs » dans les cafés et les *sûq*(s), les veillées et les fêtes, contes moralisateurs, énigmes et proverbes, tout un humanisme populaire se maintint, usant de la langue parlée, arabe dialectal, berbère, turc, persan ou ûrdu, et plus oral qu'écrit.

La vénération pour le texte coranique restait totale; c'est toujours dans la langue du Coran que se faisaient les cinq prières quotidiennes, et les talismans les plus réputés avaient recours à des versets du Livre. Chaque village ou presque avait son école coranique, où l'enfant apprenait par cœur sinon l'ensemble, du moins de longs passages du texte sacré: mais sans toujours en comprendre la teneur. Et s'il étudiait l'écriture arabe, il ne s'en servait guère par la suite; quand besoin s'en faisait sentir, l'écrivain public, qui était souvent le *faqîh*, lui venait en aide...

Peuple des pauvres, illettré en fait, mais qui savait obscurément descendre d'un grand passé. Les premiers temps de l'Islam étaient son âge d'or. A l'époque de la colonisation française, un poète berbère d'Algérie, Ben Raho, contemporain de l'émir 'Abd al-Qâdir, chantait en arabe les gloires des Compagnons du Prophète, spécialement de l'*Imâm* 'Alî, conquérant le monde et à jamais inimitables, « race d'ivoire et non de chair, une race d'aigles [17] ».

Le rythme quotidien des villes et des villages restait scandé par les temps de prière, les fêtes religieuses et familiales, et, dans les villages, par le cycle saisonnier des semailles, moissons et récoltes. Des coutumes locales variées commandaient le détail des fêtes familiales; mais toutes, naissances, circoncisions, mariages, s'inscrivaient dans un cadre étroitement défini, où se mêlaient et se confondaient simples coutumes et prescriptions de la Loi religieuse.

Au nom des principes juridiques (durcis), la mise à part des femmes et les lois du harem se firent, dans les villes surtout, extrêmement strictes. L'autorité du père de famille sur ses femmes, ses fils et ses filles, était absolue. Le mariage des filles impubères devint fréquent, au gré de tractations d'intérêt. C'est le fameux droit de *jabr* (« contrainte » paternelle), entériné par la coutume juridique, à l'encontre des principes mêmes du droit musulman. Les relations familiales étaient commandées par les règles d'un *adab*, d'un « savoir-vivre » minutieux, où l'affection des enfants à l'égard des parents, — qui certes n'était pas bannie, — devait se couler dans un moule de constant respect, voire de vénération à l'égard du père [18]. Le premier devoir du fils était d'agir en tout temps de façon à mériter la bénédiction sacralisante et sécurisante de son père. Recevoir sa malédiction eût signifié une mise au ban de la société.

La vie tout entière était ainsi comme sacralisée, repliée sur un passé glorieux et réactualisé jour par jour, acceptant comme un fait inéluctable les conquêtes et progrès techniques de l'Occident, les utilisant volontiers, s'en méfiant aussi, et n'y cherchant aucunement un principe d'évolution endogène. Le désir de briser cette fixation sacralisante fut à l'origine des mouvements les plus « modernistes ».

III. — LES ÉVASIONS

Mais la vie quotidienne, ses humbles joies et ses misères acceptées comme un décret du Très-Haut au vouloir inscrutable, avait aussi ses horizons de fuite : non point la recherche d'améliorations progressives ou d'un bouleversement social, non point (seulement) la révolte temporelle des opprimés, mais une évasion d'ordre avant tout collectif dans le monde de l'esprit.

L'attente du Mahdî

L'évasion collective, ce fut l'attente millénariste du *Mahdî*, attente toujours déçue, jamais abandonnée. Nous l'avons retrouvée tout au long de l'histoire des peuples musulmans, spécialement au temps des échecs et défaites. Elle colora et anima bien des revendications shî'ites, dans la mesure où le shî'isme, de plus en plus minoritaire, perdait l'espoir d'un prochain triomphe terrestre. Durant les deux siècles des gloires fâtimides, elle eut tendance à se fixer sur l'*Imâm* régnant lui-même; cependant que l'imâmisme, enraciné en Iran, la reporte aux derniers temps du monde, lors du retour de l'*Imâm* « disparu [19] ». — L'Islam sunnite, lui aussi, vécut, aux heures sombres, dans l'assurance d'un prochain *Mahdî* sauveur. De temps à autre surgit un chef qui se revêt de ce titre. Des adeptes le suivent, persuadés qu'il transcende toutes les lois humaines, et bercés du rêve d'un succès miraculeux. L'échec une fois survenu, s'ouvre une ère nouvelle d'attente eschatologique.

H. A. R. Gibb semble suggérer que le mahdisme signifie d'*abord* le recours à la violence et aux armes, sorte de « guerre populaire », si l'on veut [20]. L'annonce d'un *Mahdî*, il est vrai, se solde presque toujours par le recours à la lutte armée, et les références de Gibb ne sont pas sans évoquer l' « ordre militaire » des *Sanûsiyya* de Tripolitaine. Mais cet emploi de la force n'est qu'une conséquence. Ce n'est pas la lutte et ses aléas qu'apporte le *Mahdî*, c'est le triomphe assuré, déjà acquis de par la mission qui lui est confiée et la protection divine qui l'entoure. Le mahdisme, c'est un rêve d'opprimés qui, dans et par ce rêve même, se réalisent déjà comme libres. C'est aussi l'assurance d'une intervention immédiate de Dieu dans l'histoire des hommes, le non-sens donc de cette histoire prise comme une fin. Car ce qui spécifie l'histoire, ce n'est pas la série des faits contingents, mais bien les multiples ruptures de cette série par les décrets du Très-Haut.

L'apparition du *Mahdî* est attendue comme un surgissement, sans causes secondes préparatoires. Quand le poids des misères devient trop lourd, le *Mahdî* soudain est là, fils du miracle, présent dans cette brisure du temps quantifié qu'opère la parole de Dieu. Ce ne sont pas des actions politiques savamment concertées qui préparent sa venue, mais des prophéties qui se répètent dans les douars, les marchés de villages ou les boutiques des villes. Si le peuple est prêt alors aux révoltes à venir, à tous les courages et à tous les sacrifices, c'est dans l'assurance d'être appelé bientôt à un autre plan d'existance qui le rendra invincible.

L'attente du *Mahdî* miraculeux traversa les siècles obscurs de l'âge moderne, et se fit d'autant plus vive que plus cruelle était l'époque. Messianisme et millénarisme se présentent comme une revanche collective, dans le secret des cœurs. Sans vouloir énumérer les tentatives de mahdisme qui se firent jour, notons seulement qu'au Maghreb colonisé, et durant tout le temps de la colonisation, l'assurance demeurait de la proche venue d'un sauveur : le *Mahdî*, « Maître de l'Heure » *(mawlâ al-sâ'a)*, qui surgirait, disaient les prophéties populaires, avant les dix dernières années du XIVe siècle de l'hégire (donc avant 1970) [21]. Les guerres d'indépendance ne se recommanderont point du mahdisme; elles seront la lutte du peuple prenant conscience de ses responsabilités et de sa force politique. Peut-être cependant l'attente ancestrale d'un *Mahdî* futur contribua-t-elle à forger le courage de plus d'un combattant, et sa foi dans le succès.

Le rôle des Confréries

Mais voici une autre évasion, à la fois collective et personnelle. Sans aucunement remettre en question l'attente millénariste, c'est l'accès immédiat à un « autre plan d'existence » qu'offrit au peuple la prolifération des Confréries religieuses *(turuq)*. Nous en avons vu la naissance et les déviations en essayant de caractériser les mentalités sûfies [22]. On peut dire qu'à partir des XVe et XVIe siècles, l'emprise des Confréries sur le peuple des villes et des campagnes sera de plus en plus forte.

Nous avons déjà noté que leur rôle spirituel, au Maghreb en particulier, se doublait d'une influence largement politique et s'y enracinait. Du XVIe au XIXe siècle, les chefs de Confréries représentèrent une sorte de pouvoir local beaucoup plus structuré et plus près du peuple que les fonctionnaires ottomans au Maghreb oriental et central ou que le Makhzen marocain. On voit toute l'ambiguïté de leurs futures compromissions avec le pouvoir colonial.

Le peuple trouvait auprès des Confréries à la fois une protection socio-politique et une certaine acculturation arabe. Les écoles des centres de Confréries (au Maghreb, *zâwiya*(s)) firent beaucoup pour le maintien d'une culture religieuse arabo-musulmane, quelque peu figée sans doute, mais qui, du moins, se perpétuait. Il reste que c'est avant tout une réponse à leurs aspirations religieuses que les adeptes venaient demander. Le poids des jours, d'un labeur souvent écrasant mais qui n'assurait qu'à peine la subsistance, se sublimait soudain dans les séances collectives de *dhikr*, répétition inlassable de formules jaculatoires et poses physiques, à quoi les chefs de Confréries conviaient leurs affiliés. La vraie vie, ce n'était plus la misère quotidienne, c'était l'exaltation recherchée d'un « état » *(hâl)* où l'on n'est plus soi-même en ses propres limites individuelles, où l'on est envahi par un « Tout », dans l'instant présent, sans passé ni avenir.

Nous croyons avoir montré par ailleurs qu'il s'agit là d'une expérimentation des sources premières d'existence de l'âme comme esprit [23]. Alors que le sûfisme des grands âges apprenait à ne point s'attacher aux « états » pour eux-mêmes, et que l' « ivresse spirituelle » n'est encore le signe que d'une faiblesse de l'esprit, la déviation première de bien des Confréries populaires fut d'offrir l'obtention assurée des « états » comme l'une des fins de la religion. Une déviation secondaire, fort grave, fut de hâter cette obtention par tous les moyens possibles, procédés hypnotiques ou drogues. Ce ne fut pas le fait de toutes les Confréries; les plus répandues et les plus puissantes se méfiaient de ces adjuvants.

Quelques conséquences peuvent être notées. Tout d'abord, c'était bien au nom de l'Islam que les séances s'organisaient; et le *dhikr* presque toujours était précédé du *wird*, entendons la récitation collective, psalmodiée et scandée, de passages du Coran, de poèmes sûfis, de litanies en l'honneur d'un saint. L'appartenance à une Confrérie, la participation à ses « exercices » *(riyâdât)*, furent, pendant des siècles, l'Islam du peuple. Les grandes données de foi, l'unicité de Dieu, la mission de Muhammad, la valeur divine du texte coranique, la résurrection des corps, le Jugement dernier, et le décret divin « pour le bien et le mal, le doux et l'amer », étaient hautement affirmées. Sans doute, nombre de traditions et d'apports ésotériques s'y joignaient, où la « religion des Anciens » ne se fut guère reconnue.

Mais les affiliées *(al-ikhwân,* « les frères ») ne devaient pas, et souvent ne pouvaient pas se livrer à une analyse critique.

L'enseignement de la Confrérie devait être accepté comme un tout, sous l'autorité suprême et indiscutable du *Shaykh.* Et celui-ci devenait, contre les principes mêmes de l'Islam le plus strict, une sorte d'intermédiaire entre l'adepte et Dieu. La « remise à Dieu », le *tawakkul ʻalâ-llâh,* passait et s'exprimait par la remise de tout soi-même au *Shaykh.* Son image évoquée devait être toujours présente devant « les yeux du cœur » de qui pratiquait le *dhikr,* et toutes les pensées, tous les rêves nocturnes mêmes, devaient être soumis au *Shaykh* ou à son représentant. « Sois entre les mains de ton *Shaykh* comme le cadavre entre les mains du laveur des morts », est-il dit et redit [24].

Le pouvoir du *Shaykh* était un pouvoir absolu de Père spirituel, plus grand encore que le pouvoir du père selon la chair. D'analogues attitudes de cœur et d'esprit commandaient le comportement à l'égard de l'un et de l'autre; mais elles étaient comme sublimées et absolutisées en s'adressant au *Shaykh.* Si bien qu'en recevoir la bénédiction *(baraka)* était une immense faveur. Ce pouvoir de bénir, conçu comme un fluide quasi physique, était un privilège héréditaire, d'une héridité charnelle ou spirituelle, que la ferveur des adeptes accordait aux grands maîtres des Confréries. Un pouvoir d'imprécation lui était lié; et la malédiction du *Shaykh* était une terrible et redoutable disgrâce, parfois définitive.

Un abandon total était ainsi sollicité. Joint à la négation de la liberté humaine qu'enseignaient alors tant d' « hommes de religion », il ne pouvait que susciter un climat mental d'acceptation passive. Et c'est ainsi que les Confréries entraînèrent leurs adeptes en diverses prises de position politique. Il y eut la guerre des *Sanûsiyya* de Tripolitaine, et l'institution du Royaume sanûsite. En Algérie et au Maroc, des Confréries puissantes se méfièrent des mouvements nationalistes, et optèrent pour une politique d'alliance avec l'occupant français. Ce choix, au moment des indépendances, se retournera contre elles.

L'abandon entre les mains du *Shaykh* supposait une égale révérence, allant jusqu'au culte, à l'égard de ses prédécesseurs. L'une des obligations de l'affilié était de connaître la *silsila,* la « chaîne » des grands initiateurs et maîtres de la Confrérie, d'honorer leurs tombeaux, de leur construire des cénotaphes. Ces derniers se dressèrent souvent sur d'anciens haut-lieux, — arbres ou sources sacrés, — du paganisme d'avant l'Islam. Par là furent récupérées maintes croyances, devenues superstition aux yeux des docteurs, maintes fêtes ou coutumes locales.

Ce « culte des saints » et de leurs tombeaux n'était certainement pas d'origine coranique. Il se répandit très tôt, et Avicenne déjà, au xe siècle, lui accordait une place dans sa représentation du monde [25]. A l'âge moderne, et à l'ombre des Confréries, ce culte en vint à s'affirmer comme l'une des principales activités religieuses du peuple. Au grand pèlerinage de la Mekke répondaient les pèlerinages mineurs en l'honneur des « saints ». Le vocabulaire est significatif, qui réserve au premier le titre coranique de *hajj*, tandis que les seconds ne sont que des « visites », *ziyârât*. Mais ainsi, au sacré transcendant, qui concerne Dieu seul et qui est au centre de la foi musulmane, répondait un sacré en quelque sorte immanent, où « lieux-dits », arbres, sources, fêtes des semailles ou des moissons, s'abritaient sous la vénération accordée à un « saint de l'Islam [26] ». C'est la « bénédiction », la *baraka* de ce saint que l'on venait chercher près de son tombeau ou de son cénotaphe, bénédiction dont on attendait le bienfait spirituel sans doute, mais matériel aussi. Sorte de « magie sympathique » sous un revêtement d'Islam... Les Réformistes lutteront intensément contre ces coutumes et cette aura magico-affective.

Mais si notable qu'ait été, par le détour des *ziyârât*, l'intégration d'apports extra islamiques, l'attachement inconditionné à la « religion des Anciens » demeurait vivant dans l'Islam populaire. Il s'agit d'un attachement avant tout affectif lui aussi, qui souvent n'atteignait son objet qu'à travers bien des coutumes ou superstitions. La réalité cependant n'en fut jamais mise en doute, et elle compensa, dans le secret des cœurs, tous les échecs et malheurs des temps. Acceptation résignée? disons plutôt une adhésion au Décret divin « pour le bien et le mal, le doux et l'amer », dans l'assurance de l'inéluctable venue des jours meilleurs.

NOTES

1. On peut y joindre la littérature maghrébine d'expression française, et diverses littératures d'expression anglaise.

2. Citons, entre bien d'autres, le *Journal d'un substitut de campagne*, de l'Egyptien Tawfîq al-Hâkim (trad. franç., Paris, éd. Plon, 1974), et des nouvelles et récits de Tâhâ Hussein (trad. en français et publiés au Caire), *Les damnés de la terre, L'arbre de la misère, L'appel du Karawân*...

3. Ainsi, *Adîb ou l'aventure occidentale*, de Tâhâ Hussein (trad. franç. de Amîna et Moënis Tâhâ Hussein, Le Caire).

4. Voir André Raymond : *Artisans et commerçants au Caire au XVIII*e *siècle*, Damas, Institut Français d'Études Arabes, 1973.

5. Cf. Maxime Rodinson : *Islam et capitalisme, op. cit.*, chap. v, spécialement p. 168 sq.

6. Cf. Le panégyrique de Mirella Bianco : *Kadhafi, messager du désert, biographie et entretiens*, Paris, éd. Stock, 1974.

7. En Égypte, en 1958-1959 encore, « le chiffre des paysans sans terre montait à 74 pour 100 de la population rurale ». A peine le quart d'entre eux était régulièrement salarié, et d'un salaire fort bas. Cf. M. Rodinson, *op. cit.*, p. 143.

8. Pendant un siècle (1849-1952) se développa en Égypte un « capitalisme de type colonial, retardataire, à dominance agraire, fortement teinté de pratiques héritées du passé féodal », A. Abdel-Malek : *Égypte, société militaire*, Paris, éd. du Seuil, 1962, p. 80; cité par M. Rodinson, *ibid.* — L'expression « passé féodal » demanderait à être assez largement glosée.

9. En principe, seul un pourcentage de la fortune pouvait être constitué en *waqf* : pour sauvegarder les droits des héritiers pauvres. Ces restrictions furent loin d'être toujours observées dans les faits.

10. Sur les abus des *awqâf* « familiaux » et leurs conséquences désastreuses, voir, par exemple, G. Baer : *A History of Landownership in Modern Egypt, 1800-1950*, London, Oxford University Press, 1962, p. 115, 163 sq.; cf. Maxime Rodinson, *ibid.*, p. 273, note 102.

11. Cela, selon l'esprit même du droit musulman qui voit, dans la propriété privée, une « charge sociale ». Rappelons par ailleurs que selon des *hadîth*(s), ces « biens primaires » du nomade que sont éminemment l'eau et l'herbe (pâturages) sont, de soi, non susceptibles d'acquisition privative.

12. Telles les luttes pour l'indépendance politique menées par Zaghlûl Pâshâ à la tête du parti *Wafd*, qui se recrutait surtout parmi les classes libérales et les étudiants (chrétiens comme musulmans).

13. Le tout imprimé habituellement en un seul volume, dans les marges et au bas des pages : ce que les étudiants de grande mosquée appelleront, non sans mépris, « les livres jaunes », — de la couleur habituelle du papier. C'est le temps que G. C. Anawati put appeler « le conser-

vatisme figé » (cf. L. Gardet, G. C. Anawati : *Introduction à la théologie musulmane*, *op. cit.*, pp. 76-78).

14. De stricts docteurs wahhâbites y virent un temps une « invention du diable ». On conte qu'Ibn Sa'ûd fit réciter, au bout d'une ligne téléphonique, des versets du Coran. Les *'ulamâ'*, entendant ainsi la transmission du texte sacré, furent convaincus de la « licéité » de l'invention nouvelle.

15. Cf. Sanûsî : *Muqaddimât*, éd. arabe et trad. franç. de Luciani, Alger, 1908, pp. 62-63; Bâjûrî : *Hâshiya (...) 'alâ Jawharat al-tawhîd*, ed. du Caire 1352 H. /1934, p. 61.

16. C'est l'*îmân 'an 'ilm*. Voir par exemple Bâjûrî, *ibid.*, p. 26.

17. Mot à mot : « faucons, enfants de faucons ». Cf. Abdelmajid Meziane : *L'aperception empirique du temps chez les peuples du Maghreb*, *art. cit.*, p. 251, et note 10, p. 255.

18. Ainsi l'interdiction toujours en vigueur pour les fils de fumer devant le père ; et l'appellation de *Sîdî* (« Monseigneur ») qu'ils devaient lui réserver.

19. Cf. ci-dessus, IIIe partie, chap. III, pp. 242-243.

20. Cf. H. A. R. Gibb, *Modern Trends in Islam*, The University of Chicago Press, 1947 ; trad. franç. de Bernard Vernier, *Tendances modernes de l'Islam*, Paris, éd. G. P. Maisonneuve, 1949, pp. 154-155, 158, 165.

21. Cf. Abdelmajid Meziane, *ibid.*

22. Cf. ci-dessus, IIIe partie, chap. V, pp. 271-274.

23. Cf. G. C. Anawati et L. Gardet : *La mystique musulmane*, *op. cit.*, IVe partie.

24. Par exemple dans le « manuel » de la Confrérie des Rahmâniyya, écrit par Mustafâ Bâsh Tarzî (XVIIe-XVIIIe siècles), p. 120. Cf. R. Caspar : « La direction spirituelle en Islam », *Axes*, Paris, avril-mai 1974, p. 27. — L'expression citée se trouve déjà chez Ghazzâlî (XIe siècle) et avant lui encore chez Tustarî (IXe siècle).

25. Cf. Ibn Sînâ : *Fî ma'nâ al-ziyâra* (Sur la signification de la Visite [aux tombeaux des saints]), texte éd. et trad. franç. par A. F. Mehren : *Traités mystiques d'Avicenne*, III, Leyde, éd. Brill, 1894.

26. Cf. L. Gardet : « Notion et sens du Sacré en Islam », in *Le Sacré* (ouvrage collectif), Paris, éd. Aubier, 1974, pp. 327-328.

CHAPITRE III

PRÉJUGÉS OCCIDENTAUX ET « PIERRES D'ATTENTE »

I. — IGNORANCES ET MALENTENDUS

C'est l'homme musulman, tel que le forgea ce long temps de fixation et de déclin que rencontra d'abord l'Occidental des XIXe et XXe siècles. « Homme de religion », maître de Confrérie, peuple des villes et des campagnes, nomade, ce n'est point comme l'héritier d'un grand passé qu'il lui apparut le plus ordinairement. L'Occidental moyen était, est toujours, fort ignorant de l'histoire et du devenir culturel des pays d'Islam. Et quand bien même il en apprit — à des fins avant tout utilitaires — la ou les langues, les références lui manquaient pour saisir l'enracinement et les aspirations de ses interlocuteurs.

Faut-il ajouter que bien des « spécialistes », aptes cependant à recourir aux textes, s'en tinrent, durant longtemps, à des jugements à l'emporte-pièce? L' « orientalisme » à ses débuts prenait naïvement ses points de repère dans la seule culture occidentale. D'où ses sévérités à l'égard de l' « autre »; au mieux, une admiration d'historien pour le passé, — mais la conviction que ces gloires de jadis étaient devenues lettre morte. Car les gloires passées, était-il dit souvent, n'étaient en rien redevables à l'Islam lui-même. Si l'Empire des Califes connut des temps de grandeur, il le dut à l'apport de la Grèce et de l'Iran. Tout s'expliquait par un jeu d'influence extrinsèque. Et la situation présente était bien la preuve que l'Islam, abandonné à lui-même, ne pouvait que secréter des sociétés retardataires et closes. Il n'est que de rappeler, à titre d'exemple, les incroyables jugements, faut-il dire les calomnies, portés par un Ernest Renan sur l'Islam, dont il contribua malgré tout à faire connaître la place dans l'histoire des idées [1].

Colonialisme intellectuel, rétorquera (non sans raison) maint défenseur de l'Islam, contre-partie obligée du colonialisme politique. A vrai dire, il faudra attendre l'œuvre de Louis Massignon, et de quelques autres avec lui ou à sa suite, pour que se fasse jour la volonté de connaître de l'intérieur et en toute sympathie intellectuelle, les valeurs authentiques véhiculées par le monde musulman d'hier et d'aujourd'hui.

Contacts des occupants avec les peuples colonisés, préjugés inconscients de spécialistes occidentaux, — se forga ainsi, pour un temps, une sorte de caricature de la mentalité musulmane, plus exactement de la mentalité des hommes ou groupes d'hommes informés par l'Islam. Il n'est peut-être pas sans intérêt d'en rappeler et d'en situer les traits dominants, qui continuent de nourrir encore bien des représentations courantes.

1. Le musulman, dira-t-on, est *fataliste.* Il croit au *maktûb* (« c'est écrit »), et que tout, le mal comme le bien est décret positif de Dieu. Le voici dès lors enfermé en une résignation passive qui bloque sans rémission tout espoir de progrès. — Or, nous l'avons vu en cours de route, la négation du fondement ontologique de la liberté humaine, si elle fut enseignée pendant des siècles par l'école ash'arite, reste une opinion (discutée) d'école. Nombreux sont les versets du Coran qui en appellent à la responsabilité de l'homme. Ce que l'observateur étranger put prendre pour un fatalisme vécu, n'est que la rencontre de la thèse ash'arite et de l'humble et forte acceptation des pauvres aux prises avec la dureté des temps. Une acceptation que le développement des Confréries rendit plus passive encore. Mais l'espoir ne mourut jamais d'un avenir meilleur; et que cet espoir ait pu, d'eschatologique qu'il était, se transmuer en effort soutenu et en volonté de lutte, au nom même de valeurs musulmanes, suffirait à rendre vaine l'étiquette de « fatalisme » trop vite appliquée [2].

2. Deuxième instance. La religion du musulman est toute *juridique :* il n'est, pour faire son salut, que de s'en tenir à la stricte pratique des obligations cultuelles, et qu'importent les

pensées et les intentions du cœur. — Certes, un juridisme étroit fut parfois l'une des positions de repli des temps de déclin. Le souci des « hommes de religion » d'enfermer tout acte humain en l'une des cinq « notes » légales, y put conduire bien des âmes simples et droites. Mais ne retrouvons-nous pas ici l'une des tentations de toute foi religieuse insuffisamment intériorisée? Et la religion du « devoir accompli » n'a-t-elle pas, à certaines heures, dangereusement infléchi le christianisme occidental? Le risque en est grand en Islam, qui professe le mystère irrévélé et irrévélable de Dieu : et comment être sûr d'être agréé de Lui, sinon par la stricte observance de ses commandements formulés?

Mais d'une part, aucun acte d'obéissance, redisent à l'envi les juristes, ne saurait être valable s'il n'est enraciné en l' « intention droite » *(niyya)* du cœur. Les docteurs de l'Islam, apologètes ou juristes aussi bien que mystiques, mirent inlassablement l'accent sur la *niyya*. Et d'autre part, si Dieu en son essence est mystère inaccessible, Il est aussi, selon le Coran, le miséricordieux, « le pardonneur qui ne cesse de pardonner ». On peut donc à bon droit voir dans le « juridisme » un risque, — qui s'accrut au temps des fixations et des déclins, — mais non un effet obligé. « Pas de contrainte en religion », dit le Coran (2,256; 22,78).

3. L'Islam, *religion de la crainte?* Le Dieu de l'Islam serait le Dieu terrible et lointain, à la transcendance écrasante et annihilante. — Nous venons déjà de répondre en rappelant que Dieu est le miséricordieux, *al-Rahmân*, ce nom sous lequel Il ne cesse d'être invoqué, au point qu'on y peut voir comme un synonyme d'*Allâh* [3]. Mais précisons : l'Islam, il est vrai, professe une attitude de profond respect à l'égard du Très-Haut. L'attitude première du croyant est celle de l'adoration, dans un élan de piété *(birr)* et de crainte révérencielle *(taqwâ)*. Crainte révérencielle, mais non servile. Parmi les quatre-vingt dix-neuf « plus beaux noms » de Dieu, que le dévot aime à méditer et réciter, deux seulement le désignent comme terrible et redoutable : et le contexte coranique précise que c'est à l'égard des impies que Dieu se manifeste de la sorte. Mais pour le croyant, Il est essentiellement le miséricordieux et le pardonneur; Il est le garant fidèle, le gardien vigilant. S'Il est Celui que l' « on

n'interroge pas », c'est qu'Il connaît et opère toute chose, et sait ce qui convient à l'homme bien mieux que l'homme ne le sait lui-même. Il est « tout proche de l'homme qu'Il a créé » (*Coran*, 34,50), « plus près de lui que ne l'est sa veine jugulaire » (50,16).

Un musulman croyant, même le plus écrasé de misère, se refuserait à voir dans l'Islam une religion de la crainte. S'il adore le décret de Dieu, alors même que ce décret l'accable, c'est dans un élan qui se veut, dans la nuit, de confiance totale. Nous avons vu, en évoquant le sûfisme, combien la seule idée d'amour de Dieu suscita d'opposition. Elle n'en est pas moins acclimatée, depuis le XIe siècle, en divers courants de pensée. Les Réformistes ne la combattirent que pour mieux s'opposer aux Confréries. Et en 1965 un grand quotidien du Caire publiait, sous la plume du Recteur d'al-Azhar, un article intitulé *al-Islâm, dîn al-mahabba*, « L'Islam, religion de l'amour ». Il s'agissait avant tout de l'amour du prochain, mais enraciné dans la foi en Dieu. En tout cas, si le strict Ibn Taymiyya professait qu'il ne faut point parler de l'amour de Dieu, c'était pour ajouter aussitôt que la foi est aussi amour, et que l'amour du croyant doit se porter au Commandement et à la Loi de Dieu « qui est celle même de toute justice, de raison et de bonté [4] ».

4. Bien des Occidentaux, jugeant l'Islam à travers des déviations et des obscurcissements, individuels ou collectifs, parleront de son *laxisme moral*. (Faut-il ajouter qu'à voir vivre nombre d'Occidentaux, des musulmans, en contre-partie, parleront du laxisme chrétien?) — En fait, il existe une morale musulmane, et elle est exigeante [5]. Nous avons vu, au cours des âges, les juristes, moralistes, réformateurs, déplorer sans cesse « la licence des mœurs », et la condamner sévèrement. Ici, le préjugé occidental est tenace; et sans doute vient le nourrir l'assurance qu'a le croyant *(mu'min)* d'être sauvé, quand bien même il commettrait de « grandes fautes », dès là qu'il atteste de tout son cœur l'Unicité divine et la mission du Prophète. Si la morale est exigeante, et jusqu'au scrupule parfois, sa mise en œuvre peut se trouver comme relativisée, de par un certain extrinsécisme vécu des rapports de l'homme et de Dieu.

Les temps de déclin ne semblent point avoir aggravé les misères et faiblesses morales, si ce n'est que le juridisme professé par trop d' « hommes de religion » n'ait eu tendance, précisément, à les relativiser. Et la morale familiale, — qui n'est point la morale familiale chrétienne, mais n'en a pas moins ses exigences et ses délicatesses, — sera comme durcie par l'aveugle pouvoir de *jabr*, de « contrainte », reconnu au chef de famille. Mais rien n'autorise à y voir une conséquence de la foi musulmane ou de l'esprit du droit coranique. Faut-il donner un exemple des préjugés occidentaux? « Le Coran, qui autorise le manquement à la parole donnée... », écrivait récemment un lecteur de l'un des plus grands journaux français. Or le Coran, à plusieurs reprises, condamne avec force tout parjure, tout faux témoignage : « Tenez donc vos serments ! » (*Coran*, 5,89) [6].

5. Non moins fréquente est l'accusation de *fanatisme* Le musulman, dira-t-on, est celui qui entend imposer sa foi par les armes : « crois ou meurs », et qui proclame contre ses ennemis une « guerre sainte » d'extermination. — Qu'il y ait eu, à plusieurs reprises, des flambées de fanatisme, soit Mais l'histoire du christianisme ne connaît-elle pas, elle aussi, les conversions par les armes (Charlemagne et les Saxons), et les atrocités des « guerres de religion »? Et que dire des fanatismes ou atrocités de tant d'idéologies modernes occidentales? Ajoutons que le malentendu est ici total, car l'un des arguments sur lequel revient avec prédilection l'apologie musulmane d'aujourd'hui est « la tolérance de l'Islam ».

Nous avons vu qu'en fait la tolérance et l' « ouverture à l'autre » s'inscrivent parmi les virtualités des mentalités musulmanes, qu'elles s'affirmèrent aux heures d'apogée, et qu'il ne s'agit point en Islam de « guerre sainte » proprement dite, mais d'un « effort sur le chemin de Dieu ». Le *jihâd* fut parfois, au cours des âges, une guerre de conquête, il ne fut point entreprise d'exécration et d'extermination [7]. Ses violences suivent en général les lois de la guerre de l'époque : et au temps des Croisades, ce ne furent point les musulmans qui perpétrèrent les plus grandes tueries. A l'âge moderne, alors que s'affaiblissait le pouvoir politique des Empires musulmans, le *jihâd*, de conquérant qu'il était, prit souvent figure d'une autodéfense et d'une lutte pour la liberté. Même chez les plus extrêmistes des Khârijites, la notion dominante fut celle de « sacrifice », du combattant mort les armes à la main, devenu par là même « témoin » *(shahîd)* par excellence, et assuré de son salut.

A coup sûr, la non-violence absolue n'est pas, comme en hindouisme et en bouddhisme, inscrite dans l'esprit de l'Islam, mais bien plutôt la lutte menée en toute justice pour la défense « des droits de Dieu et des hommes ». Lutte contre les ennemis de Dieu et de la Communauté, — lutte contre soi-même aussi, contre ses propres passions et ses vices. C'est là, redisons-le, « le grand *jihâd* » des moralistes et des mystiques. Or, l'une de ces passions blâmées est bien le fanatisme étroit. «Élargis donc la miséricorde du Très Haut », disait Ghazzâlî. Et Rashîd Ridâ : « Les adeptes des religions divines (...), s'ils croient en Dieu et au Dernier Jour selon le mode authentique de croire qu'a exposé leur prophète, et s'ils accomplissent les œuvres de bien, ceux-là seront sauvés et récompensés auprès de Dieu »; et donc : « Pas de problème pour ne pas faire de la foi en Muhammad une condition [du salut] [8] ». — A partir du XVIe siècle il est vrai, le fanatisme populaire s'exerça plus d'une fois contre les non musulmans de la Cité musulmane. C'est qu'ils devenaient alors les boucs émissaires de la misère des temps, toujours suspectés qu'ils étaient de connivence avec l'ennemi de l'extérieur...

6. Dernier reproche enfin, et qui n'est pas le moindre : l'*immobilisme* de l'Islam. — Ici s'exerce à plein le contresens qui veut définir l'Islam par les scléroses subies durant les derniers siècles. Et l'Islam d'apparaître alors comme une religion figée qui maintient ses fidèles dans un moyen âge révolu, les rendant inaptes à s'adapter aux conquêtes techniques et aux conditions nouvelles d'existence.

L'histoire de l'âge classique d'une part, l'esprit même de l'actuel renouveau de l'autre, s'inscrivent contre ce soi-disant « immobilisme ». Il fut peut-être bien l'une des notes des sociétés traditionnelles que le monde musulman affaibli secréta comme une mise en garde contre l'envahissement occidental. Dès l'époque de ses essais de réformes administratives *(tanzîmât)*, l'Empire ottoman entreprit de lutter contre lui. Au prix d'une désislamisation? Ce fut la solution de facilité des jeunes cadres révolutionnaires turcs. Nous verrons bientôt que se dessinent d'autres réponses possibles, et que rien, dans une mentalité musulmane comme telle, ne porte à un durcissement figé de normes sociales établies une fois pour toutes. Ce n'est point l'acquisition des techniques qui conduirait à une désislamisation; mais l'engouement non contrôlé pour des idéologies occidentales. L'observateur étranger, sur ce point, doit prendre grand'garde aux conditionnements des temps et des lieux.

II. — DES « PIERRES D'ATTENTE »?

Les préjugés occidentaux actuels à l'égard de l'Islam nous apparaissent donc comme ayant, sinon leurs sources qui remontent plus loin, du moins leur justification apparente dans les déformations et fixations des âges de déclin. Leurs sources remontent plus loin : c'est toute l'histoire des ignorances mutuelles et des étranges malentendus qui divisèrent monde musulman et monde européen lors de leurs premiers contacts, qu'il faudrait retracer [9]. A cette toile de fond, restée présente dans le subconscient des peuples, se surajoutèrent les malentendus des temps modernes, quand furent confrontées la décadence politico-économique des pays d'Islam et la volonté de puissance de l'Europe [10]. La brève parenthèse de la Renaissance occidentale, où l'on vit des Jean Bodin et Guillaume Postel s'enthousiasmer pour l'Orient islamique dans leurs rêves de République universelle, n'eut guère de lendemain : elle était d'ailleurs, elle aussi, fort ignorante des réalités.

Au surplus, les déformations et fixations subies par les sociétés musulmanes suffisent-elles à justifier la vision de l'homme musulman que se forgea l'Occidental des XIXe-XXe siècles? Fatalisme, juridisme, religion de la crainte, laxisme moral, fanatisme religieux, immobilisme social, si ces jugements qui sont autant d'erreurs, de graves erreurs, peuvent s'appuyer sur telle ou telle observation de surface, n'en vinrent-ils pas à dessiner une silhouette fort caricaturale de ce que furent en fait, du XVe siècle à nos jours, les sociétés musulmanes traditionnelles? — Notre chapitre précédent s'est efforcé de cerner la et les raisons de la sclérose dont furent atteintes les mentalités populaires. Mais, sous la sclérose apparente, certaines notes fondamentales ne demeurèrent-elles pas, comme autant de promesses cachées d'un possible resurgissement?

L'éducation traditionnelle

Que ce soit à la ville ou à la campagne, ou sous les tentes du douar, qu'il s'agisse d'un petit bourgeois usufruitier d'un *waqf*, ou d'un artisan, ou d'un métayer « au cinquième » obéré de dettes, ou d'un nomade, l'homme musulman reste fidèle aux règles d'un savoir-vivre, d'un *adab*, qui sait donner un certain charme aux relations humaines. Qu'il y eut, comme en toute société, des hypocrites et des jouisseurs, sans doute; et dans la mesure où ils étaient connus, la morale courante les dénonçait et condamnait. Mais, comme en toute société encore, les « hommes de bonne volonté », droits et sincères, n'étaient point rares. Chez ceux-là, l'*adab* exigeant qui gouvernait leur vie pouvait abriter de réelles délicatesses d'esprit et de cœur.

L'éducation reçue mettait l'accent sur des valeurs d'équilibre familial et social, qui souvent s'exprimaient en des formules stéréotypées. « Phrases toutes faites », dira-t-on... Peut-être; elles sont là cependant non point comme un revêtement commode masquant les égoïsmes et appétits de jouissance, mais comme les jalons de la route où chacun, et tous ensemble, doivent réellement s'engager.

Dans les sociétés musulmanes traditionnelles, on peut parler d'une « mentalité collective », qui est à la fois cadre imposé et sauvegarde. Le musulman ainsi éduqué gardera ses virtualités de réflexion et de réaction personnelles, mais les phrases et les notions par lesquelles il les exprimera seront volontiers coulées en un moule unique. La personnalité de chacun, avec ses notes individuantes, se réfugiera moins dans la pensée formulée, l'expression rigide du langage et les gestes prévus qui l'accompagnent, que dans les intonations et inflexions de voix, et cet irremplaçable comportement concret à l'égard de soi et des autres dont la vie est la continuelle épreuve.

Le cadre éducatif fut de toute première importance; éducation donnée à l'école coranique ou à la *madrasa*, et plus encore à l'intérieur du groupe familial. Le musulman attaché à sa foi, homme de bien et soucieux de l'avenir de ses enfants, prenait grand soin de leur inculquer tout un ensemble de règles, de choses à faire et à ne pas faire. Cet enseignement était donné par autorité, illustré de textes coraniques, et de nombreux *hadîth*(s). D'où cette impression de « tout fait » contre quoi une jeunesse en contact avec l'Occident, ses modes de penser et de réagir, s'est insurgée à maintes reprises. Les premières ruptures s'opérèrent, semble-t-il, sous l'influence des écoles et collèges de type européen.

Vertus traditionnelles

Cette protestation n'alla pas toujours sans injustice. Car, à travers ces cadres imposés, et protégées par eux en un sens, nous retrouverions bien des attitudes intériorisées dont se réclame l'Islam de tous les temps. Nous voulons parler avant tout de ces anciennes « vertus des Arabes », non point telles que les connaissait l'Arabie anté-islamique, mais telles que les transforma et réactiva l'impact de l'Islam. S'y joignit en surimpression un certain héritage dilué, alourdi parfois de superstitions et d'obscurités, mais réel cependant, où transparaît mainte richesse de l'humanisme classique, informé jadis par l'apport des peuples non arabes aussi bien qu'arabes. Nous avons déjà noté l'influence culturelle, positive en cela, que purent exercer certains centres de Confrérie.

A titre d'exemple : le sens et le respect de l' « autre », exercés dans la vertu d'hospitalité *(diyâfa)*, se maintinrent tout au long de l'âge moderne, jusque chez les plus pauvres, et jusqu'au sacrifice du nécessaire s'il le fallait. Se maintint de même le souci d'offrir aux amis et voisins, à l'occasion des fêtes familiales, de dignes et larges occasions de réjouissance. Question d' « honneur » *('ird)* sans doute, exigence de l'ancienne longanimité et munificence arabe *(hilm)*, et qui conduira, sur le plan social, à bien des abus. Du moins un certain « sens de la fête », fêtes religieuses ou fêtes coutumières, contribuera à l'humanisation maintenue de la dure vie quotidienne. Si misérable qu'elle put être, matériellement parlant, cette vie quotidienne savait ne pas rester « à ras de terre ».

Et l'apparente acceptation passive, la soumission aux malheurs des temps, n'allait pas sans la mise en œuvre de deux grandes vertus musulmanes : le *sabr*, ou support patient des épreuves, et le *tawakkul ʿalâ-llâh*, l'abandon entre les mains de Dieu. Ni l'une ni l'autre n'est, ne fut jamais du fatalisme. Elles sont une remise de toute chose au « Seigneur des mondes », dans la nuit, mais confiante, et qui contribua à former un type d'homme maître de soi en toute circonstance, masquant au besoin sous une dignité calme la révolte du cœur. Toute réaction spontanée d'une colère intempestive est sévèrement jugée, dès lors que cette colère est inutile, et ne pourrait, dans les circonstances données, obtenir un résultat tangible. Nous retrouvons ici quelque chose de la *taqiyya*, du « voilement de la foi » ibâdite ou shîʿ ite, quelque chose encore du principe sunnite de la « commanderie du bien » : ce que tu ne peux combattre par le bâton, la main ou la parole, combats-le du moins dans le secret de ton cœur.

Des proverbes très populaires, fort répandus au temps des présences coloniales, en sont l'illustration : « Le chien aboie, la caravane passe »; et plus durement encore : « Baise la main que tu ne peux mordre »... Le musulman ne verra point là d'hypocrisie. L'hypocrisie, à laquelle le Coran promet les plus durs tourments de l'enfer [11], en est plutôt l'opposé. Être hypocrite, c'est faire extérieurement profession d'Islam, alors que l'Islam est renié par le cœur. C'est la non-foi des cœurs, c'est la recherche d'honneurs temporels à l'encontre de la Loi de Dieu, c'est la façade d'honorabilité derrière laquelle une conscience déviée s'abrite. Le support des épreuves et la remise de soi à Dieu sont au contraire la longue patience de qui sait bien que le Très-Haut en définitif triomphera, mais que l'heure du triomphe n'est pas encore venue.

Sans doute un double fait marqua-t-il souvent la mentalité de l'homme du peuple pour l'incliner à la résignation. D'une part, l'attente du *Mahdî* contribua à reporter l'heure du triomphe dans un lointain d'ordre eschatologique qu'il n'y a même pas à préparer, car il surgira quand Dieu voudra, par miracle. D'autre part, la sagesse populaire prenait comme un effet du Décret divin la décadence douloureusement ressentie. « Notre *dawla* est passée » était une expression courante. Ce qui signifie, note un sociologue algérien, « nous avons eu notre part »; notre « tour », notre « gouvernement » ont passé. « L'esprit chevaleresque du Bédouin intervient pour affirmer qu'il faut jouer le jeu de la victoire et de la défaite, et que chacun a " son heure " ou " son époque ". En effet, disent les poètes : " l'heure du Romain [12] est venue " après " l'heure de l'Arabe [13] ". »

Composite était donc cette mentalité populaire du temps des déclins. Elle restera au cours de l'histoire comme l'*une* des possibles mentalités musulmanes. Elle fut, pour une large part, conditionnée par des contingences socio-politiques; elle ne fut point un pur produit de l'Islam comme tel. Elle resta écartelée entre le refus intérieur d'un état humilié, « l'évocation des gloires passées », la chute attendue de l'ennemi, et la tentation toujours renaissante d'une « résignation à la défaite [14] ».

C'est sur ce fond obscurci et douloureux, et à partir de lui, que va surgir l'effort du renouveau. Il fera appel, dès qu'apparaîtra un espoir de succès, à la volonté de poursuivre la lutte. Car des valeurs positives restaient engrangées, comme autant de pierres d'attente.

NOTES

1. Cf. E. Renan : *L'Islamisme et la Science*, Paris, Calmann-Lévy, 1883, et les affirmations outrancières de son cours inaugural au Collège de France (« La part des peuples sémitiques dans l'histoire de la civilisation »), 23 février 1862, — citées par Vincent Monteil : *Clefs pour la pensée arabe*, Paris, Seghers, 1974, p. 203.

2. Ajoutons qu'une telle étiquette est au surplus un contresens. « Fatalisme » veux dire croyance en un *fatum*, en une « loi » supérieure aux dieux et aux hommes. L'attitude ash'arite elle-même en est loin. Elle est liée à l'affirmation d'un Vouloir transcendant et libre, d'un « volontarisme divin » si l'on veut, d'une toute-puissance absolue qui est aussi sagesse.

3. Cf. Jacques Jomier, « Le Nom divin *al-Raḥmân* dans le Coran », *Mélanges Louis Massignon*, Damas 1957, t. II, pp. 361-381.

4. H. Laoust : *Essai sur les doctrines (...) d'Ibn Taymiyya, op. cit.*, p. 471, citant et glosant la *Majmû'at al-rasâ'il wa l-masâ'il* du célèbre Hanbalite (Le Caire, impr. du *Manâr*, II, pp. 162-165). Voir ci-dessus, IIIe partie, chap. v, pp. 265-266.

5. Voir ci-dessus, Ire partie, chap. III, p. 75-76.

6. Cf. également *Coran*, 4,135; 48,10, etc.
7. Ci-dessus, Ire partie, chap. III, p. 81.
8. Cf. le développement du *Tafsîr al-Manâr*, I, 333-339, trad. R. Caspar, et ci-dessus IIe partie, chap. I, pp. 98-99.
9. Cf. Norman Daniel : *Islam and the West*, Edinburgh, 1960.
10. *Id.*, *Isla. and Imperalism*, 1965.
11. Ainsi *Coran*, 9,68, 73, 101; 63,4, etc.
12. *Rûmî*, mot à mot, homme de Rûm (Byzance); désigne dans le langage courant l'Européen (considéré comme) chrétien.
13. Abdelmajid Meziane, *art. cit.*, p. 252.
14. *Ibid.*, p. 251.

CHAPITRE IV

LES CADRES IDÉOLOGIQUES DU RENOUVEAU

Si nous voulons situer la volonté de renouveau, il nous faut insister quelque peu sur un ensemble de valeurs économiques (ou socio-économiques) et idéologiques, et leur évolution récente. Ce sont donc des événements actuels que nous aurons à évoquer, toute une histoire qui se fait. Plusieurs de nos exemples seront ainsi marqués par une note de contingence, toujours susceptible d'être revue et modifiée. Nous nous en excusons. Ce chapitre n'a d'autre ambition que d'esquisser les principales lignes de force qui semblent, en ce moment précis de l'histoire (janvier 1977), orienter les mutations vécues par les hommes de l'Islam.

I. — AU COURS DES XIXe ET XXe SIÈCLES : PRINCIPALES TENDANCES

« *Modernisme* » *et* « *décolonisation* »

Historiquement, les premières décennies du renouveau *(nahda)* furent marquées par divers courants de pensée, où s'entremêlent influences européennes et ressourcement islamique. Avec Olivier Carré, nous appellerions volontiers le premier en date « courant moderniste libéral [1] ». Il se retrouve un peu partout, certaines zones « conservatrices », — Afghânistân naguère, Péninsule arabique, — mises à part. Il fut agressif en Turquie kémaliste, très marqué en Iran, et particulièrement vif en Égypte où il se présenta comme la transposition, en milieu arabo-musulman, des modes de pensée occidentaux. Il s'agit moins d'un mouvement proprement dit que de toute une atmosphère intellectuelle. Elle imprégna le temps de Muhammad ʿAlî, et trouva dans le parti *Wafd* son expression. Un Tahtawî (1801-1873), nourri de Saint-Simon, en fut l'un des plus notables propagandistes. A l'exemple de l'Occident l'accent est mis sur « la patrie » *(al-watan)*, non plus sur « la Communauté du Prophète ».

L' « européanisation » *(tafarnuj)* fut parfois parfaitement délibérée. Ainsi, en Turquie : « appartenir à la nation turque, à la religion musulmane et à la civilisation européenne » était l'idéal proposé en 1923 par un sociologue turc; et un militant kémaliste écrivait en 1929 : « Nous sommes européens, c'est l'affirmation unanime de nous tous (...). Être européen est notre idéal [2] ». Or, « s'européaniser » signifiait faire siens non seulement le genre de vie, mais les modes de production industriels et capitalistes de l'Occident. D'où en Turquie, Égypte, Inde et Pâkistân une prolifération de banques musulmanes opérant sur des capitaux musulmans et selon les procédés mêmes des banques occidentales. L'usage de « prêts sans intérêt », réclamé au nom de l'Islam, se maintint ici ou là (Arabie saʿûdite) mais ne fut certainement pas l'usage dominant. Des réformistes en vinrent à distinguer le prêt à l'intérêt « normal » de l'usure, autorisant le premier, condamnant la seconde, et réservant à l'usure seule l'appellation coranique de *ribâ*. En conséquence : le prêt à intérêt « normal » fut assimilé à un salaire, une commission, un risque [3].

Cet accueil délibéré (et incontrôlé) de l'Occident s'effacera par la suite devant des mouvements plus constitués. Il n'en sera pas moins présent dans les plus notables d'entre eux, parfois intégré, parfois aussi dénoncé et combattu. Il est à la source de l'inquiétude, du « trouble » *(qalaq)* de bien des consciences. S'y rattache toute tendance qui entend opérer, à l'intérieur des valeurs musulmanes, non une distinction, mais une séparation, une brisure à la Rousseau, entre spirituel et temporel. Ainsi l'Égyptien ʿAlî ʿAbd al-Râziq et son *L'Islam et les sources du pouvoir* qui agita les esprits aux environs de 1925 [4]; ainsi, quelques années plus tard, *l'Avenir de la culture en Égypte* de Tâhâ Hussein [5], faisant de l'Égypte une nation aux sources gréco-latines et de religion musulmane, comme la France est une nation aux sources gréco-latines et de religion chrétienne. — Et par delà l'ère arabo-musulmane elle-même, on vit se dresser l'évocation de l'Égypte pharaonique, en qui s'enracine le peuple du Nil, et dont l'humus marquera de sa note spécifique l'évolution future : thèse chère entre toutes au Cairote Husayn Fawzî.

Maintes inspirations seront demandées aux philosophies ou aux modes occidentales même transitoires. Nous citerions, par exemple l' « existentialisme » du philosophe-poète-romancier ʻAbd al-Rahmân Badawî. Autour de 1950, son ouvrage *al-Zamân al-wujûdî* (« Le temps existentiel ») et son roman épistolaire connurent un accueil favorable auprès d'une jeunesse de Proche-Orient. (Mais son meilleur apport à une culture arabe rénovée reste peut-être bien sa patiente œuvre d'érudit, et les nombreux textes anciens qu'il réédita.) — Par ailleurs dans les pays arabes ou arabisés, le langage artistique, — peinture, sculpture, musique, poésie, romans et nouvelles, pièces de théâtre, — rechercha des confrontations sans cesse renouvelées avec des œuvres venues d'Occident [6], et qui apparurent à beaucoup comme seules porteuses d'universalisme. La difficile intégration de cet « universalisme » et de la spécificité /authenticité arabe (arabo-musulmane) est loin d'être achevée.

Et voici que des penseurs musulmans, dont le français est la principale langue d'expression, prennent la relève. Nous songeons à ces écrivains de valeur que sont, entre autres, le Marocain Abdallah Laroui ou le Tunisien Hichem Djaït [7]. La « modernisation » leur apparaît une nécessité et une valeur primordiales, sur le plan intellectuel aussi bien que social et économique. Telle est, à leurs yeux, la condition d'une décolonisation pleinement réussie. Ils s'efforcent de situer et d'intégrer les valeurs musulmanes du passé. Mais la pensée occidentale moderne reste pour eux comme un critère irremplaçable. C'est à la lumière de la dialectique hégélienne (Djaït) ou hégéliano-marxite (Laroui) que sont le plus souvent jugés le passé et le présent des pays d'Islam.

C'est à travers ces écrivains francophones (d'autres seront anglophones) que le public occidental aura tendance à apprécier l'Islam contemporain. Auprès du public musulman, leur audience n'est aucunement négligeable, mais n'atteint guère qu'une certaine intelligentsia, celle dont la langue de culture n'est pas *vraiment* l'arabe. C'est pourquoi, semble-t-il, A. Laroui, dans une interview récente, souligne les difficultés du bilinguisme, dont il est lui-même un fort bon représentant, et souhaite la venue d'un « modernisme » qui s'exprimerait en arabe aussi adéquatement qu'en langue européenne. Au Maroc, dit-il, « tout ce qui est conception moderne est enseigné en français, et tout ce qui est conception ancienne l'est en arabe [8]. » — Il rejoindrait par là certains soucis culturels des actuels *Baʿth* syriens ou ʿirâqiens.

C'est un débat déchirant que vit cette intelligentsia musulmane, imprégnée de toute la culture moderne jusqu'en ses acquis les plus récents, mais en recherche d'une authenticité qui se refuse à tout reniement. L'instrument de recherche et de réflexion qu'offrent les « sciences humaines » ne va-t-il pas remettre en cause la problémqtique, la méthode, la vision du monde des classiques « sciences religieuses? » Et n'est-ce pas un devoir pour la pensée musulmane que de poursuivre, en toute objectivité, quoi qu'il en puisse coûter, une telle enquête? — Tel est, à l'aigu, le sens des interrogations que ne cesse de poser un Mohammed Arkoun, algérien et professeur d'Université en France, s'attelant, selon son expression, à une « re-lecture » du Coran. Il n'hésite pas à demander à la linguistique la plus actuelle et à ses analyses structurales les plus poussées, son principe et ses normes [9]. Recherche de pointe, si l'on peut dire, qui n'est pas sans éveiller chez des musulmans formés à une double culture à la fois intérêt, espoir et inquiétude.

Nous pourrions citer aussi le jeune philosophe égyptien Hasan Hanafî et ses tentatives d'audacieuse herméneutique [10]. Mais peut-être faudrait-il appeler « moderne » plus que « moderniste » l'effort de réflexion du Marocain Muhammad ʿAzîz Lahbabî. Ses préférences occidentales vont au personnalisme d'Emmanuel Mounier beaucoup plus en définitive qu'à la dialectique hégélienne; et le souci chez lui reste vif de réactualiser les valeurs musulmanes comme telles [11]. Membre de l'Académie arabe du Caire, il s'efforce, depuis de longues années déjà, de préciser et de rénover le vocabulaire philosophique arabe. Il semblerait au surplus que sa pensée atteignît une originalité plus décisive à mesure qu'elle s'origine non seulement en des valeurs occidentales, qui furent son point de départ, mais dans les exigences directes d'une culture arabo-musulmane d'aujourd'hui, en recherche d'elle-même. Faut-il signaler enfin l'Algérien Malek Bennabî qui mourut en 1973? Sa célèbre *Vocation de l'Islam*[12], il est vrai, le rattacherait d'abord au Réformisme contemporain, et surtout peut-être au Réformisme musulman indo-pâkistânais.

Nous avons ainsi affaire à tout un foisonnement d'idées et de recherches, qui n'hésite pas à remettre largement en question des valeurs, des normes et des méthodes jusqu'ici considérées comme fondamentales. Pour nous borner à l'Égypte, comment ne pas évoquer l'école exégétique d'Amîn al-Khûlî (m. 1966), et surtout de son disciple Muhammad Ahmad Khalaf Allâh? Ou encore les romans délibérément révolutionnaires de Sharqâwî[13]? Ce « modernisme » ou libéral, ou hégélianisé, ou marxisé, ou structuralisé, s'affirme comme l'antithèse du traditionalisme conservateur. Peut-être n'est-ce en fait ni l'un ni l'autre qui colore le plus largement les attitudes majoritaires, mais deux grands courants de pensée, à l'œuvre, aujourd'hui encore, dans les structures des sociétés musulmanes. Ils ne sont d'ailleurs pas, parfois s'en défendant, parfois l'acceptant, voire s'en glorifiant, sans être influencés par le « modernisme ».

Le « Réformisme » (al-islâh)

1. Le premier de ces courants, et le plus étudié, est celui dit des Réformistes ou Réformateurs *(al-islâhiyyûn)*. Il recouvre des tendances fort diverses, et prit une double figure, d'une part dans les pays arabes, d'autre part dans l'Islam indien puis indo-pâkistânais. Pour en saisir le dynamisme, il nous faut remonter, ici et là, à des événements et à des hommes du XVIIIe siècle. — Précisons que le terme réforme ou réformisme ne doit point se prendre, comme il est courant dans les langues occidentales, en opposition à « révolution ». Les Réformistes musulmans furent plus d'une fois des révolutionnaires pour leur époque, et annonçaient bien des aspects de la « révolution » *(al-thawra)* aujourd'hui en cours. Nous y reviendrons à la fin de ce chapitre.

Au XIIe siècle H./XVIIIe siècle, une communauté qui s'appellera elle-même «les Unitaires» marqua profondément la Péninsule arabique alors province ottomane. Ce mouvement, ardemment fondamentaliste [14], eut pour instigateur Muhammad b. ʿAbd al-Wahhâb (1115-1201 H. /1705-1787), hanbalite fervent, nourri d'Ibn Taymiyya. Il préconisa un « retour aux sources », un pur et dur Islam, lavé de toutes les « innovations blâmables » dont l'avait encombré la suite des âges. Né en Arabie, Ibn ʿAbd al-Wahhâb étudia à Médine, puis résida successivement en ʿIrâq et en Iran avant de regagner son lieu d'origine, ʿUnayna. Il en fut expulsé, et se réfugia, en Arabie toujours, à Darʿiyya, dont il convertit à sa doctrine le chef Ibn Saʿûd.

Ibn Saʿûd et son fils ʿAbd al-ʿAzîz deviendront le bras séculier d'Ibn al-Wahhâb, et lui resteront fidèles au-delà de sa mort. Après des luttes sanglantes contre le pouvoir ottoman, et une brève occupation de la Mekke en 1803, des Saʿûdiens fondèrent au Najd un royaume d'obédience wahhâbite (capitale Riyâd). Les « Unitaires » maintinrent ainsi, durant les derniers siècles des temps de déclin, les revendications maximales de la foi et de la pensée musulmanes. La dynastie règne aujourd'hui sur l'Arabie, professant toujours l'intransigeant *credo* wahhâbite [15], ayant opté pour un capitalisme d'État, maintenant, au nom de l'Islam, le principe du prêt sans intérêt, et en méfiance continuelle à l'égard de toute pensée socialisante. — Le fondamentalisme wahhâbite colora peu ou prou de très nombreuses tendances réformistes, bien au-delà des frontières de la Péninsule. C'est ainsi qu'au XIXe siècle il se propagea un temps en Inde, sous sa forme la plus stricte et la plus guerrière, avec Sayyid Ahmad Brêlwî. Il sera fort loin de s'identifier toujours aux choix socio-économiques des Saʿûdiens.

Au XVIIIe siècle déjà, un réformisme beaucoup plus teinté de modernisme s'était implanté dans l'Islam du Subcontinent indien. Shâh Wâlî Allâh (1114-1176 H. /1703-1762), contemporain donc de Muhammad b. ʿAbd al-Wahhâb, en fut le promoteur. Il aura, lui aussi, le dessein de revenir à la pure « religion des Anciens », ou plutôt de prouver qu'elle est éminement apte à répondre aux problèmes de l'âge moderne; non point sous le mode guerrier et étatique des Wahhâbites, mais par un effort soutenu de « conciliation » *(tatbîq)*. Le point de départ de la réflexion de Shâh Walî Allâh fut le heurt avec l'Occident, — la présence britannique en Inde, — cet Occident qu'ignora si longtemps le Royaume wahhâbite. A la mort de son père, Shâh Walî Allâh dirigea la *madrasa* Rahîmiyya, et fut par là le précurseur de la grande école de Deobend, toujours active.

On a parfois appelé néo-wahhâbisme les tendances réformistes des pays arabes; cependant que le renouveau islamique en Inde est rattaché aux œuvres et à l'influence de Shâh Walî Allâh. Il y aurait ainsi comme deux voies parallèles, parfois opposées. Mais une étude attentive de l'histoire des idées conduirait à nuancer cette dichotomie. Des liens intellectuels existaient aux XVIIIe et XIXe siècles entre l'Empire mughal de l'Inde et les pays arabes. De nombreux musulmans indiens profitaient du Pèlerinage pour étudier, parfois assez longtemps, à la Mekke et à Medine [16]. Les écoles de Delhi, d'un grand renom, attiraient des étudiants arabes, cependant qu'au XIXe siècle des ouvrages de Shâh Walî Allâh étaient inscrits au programme de la mosquée-université d'al-Azhar au Caire. Si les positions du réformisme arabe furent à la fois plus rigides et plus universalistes, — à la mesure du monde de l'Islam en son entier, — que celles du réformisme indien, s'il y eut entre l'un et l'autre des disputes doctrinales, il y eut non moins des interférences, voire des chassés-croisés d'influences reçues.

2. Le grand mouvement réformiste des pays arabes fut celui des *Salafiyya* en Égypte et Syrie, repris et adapté par les « *'Ulamâ'* algériens » et le « parti de l'*Istiqlâl* » (à ses débuts) au Maroc. Nous nous sommes maintes fois référé à ses prises de position. Son premier initiateur fut l'Afghân Jamâl al-Dîn al-Afghânî (mort en 1897). Ses plus célèbres représentants seront en Égypte Muhammad 'Abduh (m. 1905) et son disciple et continuateur le Syrien Rashîd Ridâ (m. 1935); en Syrie, Kawâkibî (m. 1902); en Tunisie al-Fâdil b. 'Ashûr (m. 1970); en Algérie, Ibn Bâdîs (m. 1940); et au Maroc 'Allâl al-Fâsî (m. 1974) [17].

Tandis que les *Salafiyya*, par-delà leurs nations respectives, entendaient travailler à la reviviscence de la Communauté du Prophète prise comme un tout, ce sont d'abord des problèmes propres à l'Islam indien qu'assumèrent les Réformistes du Subcontinent. Nous y insisterons un peu, dans la mesure même où ils sont peut-être en Occident moins connus que les *Salafiyya*.

La « conciliation » déjà prônée par Shâh Walî Allâh devint au XIXe siècle, avec Sayyid Ahmad Khân, un essai de concordisme entre valeurs musulmanes et notions occidentales, avant tout, ici, anglo-saxones. Il demanda un renouveau de la « théologie » (*'ilm al-kalâm*) où les « lois de la nature », œuvre de Dieu, seraient déclarées identiques à la « Parole divine » exprimée dans le Coran; où tout fait miraculeux serait tenu en suspicion au nom des droits de la raison. Résurgence de thèses mu'tazilites? Influence directe du rationalisme occidental moderne? Les deux à la fois, sans doute.

Ahmad Khân reste le type du Réformiste modernisant. C'est non seulement la science, mais l'éducation occidentale qu'il propose comme modèle. Il fonda à Alîgarh une célèbre Université, quelque peu inspirée d'Oxford et de Cambridge, et qui s'opposa à Deobend. Cette dernière s'allia au Parti du Congrès dans sa lutte pour l'indépendance. Ahmad Khân, lui, par souci de loyauté envers les Britanniques, s'y refusa; et Afghânî, l'inspirateur des *Salafiyya*, devait le stigmatiser comme « serviteur des Anglais ». Cette opposition au Congrès ne sera pas sans peser politiquement sur la communauté musulmane indienne.

Autre figure notable : le Sayyid Amîr 'Alî, d'obédience shî'ite (1849-1928). S'il ne partagea point l'engouement manifesté par Ahmad Khân à l'égard de l'éducation occidentale, il subit cependant l'influence anglo-saxonne, et vécut quatre années en Angleterre. Ses origines shî'ites par ailleurs le sollicitaient à accueillir des lignes de pensée venues des Mu'tazilites et de leur souci des valeurs rationnelles. Ahmad Khân écrivit en ûrdu et en anglais; Amîr 'Alî en anglais seulement. Son *Spirit of Islam*, paru en 1891, réédité en 1922 et en 1953, présente une interprétation à la fois littérale et moderniste des données et des traditions musulmanes.

Mais le plus célèbre représentant du réformisme indien fut le grand poète et essayiste punjabî Muhammad Iqbâl (1873 ou 76-1938), appelé parfois « le père du Pâkistân ». Son rayonnement atteignit l'ensemble du monde musulman [18]. C'est en effet à un renouveau de l'Islam comme tel, et non du seul Islam indien, que tendent ses efforts. Il écrivit en persan, ûrdu, anglais, il est maintenant traduit en arabe. Sa *Reconstruction of religious Thought in Islam*, parue à Lahore en 1930, rééditée en 1960, est un peu le pendant de la *Khilâfa* arabe de Rashîd Ridâ, moins délibérément fondamentaliste, il est vrai. Très au fait de la pensée moderne, — il vécut en Angleterre et en Allemagne, voyagea en France, Italie, Espagne, — Iqbâl ne cesse de s'élever contre le matérialisme de la culture occidentale, dont il s'agit, disait-il, d'acquérir la science, mais en la réassumant selon les authentiques finalités de l'esprit. En ses poèmes, il s'inspira volontiers des grandes traditions mystiques arabes et persanes. Et c'est d'un réajustement et d'un approfondissement de notions spécifiquement musulmanes qu'il attend l'éclosion d'une démocratie, non plus formelle et quantitative comme en Occident, mais « qualitative ». Telle est, selon lui, la réalité à laquelle aspire la Communauté musulmane, et la mission même que Dieu lui confie.

3. Chez les Réformistes de toutes origines et de toutes tendances, il s'agit d'une volonté de mutation endogène. A leurs yeux, face au triomphalisme politico-économique de l'Occident, les peuples musulmans se doivent d'acquérir et de dominer à leur tour les conquêtes techniques; mais sans renoncer aucunement, bien au contraire, aux valeurs les plus authentiques de l'Islam, prises en leur source coranique, et telles que les plus grands Maîtres les ont explicitées. C'est une réactualisation de la foi des Anciens *(salaf)* qu'il faut poursuivre, en purifiant l'Islam vécu du poids des superstitions et des scléroses. Le réformisme contemporain procéda plus d'une fois à une dure critique du passé, s'attaquant non seulement aux déviations des âges de déclin, mais à la licence des mœurs et à l'indifférentisme religieux dont l'âge classique nous a laissé trop de témoignages. Nous retrouvons ainsi cette double attitude si fréquente, faite de fierté à l'égard d'un grand héritage culturel, et de sévérité pour ce que l'humanisme d'alors véhiculait déjà de faiblesses et de compromis. Rashîd Ridâ n'hésitait pas à écrire que le véritable Islam, l'Islam vraiment fidèle à l'enseignement du Prophète, fut et resta obscurci depuis la prise de pouvoir par Mu'âwiya, en l'an 41 de l'hégire... Il ne s'agit donc point de s'aligner sur un passé glorieux et clos, mais de faire aboutir de riches virtualités que ce passé lui-même laissa en friche.

L'élan réformiste eut son heure de gloire. Bien des jeunes sociologues ou historiens actuels des pays musulmans la considèrent comme révolue. Il est vrai, maintes prises de position des *Salafiyya* sont maintenant dépassées : tels leur souci d'une restauration immédiate du Califat, leur justification du prêt à intérêt, leur attitude prudente au sujet de l'éducation des filles... Bien plus, leur volonté de revivifier un Islam pur et purifié de toute scorie les conduisit à se recommander de toute la ligne de pensée hanbalite moderne, qui s'origine en Ibn Taymiyya et son disciple Ibn Qayyim al-Jawziyya. Ils se trouvèrent par là en consonance avec le rigide wahhâbisme de l'Arabie sa'ûdite. Après la mort de Muhammad 'Abduh, Rashîd Ridâ n'hésita pas à transférer du Caire à Riyâd la revue réformiste *al-Manâr* (« Le Phare »). Or, voici que parmi les États musulmans contemporains, le Royaume sa'ûdite fait figure, politiquement et économiquement parlant, d'État « conservateur » par excellence, indiscutablement lié au capitalisme international.

Mais pour réels qu'aient été en un deuxième temps les liens du *Manâr* et de l'Arabie sa'ûdite, il serait vain d'y voir un aboutissement obligé du mouvement réformiste. Son « fondamentalisme » même contribua largement à susciter, à travers tout le monde de l'Islam, une réaffirmation de soi, un *aggiornamento* si l'on veut, sans lequel l'évolution présente serait souvent inexplicable. Certains historiens et sociologues musulmans d'aujourd'hui, qui traiteraient volontiers le réformisme par prétérition, lui sont eux-mêmes très largement redevables. Du moins l'Algérie nouvelle reste-t-elle fidèle à reconnaître ce que ses *'Ulamâ'* purent apporter au combat pour l'indépendance, et à rendre hommage à la grande figure d'Ibn Bâdîs [19]. Il ne s'agit plus en effet de transformer le sentiment communautaire de la *Umma* en valeurs purement nationalistes et patriotiques comme au temps du *Wafd* égyptien; il s'agit d'animer et de valoriser la patrie *(watan)* par l'appel maintenu à la double et unique Communauté, arabe et musulmane. Et certains Réformistes indo-pâkistânais en appelleront à un panislamisme conçu sur le type d'un Commonwealth, « Commonwealth de Dieu », selon le titre choisi par F. E. Peters pour désigner les cinq premiers siècles de l'Islam [20].

De fait, les revendications réformistes allaient comme de soi à secouer l'état humilié des colonies et protectorats. Au nom de l'Islam authentique, elles tendaient à transmuer l'abandon résigné du peuple en volonté de lutte, à redonner à l'homme musulman le sens de ses responsabilités sociales et civiques. Elles affirmaient aussi bien la liberté humaine que la Toute Puissance divine [21]; et si elles entendaient bénéficier de l'acquis technique de l'Occident, c'était en prenant du même coup leur distance à son égard, à l'égard surtout des idéologies qu'il secrète.

4. Des tendances fort diverses ne sauraient se comprendre sans cette animation plus ou moins consciente venue des « Réformateurs ». Ainsi : le mouvement des « Frères Musulmans » *(al-Ikhwân al-Muslimûn)*, fondé en Égypte (1928) par Hasan al-Bannâ', pourrait se définir comme une aile « intégriste » et activistes des *Salafiyya*, comme un repli sur les valeurs « dures » de l'Islam [22]. Ses ambitions politiques sont bien connues. Il y eut, il y a des Frères Musulmans « de droite » et des Frères Musulmans « de gauche [23] ». Mais en dépit de certaines positions, commandées par un souci d'absolue justice sociale, l'ensemble du mouvement se refuse aux essais de construction socialiste actuellement tentés en divers pays arabes. Car le Coran seul doit être la norme de toute organisation temporelle. Et le but avoué des Frères de s'emparer du pouvoir ne peut que susciter contre eux la méfiance et l'opposition de bien des gouvernements.

Lors de la révolution de 1952, les Frères Musulmans obtinrent en Égypte une large audience. Mais en 1954, l'assassinat de Hasan al-Bannâ' fut suivi d'un essai d'attentat contre ʿAbd al-Nâsir (Nasser). Ce dernier, en représailles, proclama la dissolution du mouvement. Les arrestations furent nombreuses, plus de mille; des Frères furent condamnés à mort et exécutés, entre autre le « doctrinaire » ʿAbd al-Qâdir ʿÛda. Le « Guide suprême » Hudaybî fut emprisonné à vie. Le mouvement survécut, dans la clandestinité en Égypte, ouvertement en d'autres pays. En 1965-66 de nouvelles mesures violemment répressives l'atteignirent en Égypte, et trois condamnations à mort furent prononcées, dont celle du chef Sayyid Qutb [24]. Malgré la persécution gouvernementale, l'action persistante de ces activistes-intégristes se poursuit. Ils ne sont pas majoritaires dans la jeunesse musulmane; ils continuent cependant d'exercer auprès de certains un attrait indéniable [25].

Mais les Frères Musulmans sont loin d'être le seul mouvement né des *Salafiyya*. Un socialisme, et parfois le plus ardent, pourrait s'en recommander. Si Mu'ammar al-Qadhdhâfî ne connut guère les œuvres d'Afghânî, de 'Abduh ou de Rashîd Ridâ, il n'en fut pas moins un lecteur de Kawâkibî. Il ne serait sans doute pas difficile de retrouver certaines sources « réformistes » de la révolution libyenne, aux larges ambitions missionnaires.

Aussi bien, d'autres virtualités encore du mouvement salafî sont à l'œuvre, dans les pays arabes comme au Pâkistân ou parmi les musulmans indiens. Des tendances plus ouvertes se font jour, désireuses d'une interprétation plus souple des prescriptions coraniques, soucieuses de l'intégration des pays d'Islam dans la communauté internationale, plus près en somme de Muhammad 'Abduh ou de Sayyid Ahmad Khân que de Rashid Ridâ [26]. Le modernisme et l'influence reçue de l'Occident sont ici comme réassumées par le réformisme, selon des voies qui se veulent originales. Sur le plan culturel enfin, un véritable élan humaniste, dont l'un des plus notables représentants est l'Égyptien Ibrâhîm Madkour, dota la pensée et la littérature arabes d'œuvres originales et d'éditions critiques. On pourrait y joindre le Dr. Kamel Hussein, sa « philosophie de la conscience », et son souci de montrer, bien au delà de tout concordisme, que science et religion ne sauraient s'exclure l'une l'autre [27]. Autre exemple : s'il fit un temps figure de « moderniste », on peut dire que l'évolution postérieure de Tâhâ Hussein le désigne comme le précurseur d'une ardente recherche d' « authenticité », arabe et arabo-musulmane [28], dans une présence voulue et désirée aux réalités les plus actuelles [29].

Le et les Ba'th (Baas)

Le deuxième grand courant de pensée est celui du *Ba'th* (ou Baas). Nous n'avons pas à refaire l'historique détaillé du *Ba'th al-'arabî* (« La résurrection arabe »). Ses racines plongent dans les « sociétés secrètes » qui, en Syrie et au Liban, luttèrent au début du xxe siècle contre l'Empire ottoman d'abord, contre les protectorats ensuite, pour la totale indépendance des pays arabes.

On peut dater le mouvement de 1940, sous l'impulsion du

Syrien alawite Zakî al-Arsûzî (m. 1968), apôtre d'un arabisme a-religieux, et qui voyait dans l'Islam un facteur de décadence. Parallèlement Salâh al-Dîn al-Bîtâr et surtout Michel ʻAflâq, ce dernier d'origine chrétienne grecque orthodoxe, luttaient sur un plan avant tout culturel contre « la maladie du verbe » et pour le retour, par delà les siècles de décadence, aux valeurs originelles de « l'âme arabe ».

En un premier temps, la ligne issue d'Arsûzî était nettement socialiste, accueillant l'influence d'analyses marxistes, ce à quoi se refusait ʻAflâq. C'est la jonction de ces deux tendances qui, en 1943, mit en place le parti du *Baʻth*, définitivement organisé par la « constitution » de 1947. Une idéologie socialiste, mais récusant la lutte des classes, fut adoptée. Akram al-Hûrânî en fut le grand propagandiste, et en 1953 son « Parti socialiste arabe » fusionna avec le *Baʻth*.

Par-delà la multiplicité des États et gouvernements, le *Baʻth* fut tout centré sur une réaffirmation de la « Nation arabe », sur les valeurs de l' « arabité » et de l'arabisme *(ʻurûba)*. Il groupa, il groupe les Arabes, chrétiens et musulmans, dans la recherche commune d'une « personnalité de base », spécifiquement arabe, nourrie politiquement parlant par l'espoir, jamais réalisé jusqu'à ce jour mais jamais renoncé, d'une réunification des terres arabes et arabisées.

De par ses origines, et au contraire des *Salafiyya*, le *Baʻth* n'est pas d'inspiration religieuse. Il n'est pas de soi anti-religieux. Sans doute Bîtâr et surtout Arsûzî (musulmans d'origine) témoignent-ils une forte méfiance à l'égard des valeurs islamiques. Mais dans son *Fî sabîl al-baʻth* [30], ʻAflâq prend position contre le matérialisme et l'athéisme. Pour lui, l'Islam a exprimé l'arabisme sous sa meilleure forme, et les chrétiens arabes doivent saluer en l'Islam une culture nationale. Il reste que le mouvement, ou plutôt le parti se présente volontiers comme « laïque » au sens occidental et courant du terme. L'influence directe de l'Occident moderne fut grande. Le *Baʻth* est un « modernisme », mais plus socialisant et révolutionnaire que libéral. Ses maîtres à penser ne sont point les grands docteurs musulmans de jadis, mais bien plutôt les révolutionnaires européens des XVIIIe, XIXe et XXe siècles.

Ce n'est point, en dépit de certaines outrances de la ligne

d'Arsûzî, qu'il méprise le passé musulman des pays arabes. Car si le *Ba'th* se recruta aussi bien parmi les Chrétiens que parmi les Musulmans, l'écrasante majorité musulmane des peuples arabes l'obligea à se définir plus d'une fois face à l'Islam [31]. Le passé musulman se présente à lui comme un héritage, et dont les réalisations socio-culturelles méritent l'admiration. Mais c'est bien souvent l'Islam comme religion qu'il rend responsable des siècles de déclin où s'enlisa « la Nation arabe ».

A l'heure actuelle, le *Ba'th* a conquis le pouvoir en Syrie et en 'Irâq. Ce ne veut point dire que les idéologies officielles soient pleinement concordantes en l'un et l'autre pays. Car très vite, et bien que le parti ait été en principe unifié, il y eut des *Ba'th*(s) aux tendances diverses, plus ou moins socialisantes ou marxisantes. En Syrie, lors du triomphe du parti en 1963, de nombreux postes de gouvernement furent tenus par des minoritaires alawites, aux origines ismâ'îliennes [32]. Aux yeux de ses opposants, l'autorité ba'thiste syrienne prit ainsi figure d'une revanche des montagnards pauvres alawites sur la majorité sunnite et les riches marchands des *sûq*(s) de Damas. Des tendances laïcistes dures, dans la ligne d'Arsûzî, se firent jour durant un temps, et telle monition secrète aux militants du parti leur rappelait qu'ils se devaient, en définitif, de « conduire le peuple à l'athéisme ». L'actuelle équipe, au pouvoir depuis 1970, entend poursuivre un « mouvement de redressement ». Plus « libérale » que la précédente, elle s'efforce de rassurer et la majorité sunnite, et la communauté chrétienne [33]. Le Président Hâfiz al-Assad est lui-même alawite. Mais il participa à des prières sunnites. La laïcité et la « modernité », conçues comme un au-delà des religions professées, n'en restent pas moins à l'ordre du jour.

Michel 'Aflâq, récusé en Syrie sa patrie d'origine, est en 'Irâq respecté et accueilli; et d'autres ba'thistes syriens résident comme lui à Bagdad. Le nationalisme arabe du *Ba'th* 'irâqien est ombrageux, et ses prises de position n'écartent point certaines analyses marxistes. En dehors de l'idéologie de l'État, le seul parti politique autorisé est le parti communiste. L''Irâq accuserait volontiers la Syrie actuelle de tendances au « libéralisme », et blâme véhémentement les interventions syriennes dans la guerre civile libanaise. — Le principe officiellement affirmé de la laïcité apparaît en ʿIrâq plutôt comme une indifférence voulue que comme une opposition déclarée à l'égard des religions, plus fidèle donc à la ligne de ʿAflâq qu'à celle d'Arsûzî. Aucune pression anti-religieuse ne semble s'exercer directement. Si une méfiance demeure à l'égard des Shîʿites, supposés peu acquis aux idéaux baʿthistes, le parti reste ouvert aux Shîʿites (nombreux en ʿIrâq) comme aux Sunnites, aux Chrétiens (très minoritaires) comme aux Musulmans.

Il est difficile d'apprécier dans quelle mesure ce principe de « laïcité » pénètre le peuple croyant. Sans doute trouve-t-il un écho sans cesse grandissant en des milieux de jeunes intellectuels, formés aux disciplines modernes. Les couches populaires sont certainement moins touchées. Le laïcisme délibéré du *Baʿth* syrien suscita des oppositions parfois violentes, où politique et religion furent étroitement imbriquées : ainsi les manifestations et révoltes de rue à Homs et à Hamâ en 1973, quand il fut question de supprimer de la Constitution toute référence à l'Islam. Les opposants se réclament alors d'un Islam traditionnel et strict, où ne sont pas sans resurgir les tendances « intégristes » des Frères Musulmans, et peut-être des mots d'ordre venus de la Libye « révolutionnaire ». Islam et « modernité » se dressent ici comme deux valeurs ennemies; cependant que la modernisation, de plus en plus nécessaire, du style de vie habituel, de l'industrialisation, de l'exploitation agricole, bouscule maintes traditions séculaires, considérées un peu vite, de part et d'autre, comme liées à l'Islam.

En ʿIrâq, et quelle que soit la pensée des équipes dirigeantes ou de la jeune intelligentsia, la piété populaire, la piété shîʿite surtout, ne semble point atteinte. A Najaf, Kerbela, Bagdad (faubourg de Kâzimayn), Samarra, les foules shîʿites-imâmites d'ʿIrâq et du Liban se pressent aux somptueux sanctuaires dédiés à ʿAlî, à Husayn et aux *Imâm*(s) leurs sucesseurs. De nos jours, la dévotion et la ferveur populaires n'y sont pas moins vives que dans les sanctuaires de l'Iran. Et parmi le peuple sunnite, les « visites » *(ziyârât)* sont nombreuses au tombeau de ʿAbd al-Qâdir al-Jîlânî, « patron de Bagdad », le fondateur hanbalite de la grande Confrérie des *Qâdiriyya.*

Ajoutons qu'en Syrie comme en ʿIrâq, l'Islam reste un héritage arabe dont il n'est point question de nier la portée internationale. En 1974, la Syrie participait au Sommet islamique de Lahore à titre de membre, l'ʿIrâq à titre d'observateur.

II. — LES OPTIONS ACTUELLES

La diversité des choix

Vers un Islam purifié, remontant à ses sources, et s'affirmant apte à toutes les conquêtes techniques (Réformistes), vers une modernité de style laïc au service de la Nation arabe (Baʿthistes), les deux tendances convergent plus d'une fois. Si l'idéologie du *Baʿth*, sous des formes diverses, domine en Syrie et en ʿIrâq, elle n'est pas sans colorer peu ou prou la vie musulmane d'autres pays qui, eux, ne s'affirment points laïcs, et dont certaines prises de position officielles seraient, en leur source, plus proches des Réformateurs.

Mentalités musulmanes en mutation? C'est d'abord une réponse aux problèmes sociaux et économiques qui bien souvent sera recherchée. « Un peuple qui a faim n'a pas besoin d'écouter des versets, ceci dit avec toute ma vénération pour le Coran que j'ai appris par cœur à l'âge de dix ans », affirmait le président Boumediène à Lahore; « les peuples qui ont faim ont besoin de pain, les peuples ignorants de savoir, et les peuples malades d'hôpitaux [34] ». Et c'est le même esprit qui inspira l'initiative algérienne d'un débat à l'O.N.U. sur la redistribution des matières premières. Les dirigeants tendront donc à éduquer, dans le cadre d'indispensables et profondes réformes socio-économiques, l'homme musulman d'aujourd'hui comme citoyen d'une société devenue responsable de son destin. Le combat, l'effort *(jihâd)* auquel il sera d'abord appelé, sera celui de la réforme agraire, de l'industrialisation, de la mise en œuvre des moyens techniques les plus perfectionnés, de la recherche scientifique.

Jusqu'ici, tous les pays musulmans seraient, avec des nuances, partie prenante. Mais un plan de clivage va s'opérer, dans le rythme et le sens de l'évolution en cours, entre les États dits « conservateurs » et les États dits « progressistes ». Essayons de les situer.

Les premiers s'accommodent fort bien d'une économie capitaliste, capitalisme d'État et /ou privé. Ils l'accompagnent volontiers d'un recours à un Islam très officiellement professé et sévèrement maintenu. Tels l'Arabie sa'ûdite, les Émirats du Golfe, et, selon d'autres composantes, le Maroc chérifien (qui parlera à l'occasion de socialisme), la Jordanie, voire le Bangladesh.

Les seconds se réclament d'une option socialiste. Certains d'entre eux se diront volontiers « marxistes », mais d'un marxisme « original » : Mali naguère, Somalie, Yaman Sud... Mais la plupart entendront promouvoir un socialisme non inféodé aux divers socialismes européens, marxistes ou non. Il ne s'en veut pas moins radical. L'Islam cesse d'être un principe de gouvernement et de conservatisme. Mais ce sont en des valeurs profondément musulmanes qu'entend s'enraciner l'appel à la justice sociale, aux vertus civiques, à l'égalité de tous les citoyens entre eux. Telles, avec des particularités propres à chaque pays, les options de l'Algérie, de la Libye, de l'Égypte nassérienne; en mineur le Pâkistân du président Zulficar 'Alî Bhutto; elles furent un temps celles de la Tunisie [35]. Démocratie et un certain socialisme sont également à l'honneur dans l'Islam indonésien.

Sur le plan des problèmes socio-économiques à résoudre, le *Ba'th* laïciste de la Syrie et de l''Irâq rejoint ce second groupe d'États. Et s'il se soucie assez peu, en principe, de références musulmanes, il n'en rencontre pas moins l'occurrence dans la mentalité des peuples qu'il entend conduire à la « modernité ».

La Turquie et l'Iran mériteraient d'être étudiés à part [36]. La Turquie république parlementaire laïcisée, maintenant sous régime militaire « fort », reste liée à des structures capitalistes. En Iran, les événements de 1979 ont totalement changé une situation qui semblait acquise sous le régime impérial. L'opposition larvée ou avouée des *mullâ*(s) ou « hommes de religion » s'est unifiée et amplifiée autour de la personne de l'ayatollah Khomeiny pour déboucher sur l'avènement d'une « République Islamique [37] ».

Il est à noter que la question du « prêt à intérêt », si débattue au nom de l'interdiction coranique de l'usure, ne joue, dans ces divers plans de clivage, qu'un rôle fort secondaire. Le « capitaliste » Royaume sa'ûdite maintient les principes du « prêt gratuit », cependant qu'au nom de l'idéal religieux tout un mouvement s'est déclanché en ce sens dans le Subcontinent indien [38]. Et les pays « socialistes », eux, entendent bien promouvoir une organisation économique qui, à terme, rendrait sans objet le débat lui-même.

Ajoutons que la rapide et triomphante mutation qu'assurent aux pays producteurs de pétrole les décisions de l'O.P.E.P. semblerait en un sens réduire le clivage entre « conservateurs » et « progressistes ». Le « conservateur » Royaume sa'ûdite voit grandir son influence politique et se réduire la distance qui l'opposait à l'Égypte au temps de Nasser; et c'est avec les pays arabes et l'Iran pris en bloc que les États industrialisés entendent ouvrir le dialogue. Si ce dialogue veut aboutir, il est probable cependant que des modalités d'entente assez diverses devront s'instituer selon qu'il s'agit d'États arabes peu peuplés, ou de l'Iran, ayant jusqu'ici opté pour un capitalisme qui tend à devenir capitalisme d'État, ou d'États arabes qui se recommandent de structures socialistes.

Il est vrai, la mise en place de ce socialisme, là même où elle est le plus délibérément poursuivie, se heurte à mainte difficulté. Rares sont les pays qui, telle l'Algérie, ont su la promouvoir et jusqu'ici la poursuivre dans leur lutte contre le sous-développement *(takhalluf)*. A l'heure où nous écrivons ces lignes (janvier 1977), l'Égypte, partie d'origine du « socialisme arabe » semblerait revenir sur ses choix, le nassérisme s'estompant en faveur d'un rapprochement utilitaire avec des formes de libéralisme économique. Et depuis quelques années déjà, l'échec des collectivisations tunisiennes s'est soldé lui aussi par une « libéralisation » (économique) au profit du secteur privé.

L'une des conséquences des options socialistes est une planification omniprésente commandée par l'État; et un effort très soutenu en faveur de l'alphabétisation et d'une hygiène surveillée. Toutes choses quasi incompatibles avec la vie nomade. Les États socialistes tendent, dans la mesure du possible, à un regroupement stable des nomades. L'une des ambitions de la révolution libyenne serait de transformer en terrains de culture, donc de sédentarisation, d'aussi larges espaces que possible du désert de Syrte [39]. De son côté, l'un des pays où la vie nomade s'était assez largement conservée, l'Algérie, mène une politique prudente de sédentarisation à longue échéance : ainsi à l'égard de ces Berbères jadis de « grande tente », longtemps indépendants ou presque, que sont les Touareg.

Ce ne veut pas dire que la vie nomade soit appelée à disparaître. Des pays comme la République de Mauritanie ou la Somalie par exemple devront sans doute continuer de s'en accommoder. Mais là où progresse la mise en œuvre de principes socialistes, on peut dire que les traditions ancestrales du nomadisme, tel qu'il fut et est encore vécu, en viennent à faire de plus en plus figure de survivances. D'autres modes de pâturages à longs parcours seront sans doute à inventer.

Le commun dénominateur islamique

A regarder l'ensemble des pays musulmans, nous nous trouvons, semble-t-il, en face de deux réalités : d'une part un commun dénominateur islamique, d'autre part le choix ou le refus d'une « révolution socialiste » qui bousculerait les barrières du sous-développement.

En premier lieu, donc, un commun dénominateur islamique, et qui n'est pas que religieux. Ou plutôt, il l'est comme l'Islam lui-même, intégrant et drainant des valeurs de civilisation et de culture. De ce point de vue, les pays même fortement marxisés en principe restent islamiques.

Nous trouvons la manifestation la plus orchestrée de ce commun dénominateur dans les « Sommets islamiques » tenus en 1969 à Rabat et en 1974 à Lahore. Les rêves politiques des *Salafiyya* avaient suscité naguère des « Congrès du Califat » ou des « Congrès islamiques [40] ». Ces essais de réunification tournèrent court. Les actuels « Sommets », où les chefs d'État, rois ou présidents aux options économico-politiques les plus variées, se réunissent au nom même de l'Islam pour étudier des objectifs limités, sont certainement une réponse plus adéquate aux réalités de l'heure.

Objectif limité : le Sommet islamique de 1969 est né du sursaut commun d'indignation, lors de l'incendie de la mosquée al-Aqsâ à Jérusalem, troisième ville sainte de l'Islam. Le point essentiel du programme de Lahore était l'aide à apporter aux pays arabes en guerre avec Israël, et la reconnaissance des droits du peuple palestinien. Depuis 1948, l'un des effets de cette guerre est de revaloriser l'entente non seulement des pays arabes, mais du monde de l'Islam en son entier. Même l'Iran, dont l'attitude est pratiquement ambiguë, ne peut que souscrire à l'affirmation générale de solidarité. On ne saurait minimiser le rôle que joua, dans la mentalité arabe d'abord, dans la mentalité musulmane comme telle ensuite, la lutte contre l'État d'Israël. Les échecs subis, l'humiliation douloureuse de la « guerre des six jours », s'insérèrent dans les consciences comme une profonde et drastique catharsis; les espoirs que firent naître « la guerre d'octobre » (ou « du destin [41] »), et « la guerre du pétrole » qui lui fit suite, furent d'abord la revanche de l'humiliation. C'est au cri de « Dieu est plus grand » *(Allâhu akbar)* que des soldats égyptiens prirent pied sur la rive droite du Canal de Suez [42]; cependant que « la guerre du pétrole », en un premier temps a redonné aux pays arabes le sentiment de leur force sur la scène internationale, et leur assure en un second temps une puissance objective, à la fois économique et politique.

Le Sommet de Lahore n'a aucunement promu, ni même annoncé, l'unité politique concrète de tous les États représentés; il n'annonce point davantage l'unification de leurs options économiques. Mais il est beaucoup plus qu'une prise de position commune à l'égard d'Israël. A propos de la guerre arabo-israëlienne, et contre les visées territoriales sionistes, il est une réaffirmation très générale d'une communauté de destin. Des oppositions, même violentes, même sanglantes, pourront renaître entre les États; elles resteront en un sens « querelles de famille ». Nous ne devons pas oublier que c'est au nom de l'Islam que Pâkistân et Bangladesh esquissèrent leur réconciliation à Lahore; que fut demandée l'entente des deux Yaman, si délibérément marxiste et a-religieux que puisse être le Yaman sud; que l'insistance fut mise sur la défense des minorités musulmanes, partout dans le monde.

Une fois de plus, cette unité islamique est difficilement

saisissable dans ses conséquences concrètes. Elle ne s'en présente pas moins à nous comme un fait que ne parvient point à contredire la multiplicité des comportements et des choix.

Face au socialisme, — « réforme » et « révolution »

La deuxième réalité à laquelle nous sommes confrontés est le plan de clivage entre États « conservateurs » et États « progressistes », ou, si l'on préfère, le rôle joué par le socialisme, en prenant ce mot en un sens très général.

Le socialisme exerce sur bien des États musulmans qui ont conquis leur indépendance une indéniable attraction. La *nahda,* le « renouveau », culturel et réformiste en ses débuts, cède la place à la *thawra,* la « révolution [43] ». Dans la langue politique arabe d'aujourd'hui, « avoir fait sa révolution », cela veut dire s'efforcer de mettre en place une structure et une économie de type socialiste, du moins fortement socialisée.

Une vue sommaire pourrait y voir une influence en deux temps : tout d'abord, celle des « idées révolutionnaires » venues d'Europe occidentale, puis l'influence des pays du pacte de Varsovie, — parfois de la Chine populaire. L'U.R.S.S. se présenta comme le défenseur, comme « le grand ami » des pays arabes en lutte contre Israël. Et si elle fut favorable à l'Inde dans le conflit indo-pâkistânais, l'attrait d'idéologies marxistes ne cesse de s'exercer sur bien des esprits, au Pâkistân comme au Bangladesh.

L'Empire ottoman à son déclin se fit tout perméable à la démocratie parlementaire (bourgeoise) de l'Occident capitaliste, au point que les « réformes administratives [44] » ne furent souvent que la redite de codes européens. Le « renouveau » d'aujourd'hui, devenu « révolution », s'oriente-t-il vers une emprise des mentalités en mutation par l'idéologie marxiste? Un certain nombre de « révolutionnaires » dans les pays arabes ou le Subcontinent indien furent et restent, de fait, conquis pour l'analyse marxiste des réalités socio-économiques, et ses principes de solution. Nombreux sont les éléments les plus dynamiques des pays musulmans qui allèrent étudier dans les Universités européennes de l'Ouest ou aux États-Unis. Ils en rapportent une imprégnation profonde de la pensée occidentale moderne, en particulier de la dialectique de Hegel ou de Marx (des deux à la fois, le plus souvent). Et depuis quelques décennies, des boursiers musulmans d'origine demandent leur formation aux Universités marxistes des pays de l'Est.

Au surplus, le rôle joué par les partis communistes dans la conquête des indépendances politique et économique, s'il ne doit pas être sur-valorisé, n'en est pas moins fort réel. Nous en avons une analyse très documentée et vivante dans *Marxisme et monde musulman* de Maxime Rodinson [45]. En bien des pays musulmans, se formèrent d'abord des partis socialistes à l'instar de l'Europe. Ils s'affirmèrent défenseurs des indépendances nationales et contre toute forme d'impéralisme. Si l'influence du vieux socialisme français ou du travaillisme britannique s'exerça un temps, c'est l'idéologie marxiste qui, très vite, devint dominante: ainsi en ces deux partis d'opposition que sont le « Parti socialiste ouvrier et paysan turc » et le « Parti communiste turc »; et de même les divers « Partis communistes » des pays arabes.

Le socialisme auquel se réfère le monde de l'Islam est-il donc un pur produit, ou un sous-produit, du marxisme européen, et renvoyé par là à ce « modèle socialiste présenté d'abord par l'expérience soviétique [46] »? Les références islamiques dont il se couvre ne sont-elles qu'un alibi temporaire?

Nous croyons que les données du problème sont singulièrement plus complexes. Car il est un large mouvement de revendication qui se veut délibérément socialiste, mais n'entend aucunement s'inféoder à une idéologie « étrangère ». Qu'il s'agisse de ʿAbd al-Nâsir (Nasser), ou du président Boumediène, et d'autres chefs avec eux, les grands promoteurs du « socialisme arabe », ou du « socialisme musulman », ou quel que soit l'adjectif qu'on lui accole, ne furent point formés, eux, dans des Universités d'Europe (de l'Ouest ou de l'Est) ou d'Amérique. Ils récusent, parfois avec énergie, l'épithète « marxiste ». Il s'agit de musulmans croyants, et se voulant tels, et qui entendent situer le socialisme qu'ils essaient de mettre en place en continuité avec les valeurs les plus authentiques de l'Islam. Qu'est-ce à dire?

Sans doute s'agit-il d'abord de « nationalisations » et de prise en charge par l'État de larges secteurs de production, le secteur industriel avant tout qui, progressivement ou brutalement, se substitue à l'artisanat de jadis. De ce point de vue, il est parfois difficile de distinguer clairement entre « socialisme d'État » et « capitalisme d'État ».

On pourrait dire, en un sens, que les modernisations de la Turquie kémaliste, de l'Égypte des khédives, de l'Iran, ouvrirent les voies au socialisme nassérien. Avec cependant une nette différence : en Turquie, dans l'Égypte d'avant la « révolution », en Iran, si l'État prend en charge le développement de l'industrie et certains aménagements du secteur agraire, c'est, comme le disait un juriste turc « étant donné l'insuffisance des initiatives et des possibilités de la part des entreprises privées [47] ». L'actuel Shâh d'Iran précisait naguère : « A cause du manque de techniciens et d'administrateurs, parce que les investissements privés ne suivirent pas, le gouvernement a dû montrer la voie (...) [Mais] notre politique est de céder graduellement les usines actuelles du gouvernement à des compagnies privées [48]. » Cet étatisme-là se présente donc comme le précurseur d'un capitalisme de mode européano-américain; et comme lié au grand capitalisme international. « Il est clair, ajoute M. Maxime Rodinson, que le capitalisme industriel fut, dans l'Orient musulman, une imitation de l'Occident [49]. »

Les étatisations nassériennes au contraire entendaient ouvrir la voie à une substructure économique et à une organisation générale de vie de type socialiste, et à un socialisme qui ne se mettrait point à la remorque des États à idéologie marxiste; qui se cherche encore il est vrai; qui emprunte des données aux analyses marxistes, mais qui voudrait les réassumer selon d'autres finalisations. — Dans les pays d'Islam, toute organisation capitaliste de moyens de production fut et se reconnut une imitation de l'Occident. Les « révolutions socialistes » au contraire, bien que se rattachant à l'origine à des problématiques occidentales, entendent s'opérer selon un mouvement endogène d'évolution où les valeurs islamiques trouveraient leur place.

Pur amalgame, selon la thèse de M. Rodinson [50]? Ce serait, croyons-nous, trop vite dit. Au vrai, le problème est ici sensiblement le même en Islam et en christianisme. Certes, dans le passé, l'économie des pays musulmans fut plutôt de facture capitaliste : ou spontanément en ses secteurs « capitalistiques » de l'âge classique, ou, à l'âge moderne, selon des liens avoués avec le capitalisme international. La foi musulmane vécue serait-elle de soi anti-socialiste, comme une certaine propagande sa'ûdienne ou certains Frères Musulmans aimeraient à le faire croire? Il convient de bien voir ceci : en fait, une foi religieuse ne saurait imposer directement des solutions d'ordre économique, et elle peut « s'accommoder » de tout système non intrinsèquement et radicalement injuste [51]. L'Islam, comme le christianisme, a pu s'accomoder de certaines formes de « capitalisme modéré ». Mais l'un comme l'autre ne pourrait, sans se renier soi-même, faire sienne l'effrénée course au rendement, à l'enrichissement des riches et à l'appauvrissement des pauvres, telle que la pratiquèrent les temps modernes d'Occident.

Il reste qu'une éthique économique directement inspirée des valeurs musulmanes (ou chrétiennes) exige, exigerait une large socialisation, non destructrice de toute forme de propriété privée, mais redonnant à celle-ci sa fonction de charge sociale. S'il est vrai, comme nous l'avons dit dans notre phénoménologie de l'âge classique, que l'enseignement des juristes et théologiens musulmans, quand ils analysent l'organisation de métiers et la répartition des richesses, va, comme de soi, dans un sens de « solidarisme » et de « communautarisme [52] », c'est bien un authentique socialisme qui se trouve, par là, préfiguré. La source n'en est point marxiste, et les distinctions souvent faites en pays musulman entre « socialisme » *(ishtirâkiyya)* d'une part, marxisme et communisme de l'autre (*mârksiyya* et *shuyû'iyya*) ne sont point commandées par de simples nécessités tactiques [53].

Le vocabulaire est significatif. C'est la Turquie du XIXe siècle qui avait eu recours à *ishtirâk* (au sens de « partage ») pour évoquer les doctrines socialistes. Elle l'abandonna pour lui préférer *sosyalist,* soulignant donc ses sources occidentales. Les pays arabes, eux, adoptèrent *ishtirâkiyya.* Or ce terme évoque, et n'évoque que l'association, la mise en commun, le compagnonnage. Le *sharîk,* c'est à la fois l' « associé », le « participant », l'ami, le compagnon.

Le « socialisme » ainsi désigné, c'est d'abord une réalisation qui se veut plénière de justice, le '*adl,* la grande vertu coranique qui doit régler les rapports des Musulmans entre eux, — car « les croyants sont frères ». Les revendications réformistes d'une mise en œuvre de l'*ikhlâs,* le « culte pur » dû à Dieu et l'absolu dévouement dû à la Communauté, en sont intrinsèquement partie prenante. Ce sont les pays dont l'éveil de conscience fut le plus marqué en ses débuts par les mouvements réformistes, qui entendent poursuivre la réalisation d'un socialisme original, et qui seul permettrait de répondre aux exigences des « relations sociales » définies, en leurs principes, par le Coran. La révolution *(thawra)* se présente alors comme le parachèvement de la réforme *(islâh)* [54].

Mais fort complexes sont les actuels problèmes économiques et financiers. La tentation est grande de prendre comme une donnée de base les analyses marxistes qui en sont proposées. On distinguera au besoin, non sans arbitraire, la « méthode » et l' « idéologie » : la première considérée un peu vite comme une sorte de science exacte, la seconde étant récusée. Bien des analyses du Marocain Abdallâh Laroui pourraient être évoquées. La réflexion chrétienne connut la même aporie. La tentation se fait d'autant plus insistante que les techniciens des pays musulmans, pour l'instant, sont presque toujours de formation occidentale. Il est certain que les pays qui se recommandent des partis ba'thistes et de leur laïcisme de style européen, y seront sensibles plus que les autres. Et c'est ainsi que le parti communiste 'irâqien donne son appui à l'actuel gouvernement du *Ba'th* [55].

Il reste qu'un socialisme original, non marxiste, se cherche en plusieurs pays musulmans, réplique en quelque sorte de ce « socialisme humaniste » à références chrétiennes plus ou moins avouées qui affleure en certains espoirs d'Occident [56]. Les conditions de son efficacité à résoudre les problèmes de l'heure sont difficiles à mettre en place. S'y affrontent les options les plus diverses, allant de la pure « modernité » occidentale à l'Islam le plus fondamentaliste, du communisme marxiste aux affirmations religieuses les plus délibérées, selon de multiples dégradés ou intermédiaires. Quel en sera l'impact sur les mentalités?

NOTES

1. Cf. Olivier Carré : *Enseignement islamique et idéal socialiste*, Beyrouth, éd. Dar el-Machreq, 1974, p. 4.

2. Cf. (avec réf.) M. Rodinson, *Islam et capitalisme*, *op. cit.*, p. 139.

3. Cf. des justifications analogues du prêt à intérêt dans le droit canon de chrétienté, à partir de 1830 environ.

4. *Al-Islâm wa usûl al-hukm*, Le Caire, 1343 H. /1925; trad. franç. de L. Bercher, dans *Revue du Monde Musulman*.

5. *Mustaqbal al-thaqâfa fî Misr*, Le Caire, 1938; réédition et diffusion en 1944.

6. Voir les principales références à cet art nouveau, les interrogations ou les « perplexités » qu'il suscite, ap. Jacques Berque, *Langages arabes du présent*, *op. cit.*, pp. 219-265.

7. Du premier *L'idéologie arabe contemporaine*, Paris, 1967, et *La crise des intellectuels arabes*, Paris, Maspero, 1974; du second, *La personnalité et le devenir arabo-islamique*, Paris, le Seuil, 1974.

8. Cf. l'interview d'Abdallah Laroui dans *Jeune Afrique*, n° 700, 8 juin 1974.

9. Cf. son introduction « Comment lire le Coran », rééd. de la trad. franç. du Coran faite par Kasimirski, Paris, Garnier-Flammarion, 1970; également *Essais sur la pensée islamique*, *op. cit.*, chap. VIII et IX; « Lecture de la *Fâtiha* », dans *Mélanges d'islamologie à la mémoire d'Armand Abel*, Leiden, éd. Brill, 1974, pp. 18-44; et plusieurs communications (sous presse) à divers colloques.

10. Il fut influencé par des Frères Musulmans « de gauche » avant d'aller étudier en Sorbonne les principes de l'exégèse rationaliste moderne. Il s'agit pour lui que la foi religieuse devienne une « foi dynamique », devant agir sur les « événements de l'époque » : « Si l'on demande à nos contemporains : Quel est le mot qui, lorsque vous l'entendez, émeut vos sentiments? Ils répondent : la libération de la terre! Disons donc : Dieu est la terre perdue! Croire en Dieu, c'est libérer la terre! De telle sorte que soit libéré le Dieu prisonnier, et que le seul culte, unique et raisonné, devienne la lutte contre l'occupant. » Ou, par suite d'un raisonnement analogue : « Dieu est la revendication du pain. Il est la révolte contre le féodalisme et l'exploitation. » (Extraits d'un article paru dans *al-Fikr al-Mu'âsir*, Le Caire, avril 1970; cités par Mohamed Talbi, « Musulman aujourd'hui », *Axes*, Paris, déc. 1975 /janv. 1976.)

11. Voir par exemple M. A. Lahbabî : *Le Personnalisme musulman*, Paris, P.U.E., 1964 (ouvrage écrit d'abord en français, traduit par la suite en arabe).

12. Paris, le Seuil, 1954.

13. Bien d'autres noms pourraient et devraient être cités. Voir l'étude (sous presse) dé G. C. Anawati : *Les grands courants de la pensée religieuse dans le monde arabe contemporain*.

14. Comme l'avait été dans le passé le mouvement berbère des Almohades. Le fondamentalisme exerce périodiquement un indéniable attrait sur les mentalités musulmanes.

15. Voir la profession de foi whahâbite *(al-hadiyya al-sunniyya)* traduite par H. Laoust : *Doctrines sociales et politiques..., op. cit.*, pp. 615-624.

16. Shâh Walî Allâh y vint en 1145 H. /1738, et y résida durant quatorze mois.

17. Le mouvement fut plusieurs fois étudié. Cf. l'article très documenté de H. Laoust, « Le Réformisme orthodoxe des *Salafiyya* et les caractères généraux de son organisation actuelle », *Revue des Études Islamiques*, t. VI, 1932, pp. 175-224; Ch. Adams, *Islam and Modernism in Egypt*, Oxford University Press, 1933; J.-M. Abd El-Jalil, *Aspects intérieurs de l'Islam*, chap. III, Paris, éd. du Seuil, 1949; Louis Gardet, *La Cité musulmane*, Annexe III, pp. 350-355; Ali Merad, *art. cit.*, « *Islâh* », etc. — Le Réformisme en Algérie et l'action du *shaykh* Ibn Bâdîs furent analysés avec soin par M. Ali Merad : *Le Réformisme musulman en Algérie de 1925 à 1940*, Paris-La Haye, Mouton, 1967. (Rappelons que la dénomination *Salafiyya* vient de *Salaf*, « les Anciens »; que celle de *'Ulamâ'* désigne « les savants en science religieuse »; et que « parti de l'*Istiqlâl* » signifie « parti de l'indépendance ».)

18. Et assez largement le public occidental (plusieurs de ses ouvrages sont traduits en français).

19. Publication de textes d'Ibn Bâdîs en 4 vol. par Amar Talbi, Alger, éd. Merazka, 1968. Voir également le n° de la revue *al-Amal* (« Espoir » ou « Promesses ») qui lui a été consacré (textes arabes et français). Articles de Cheikh Bouamrane et de Mme Alima.

20. F. E. Peters, *Allah's Commonwealth, a history of Islam in the Near East, 600-1100 A. D.*, New York, éd. Simon and Schuster, 1973.

21. Cf. le texte souvent cité de Muhammad 'Abduh, *Risâlat al-tawhîd, op. cit.*, p. 61 /43.

22. Cf. Louis Gardet, *La Cité musulmane*, Annexe III, pp. 360-361. A la sommaire bibliographie de la page 361, on peut joindre Saïd Ramadân (Frère Musulman en exil à Genève) *Islamic Law, its Scope and Equity*, London-Geneve, éd. P. R. Macmillan, 1961. — A noter l'existence de la branche féminine des « Sœurs Musulmanes ».

23. Ainsi l'ouvrage *Ishtirâkiyyat al-Islâm* (« Le socialisme de l'Islam ») de Mustafâ al-Sibâ'î (mort en 1959).

24. Cf. G. Delanoue, art, « *al-Ikhwân al-Muslimûn* », *EI*².

25. Une section des Frères Musulmans se serait fondée dans l'Algérie socialiste en mai 1975.

26. On pourrait citer, à des titres divers, le Libanais Subhî El-Sâleh, le Syrien (qui enseigne à la Mekke) Muhammad al-Mubârak, le Tunisien Tahar b. 'Ashûr, etc.

27. Sa célèbre *Cité Inique* (*Qarya zâlima :* le procès de Jésus à Jérusalem) a été traduite en français par R. Arnaldez, Paris, éd. Sinbad, 1973; un second ouvrage *al-Wâdî l-muqaddas* (« La Vallée Sainte ») est en cours de traduction.

28. Nous songeons à ses ouvrages '*Alâ hâmish al-Sîra* (« En marge de la Vie du Prophète ») Le Caire, 1933, et *al-Fitna al-kubrâ* (dont la première partie a été traduite en français sous le titre « La grande épreuve », *op. cit.*).

29. Ces quelques références seraient à élargir et compléter; cf. l'étude (sous presse) de G. C. Anawati, déjà citée.

30. « Sur le chemin de la résurrection »; programme toujours édité et diffusé en 'Irâq.

31. Et déjà la conférence de 1943 de Michel 'Aflâq, *Dhikrâ l-Rasûl al-'arabî*, « Commémoraison du Prophète arabe ».

32. On peut identifier Alawites et Nusayrîs; cf. ci-dessus, IIIe partie, chap. III, p. 234.

33. Cf. l'équilibre maintenu un temps entre « musulmans progressistes » et « chrétiens conservateurs », lors des interventions de l'actuel *Ba'th* syrien (1976) dans la guerre civile libanaise.

34. Cité dans *el-Moudjahid* (journal quotidien quasi officiel d'Alger), *Ba'th* syrien 24 février 1974.

35. Où elles s'effacent aujourd'hui au profit d'un retour au libéralisme économique.

36. Cette énumération n'est point exhaustive. Il conviendrait d'y joindre des pays musulmans d'Afrique noire; d'étudier par exemple comment le Mali entendit concilier un temps son Islam et l'adoption (sous l'influence de théoriciens français) d'une idéologie marxiste.

37. Actuellement, il n'est guère possible d'analyser de façon plus approfondie les origines de cette république, et il serait téméraire d'en prévoir l'évolution.

38. Cf. Muhammad Hamidullâh, dans *Islamic Quaterly*, 2, 1955, cité par M. Rodinson ap. *Islam et Capitalisme*.

39. Rejoignant ainsi, paradoxalement, l'effort ancien d'un Ibn Sa'ûd pour sédentariser ses Bédouins.

40. Les premiers en date : à la Mekke et au Caire en 1926; voir, avec quelques réf., L. Gardet : *La Cité musulmane*, pp. 357-359.

41. *al-Qadr*, qui évoque « la nuit du Destin », *laylat al-qadr*, l'un des sommets du mois de *ramadân*, qui fut celui de la guerre (« guerre du Kippur », réplique Israël).

42. Exclamation de foi qui, au temps de Nasser, avait été interdite dans l'armée égyptienne.

43. « La voie de la *Nahda* fut surtout pédagogique, dans tous les domaines, y compris sur le plan théologique. Une autre fut depuis ouverte, celle plus radicale de la *Thawra*. On peut lui donner comme date commode d'inauguration celle du renversement de Farouk, le 23 juillet 1952, et la prise de pouvoir, en Égypte, par les ' Officiers libres '. Deux années après, Nasser publia sa *Philosophie de la Révolution*. Une page était désormais tournée dans la politique et la pensée arabes. De l'Islam réformiste de la *Nahda*, on passa à l'Islam de choc de la *Thawra* (Révolution) », Mohammed Talbi, « Musulman aujourd'hui », *art. cit.*, p. 16. — Mais s'agit-il de *deux* voies comme semble le suggérer l'analyse de M. Talbi, ou d'une même voie qui, en quête d'efficacité, s'approfondit et se radicalise? Cf. ci-après, note 54.

44. Les *tanzîmât*, voir ci-dessus, chap. I, p. 293.

45. Paris, le Seuil, 1972.

46. M. Rodinson : *Islam et capitalisme*, p. 148.

47. 'Alî Fû'ad Basgîl, « La constitution et le régime politique » dans *Turquie*, Paris, Delagrave, p. 23; cité par M. Rodinson, *ibid.*, p. 140.

48. *Mémoires du Châh d'Iran*, trad. franç., Paris, Gallimard, 1961, pp. 138 et 142; cité par M. Rodinson, *ibid.*, p. 141.

49. *Ibid.*, p. 142.

50. *Ibid.*, p. 167 et surtout p. 185 et sq.

51. Nous sommes ici parfaitement d'accord avec M. Rodinson quand il écrit : « Il n'y a donc pas d'économie musulmane ou chrétienne, catholique ou protestante, française ou allemande, arabe ou turque, dionysiaque ou apollinienne » (*ibid.*, p. 225); mais beaucoup moins d'accord avec la phrase qui suit : « Tout cela ne peut être au maximum que des colorations *superficielles* (c'est nous qui soulignons) des choix économiques fondamentaux. » En fait, ces choix sont ou devraient être commandés par des valeurs qui ne sont pas qu'économiques.

52. Selon les expressions de M. H. Laoust, cf. ci-dessus, IIe partie, chap. III, p. 159.

53. Ainsi l'article de M. H. Haykal « Le communisme et nous », paru dès 1961 dans le quotidien « officieux » d'Égypte, *al-Ahrâm*.

54. L'avant-projet de la *Charte Nationale* algérienne, promulgué le 26 avril 1976, souligne le lien vécu qui doit unir Islam et socialisme. C'est le socialisme qui redonnera à l'Islam tout son éclat, en le conduisant à « dépasser le réformisme et [à] s'engager dans la voie de la révolution sociale » (texte ap. *Révolution africaine*, avril-mai 1976, titre I « L'édification de la société socialiste », § « Le socialisme et l'Islam »). Le projet final de la *Charte* (22 juin 1976), tel qu'il a été voté au suffrage universel, déclare l'Islam « religion d'État », tout en professant « la liberté de conscience ».

55. Après avoir été durement et cruellement combattu par un précédent gouvernement, renversé par le *Ba'th*.

56. Pour la position du christianisme face au socialisme (ou plutôt aux socialismes), voir la Lettre Apostolique *Octogesima adveniens* du Pape Paul VI, et sa double condamnation du marxisme et du libéralisme, à la fois comme idéologies et comme principes absolus d'organisation économique.

CHAPITRE V

LE RENOUVEAU ET LA MUTATION DES MENTALITÉS

La diversité des mentalités et du comportement des hommes de l'Islam est peut-être plus grande de nos jours qu'elle ne le fut jamais.

La mutation en cours est un thème sans cesse repris par des monographies, des ouvrages collectifs, des colloques, en langues arabe ou ûrdue par exemple, parfois en langues européennes [1]. Cette prise de conscience qui s'opéra à partir de la fin du XIXe siècle, ne cesse de s'approfondir. La réunion de Bandoeng (ou Bandung) en 1955, et la solidarité affirmée depuis lors à l'égard du Tiers Monde, ouvrent de nouvelles dimensions. Solidarité, mais non point destin identique. Récemment encore, le Prof. Fû'ad Zakariyyâ distinguait nettement le « sous-développement » des peuples et États qui ne vécurent point, dans le passé, une ère d'épanouissement culturel, et le « retard » de ceux qui, tels les Arabes, furent jadis à l'avant-garde des pays civilisés. Et ce n'est certes pas, ajoutait-il, la nostalgie d'un passé révolu qui permettra de vaincre ce retard. Il ne s'agit pas, sous prétexte de renouveau, de « regarder en arrière [2] ».

I. — MUTATIONS ET CONFLITS

Traditionalisme et « modernité »

Le monde clos en lequel des sociétés musulmanes s'étaient repliées durant l'âge des déclins craque de toute part. Les solutions économiques, les choix politiques, peuvent être très divers de pays à pays. Mais sous cette diversité se retrouve un même souffle de rénovation, une même volonté d'indépendance à l'égard des tutelles étrangères. Si bien qu'en tout pays musulman coexistent d'une part de larges couches de populations encore tout imprégnées des mœurs et des coutumes traditionnelles, d'autre part des milieux, riches ou pauvres, aux prises avec une « modernité » ou simplement subie, ou recherchée pour elle-même. Les lois qui gouvernaient l'*adab*, cet art de vivre ancestral, sont remises en cause par une jeunesse soucieuse d'affirmer ses raisons de vivre, et de conquérir, face aux pays industrialisés de l'Ouest ou de l'Est, une fierté renouvelée.

Un « modernisme » en recherche de lui-même n'est peut-être pas chose nouvelle en pays d'Islam. C'est ainsi qu'aux mainteneurs de la foi durent apparaître jadis la *falsafa* et son rationalisme grec, ou les cercles humanistes qu'illustrèrent par exemple les 'Amîrî et Miskawayh. Mais il s'agissait alors d'options intellectuelles qui ne touchaient qu'un petit nombre, au sein d'une société ouverte, dont les structures s'affirmaient toujours valables. Autrement profonds sont les bouleversements actuels. Au temps du déclin, le repli sur le passé se solda par un terrible décalage entre les sociétés musulmanes traditionnelles et la société internationale des pays nantis. L'appel à la « modernité » est bien plus qu'un « modernisme » d'ordre intellectuel. Il prend l'aspect d'une radicale remise en question, où parfois semble prête à sombrer la spécificité d'une culture et d'une civilisation qui se crurent pendant des siècles la seule culture et la seule civilisation musulmanes possibles.

De nombreux facteurs entrent ici en jeu. Signalons-en quelques-uns. Avant tout, l'influence des mass media. Les pays d'Islam, en leurs couches les plus populaires, sont friands de radio et de télévision. Compte tenu de la pauvreté des masses et de leur médiocre niveau de vie, le pourcentage des postes récepteurs est élevé. Ainsi se répand une propagande très officielle, dans les pays surtout qui se réclament d'une idéologie d'État. Il n'est que de se rappeler l'effervescence du Caire et de ses banlieues, — quelque sept ou huit millions d'habitants, — les jours où étaient retransmis, en direct souvent, les longs discours de 'Abd al-Nâsir. Mais radios et télévisions captent aussi des émissions « étrangères », musulmanes et non musulmanes. Une sensibilité nouvelle ne cesse de s'ouvrir aux problèmes mondiaux, aux propagandes les plus diverses, aux manières de vivre et de réagir des « autres ». En bien des familles musulmanes d'aujourd'hui, les enfants sont les premiers à réclamer les émissions venues d'ailleurs...

Et les plus pauvres, qui ne pourraient avoir de postes à domicile, se regroupent volontiers, à la sortie du travail ou au cours des loisirs forcés du chômage, dans les cafés. On y retrouve, transposées, les habitudes de vie sociale de toujours, la vie des *sûq*(s) et des médinas. Aujourd'hui, dans ces cafés, on écoute ou regarde les émissions du jour. Les alphabétisés, de plus en plus nombreux, y lisent les journaux, les commentent et les discutent avec ceux qui ne lisent pas. La presse arabe a déjà une longue histoire, et qui fut abondamment étudiée. Son rôle politique et social est indéniable. Il s'exerça longtemps sur la moyenne et petite bourgeoisie, et sur le monde estudiantin. Il s'étend aujourd'hui sur de larges couches populaires.

Le peuple des villes accède, plus rapidement qu'à la campagne ou sous les tentes nomades, à de nouveaux modes de vie. L'artisanat n'est pas mort. Mais l'industrialisation sans cesse plus poussée transforme la masse des artisans, et un bon nombre de ruraux, en ouvriers d'usine, — des ouvriers qui ont des droits, les connaissent et les exercent. La mentalité artisanale traditionnelle, longtemps dominante, coexiste avec puis s'efface devant la mentalité ouvrière de l'ère industrielle. A leur retour au pays, les émigrés que le chômage conduisit en Europe rapportent des schémas voire des habitudes de lutte ouvrière. Les uns maintiennent avec fermeté leur foi musulmane, d'autres la relativisent, — mais ce ne sont plus les cadres immobiles de la tradition qui en mesurent la réalité.

La démocratisation progressive de l'enseignement, qui se poursuit jusqu'aux études supérieures, la scolarisation des filles, et le nombre croissant des étudiants et étudiantes dans les Universités d'État, tendent à opérer un brassage des catégories sociales. Elles existent toujours, mais beaucoup moins fixées que jadis. Ou plutôt, par-delà les fixations des siècles de déclin, elles retrouvent la fluidité qu'elles avaient aux âges classiques, voire une fluidité plus grande encore. Des gouvernants, bien des officiers de grade supérieur sont d'origine populaire ou quasi populaire. Les chefs d'armée jouèrent toujours un grand rôle dans les pays d'Islam. Aujourd'hui, ce sont des officiers venus de milieux pauvres ou assez pauvres qui firent les révolutions égyptienne et libyenne, qui gouvernent en Syrie, ou qui, après la dure épreuve d'une guerre populaire, devinrent les cadres de l'Algérie nouvelle. Et l'Algérie entend faire de son armée populaire, chargée de tâches sociales, une école pour ses jeunes.

Il est vrai, les pays qui s'essaient au socialisme souffrent d'une classe nouvelle de petits fonctionnaires et de bureaucrates, nouveaux « privilégiés » (si peu !), et qui souvent freinent plutôt qu'ils n'animent les transformations en cours. Lutter contre les lenteurs administratives et leur poids de « papier », ou contre d'éventuelles malversations? Voici que l'Algérie fait appel à des étudiants volontaires pour expliquer au paysan le sens et la nécessité de la réforme agraire, et s'essayer à la mettre en place avec eux. Presque toutes les catégories sociales que nous avons rencontrées dans les cités de l'âge classique pourraient être réexaminées; d'un point de vue phénoménologique, ce sont des différences radicales d'avec le passé qui tout d'abord apparaîtraient.

Mais plus profondément : y a-t-il toujours un impact de l'Islam, ou s'agit-il de modèles étrangers, capitalisme libéral ou socialisme marxiste, dont les survivances de l'Islam s'accommoderaient de leur mieux? — « Nous sommes des socialistes et des musulmans, nous ne sommes pas des marxistes », disait le président Boumediène fin octobre 1974 [3]; et de s'opposer à nouveau à toute idéologie athée et au « dogme » de la lutte des classes. Comment réagira ici le musulman « modernisé »?

Reconnaissons que l'alphabétisation largement et heureusement poursuivie, l'ouverture aux modes de pensée et aux techniques d'Occident, — et le marxisme est d'abord une importation d'origine occidentale, — tendent à imposer à toute une jeunesse un statut révolutionnaire. Une précision cependant. Les pays « qui ont fait leur révolution » et sont à la recherche d'un socialisme de facture originale, ont besoin du soutien et de l'enthousiasme des jeunes. Ils s'efforcent en général de les éduquer civiquement dans les cadres d'un parti unique, selon des lignes de force où s'allient avec plus ou moins de bonheur, mais de façon indissociable, valeurs musulmanes et révolution sociale. Les annuels « Séminaires de la pensée islamique », officiellement organisés en Algérie, et où se font jour certaines tendances que l'on pourrait dire « intégristes », en sont un indice. Par ailleurs, l'étude des manuels scolaires imposés par l'État serait éclairante. Au gré des idéologies officielles, s'opère comme un dosage entre inspiration musulmane et « idées modernes », cependant qu'est soulignée l'influence de la première sur les secondes. Les plus impatients parmi les jeunes bousculeraient volontiers les cadres proposés, et des tendances marxisantes se font jour. Elles ne sont en général le fait que des plus occidentalisés.

Par contre, en certains pays « qui n'ont pas fait leur révolution », qui restent de style capitaliste, et sont en contact fréquent avec les pays occidentaux [4], l'opposition estudiantine aura tendance à se porter aux extrêmes. Elle ira à récuser les valeurs d'Islam, dans la mesure où il s'agit d'un Islam traditionnel officiellement affirmé, voire prêché. Mal armée pour concevoir une autre révolution possible, ce ne sont pas seulement les analyses marxistes, c'est l'idéologie marxiste elle-même qui aura ses faveurs. Mais il convient de ne pas transposer trop vite. Souvent la flambée marxiste ne dure qu'un temps, — les années d'Université. Relativement rare est une option définitive, qui ferait dans l'avenir et pour la vie, de l'étudiant contestataire un militant résolu. Nombre d'entre eux, une fois acquise la situation recherchée, se laisseront reprendre par tous les liens familiaux, y compris une affirmation de principe de la foi musulmane. Il ne s'agira nullement d'observances strictes, mais plutôt d'un recours global à la « foi des Ancêtres ».

En un sens, — et la remarque vaut pour tout l'Islam contemporain, ou presque, — l'évolution des mœurs est comme en retard sur la mutation des esprits. L'attachement à la famille, au sens large de famille agnatique, reste vif. La bénédiction du chef de famille est toujours reçue comme une source de bonheur garanti, et sa malédiction, source de malheur, est extrêmement redoutée. Les sous-univers mentaux de l'enfance réapparaissent à l'âge adulte dans le comportement quotidien. De fortes personnalités parviennent sans doute à les dominer et à les critiquer. Il y faut beaucoup de courage, et un courage lucide.

Récuser en bloc tout l'apport musulman n'est qu'une solution de facilité. Il est plus ardu d'en resaisir, dans une liberté de pensée recouvrée, les valeurs authentiques.

En dépit de certaines affirmations, qui sont rares, un total agnosticisme, et encore plus un total athéisme, n'apparaît guère. On a pu parler de « désislamisation » : oui, si l'on s'en tient à une désaffection à l'égard des *'ibâdât*, les règles cultuelles impérées; non, si l'on entend par là un reniement de la foi en Dieu. Cette prétendue désislamisation n'est en rien comparable à la déchristianisation vécue par de larges couches sociales d'Occident. A coup sûr, il est des Musulmans pieux qui entendent rester fidèles, dans le rythme même de la vie moderne, et malgré lui, à ces « devoirs personnels » que sont les « piliers de l'Islam ». Mais plus nombreux peut-être ceux qui, sans les mépriser, les négligent. D'une part, les pratiques de l'Islam, avant tout ces pratiques privilégiées que sont les cinq prières liturgiques quotidiennes et le jeûne du *ramadân*, continuent de rythmer la vie sociale. Lors des Sommets islamiques, la participation des chefs d'État est requise à la prière officielle du vendredi. Le strict jeûne diurne du *ramadân* ne saurait être publiquement rompu. Le grand pèlerinage annuel de la Mekke garde sa valeur irremplaçable de rassembleur de toutes les diversités dans l'unique et commune offrande de soi à la « station » de 'Arafât [5]. Les « piliers » que sont les grandes obligations cultuelles restent le « blason », les rites mêmes de l'Islam. Mais d'autre part, individuellement et parfois communautairement, leur rigueur s'estompent. Bien des exemples en pourraient être donnés.

Cette dualité est-elle une simple étape vers une laïcisation généralisée de type occidental? Ou ne serait-elle pas, aussi bien, le signe d'une réaction des consciences contre tout risque de juridisme? Il y eut des écoles qui considéraient les « actes des membres », entendons l'observance des obligations cultuelles, comme une partie intégrante de la foi. Mais les tendances majoritaires font de la foi seule, foi-adhésion du cœur et /ou foi-témoignage du cœur et de la langue, la condition du salut. Négliger les observances prescrites ne veut point forcément dire s'écarter de l'Islam. La jeunesse musulmane d'aujourd'hui, alors même qu'elle se soucie bien peu de la « pratique » et prend avec les règles cultuelles une fort grande liberté, aimera parler des *sâlihât*, des actes authentiquement bons, qui témoigneraient d'une vraie foi [6]. Presque toujours, même chez les non « pratiquants », continueront de s'affirmer la foi en Dieu et l'attachement au texte coranique. Et quand, voici une quinzaine d'années, un officier syrien proposa le rejet de l'Islam, voire de Dieu, au nom du nécessaire développement socio-économique à promouvoir, le très laïque *Ba'th* dut, sous la pression de l'opinion publique, chrétienne d'ailleurs aussi bien que musulmane, le citer à comparaître et sévir contre lui.

Le conflit des générations

En son aspect le plus visible, la mutation des mentalités se présente d'abord, nous l'avons dit, comme un conflit de générations. Ce ne sont pas seulement des oppositions et des différences qui sont en jeu, mais bien un « saut qualitatif [7] ». Depuis trois ou quatre décennies ou moins, nombreuses furent les familles musulmanes déchirées par la contestation des jeunes, leurs revendications critiques à l'égard de tout ce qui faisait, depuis des siècles, les raisons de vivre et les structures de la société.

L'un des représentants les plus en vue de cette jeunesse musulmane affrontée aux prestiges de la « modernité », et occidentalisé au point d'avoir choisi une langue européenne, ici le français, comme son mode d'expression, définit ainsi « les éléments de la structure mentale » de la « bourgeoisie arabe » : « prudence, parcimonie, attachement à l'ordre, à la tradition, à la religion, mépris du bédouinisme et de la ruralité, grande considération pour l'ancienneté du lignage autant que pour la citadinité, valorisation aussi de la propriété privée [8] ». Et contre cette « structure mentale » prise comme un tout, une jeunesse impatiente réagit avec force. Conflit des générations? Oui, mais particulièrement douloureux et déchirant de par l'attachement atavique au milieu familial, allant de pair avec la volonté d'être soi-même, de n'être ni le pur produit secrété par cette famille dont on a tant souffert mais dont on reste membre par toutes les fibres de l'être, ni la copie dépersonnalisée d'un Occident que l'on envie et exècre à la fois. « Réformer l'homme arabe, écrit encore Hichem Djaït, ce n'est ni viser la reproduction de l'homme arabe historique, ni appeler à sa conversion au schéma occidental [9] ». Et ce qui est dit ici de l'homme arabe par un Arabe pourrait aussi bien s'appliquer au musulman turc, iranien, indo-pakistanais, indonésien.

Le terme d' « authenticité » *(al-asâla)*, qui connote en arabe une idée de « pureté d'origine », est porteur de nos jours d'une forte charge affective [10]. Les sujetions passées, et l'emprise de la culture occidentale qu'elles imposaient, laissent à une jeune *intelligentsia* le sentiment douloureux d'une perte de soi, d'un « colonialisme culturel » qu'il s'agit d'abolir jusqu'en ses racines [11]. Être soi-même, authentiquement soi-même en ce monde du xxe siècle, dans un double élan révolutionnaire contre les structures d'un passé étouffant, et contre tout modèle importé de l'extérieur...

Parfois l'« authenticité » sera recherchée indépendamment de toute référence à l'Islam; et telle serait la ligne propre des révolutions ba'thistes. Mais, plus souvent, c'est de la redécouverte d'un Islam « authentique » et pérenne qu'elle sera attendue. Telle est, pour nous borner à cet exemple, la ligne même de recherche de l'actuel Islam indien. Nous songeons à la grande entreprise de l'*Indian Institute of Islamic Studies*, fondé à New Delhi par le Hakîm 'Abdul Hamîd [12], ou au mouvement et à la revue animés, à New Delhi également, par le Dr. 'Âbid Husayn, *Islam and Modern Age Society*. Il est vrai, il ne s'agit plus ici d'une jeunesse en révolte, mais de tentatives délibérément poursuivies par de grands aînés.

Car la lutte engagée a commencée dès le deuxième quart de ce siècle, et les jeunes d'alors sont devenus adultes et hommes d'âge. Si bien que nous aurons affaire tantôt à des familles traditionnelles aux prises avec le conflit des générations, dans la mesure où les revendications deviennent de lustre en lustre plus radicales, et tantôt à des milieux familiaux déjà ouverts à la « modernité ». Les esprits soucieux de cette ouverture se recrutent surtout parmi les professions libérales et intellectuelles, et déjà longue est en Inde l'opposition entre l'école de Deobend au strict hanafisme et l'école d'Alîgarh influencée par le mouvement moderniste-réformateur. Les masses populaires au contraire, et la grande et petite bourgeoisie des hommes de religion, des commerçants et des propriétaires fonciers, restent bien souvent repliées sur les structures du passé. Le conflit qui en résulte sera la toile de fond privilégiée de tant de récits ou romans qui mettent aux prises la « prudence, parcimonie, attachement à l'ordre, à la tradition, à la religion » des cadres familiaux, et l'idéal de révolte et d'affirmation de soi des plus jeunes.

C'est le thème central de toute une littérature arabe contemporaine. Les célèbres romans-fleuve de l'Egyptien Nagîb Mahfûẓ, le succès qu'ils rencontrent et jusqu'à leur adaptation cinématographique, en sont une illustration. Significative est l'attitude de deux frères selon le sang, personnages centraux du principal roman, optant l'un pour les Frères Musulmans, l'autre pour le marxisme. C'est dans la même veine que le romancier marocain ʿAbd al-Karîm Ghallâb publia à Beyrouth en 1966 son *Dafannâ l-mâdî* (« Nous avons enterré le passé »); cependant que les récits tunisiens du Français A. Demeerseman, *Lumières et Ombres au Maghreb* [13] esquissent une très précieuse typologie, variée et nuancée, des mentalités qui s'affrontent. — Faut-il ajouter que les témoignages les plus outranciers se retrouveraient en des œuvres de Maghrébins s'exprimant en français, tel un Driss Chraïbi?

Indépendance et liberté

Si ce conflit des générations revêt une acuité toujours plus grande, du moins en pays arabes et arabisés, c'est que beaucoup de jeunes hommes qui accèdent aujourd'hui à l'âge adulte ont forgé leur personnalité dans la lutte politique, très souvent dans le combat par les armes, ou que leur enfance en fut, à l'arrière-plan, toute imprégnée. Qu'il s'agisse du réformisme à références religieuses, ou du propos laïciste du *Baʿth*, les lignes idéologiques diverses qui s'entrecroisaient dans le « renouveau » ne pouvaient qu'inciter, condition de base inéluctable, à secouer toute tutelle étrangère. Le « renouveau » dès lors se mua en « révolution ». De la révolte des étudiants égyptiens contre la présence britannique à la guerre populaire d'Algérie, à son climat de maquis, de camps d'internement, de tortures subies, toutes les formes de lutte, et jusqu'aux plus dures et aux plus sanglantes, se retrouvent. Elles furent préparées parfois, et en un sens se prolongent, par la brutale rencontre des « migrants », ouvriers ou étudiants, avec le style de vie et les préjugés de l'homme européen. — Leur répond, sur un plan de politique étrangère, la guerre d'Israël qui apparaît avant tout, à la conscience des peuples arabes, comme un nouveau combat contre l'*isti'mâr*, l'impérialisme occidental.

C'est la guerre d'Israël, et ses échecs de 1948, qui fut à l'origine du groupe des « officiers libres » égyptiens, de leurs révolutions de 1952-1953 qui transformèrent la royauté des Khédives en République démocratique populaire, et de la vocation de 'Abd al-Nâsir. Elle fut et reste prégnante de la prise de conscience opérée par les Palestiniens, musulmans et chrétiens, et de leur vouloir national. Entre temps, la guerre d'Algérie, et comme elle et avec elle en mineur, les autres luttes pour l'indépendance bousculèrent profondément les cadres d'une société naguère très traditionnelle. En Algérie, la présence de militantes dans les maquis ruraux ou urbains a posé à l'aigu le problème de la femme.

Une autre forme de « combat », ou si l'on préfère d'« état violent » se rencontre dans la vie quotidienne du « migrant » venu chercher en Europe son pain et le pain de sa famille ou la culture de l'esprit. Coupé d'un milieu ancestral qui l'enfermait et le protégeait à la fois, il ira spontanément vers ceux qui défendront sa situation précaire. Une marxisation ou voulue ou quasi inconsciente en sera souvent la conséquence. Mais parfois se fera jour une affirmation délibérée d'appartenance islamique, d'autant plus nette que se multiplieront à l'égard des Maghrébins ou des Turcs les incompréhensions et les ignorances. L'effort d'accueil et d'ouverture d'évêques ou prêtres catholiques, de pasteurs protestants, et de chrétiens laïcs, mérite d'être signalé.

Or, c'est un fait constant que des luttes menées pour l'indépendance se présentent comme révolutionnaires, non seulement dans leurs conquêtes politiques, mais dans les transformations socio-économiques qu'elles entendent mettre en place. Et plus dures furent les luttes, plus révolutionnaires les objectifs recherchés [14]. La révolution, *thawra*, est devenue, conjointement avec l'« authenticité », une idée-force privilégiée. La résistance palestinienne est « révolution », — bien plus imprégnée de marxisme, ajoutons-le, dans ses leaders d'origine chrétienne, le « modéré » Nayef Awatmeh ou l'« extrêmiste » Georges Habbache, que dans ses chefs musulmans tel Arafat. L'Algérie se définit comme « république démocratique et populaire » et parle volontiers de « révolution culturelle » : entendant désigner par là un bouleversement aussi radical que celui de la Chine populaire, mais selon des cadres de pensée qui ne cessent d'en appeler aux valeurs fondamentales de l'Islam [15]. Et « révolutions » sont les réformes agraires. l'industrialisation et l'alphabétisation poursuivies.

Révolution et indépendance (politique et économique) sont étroitement liées dans les consciences à l'idée de liberté. L'indépendance est *istiqlâl;* la liberté, *hurriyya:* liberté d'autonomie ou d'exultation d'un peuple enfin maître de son destin [16]. Le problème du fondement ontologique de la liberté de choix, du libre arbitre *(ikhtiyâr)*, problème qui fut jadis l'objet de tant de discussions dans les écoles musulmanes, n'est guère soulevé. La *hurriyya* ne pose pas le problème de la liberté humaine face à la Toute-Puissance divine; elle affirme globalement, comme un fait, la liberté de l'individu et du peuple, la première n'existant que dans et par la seconde. La liberté ici ne s'oppose aucunement au sens communautaire de l'existence, elle le suppose au contraire, l'exalte comme un *background* obligé, et s'en nourrit.

Nous avons noté que, pendant des siècles, la négation ash'arite du libre arbitre humain fit presque figure de dogme, et ne fut pas sans contribuer à l'acceptation résignée qui domina dans le peuple des pauvres. Or, l'actuelle exaltation de la *hurriyya* s'inscrit comme de soi contre l'attitude ash'arite. De la résignation, du prétendu « fatalisme de l'Islam » à la mise en œuvre de la responsabilité humaine, personnelle et collective, peut-être est-ce là la mutation des mentalités qui marquera le plus visiblement le passage de l'âge des déclins à l'ère du renouveau. « Le comportement moral de l'homme, dira l'Egyptien Khâlid Muhammad Khâlid, n'est pas un *qadar* », un décret imposé par Dieu, mais « le fruit des circonstances » [17]. C'est dès lors dans la maîtrise de ces « circonstances » que s'exercera la liberté; et nombre de jeunes penseurs musulmans s'efforcent d'en étudier les possibilités et les limites. Pour ce faire, c'est volontiers aux actuelles « sciences humaines » qu'ils s'adresseront, tout prêts à y chercher une norme d'objectivité qui soit comme le critère des « sciences religieuses » elles-mêmes.

Dans le peuple en tout cas, le fameux *maktûb* ou *maqdûr*, « c'est écrit », « c'est décrété », cesse d'être la réponse à toutes les misères et sujétions. Et les *tullâb*, ou étudiants en sciences religieuses, cessent de privilégier la position ash'arite. Certains ressentiront cette attitude nouvelle comme une rupture d'avec l'Islam; mais d'autres, les plus nombreux semble-t-il, y verront un retour à un Islam plus authentique. Les Mu'tazilites, ces tout premiers « théologiens », qui furent les grands défenseurs de la liberté humaine, et condamnés de ce fait, connaissent un regain de faveur [18]. Les études qui leur sont consacrées se multiplient [19]. Un certain pluralisme philosophico-théologique se fait jour.

L'interprétation des textes coraniques contrastés, — Toute-Puissance divine, responsabilité humaine, — s'assouplit. S'il est des occidentalisés qui s'attachent à suivre les méandres du marxisme freudien ou des analyses structurales, peut-être assistons-nous par ailleurs aux premiers essais d'une anthropologie musulmane, s'inspirant à la fois des recherches et réflexions du passé et de l'acquis critiqué et situé des actuelles sciences de l'homme.

Ce n'est pas là une attitude d'humanistes coupés du peuple. Cette mentalité nouvelle est celle des travailleurs manuels aussi bien qu'intellectuels. Sans doute la mutation s'affirme-t-elle plus rapide dans les milieux urbains que dans le peuple des campagnes. Mais les réformes agraires et l'industrialisation de l'agriculture ne valoriseront-elles pas à leur tour le sens des responsabilités? Aujourd'hui le musulman croyant, quelle que soit sa situation sociale, dira volontiers que si Dieu est à l'origine de tout bien, c'est à l'homme de le faire fructifier, et que l'homme seul est responsable de ses échecs. « Tout bien qui t'arrive vient de Dieu; tout mal qui t'arrive vient de toi », affirme le Coran (4,79); et encore : « Quiconque veut croire, qu'il soit croyant; et quiconque veut être infidèle qu'il soit infidèle » (18,29).

Du Mahdî sauveur au Chef charismatique

Ce sens nouveau de la liberté n'est pas la seule conséquence des luttes contre les dominations étrangères. Nous avons dit déjà la désaffection actuelle à l'égard des Confréries religieuses. Ici ou là, spécialement au Maroc et en Egypte, un effort de rénovation des Confréries se dessine sans doute. Il reste que la piété populaire ne saurait plus se définir par les seules séances de *dhikr*, la recherche des « états spirituels » exaltants, la dévotion au *shaykh* et le culte des saints. « L'Islam en quelques années, écrit Hichem Djaït, a fortement évolué en évacuant de la conscience populaire le mysticisme maraboutique » [20].

A-t-il évacué également l'attente du *Mahdî* sauveur? Pour une large part, oui, dans la mesure où le salut temporel n'est plus demandé au surgissement miraculeux de l'« homme du Destin », mais à l'accomplissement de tâches auxquelles tous se doivent de collaborer. Mais l'attente d'interventions divines discontinues dans l'histoire humaine est trop profondément ancrée dans les esprits et les cœurs pour ne pas réapparaître sous d'autres modes.

Volontiers nous expliquerions par là cet attachement au leader, au *za'îm*, au Chef charismatique, qui est l'une des images de marque de la conscience politique musulmane, voire de la politique des États. « C'est l'*Imâm* des temps modernes », a pu dire Jacques Berque [21]. L'affectivité vibrante dont se revêtit naguère, bien au-delà des frontières égyptiennes, l'adhésion à 'Abd al-Nâsir, en dépit de maints échecs de sa politique, l'explosion de deuil populaire lors de ses funérailles, en restent un exemple. L'attachement au Chef charismatique cependant n'a point la valeur d'absolu dont se revêtait l'attente du *Mahdî*. Tandis que l'une des notes de cette dernière était de n'être jamais comblée qu'en espérance, c'est à des réalisations concrètes que se mesure la ferveur vouée au *za'îm*. Par là même, elle peu être fluctuante, et honnir demain celui qui, hier, était vénéré [22]. Elle peut connaître le jeu des oppositions et des débats politiques. Elle n'en sera pas moins l'un des principaux moteurs d'action. Car ce qui est demandé d'abord au *za'îm*, c'est d'arracher le peuple à tout état de sujétion et d'humiliation, et de lui redonner le sens de sa dignité.

II. — LES MENTALITÉS NOUVELLES ET LEUR CONDITIONNEMENT

C'est en tout acte de la vie, et jusque dans le comportement le plus quotidien que se manifestent les signes annonciateurs de cette mentalité nouvelle. Nous en prendrons deux exemples : l'évolution du milieu familial, et donc le problème de l'éducation et du rôle de la femme; l'attitude de l'homme musulman face au socialisme.

Le milieu familial. Evolution de la femme

C'est au sein de la famille que se forment d'abord les mentalités. De nos jours, le conflit des générations s'y manifeste à l'aigu. Sans écarter forcément les valeurs traditionnelles de respect, la soumission aveugle au chef de famille apparaît comme une contrainte injustifiée et injustifiable. Déjà, le Réformiste salafî Rashîd Ridâ avait écrit, dans le commentaire coranique du *Manâr*, qu'empêcher un fils de suivre, pour le choix de sa profession, un attrait fondé sur des dons naturels, serait exercer à son égard une injuste oppression. Il n'en pourrait résulter, ajoutait-il, que de douloureux conflits au sein de la famille [23]. C'est au nom même du sens musulman de la personne humaine qu'est demandée ici cette liberté de choix. De fait, la généralisation de l'enseignement, non seulement primaire et secondaire, mais supérieur, et qui devient, dans les pays socialisés, entièrement gratuit, ouvre des larges possibilités de mutations sociales. L'artisan, par ailleurs, se transforme de plus en plus en ouvrier spécialisé ou en technicien. Si bien que les nationalisations à mesure qu'elles se multiplient s'inscrivent contre la pérennité des petites entreprises familiales, et donc contre le pouvoir quasi absolu du père, à la fois chef de famille et patron.

Mais l'éducation des filles et le rôle de la femme restent le problème majeur. Se rejoignent ici, en un commun élan évolutif de profondes mutations qui portent à la fois sur la vie sociale et sur le sens traditionnel de la sexualité. Les *Salafiyya*, sur ce point, avaient été prudents. Ils s'élevaient contre les « exagérations » qui feraient sortir la femme du rôle qui lui est propre. Ils n'en demandaient pas moins que lui fût reconnue une participation possible à la vie de la Cité; et que non seulement lui fût assuré un enseignement de base, mais que sa formation religieuse, morale et civique fût en honneur dans les institutions et collèges qui lui seraient consacrés [24].

Il y eut, en Egypte par exemple, des « mouvements féministes » d'allure très occidentale, et les noms de plusieurs leaders féminins sont restés célèbres. Il y eut (il y a encore) des « Sœurs Musulmanes », réplique des Frères Musulmans, se déclarant attachées aux plus strictes lois de l'Islam. Et le voile sur le visage devient parfois comme un symbole d'attachement à la religion. Symbole trompeur, rétorquent les modernistes de toute tendance : ce n'est aucunement là une prescription absolue de la Loi coranique [25]. Bien des États musulmans modernes luttèrent contre le port du voile. En fait, il tend ou à disparaître, dans les milieux intellectuels surtout, ou du moins à laisser le visage découvert. Sur ce point, les coutumes varient encore selon les pays et les classes sociales. Mais on en fait de moins en moins, semble-t-il, une stricte obligation islamique. Il est caractéristique que les Sœurs Musulmanes elles-mêmes, après avoir arboré un grand voile noir masquant le visage, se bornent souvent à porter un simple voile, blanc ou de couleur, sur la tête.

Dans les pays « qui ont fait leur révolution », les enseignements, sinon secondaires, du moins supérieurs, sont le plus souvent mixtes. C'est donc une camaraderie nouvelle qui surgit entre garçons et filles, une liberté nouvelle d'allure et de mœurs. La grande revendication du poète libanais Nazar Qabbânî est que l'homme arabe cesse de considérer la femme comme un « objet sexuel », et voie d'abord en elle une amie [26]. Si les mariages restent soumis à l'autorité parentale, il ne saurait plus guère être question du fameux « droit de *jabr* (contrainte) », contre lequel s'étaient élevés déjà les *Salafiyya :* et c'est parfois à l'encontre des décisions des chefs de famille que les unions se contractent. C'est là un fait nouveau, et dont la possibilité fut conquise, souvent, de haute lutte [27].

A vrai dire, les progrès du féminisme sont bien plus sensibles en droit public, où l'égalité de la femme et de l'homme est volontiers reconnue, qu'en droit privé [28]. Presque partout les femmes musulmanes accèdent aux professions rémunérées, ouvrières d'usine, infirmières, institutrices, professeurs de lycée et d'université, médecins, avocates, juges même [29]... Récemment encore, il est vrai, la grande mosquée d'al-Azhar, en Egypte, s'appuyant (un peu vite) sur des textes coraniques concernant le témoignage, se prononça contre l'accession de la femme à la fonction de procureur. Combat d'arrière-garde, semble-t-il. L'Algérie, l'un des pays où la situation de la femme était restée la plus traditionnelle, a, depuis la guerre d'indépendance, son Union Nationale des Femmes Algérienne [30]. En 1974 le président Boumediène prononça, à un congrès de l'U.N.F.A., un discours programme sur l'évolution et le rôle positif de la femme dans la nation. Ce discours du chef de l'État ne fut pas sans soulever de sourdes oppositions dans les milieux traditionalistes. Il n'en ouvre pas moins la porte à une évolution nécessaire. Un peu partout en effet le souci des États musulmans les plus modernes est de canaliser et de diriger cette profonde mutation des mœurs. L'actuelle « société permissive » d'Occident, ses licences dans le costume et les mœurs, et sa liberté sexuelle, n'est pas sans attirer bien des jeunes gens et jeunes filles. Un moralisme, hautement maintenu dans les pays socialisés, s'y oppose, non sans violence au besoin. Et de mettre en regard la sagesse et la mesure des principes islamiques et le « dévergondage » du capitalisme matérialiste d'Occident [31].

La vision traditionnelle de la femme musulmane, confinée au harem, soumise aux aléas de la polygamie et de la répudiation, à la légitimité du concubinage [32], appartient au passé. Les codes promulgués rendent difficile les répudiations *ad nutum*. Bien des commentateurs soulignent que, loin d'être une exigence coranique, ce n'était là qu'une concession à la faiblesse humaine; il est donc non seulement licite, disent-ils, mais méritoire de la dépasser. Plutôt que des répudiations, ce sont des divorces devant le juge, légalement garantis, qui sont envisagés. Et la monogamie est devenue la règle la plus courante, ou conformément aux lois de l'État comme en Tunisie, ou de fait dans tous les milieux soucieux de « modernité ». Depuis longtemps, les Réformistes la recommandent. Les exigences dont la Loi religieuse entoure la polygamie, aiment-ils à dire, ne sont plus réalisables dans le monde actuel; c'est donc être fidèle à l'esprit du Coran que d'y renoncer [33]. L'évolution est sensible dans les pays les plus conservateurs. Le roi Ibn Sa'ûd d'Arabie était abondamment polygame. Son fils le roi Faysal fut monogame, et la reine 'Izza Effat voyagea en Europe.

Ces profondes transformations du milieu familial ne vont pas sans heurts. Familles traditionnelles et familles modernisées cœxistent. Et nombre de ces dernières se réclament d'un Islam mieux connu et mieux compris. La question posée aux sociétés musulmanes semble bien être celle-ci : les cadres anciens, agnatiques et endogames, pourront-ils évoluer vers des structures plus souples, centrées sur le « foyer », sur l'union et la complémentarité de l'homme et de la femme, et non plus sur la sujétion de la seconde au premier? ou l'éclatement de la famille agnatique devra-t-elle se solder par une « libération sexuelle » qui serait l'effritement de la notion même de famille? C'est le premier membre de l'alternative dont se réclament les hommes et les femmes qui se veulent à la fois modernes et croyants; c'est trop souvent dans les tourbillons du second que risquent d'être pris les « désislamisés ».

De jeunes sociologues musulmans se sont penchés sur le problème. A la suite de M. Hichem Djaït [34], nous pouvons souligner deux facteurs qui pesèrent sur la vie de bien des familles musulmanes traditionnelles. Tout d'abord une « valorisation de la virilité » où l'on peut voir comme un continuel et lointain écho de la *muruwwa* des Arabes d'avant l'Islam; puis le caractère « mystérieux et privilégié » de toute vie sexuelle que les lois du harem ne cessèrent de frapper du double statut d'interdit et de sacré, et d'interdit parce que sacré *(haram)*. Se justifie en conséquence un climat de jalousie « phénomène historique et culturel ». propre, disent les ethnologues, aux traditions endogames, qui « devient phénomène psychique en se faisant projection sur autrui de la vigueur des pulsions du sujet » [35]. Et M. Hichem Djaït d'analyser, sur ces bases de départ, selon quels caractères spécifiques l'homosexualité, rigoureusement condamnée par le Coran, apparut dans les sociétés musulmanes, cependant que s'affirmaient les notes d'agressivité et de susceptibilité.

Cette analyse est de style freudien, ainsi que l'était la monographie d'un autre sociologue tunisien, M. Abdelwahab Bouhdiba, sur *Le hammâm, contribution à une psychanalyse de l'Islam* [36]. Et voici, du même auteur, une enquête plus exhaustive sur *La sexualité en Islam* [37]. M. Bouhdiba propose, comme solution aux crises actuelles, l'entente recouvrée de la vie sexuelle et de la foi coranique. « Dans un monde où la frustration, l'agressivité, l'anxiété, sont devenues quotidiennes, l'hypersexualité et le puritanisme religieux sont bien commodes pour éluder nos responsabilités et masquer nos échecs. Pour en sortir, il faut à tout prix retrouver le sens de la sexualité, c'est-à-dire le sens du dialogue avec l'autre, et le sens de la foi, c'est-à-dire le sens du dialogue avec Dieu » [38]. La conclusion demande une relecture du message coranique qui sache reconnaître en l'Islam une « jonction de l'éternel et de l'historique », où « le sens de Dieu, le sens d'autrui, le sens de l'homme sont objet d'une seule et même intuition (...), impulsion vers l'érotique et inspiration spirituelle à la fois » [39]. Et la toute dernière phrase de l'ouvrage en appelle à « la volonté d'assurer dans la tendresse conjugale le dépassement de soi ».

De telles études, et leurs précieuses analyses des situations passées, montrent clairement que la mutation du milieu familial ne saurait, en climat musulman, s'opérer selon des schèmes identiques à ceux qu'elle connut et connaît en Occident chrétien ou déchristianisé. Elles ont l'avantage de nous renseigner non moins sur les modes de penser de tout un courant de jeunes chercheurs qui continuent de se réclamer de l'Islam, et sur l'utilisation faite par eux de très actuels instruments d'analyse venus des sciences humaines occidentales. Ainsi sans doute s'exprime et se libère une douloureuse frustration *(hirmân)* trop longtemps refoulée.

L'homme musulman face au socialisme

Qu'ils entendent le promouvoir ou, au contraire, s'y refuser, les États musulmans contemporains ne peuvent pas ne pas être confrontés au problème du socialisme. Ceux « qui ont fait leur révolution » le revendiquent. Mais, redisons-le, à l'exception du Yaman Sud, de la Somalie et sans doute du Mali, aucun d'entre eux n'appellera « marxisme » l'idéologie dont il se réclame. Il pourra s'en approcher, s'il est tenté par une radicale laïcisation; il pourra s'en méfier et prendre ses distances, quelque alliance politique ou économique qu'il soit amené à conclure avec l'Europe de l'Est ou la Chine. De fait, et pour longtemps peut-être, les rapports entre Islam et socialisme se nouent et se noueront selon des schèmes et des échelles de valeur fort divers. Bien des facteurs entrent en jeu : d'une part les inégalités des couches sociales, les générations d'âge, le degré ou le type de culture, d'autre part le mode des réalisations socialistes, par État ou groupe d'États.

Face à ce socialisme qui se veut original, est-il possible d'esquisser une rapide typologie des réactions et du comportement de l'homme musulman d'aujourd'hui? Nous les grouperions sous trois chefs principaux. Et si nous avons préféré les traiter anonymement, il nous serait aisé d'illustrer nos remarques par bien des noms et bien des cas concrets.

1. *Les « opposants »*. — Ils sont diverses sortes. A) Un pays tenté par la « modernité » comme par un absolu pourra connaître une assez large désislamisation de ses classes dirigeantes. Celles-ci dès lors récuseront l'« originalité » de ce socialisme, ou plutôt n'en rechercheront l'originalité spécifique que dans un ressourcement demandé à des valeurs ethniques. Mais en de nombreuses couches populaires, le maintien ou le renouveau de la foi religieuse et une opposition plus ou moins larvée aux thèses gouvernementales iront de pair, voire se commanderont mutuellement. En ce cas, il s'agit beaucoup moins de la recherche d'un socialisme « original » que d'une opposition marxisme /anti-marxisme de type européen.

B) Dans les pays au contraire qui veulent l'union du socialisme et de l'Islam, nous pourrons avoir affaire, semble-t-il, à quatre types d'oppositions.

a) Opposition du croyant traditionnel, qui confond foi musulmane et un comportement ancestral hérité de l'âge des déclins.

b) Opposition du musulman « intégriste », pour qui l'Islam, et l'Islam seul est porteur de toute solution, sur le plan économique comme sur les autres. Il parlera au besoin de socialisme, et recherchera des solutions aux problèmes actuels; mais il en demandera la clef au seul mot à mot du texte coranique ou des *hadîth*(s), au prix, s'il le faut, d'un étroit concordisme. Opposition, si l'on veut, de type « Frères Musulmans » [40].

D'autres puiseront leurs réserves explicites en des images de marque venues de l'Occident.

c) Opposition du laïcisé de type occidental, qui vit à l'ordinaire selon un niveau de vie relativement aisé. Il a goûté plus ou moins aux conditions d'existence d'une Europe ou d'une Amérique sur-developpées. Il en apprécie l'individualisme, et dénoncera comme inopérants, inefficaces, les renoncements exigés par tout régime socialiste.

d) Opposition enfin, chez les jeunes surtout, de ceux qui furent conquis par la thèse et l'idéologie marxistes, et pour qui la révolution marxiste est la seule voie faiseuse de salut.

Bien des écrivains arabes qui s'expriment en langues européennes relèveraient de l'un ou l'autre de ces deux derniers groupes, et peut-être des deux à la fois. Leurs analyses de la réalité arabe paraîtront souvent convaincantes au lecteur occidental, dans la mesure même où leurs références et leurs modes de pensée viennent d'Occident. Ainsi l'Egyptien Anwâr 'Abdel-Malek, d'origine chrétienne et d'idéologie marxiste; et peut-être, bien qu'un recours à des valeurs musulmanes soit chez eux maintenu, un Laroui ou même un Hichem Djaït.

Hegel, Freud, Marx sont ici particulièrement à l'honneur. Nous nous bornerons à l'exemple de M. Hichem Djaït. Il n'entend aucunement renier l'Islam. Il entend au contraire garantir la spécificité des valeurs religieuses et « renouveler la vision de la foi ». Mais c'est à une dialectique venue de Merleau-Ponty qu'il demande son renouvellement « du sens de Dieu » [41]. Et le dernier mot de ses attirantes et souvent remarquables analyses est une sorte d'hymne à un « universel » de type très hégélien, où la personnalité « se déploiera » quand l'homme aura « tourné la page de l'histoire après avoir tourné celle de la théologie ». Car « la modernité, cette anti ou cette post-histoire est bien l'universel en devenir, et le devenir c'est la modernité (...). Alors, il n'y aura pas de synthèse, mais une dilution. Et notre être tout entier sera notre devenir, comme notre devenir sera notre être » [42]. Tel serait le mode ultime de la « personnalité de base » (selon l'expression de Kardiner) de l'homme arabo-islamique.

2. *Les difficiles équilibres.* — Très loin de ces analyses, qui doivent le meilleur d'elles-mêmes aux recherches de pointe d'un Occident en crise, sera le Musulman moyen, citoyen consentant d'un pays socialiste non marxiste, d'un pays qui entend intégrer à son socialisme le passé et le présent de l'Islam, et sa culture aussi bien religieuse que temporelle. Nous aurons affaire le plus souvent à deux types de comportement :

A) Il pourra s'agir d'un homme pour lequel la mise en place socialiste des moyens de production est l'œuvre capitale à poursuivre. Sans doute s'affirmera-t-il musulman, et d'abord pour marquer la spécificité de son peuple. La « fierté musulmane » demeure, parfois même fort tranchante. Mais si l'Islam est tout ensemble religion, culture et communauté, il n'apparaît plus guère, dans la vie personnelle, que sous son aspect culturel et communautaire. Ce type de Musulman socialiste, ou plutôt ce socialiste à références musulmanes, n'est pas rare. Il sera assez souvent bilingue, ou du moins, après avoir appris une langue européenne, aura continué de lire des journaux européens, porteur d'un laïcisme vécu. Il pourra s'agir aussi d'un unilingue arabe, formé dans les écoles gouvernementales ou les cadres d'un parti unique, et par des maîtres eux-mêmes laïcisés déjà. Il pourra appartenir à une classe sociale assez pauvre si elle est urbaine, être par exemple ouvrier ou petit fonctionnaire; il pourra aussi bien être issu d'un milieu aisé ouvert aux influences de l'Occident déchristianisé. En ce dernier cas, il se consacrera volontiers à des tâches scientifiques ou techniques.

Ce type de Musulman est assez peu musulman en définitive, et sa référence à l'Islam risque de se vider toujours plus de toute réalité religieuse. Son attitude intérieure reste instable. Il est certainement un homme divisé, et d'abord divisé d'avec lui-même. Il subit, sous la pression du monde moderne, comme une lente désagrégation des valeurs de foi.

B) Mais face à ce socialiste à références musulmanes, voici le Musulman à références socialistes. Tantôt ce pourra être un musulman du peuple, — bien des ouvriers agricoles en seraient l'exemple. Il reste très pris par sa foi (traditionnelle) et par ses habitudes de foi. Il veut bien être socialiste, puisqu'on lui dit que tel est son devoir, et espère que ce socialisme lui donnera sans retard de meilleures conditions de vie. Il veut bien faire confiance, mais le moindre échec le rendra quelque peu sceptique. Tantôt nous aurons affaire à un Musulman lettré, connaissant ou croyant connaître son Islam, et voulant en vivre. Il acceptera le socialisme comme un fait, dont il faut s'accommoder au mieux comme de toute chose en ce bas-monde, mais dont l'importance et l'efficacité ne peuvent être que relatives... Les uns et les autres parleront de socialisme, puisque cela est requis, mais sans toujours savoir exactement ce qu'il faut mettre sous ce mot.

La foi musulmane ici n'est pas, ne semble pas en danger. Mais ce type d'homme ne risque-t-il pas d'être quelque peu le « laissé pour compte » d'un pays en travail de rénovation? Et ne risque-t-il pas de servir de preuve vivante à qui prétend qu'une foi religieuse personnelle reste un handicap?

Socialiste à références musulmanes, ou Musulman à références socialistes au moins verbales, tels sont peut-être les types d'hommes qui apparaîtraient d'abord aux observateurs (trop) pressés. Car ils semblent bien être encore la majorité; d'où les jugements quelque peu dédaigneux de tant d'Occidentaux sur l'avenir des régimes économico-politiques qui s'efforcent de mettre en harmonie Islam et socialisme. Tout au plus les marxistes y verraient-ils une première étape, transitoire.

3. *Conditions d'une harmonie.* — Qu'il soit difficile à l'homme musulman d'aujourd'hui d'être à la fois un croyant authentique et un socialiste efficace, certes. Les réussites cependant sont moins rares qu'on ne le croirait. Membres du corps enseignant, juristes, cadres administratifs, techniciens, officiers des « armées populaires », ils appartiennent en général à une certaine élite agissante, ouverte à une double ou triple culture : arabe (ou persan, ou ûrdu), français, anglais (ou allemand). Il en est aussi

d'adonnés à de plus humbles tâches et qui ont un bien moindre niveau culturel. Plusieurs d'entre eux ont lutté, et durement, pour l'indépendance de leur pays. Non seulement ils se veulent, mais ils *sont* croyants, et portent le témoignage, parfois émouvant, des valeurs spirituelles que peut drainer un Islam intériorisé. Tel cet officier d'aviation fort qualifié qui disait un jour s'efforcer de se tenir sans cesse en présence de Dieu quand il pilotait. — Et non seulement ils se disent socialistes, mais ils analysent les raisons de ce choix, ils étudient de leur mieux les formes diverses et l'évolution du socialisme, ils savent pourquoi ils veulent travailler à l'avènement d'un socialisme original, qui ne soit ni le vieux socialisme utopique français, ni le socialisme de la dialectique marxiste.

Ils souffrent sans doute des inadéquations de leur pays, ou des demi-échecs qui peuvent surgir sur la voie du développement. Mais ils gardent espoir, et déjà, à titre personnel, savent vivre une synthèse réellement opérée entre Islam et « modernité ». Sont-ils l'exemple caractéristique de l'homme musulman de demain, ou resteront-ils des cas isolés?

Une telle synthèse est particulièrement exigeante. Elle requiert un Islam intériorisé et une vie spirituelle toujours en éveil. Elle requiert une anthropologie musulmane rénovée, et qu'un souci de justice *('adl)* et de *maslaha* au sens de « bien commun », une volonté de se mettre au service de tous, l'emporte sur tout désir de succès personnel, même légitime. Elle requiert la connaissance au moins globale du passé du monde musulman, dans ses apogées comme dans ses déclins, et de savoir porter un jugement historique, serein et objectif. Mais elle requiert non moins une connaissance suffisante des problèmes socio-économiques contemporains, et de savoir se ravitailler à la fois, comme le suggérait M. Henri Laoust, et dans l'« éthique économique » des vieux juristes de l'Islam, et dans les sciences sociales et économiques les plus actuelles.

C'est beaucoup demander. Pour l'instant, une synthèse ainsi réalisée, et l'apparition de ce type nouveau d'homme musulman, ne peut être le fait que d'une élite assez peu nombreuse. Ce n'est pas une question de classe sociale. C'est une certaine qualité d'âme et d'esprit qui est en jeu. On peut la trouver chez le pauvre comme chez le riche, chez l'homme peu instruit comme chez le savant. Elle se situera donc à des niveaux fort divers. Mais que certains la vivent vraiment permettra peut-être à un plus grand nombre de s'en approcher, d'y participer comme à un idéal de vie, presque toujours incomplètement atteint, jamais abandonné cependant. — Et telle est peut-être la figure que revêt aujourd'hui, dans les pays musulmans, l'« idéal historique concret » de toujours.

NOTES

1. A titre d'exemples : Zaki Nâjib Mahmoud : *Renouveau de la pensée arabe*, Beyrouth, 1971 (en arabe); *La pensée arabe en cent ans*, (anglais) pour le centenaire de l'Université américaine de Beyrouth, 1967; *Le colloque interarabe de Louvain*, « Renaissance du monde arabe », texte publié à Alger en 1972, etc.

2. Communication présentée au Colloque du Koweit (7-12 avril 1974) sur « La crise du développement de la civilisation dans le monde arabe », texte arabe publié dans *al-Asâla*, revue du Ministère algérien de l'Enseignement originel et des Affaires religieuses, janvier-février 1976. Cf. ci-dessus, p. 296, note 15.

3. Dans une interview accordée à Loufti el-Kholi, journaliste égyptien.

4. Il serait difficile de ne pas songer au Maroc.

5. Qui est l'acte culminant du Pèlerinage.

6. La mention de ces « œuvres bonnes » *(sâlihât)* est extrêmement fréquente dans le Coran. Presque toujours elle est mise en regard de la récompense éternelle du Paradis; ainsi : 2,25, 82; 3,57; 4,57; 18,46; 19,76, etc. — Leur sont parfois adjointes les obligations de la prière liturgique et de l'aumône légale (2,277).

7. Cf. J. Berque, *Langages arabes du présent, op. cit.*, p. 80.

8. Hichem Djaït : *La personnalité et le devenir arabo-islamique, op. cit.*, p. 199.

9. *Ibid.*, p. 228.

10. « Nous avons remporté le combat de délivrance [indépendance politique]. Notre révolution aujourd'hui porte sur l'authenticité », disait en 1972 le poète algérien Mufdî Zakariyyâ (cité par J. Berque, *ibid.*, p. 12). Modernité et indépendance, authenticité, révolution, sont par excellence les mots-clefs de l'évolution en cours.

11. « La fausseté des temps modernes, autre nom de la culture occidentale », écrit Jacques Berque en commentaire d'un roman arabe contemporain (*ibid.*, p. 258).

12. Entreprise liée par ailleurs à des recherches scientifiques portant

sur l'histoire de la médecine en général, et particulièrement de la « médecine gréco-arabe » (dont le *Qânûn* d'Avicenne reste l'exemple privilégié). Une reviviscence de cette médecine (par les simples) est active et pleine de succès en Inde et au Pâkistân (Hakîm Mohammed Saïd), dans les deux fondations dites *Hamdard* (mot persan, sens de « sympathia »), de même esprit et de même origine.

13. Paris, éd. Hommes et Migration, s.d.

14. Par là peut-être s'expliqueraient, du moins en partie, les différences radicales entre le socialisme algérien par exemple et les capitalismes de l'Arabie sa'ûdite ou de l'Iran.

15. Cf. Ahmed Taleb Ibrâhîmî (ministre algérien de l'Éducation nationale, puis de l'Information et de la Culture), *De la décolonisation à la révolution culturelle (1962-1972)*, Alger, éd. SNED, 1973; cf. également la « révolution culturelle » libyenne. — L'avant-projet de la *Charte Nationale* algérienne insiste longuement sur la « révolution culturelle », entendu ici comme préparation à l'esprit socialiste, titre III « Les grands axes de l'édification socialiste », § « La révolution culturelle ».

16. Pour l'analyse de ces notions, et leur rapport avec la liberté de choix, voir Jacques Maritain, *De Bergson à Thomas d'Aquin*, Paris, Hartmann, 1947, chap. v.

17. Cité par Marc Chartier, « Khâlid Muhammad Khâlid, héraut de la liberté perdue », *IBLA*, n° 131, Tunis, 1973, p. 17.

18. Cf. L. Gardet, « Signification du ' Renouveau mu'tazilite ' dans la pensée musulmane contemporaine », *Islamic Philosophy and the Classical Tradition (for Richard Walzer)*, Oxford-London, 1972, pp. 63-75.

19. Cf. Cheikh Bouamrane : *La liberté selon les Mu'tazilites* (thèse de doctorat d'État soutenue en Sorbonne, 1974; actuellement sous presse); et les nombreux mémoires ou thèses consacrés au *qâdî* 'Abd al-Jabbâr.

20. *Op. cit.*, p. 154.

21. Cité par Olivier Carré, *op. cit.*, p. 252.

22. L'Égypte de 1976, en dépit de quelques affirmations officielles, semble avoir renoncé à la vénération dont elle entourait 'Abd al-Nâsir; cependant que d'autres pays continuent d'évoquer sa mémoire comme celle du chef prestigieux de la renaissance arabe. C'est en tout cas de sa *Philosophie de la révolution* que l'on peut dater la faveur dont *thawra* (« révolution ») jouit dans la pensée et le vocabulaire politique arabo-musulmans.

23. *Tafsîr al-Manâr*, éd. du Caire, 1346 H. /1927, I, p. 366.

24. *Ibid.* (2e éd., 1366 H. /1946-7), III, p. 324. Cf. J. Jomier : *Le commentaire coranique du Manâr*, Paris, Maisonneuve, 1954, pp. 188-189. — C'est ainsi que la mosquée-université d'al-Azhar est dotée maintenant d'une « section féminine ». Les étudiantes y sont nombreuses.

25. Cf. ci-dessus, IIe partie, chap. I, pp. 100-101.

26. Cf. l'hebdomadaire *el-Moudjahid Culturel*, n° 191, Alger, 27 février 1976.

27. Cf. la nouvelle de Tawfîq al-Hâkim : *Arîd adhra l-rajâl* (« Je veux cet homme »), dans *Masrah al-mujtama'* ; voir texte et trad. franç. ap. *Études Arabes*, Rome, *pro manuscripto* (IPEA), 2e trimestre 1973.

28. « Les acquis de la femme en droit public (droit de vote, accès à la fonction publique...) rencontrent moins de résistance que ses ' acquis '

en droit privé (en matière de divorce, de successions...) », Me Mohieddine Mabrouk, « La femme en droit public tunisien », art, paru dans l'*Opinion*, journal quotidien de Rabat, 26 juin 1974.

29. « Actuellement (en Tunisie) 10 % des agents publics (...) sont des femmes », *ibid.*

30. Situation analogue dans la plupart des pays qui ont conquis leur indépendance et « fait leur révolution ». L''Irâq, entre autres, a son « Union des Femmes 'irâqiennes », et une revue *al-Mar'a* (« La Femme »); voir le programme d'évolution décrit au nº 41 (juin 1974).

31. « La libération, l'émancipation de la femme algérienne ne peut se faire au détriment de la morale », disait le président Houari Boumediène en ouvrant le 3e Congrès de l'Union Nationale des Femmes Algériennes (1er avril 1974); et de condamner fortement l'immoralité des « sociétés dites raffinées ».

32. Cf. ci-dessus, IIe partie, chap. I, pp. 102-103; sans parler de l'existence, illégale en principe, des prostituées et courtisanes, cf. Abdelwahab Bouhdiba : *La sexualité en Islam, op. cit.*, pp. 228-239.

33. C'est ainsi que le réformiste marocain 'Allâl al-Fâsî affirme dans son *al-Naqd al-dhâtî* (« L'auto-critique »), Le Caire, 1954 : « L'autorisation de la polygamie est liée à des conditions d'égalité et de justice pratiquement irréalisables de nos jours. Ainsi sa suppression devient-elle d'autant plus urgente que cette institution sert souvent d'argument à nos adversaires pour attaquer la religion elle-même ». — Ajoutons que, selon le droit traditionnel déjà, une femme pouvait toujours exiger, dans le contrat de mariage, d'être la seule épouse.

34. *La personnalité et le devenir arabo-islamique, op. cit.*

35. Hichem Djait, *op. cit.*, p. 206.

36. Dans *Revue tunisienne des Sciences sociales*, Tunis, septembre 1964.

37. *Op. cit.*

38. *Ibid.*, p. 301.

39. *Ibid.*, pp. 302-303.

40. Ainsi l'ouvrage du *shaykh* Hasan al-Bannâ', fondateur des Frères Musulmans, assassiné en pleine rue du Caire le 2 février 1949, *Mushkilâtunâ fî daw' al-nizâm al-islâmî* (« Nos problèmes à la lumière de la règle de vie musulmane »), Le Caire, Maison du livre arabe, 1951, spécialement les pages 70-91 qui traitent des questions d'organisation économique, *(al-nizâm al-iqtisâdî)* telles que la richesse naturelle, les biens, le travail la condamnation de l'usure, — et l'application de ces règles aux problèmes égyptiens.

41. *La personnalité et le devenir arabo-islamique, op. cit.*, p. 164. — On pourrait évoquer ici certaines affirmations de M. Hasan Hanafî.

42. *Ibid.*, p. 280.

VERS DE NOUVELLES APPROCHES?

Nous est-il possible d'esquisser une réponse à notre interrogation première? L'Islam, disions-nous, suscita-t-il ou contribua-t-il à former un type d'homme ou certains types d'hommes? Ou intervient-il comme un ferment spirituel qui laisse intactes les mentalités de base et les comportements quotidiens [1]?

Le double mouvement dialectique que nous avons rencontré tout au long de notre enquête est déjà, par lui-même, une réponse: unité /diversité; continuité /rupture. Cette unité qui, sans les détruire aucunement, réassume sans cesse les diversités, reste, à travers les pays et les siècles, le fait propre de l'Islam. Elle engage des valeurs tout ensemble de foi religieuse, de culture, de civilisation. Et c'est bien pourquoi surgissent des diversités, dont la source sera due aux ethnies peut-être, mais plus encore aux structures commandées par tel ou tel moment historique, et aux mises en œuvres sociales et culturelles qui en découlent.

Et dès lors : si notre second mouvement dialectique, continuité /rupture, nous fut suggéré par l'impact de l'Islam sur les mentalités arabes anté-islamiques, nous le retrouverons au moins en filigrane, à chaque étape majeure de l'évolution des sociétés. Car ces étapes sont beaucoup plus que de simples points de repère tout au long d'un unique procédé évolutif. Chacune d'elles est mutation, « saut qualitatif », où la constante aspiration à un « idéal historique concret », celui-là même de la Communauté musulmane, se trouve aux prises avec de nouvelles conditions et de nouvelles exigences.

Mutation fut déjà le passage de la société umayyade, relativement homogène, aux foisonnements des sociétés ʿabbâsides ou maghrébo-andalouses. Mutation furent l'invasion turco-mongole, puis la suprématie ottomane, et les fixations en sociétés closes qui les accompagnèrent. Mutation enfin, et combien exigeante jusqu'au comportement le plus quotidien, l'actuelle volonté de renouveau devenant révolution face aux défis de la « modernité »...

Si bien que, sur le fond de *la* mentalité musulmane que ne cesse de nourrir une commune attitude à l'égard de Dieu, des hommes et du monde, se dessinent *des* mentalités musulmanes, des types d'hommes musulmans.

Hommes musulmans du temps des apogées, ouverts à l'« autre », diversifiés eux-mêmes au gré des catégories sociales et des familles spirituelles; hommes musulmans du temps des déclins, douloureusement repliés sur un ensemble de règles et de coutumes, où Islam authentique et déviations sont inextricablement mêlés; hommes musulmans du XXe siècle, de toute part sollicités par l'attrait de triomphantes idéologies « étrangères », mais en recherche d'un ressourcement faiseur d'« authenticité », et qui permettrait aux pays d'Islam non seulement de reprendre la place qui leur est due dans la communauté internationale, mais d'y apporter, dans le mode même d'utilisation et de domination des techniques, un au-delà de l'homme comme fin de lui-même et de toute chose. Certes, un refus massif de toute Réalité objectivement transcendante est toujours possible. Mais rien n'indique que telle soit aujourd'hui la ligne d'horizon des hommes de l'Islam. Et bien plutôt les valeurs de science, d'intégrité, de justice, qu'impère le Coran au nom du Très-Haut, continuent-elles à être revendiquées asymptotiquement comme l'idéal concret à atteindre.

Les conditionnements les plus divers, économiques, ethniques, sociaux, politiques, peuvent colorer des types non moins divers d'hommes musulmans. Ils ne sauraient à eux seuls les expliquer. Disons qu'ici et là, la mentalité musulmane sera faite du chatoiement et de la pluralité même des mentalités musulmanes; mais que jamais la présence de l'Islam ne saurait être traitée par prétérition.

Bien des événements très actuels en recevraient sans doute

un éclaircissement. Nous n'avons pas à entrer dans le détail de cette histoire qui se fait, et dont la contingence demanderait une constante remise à jour. Guerre d'Israël, lutte palestinienne pour la conquête d'une patrie, affirmation sans cesse maintenue de la Nation arabe, la douloureuse guerre civile libanaise, la revendication de justice pour le Tiers Monde et une meilleure redistribution des richesses mondiales, — autant de réalités qui, en ce mois de janvier 1977, touchent au plus profond la conscience non seulement des Arabes et arabisés, mais de tous les peuples d'Islam. Et de la Mauritanie au Pâkistân et aux Philippines, l'énumération pourrait se poursuivre:

C'est à travers ces événements de l'heure que se recherche une figure, plus fluente que par le passé, mais non moin réelle et non moins exigeante, plus exigeante peut-être parce que plus difficile à cerner, de la Communauté musulmane, de la *ummat al-nabî*. Pour quel destin? sera-ce dans le souci premier d'un triomphe tout temporel, qui livrerait chaque pays d'Islam à l'attrait des idéologies modernes? Ou qui ferait de l'Islam lui-même un nouveau type d'idéologie au service d'une fin immédiate et terrestre? C'est peut-être l'un des dangers les plus graves, et l'une des tentations majeures d'une foi religieuse que de se durcir et de se scléroser en idéologie, — elle ne peut que s'y dissoudre. Ou sera-ce pour affirmer, dans le jeu des causalités et des conditionnements humains, une Présence qui, à la fois, les anime et les transcende, et leur donne leur signification plénière?

Qu'on nous permette de citer une fois de plus ce texte déjà ancien, mais à nos yeux si éclairant, du philosophe chrétien Olivier Lacombe, parlant de Dieu Un et Transcendant :

« ... peut-être notre Europe déchristianisée a-t-elle à méditer sur ce thème qui est au centre de la vie de l'Islam, et à réapprendre ainsi une vérité qu'elle n'aurait jamais dû méconnaître. L'Islam est en effet comme un écrin conçu spécialement pour recueillir et protéger ce joyau. Universalisé et libéré de toute tentation archaïsante, son message pourrait être de faire passer dans les zones supérieures de la culture religieuse [2] une sensibilité renouvelée à cet enseignement de théologie naturelle et surnaturelle, toujours menacé dans la conscience humaine par un reflux sans cesse recommencé de naturalisme et d'anthropocentrisme [3]. »

Ne peut-on voir autant de prémices de ce « message » dans le questionnement que, depuis quelques décennies, certains hommes de l'Islam adressent au christianisme, et le souci dont ils témoignent de rencontrer des Chrétiens, dialoguer et nouer amitié avec eux? Cela aussi est un fait de mentalité. Nous songeons aux ouvrages sur le Christ et l'Évangile d'un 'Aqqâd ou d'un Kamel Hussein par exemple, et aux séminaires islamo-chrétiens qui se multiplient. Les premiers séminaires eurent lieu sur initiatives chrétiennes. Ce sont maintenant, semble- t-il des initiatives musulmanes qui l'emportent : à Tunis en 1974 sur le thème « consciences musulmanes et consciences chrétiennes aux prises avec les défis du développement »; à Tripoli en 1976 sous l'impulsion de la Libye révolutionnaire; et une toute récente demande de l'Iran shî'ite. A coup sûr, les anciennes méfiances de l'Islam restent vives à l'égard du christianisme, de ses entreprises « missionnaires », et de cette aura de « néo-colonialisme culturel » qui lui sont reprochées. Mais c'est bien comme une nouvelle ouverture à l'« autre », dans une liberté reconquise de jugement et de recherche, qui se dessine.

Cette « histoire qui se fait » ne nous sollicite guère à conclure notre enquête. Bien plutôt la laisserons-nous ouverte sur le dynamisme de la et des mentalités musulmanes d'aujourd'hui. Nous retiendrons cette note commune qui leur vient de l'Islam en ses valeurs de foi et de culture, de son passé, de ses possibilités renouvelées d'avenir. Et nous croyons volontiers que cette note commune, et elle seule, peut nous permettre de situer et comprendre les diversités.

On nous reprochera peut-être de n'avoir pas choisi d'autres hypothèses de travail : par exemple, dégager dès l'abord les comportements propres à chaque grande ethnie du monde de l'Islam, arabe, berbère, turque, iranienne, indienne, indonésienne, africaine...; insister sur les différences et ne voir dans la « note » Islam qu'une superstructure maintenue (pour un temps?) par des conditionnements politiques. Il n'est pas écarté que tel ne soit le point de vue de certains historiens « nationalistes» d'origine musulmane. Mais une telle perspective n'est-elle pas, au vrai, en dépendance d'une option préalable venue d'un Occident délibérément a-religieux?

Ce point de vue-là, trois faits au moins nous semblent l'infirmer : le brassage des peuples qui nous conduirait à reconnaître bien souvent une extrême fluence des ethnies; l'arabisation plus ou moins prononcée qu'entraîne toujours l'islamisation; la constante référence à l'Islam d'écrivains, de penseurs, d'hommes politique aux origines les plus diverses. L'accent que nous avons mis sur l'Islam comme animation de foi religieuse sans doute, mais aussi comme fait de culture et de civilisation, en ses principes toujours affirmés comme en ses variances au cours de l'histoire, nous semble au contraire un indispensable principe d'explication.

Ce n'est qu'après avoir pris la mesure de la et des mentalités musulmanes comme telles, à la fois en leur existence concrète et en leur vocation à l'universalisme, que de nouvelles études (sociologiques) peuvent être entreprises pour cerner au plus près les spécificités des peuples et des pays. Spécificités réelles, à coup sûr, et qui, loin de les combattre, ne peuvent qu'enrichir les dominantes communes.

La présente enquête n'entend donc point se présenter comme un tout achevé et clos. Nous la voudrions au contraire ouverte sur d'autres approches qu'en un premier temps nous n'aurions pu mener de front: Mais l'attitude requise serait toujours d'écoute attentive, cette sympathie au sens fort, condition d'une vraie justice intellectuelle. Quand il s'agit du comportement des hommes et des peuples, une objectivité digne de ce nom est à ce prix. Puissions-nous, au cours de ces pages, n'y avoir pas été trop infidèle.

NOTES

1. Cf. « Préliminaires », p. 14.

2. Très précisément ici ce qu'Olivier Lacombe appelle « culture religieuse temporelle », cf. ci-dessus, IIe partie, chap. IV, p. 187 et note 29.

3. Olivier Lacombe, « Sagesse chrétienne et Sagesse d'Orient », *Lumen Vitae* ,IV, Bruxelles, 1949, p. 699.

BIBLIOGRAPHIE SOMMAIRE

Nous nous bornons à quelques indications sommaires, simples points de repère si l'on veut : et à l'usage, avant tout, du lecteur français non arabisant. Nous ne mentionnerons donc point de textes arabes qui ne soient pas traduits. Pour une bibliographie plus complète, voir les notes du présent ouvrage et l'Index 4.

RÉFÉRENCES GÉNÉRALES

Ibn KHALDÛN, *al-Muqaddima*, trad. franç. de Slane sous le titre *Les prolégomènes d'Ibn Khaldûn*, 3 vol. Paris, Impr. Nationale, 1868 (repr. Paris, éd. G.P. Maisonneuve, 1934-1938); autre trad. franç. de Vincent Monteil; trad. anglaise de F. Rosenthal, *The Muqaddimah*, 3 vol., Londres, 1938.

Ibn Khaldûn (XIVe s.) est volontiers appelé le père de la sociologie moderne. Il souligne, dans sa *Muqaddima* l'influence des facteurs géographiques, éthniques, socio-économiques, sur le développement ou le déclin des civilisations.

Claude CAHEN, *L'islam, des origines au début de l'Empire ottoman*, tome 14 de l'*Histoire Universelle*, Paris, éd. Bordas, 1970.

Résumé précis et suggestif de huit siècles environ d'histoire musulmane; l'accent est mis sur les connexions historico-socio-économiques.

Abdallah LAROUI, *L'histoire du Maghreb*, 2 tomes dans « petite collection Maspero », Paris, éd. Maspero, 1975 (1re éd. 1970).

L'identité de l'Afrique du Nord musulmane, telle que la construisirent les siècles.

Maxime Rodinson, *Islam et capitalisme*, Paris, éd. du Seuil, 1966.

Donne les points de repère essentiels pour le *background* économique des sociétés musulmanes à travers les âges. Voir appréciation, présent ouvrage II, 2, note 47, et IV, 4, note 51.

PREMIÈRE PARTIE

Abû l-Ḥasan al-Mâwardî, *al-Aḥkâm al-sulṭâniyya*, trad. franç. sous le titre *Les Statuts gouvernementaux*, par E. Fagnan Alger, 1915.

Les cadres d'*une* Cité musulmane type. Voir présentation et appréciation, présent ouvrage, I, 3, pp. 87-88.

Louis Gardet, *La Cité musulmane, vie sociale et politique*, Paris, 4e éd., Vrin, 1976.

Principes généraux de la philosophie politique et sociale musulmane mis en regard des élaborations chrétienne et occidentale.

Henri Laoust, *La politique de Ghazâlî*, Paris, éd. Geuthner, 1970.

Élaboration de la philosophie politique de l'Islam, selon la pensée et l'œuvre du célèbre « réformateur ».

Louis Massignon, *La Passion d'al-Ḥallâj, martyr mystique de l'Islam*, Paris, 2e éd., Gallimard, 1975, 4 vol.

Ouvrage fondamental. Le § vi, chap. xii du tome 3, dessine rapidement les grands axes de la philosophie politique musulmane (pp. 197-205).

Ṭâhâ Ḥussein, *al-Fitna al-kubrâ*, t. I, traduit en français par Anouar Louca, sous le titre *La grande épreuve, — 'Uthmân*, Paris, éd. Vrin, 1974.

Méditation d'un musulman croyant et très bon historien sur la première dissension qui déchira la « Communauté du Prophète ».

DEUXIÈME PARTIE

Louis Massignon, *La Passion d'al-Ḥallâj* (voir ci-dessus, mention du tome 3).

Pour situer l'arrière fond socio-culturel, économique et politique de la vie et de la mort de Ḥallâj, l'auteur brosse un tableau extrêmement évocateur de ce que fut, à travers la diversité des catégories sociales, la Bagdad du grand âge ʿabbâside (tome 1).

Charles PELLAT, *Le milieu baṣrien et la formation de Jâḥiẓ*, Paris, éd. G. P. Maisonneuve, 1953.

Livre très éclairant sur le milieu intellectuel du IXe siècle ʿabbâside.

Mohammed ARKOUN, *Contribution à l'étude de l'humanisme arabe au IVe/Xe siècle*, Paris, éd. Vrin, 1970.

Problèmes posés par l'humanisme arabo-musulman de l'âge classique. Valeur et sens des solutions proposées. On peut y joindre, du même auteur, *Essais sur la pensée islamique*, éd. G. P. Maisonneuve et Larose, 1973, pp. 51-281.

Marc BERGÉ, *Essai sur la personnalité morale et intellectuelle d'Abû Ḥayyân al-Tawḥîdî*, thèse de doctorat, repr. Lille, 1974, 2 tomes.

Cet ouvrage complète et en un sens illustre celui de M. Arkoun. Étude minutieuse et vivante des « cercles humanistes ».

André MIQUEL, *La géographie humaine du monde musulman*, Paris-La Haye, éd. Mouton, t. I, 1967, t. II, 1975.

Remarquable étude de la connaissance que voyageurs et géographes musulmans de l'âge classique eurent des terres d'Islam et de la configuration générale du monde.

La connaissance du monde dans l'Islam classique, colloque du 25 février 1972, édité par l'« Association pour l'avancement des Études islamiques ».

Voir en particulier le rapport d'André Miquel sur « La connaissance concrète du monde. »

TROISIÈME PARTIE

Henri LAOUST, *Les schismes dans l'Islam*, Paris, éd. Payot, 1965.

Ouvrage indispensable pour situer, au double point de vue historique et doctrinal, les familles religieuses, écoles et sectes du monde de l'Islam. A noter que l'Index n'est pas joint au livre; établi avec soin par Y. Moubarac, il a été publié en 1969 dans la *Revue des Études islamiques*.

Dominique SOURDEL, « L'Imâmisme vu par le *Cheikh* al-Mufîd », article paru dans *Revue des Études Islamiques*, Paris 1972, 2.

La pensée d'un grand représentant de l'Islam imâmite.

Yves MARQUET, *La philosophie des Ikhwân al-Ṣafâ'*, Alger, éd. SNED, 1976.

Analyse fouillée et suivie des célèbres « *Épîtres* » (voir présent ouvrage, III, 3, p. 241), qui sont comme le *text-book* de l'ismâʿîlisme modéré.

Pour les doctrines shîʿites ésotériques (imâmites et ismâʿîliennes) voir Henry CORBIN.

Histoire de la philosophie islamique, Paris, éd. Gallimard, 1964, chap. II.

Henri LAOUST, *Essai sur les doctrines sociales et politiques de Taḳî-d-Dîn Aḥmad b. Taimîya*, Le Caire, IFAO, 1939.

Étude approfondie du ḥanbalisme d'Ibn Taymiyya, et qui situe excellemment la portée des grands problèmes de l'Islam sunnite. L'ouvrage est malheureusement quasi épuisé.

Roger ARNALDEZ, *Grammaire et théologie chez Ibn Ḥazm de Cordoue*, Paris, éd. Vrin, 1956.

Un exemple de mentalité sunnite portant à l'extrême le respect des textes en leur mot à mot le plus littéral.

George MAKDISI, *Ibn ʿAqîl et la résurgence de l'Islam traditionaliste au XIe siècle*, Damas-Beyrouth, 1963.

Cette « résurgence » fut l'un des moments décisifs de l'histoire musulmane. Sa complexité culturelle, idéologique et sociale est ici mise en lumière.

Pour situer les deux traditions sûfies signalées (III, 5, pp. 269-271), voir respectivement :

Louis MASSIGNON, *Essai sur les origines du lexique technique de la mystique musulmane*, Paris, 3e éd., Vrin, 1968, et Henry CORBIN, *L'imagination créatrice dans le çoufisme d'Ibn ʿArabî*, Paris, éd. Flammarion, 1958.

QUATRIÈME PARTIE

Classicisme et déclin culturel dans l'histoire de l'Islam, ouvrage collectif, Paris, éd. Besson et Chantermerle, 1957.

Voir en particulier « Problème de la décadence » par Robert Brunschvig, pp. 29-46, et « Les facteurs économiques et sociaux de l'ankylose culturelle de l'Islam », par Claude Cahen, pp. 195-215.

Louis GARDET, *L'Islam, religion et communauté*, Paris, 2e éd., Desclée De Brouwer, 1970.

Voir la IIIe partie : « L'Islam comme Communauté et les problèmes contemporains. »

Henri LAOUST, *Le Califat dans la doctrine de Rashîd Riḍâ*, Damas-Beyrouth, 1938.

Traduction française du texte majeur de l'un des plus notables « réformateurs » contemporains.

H.A.R. GIBB, *Modern Trends in Islam*, Chicago, 1947; trad. franç. de Bernard Vernier, *Tendances modernes de l'Islam*, Paris, éd. G. P. Maisonneuve, 1949.

Éclaire *un* moment de l'évolution des sociétés musulmanes contemporaines; moment largement dépassé aujourd'hui.

W. Cantwell SMITH, *Modern Islam in India and Pakistan*, Lahore, 2e éd., 1947.

Ouvrage relativement ancien déjà, mais qui situe en leur origine et leur contexte bien des problèmes actuels.

Ali MERAD, *Le Réformisme musulman en Algérie de 1925 à 1940*, Paris-La Haye, éd. Mouton, 1967.

Les préliminaires idéologiques de la lutte pour l'indépendance, étudiés et analysés avec un remarquable souci d'objectivité historique.

Jacques BERQUE, *Les Arabes d'hier à demain*, Paris, éd. Gallimard, 1960; du même : *Langages arabes du présent*, Paris, éd. Gallimard, 1974.

Effort d'interprétation sociologique et linguistique des actuelles mutations du monde arabe, dans leurs rapports avec certaines réalités vécues du passé, et les problèmes d'avenir ainsi posés. (Nous ne serions pas sans regretter que, dans l'ultime conclusion du premier ouvrage, le commun dénominateur proposé aux Arabes et aux Français fût « non pas Abraham, mais Héraclite ».)

Hichem DJAIT, *La personnalité et le devenir arabo-islamique*, Paris, éd. du Seuil, 1974.

Voir appréciation au cours du présent ouvrage, III, 5, pp. 363-364 et 376-377.

Hilary Kilpatrick, *The Modern Egyptian Novel*, Londres, Ithaca Press, 1974.

Vivante analyse de la critique de la société par les romanciers égyptiens modernes.

Mohammed Arkoun, *La Pensée arabe*, Paris, PUF (coll. « Que sais-je? »), 1975.

Spécialement chap. v, « L'irruption de la modernité ».

Et les divers articles de l'*Encyclopédie de l'Islam*, Leyde, éd. Brill, 1re et 2e édition (français et anglais), cités au cours de l'ouvrage.

INDEX

I. CITATIONS CORANIQUES

N.B. : Le premier chiffre indique la sûrate, et le second le ou les versets cités; les suivants renvoient aux pages du présent livre. La numérotation des versets est celle de l'édition officielle égyptienne. Quand nous avons eu à reproduire le texte lui-même, nous nous sommes référé *a*) à la traduction de D. Masson (éd. Gallimard, coll. « La Pléiade »), *b*) à la traduction de Régis Blachère (éd. G. P. Maisonneuve-Besson), parfois en les modifiant.

II. TERMES TECHNIQUES

N.B. : Les chiffres entre parenthèses renvoient aux notes.

A

B

C

D

F

G

H

I

J

K

L

M

N

P, Q

R

S

T

U

W

Z

III. NOMS PROPRES

des personnes, des principales écoles ou familles religieuses, de quelques lieux, villes et pays [1]

A

1. Les noms des écoles ou sectes, des villes ou pays ne sont donnés qu'à titre d'indication, et leus références ne prétendent pas être exhaustives. — Les noms de lieux sont en *italiques*. — Par convention, les noms des dynasties et confréries portent une majuscule; les noms des écoles et sectes, une minuscule.

B

C

D

E

F

G

H

I

J

K

L

M

N

O, P

Q

R

S

T

U

V, W

Y, Z

IV. OUVRAGES ET ARTICLES CITÉS

(Voir, dans le cours de l'ouvrage, en général à la première référence ci-dessous donnée, les renseignements concernant l'éditeur et la date de parution.)

N.B. : Une bibliographie complète serait immense. Cet index n'entend aucunement s'y substituer. Il se borne à relever les sources auxquelles nous nous sommes explicitement référé. Les chiffres entre parenthèses renvoient aux notes.

A

B

C

D, E, F

G

H

I

J

K

N, P, Q

R

S

T

U, V, W, Z

TABLE ANALYTIQUE DES MATIÈRES

Deuxième Partie : À L'ÂGE CLASSIQUE :
LA DIVERSITÉ DES CATÉGORIES SOCIALES
(essai de phénoménologie socio-culturelle)

historiques

1. EMMA GOLDMAN
L'EPOPEE D'UNE ANARCHISTE
New York 1886-Moscou 1920

2. ALFRED GROSSER e.a.
DIX LEÇONS SUR LE NAZISME

3. BERNARD LEWIS
LES ASSASSINS
Terrorisme et politique dans l'Islam médiéval
Présentation de Maxime Rodinson

4. PIERRE CHAUNU
LE TEMPS DES REFORMES
I La Crise de la Chrétienté

5. PIERRE CHAUNU
LE TEMPS DES REFORMES
II La Réforme protestante

6. GERARD CHALIAND
L'ENJEU AFRICAIN
Géostratégies des puissances

7. GUY CHAUSSINAND-NOGARET
LA NOBLESSE AU XVIIIème SIECLE
De la Féodalité aux Lumières
Présentation d'Emmanuel Le Roy Ladurie

8. LOUIS GARDET
LES HOMMES DE L'ISLAM
Approche des mentalités

9. JACQUES SOLE
L'AMOUR EN OCCIDENT A L'EPOQUE MODERNE
(1500-1800)

10. ARCHAVIR CHIRAGIAN
LA DETTE DE SANG
1921-1922 : Un Arménien traque les responsables du génocide
Présentation de Gérard Chaliand

11. MICHEL MOLLAT
LES PAUVRES AU MOYEN AGE
Etude Sociale

12. PHILIPPE PERROT
LES DESSUS ET LES DESSOUS DE LA BOURGEOISIE
Une histoire du vêtement au XIXème Siècle

13. HENRY ROUSSO
PETAIN ET LA FIN DE LA COLLABORATION
Sigmaringen 1944-1945

14. LAURENT THEIS
DAGOBERT
Un roi pour le peuple